dtv

D0028126

Die süditalienische Camorra mischt mit im internationalen Drogenhandel, verschiebt riesige Mengen Giftmülls in Italien, macht gewaltige Geschäfte mit der Herstellung billiger wie hochwertiger Textilien, hat praktisch das Monopol auf den Handel mit Zement und Geschäftsbeziehungen, die bis nach Deutschland, Schottland oder China reichen. Auf ihr Konto gehen jedes Jahr Hunderte von Toten. Der junge Journalist Roberto Saviano stammt selbst aus Neapel. Er hat unter Einsatz des eigenen Lebens vor Ort recherchiert, Beweise geliefert und ein brillantes Buch geschrieben, das dem Leser den Atem nimmt. Die Macht der Camorra wie anderer Verbrecherorganisationen stützt sich auf Schweigen. Saviano hat diesem Schweigen die Macht des Wortes entgegengestellt. Damit hat er sich auch tödlicher Gefahr ausgesetzt, lebt seitdem an geheimen Orten und begibt sich nur unter dem Schutz von Bodyguards in die Öffentlichkeit.

Roberto Saviano, 1979 in Neapel geboren, arbeitete nach dem Studium der Philosophie als Journalist für ›Il Manifesto‹, den ›Corriere del Mezzogiorno‹ und ›L'Espresso‹. Für sein Buch ›Das Gegenteil von Tod‹ erhielt er 2009 den Geschwister-Scholl-Preis.

Roberto Saviano

Gomorrha

Reise in das Reich
der Camorra

Aus dem Italienischen
von Friederike Hausmann
und Rita Seuß

dtv

Ausführliche Informationen über
unsere Autoren und Bücher
www.dtv.de

Von Roberto Saviano außerdem bei dtv:
Zero Zero Zero, Wie Kokain die Welt beherrscht

Ungekürzte Ausgabe 2009
13. Auflage 2017
dtv Verlagsgesellschaft mbH & Co. KG, München
Lizenzausgabe mit freundlicher Genehmigung
des Carl Hanser Verlages
© 2007 der deutschsprachigen Ausgabe:
Carl Hanser Verlag München
Titel der italienischen Originalausgabe: ›Gomorra.
Viaggio nell' impero economico e nel sogno di dominio
della camorra‹ (Mailand 2006)
Der erste Teil wurde von Friederike Hausmann,
der zweite von Rita Seuß übersetzt.
Das Werk ist urheberrechtlich geschützt. Sämtliche, auch
auszugsweise Verwertungen bleiben vorbehalten.
Umschlaggestaltung: Isaraufwärts
Umschlagbild: PROKINO 2008
Druck und Bindung: Druckerei C.H.Beck, Nördlingen
Gedruckt auf säurefreiem, chlorfrei gebleichtem Papier
Printed in Germany · ISBN 978-3-423-34529-3

für S., verdammt

Kurz gesagt: Verstehen heißt, unvoreingenommen und aufmerksam der Wirklichkeit, wie immer sie aussehen mag, ins Gesicht zu sehen und ihr zu widerstehen.

Hannah Arendt

… der Sieger, durch welche Mittel er auch siegen mag, trägt nimmer Schmach davon.

Niccolò Macchiavelli

Menschen sind Würmer, und Würmer sollen sie bleiben.

aus einem abgehörten Telefongespräch

Die Welt gehört dir.

Scarface, 1983

Inhalt

Erster Teil

Zweiter Teil

Erster Teil

Der Hafen

Während der Kran ihn auf das Schiff hievte, trudelte der Container, als schwimme er auf der Luft. Der Spreader, der ihn am Kran hält, konnte die Bewegung nicht stoppen. Die schlecht verriegelten Öffnungen sprangen plötzlich auf, und Dutzende von Körpern fielen heraus. Sie sahen aus wie Schaufensterpuppen. Doch beim Aufprall auf den Boden barsten die Köpfe, als wären es echte Schädel. Und es waren Schädel. Aus dem Container regnete es Männer und Frauen. Auch einige Kinder. Tot. Tiefgefroren, übereinandergepackt, hineingeschichtet wie Heringe in die Dose. Die Chinesen, die ewig leben. Die Unsterblichen, die ihre Papiere vom einen zum anderen weiterreichen. Hier also waren sie gelandet. Die Leichen, über die die wildesten Gerüchte umgingen, es hieß, sie würden in Restaurants verkocht, auf den Grundstücken um die Fabriken herum vergraben, in den Krater des Vesuv geworfen. Da waren sie. Zu Dutzenden purzelten sie aus dem Container, um den Hals Schildchen mit ihrem Namen. Alle hatten Geld beiseite gelegt, um sich in ihren Heimatorten in China begraben zu lassen. Ein Teil des Lohnes war einbehalten worden als Garantie für die Rückreise, als Tote. Ein Platz im Container und eine Grube in einem Fleckchen chinesischer Erde. Als der Kranfahrer aus dem Hafen mir die Sache erzählte, bedeckte er sein Gesicht mit den Händen und blickte mich durch die Fingerzwischenräume an. Als ob diese Maske der Hände ihm Mut mache, weiterzuerzählen. Er hatte die Leichen herausfallen sehen und nicht einmal Alarm schlagen oder jemanden benachrichtigen müssen. Kaum war der Container auf den Boden herabgelassen, tauchten wie aus dem Nichts Dutzende von Menschen auf, stapelten die Leichen wieder hinein und schwemmten die

Reste mit einem Wasserschlauch weg. So lief das. Der Kranfahrer konnte es selbst noch nicht fassen, hoffte, es sei nur eine Halluzination, wegen der vielen Überstunden. Er schloß die Fingerzwischenräume, bedeckte das ganze Gesicht mit den Händen und sprach weinerlich weiter, aber ich konnte ihn nicht mehr verstehen.

Alles nur Denkbare wird hier durchgeschleust. Durch den Hafen von Neapel. Stoff, Plastikteil, Spielzeug, Hammer, Schuh, Schraubenzieher, Bolzen, Videospiel, Jacke, Hose, Bohrer oder Uhr, es gibt nichts, was nicht den Hafen passiert. Er ist eine klaffende Wunde. Endpunkt der endlosen Reisewege der Waren. Die Schiffe kommen an und steuern im Golf auf das Hafenbecken zu wie die Jungen zu den Zitzen des Muttertieres, nur daß sie nicht saugen, sondern ausgesaugt werden. Der Hafen von Neapel ist die Öffnung im Globus, durch die ausgespuckt wird, was China und der Orient hervorbringen, den die Chronisten auch heute noch gern den Fernen Osten nennen. Fern, sehr fern. Fast unvorstellbar. Wenn wir die Augen schließen, sehen wir Kimonos, Marco Polo mit seinem Bart und Bruce Lee im kühnen Sprung. In Wirklichkeit ist dieser Orient mit dem Hafen von Neapel so eng wie mit keinem anderen Ort der Welt verbunden. Hier hat der Orient nichts Fernes. Er liegt unmittelbar vor der Tür und müßte der Nahe Orient genannt werden. Alles, was China produziert, wird hier ausgekippt. Wie wenn einem Kind sein Eimerchen in einer Sandkuhle umfällt und das verschüttete Wasser sich ausbreitet und versickert. Über Neapel werden zwanzig Prozent des Wertes der Textilproduktion aus China eingeführt, aber siebzig Prozent der Warenmenge passieren den Hafen. Dieses merkwürdige Phänomen ist schwer zu verstehen, aber Waren haben magische Fähigkeiten, sie können existieren, ohne vorhanden zu sein, ankommen, ohne je zu erscheinen, den Kunden ein Vermögen kosten, obwohl sie wertlos sind, für die Steuerbehörden als Lumpen durchgehen, obwohl sie aus edlem Material sind. Bei den Textilien gibt es eine ganze

Reihe Warenkategorien, und auf den Begleitpapieren genügt ein Federstrich, um Kosten und Mehrwertsteuer radikal zu senken. Im schwarzen Loch des Hafens scheint sich die molekulare Struktur der Dinge aufzulösen und erst in einiger Entfernung von der Küste wieder zusammenzufügen. Die Ware muß den Hafen sofort verlassen. Alles geht so schnell, daß sie verschwindet, während es geschieht. Als ob gar nichts gewesen wäre, nur eine Handbewegung. Eine nicht vorhandene Fahrt, eine falsche Ankunft, ein Gespensterschiff, eine Ladung, die sich in Luft auflöst. Als ob sie nie existiert hätte. Verdampft. Die Ware muß beim Käufer ankommen ohne Spuren ihrer Reise, sie muß sein Lager schnell erreichen, sofort, bevor die Zeit läuft, die Zeit, während der eine Kontrolle stattfinden könnte. Tonnen von Waren bewegen sich, als wären sie Päckchen, die vom Postboten ausgeliefert werden. Auf den 1 336 000 Quadratmetern Fläche und den 11,5 Kilometern Länge des Hafens von Neapel erfährt die Zeit eine erstaunliche Verdichtung. Was draußen eine Stunde dauern würde, scheint hier in kaum einer Minute möglich zu sein. Die angeblich sprichwörtliche Langsamkeit der Neapolitaner wird hier Lügen gestraft. Die chinesischen Waren unterlaufen die zeitliche Dimension, in der der Zoll seine Kontrolle durchführen kann. Rasend schnell. Eine Minute nach der anderen Minute wird hier niedergemacht. Ein Massaker von Minuten, ein Blutbad von Sekunden, der Durchsicht der Papiere entrissen, angetrieben vom Gaspedal der Lastwagen, begleitet von den Kränen und Loren, die die Container ausweiden.

Im Hafen von Neapel ist die größte staatliche Reederei Chinas tätig, die Cosco. Sie gebietet über die drittgrößte Handelsflotte der Welt und betreibt den größten Containerterminal. Sie kooperiert mit der MSC, die ihrerseits die zweitgrößte Handelsflotte der Welt besitzt und in Genf ansässig ist. Schweizer und Chinesen haben sich zusammengetan und beschlossen, den größten Teil ihrer Geschäfte in Neapel abzuwickeln. Hier verfügen sie mit mehr als neunhundertfünfzig Metern Kaimauer, hundertdreißigtausend Quadratmetern

Containerterminal und dreißigtausend Quadratmetern Außenfläche über ein Areal, auf dem fast der gesamte Verkehr von und nach Neapel abgewickelt wird. Man muß viel Phantasie aufbringen, um sich vorzustellen zu können, wie sich die ungeheure chinesische Produktion ganz auf den neapolitanischen Hafen konzentrieren kann. Ein biblisches Gleichnis drängt sich auf, der Hafen ähnelt dem Nadelöhr, durch das anstelle des Kamels Schiffe ziehen. Buge, die sich kreuzen, riesige Frachter, die in Reih und Glied draußen auf die Einfahrt in den Golf warten, beim Manövrieren das Ächzen der Hecks, der eisernen Aufbauten, der Bordwände und Bolzen, wenn sie sich in das enge neapolitanische Loch zwängen. Wie in einen Anus, dessen Schließmuskel sich unter großen Schmerzen weitet.

Doch das stimmt nicht. Es ist ganz anders. Keinerlei augenfälliges Durcheinander. Alle Schiffe laufen in ordentlicher Reihenfolge ein und aus, jedenfalls wirkt es vom Festland aus so. Dabei nehmen hundertfünfzigtausend Container pro Jahr diesen Weg. Ganze Städte voller Waren werden im Hafen aufgebaut, um gleich wieder abgebaut und weitertransportiert zu werden. Der Vorzug des Hafens liegt in seiner Durchlässigkeit, keinerlei bürokratische Verlangsamung, jede gründliche Kontrolle würde diesen Gepard des Transports in ein langsames und schwerfälliges Faultier verwandeln.

An den Piers finde ich mich nie zurecht. Der Bausan-Pier wirkt wie aus Legobausteinen übereinandergestapelt. Eine riesige Struktur, die gar keinen Raum zu haben, sondern ihn zu erfinden scheint. Eine Ecke des Piers erinnert an einen Bienenstock. Tausende seltsame Waben füllen eine ganze Wand. Es sind die Steckdosen für die Reefer-Container, die Tiefkühlprodukte transportieren und wie Schwänze an diesen Wabenwänden hängen. Alle Burger und Fischstäbchen der ganzen Welt sind in diesen eisigen Containern gestapelt. Am Bausan-Pier habe ich stets den Eindruck, ich könnte sehen, woher sämtliche für die Menschheit produzierten Dinge kommen. Wo sie die letzte Nacht verbringen, bevor sie verkauft werden.

Als stünde ich am Ursprung der Welt. Innerhalb von Stunden durchqueren diesen Hafen alle Klamotten, die die Pariser Jugend im kommenden Monat tragen wird, die Fischstäbchen, die die Bevölkerung von Brescia ein Jahr lang ernähren, Uhren für die Handgelenke der Katalanen und Seide für alle Kleider, die die Engländer für eine Saison brauchen. Es wäre interessant, irgendwo zu erfahren, nicht nur wo eine bestimmte Ware hergestellt worden ist, sondern auch, welchen Weg sie genommen hat, bis sie in die Hand des Käufers gelangt. Die Herkunft der meisten Produkte ist multipel, hybrid und Resultat von mehreren Kreuzungen. Zur Hälfte entstehen sie im Inneren Chinas, dann werden sie in irgendeinem slawischen Randstaat weiterverarbeitet, im Nordosten Italiens fertiggestellt, in Apulien oder nördlich von Tirana verpackt, um schließlich in irgendeinem europäischen Kaufhaus zu landen. Die Ware genießt eine Reisefreiheit, die keinem menschlichen Wesen je zugestanden würde. Alle Etappen, alle zusätzlichen oder offiziellen Wege enden in Neapel. Solange die ungeheuren Fullcontainer langsam durch den Golf auf die Piers zusteuern, wirken sie wie schwerfällige Mammuts aus Eisen und Ketten mit verrosteten Schweißnähten an den Bordwänden, aus denen Wasser rinnt, Schiffe, auf denen man eine riesige Mannschaft vermuten würde. Sobald sie jedoch anlegen, werden sie von einer Handvoll Männer entladen, die man für unfähig halten würde, diese Giganten auf hoher See zu bändigen.

Als ich zum erstenmal ein chinesisches Schiff am Pier anlegen sah, glaubte ich, die Produktion der ganzen Welt vor mir zu haben. Meine Augen waren nicht in der Lage, die ungeheure Menge der Container zu erfassen. Ich konnte sie nicht zählen. Es mag lächerlich klingen, aber ich kam beim Nachrechnen durcheinander, die Zahlen wurden zu groß und verwirrten sich.

In Neapel werden heute fast ausschließlich Waren aus China gelöscht, 1 600 000 Tonnen. Offiziell. Mindestens eine weitere Million kommt ins Land, ohne Spuren zu hinterlassen. Nach Angaben der Zollbehörde selbst werden im Hafen von Neapel sechzig Prozent der Güter an der Zollkontrolle vorbeigeschleust, zwanzig Prozent der Papiere werden nicht kontrolliert, und 50 000 Dokumente sind gefälscht: 99 Prozent davon stammen aus China, und man rechnet offiziell mit zweihundert Millionen Euro, die dem Fiskus pro Halbjahr entgehen. Die Container, die verschwinden müssen, bevor sie untersucht werden könnten, stehen in der ersten Reihe. Jeder einzelne trägt eine reguläre Nummer, doch es gibt viele mit der gleichen Nummer. So steht ein untersuchter Container für all seine illegalen Vertreter. Was am Montag entladen wird, kann am Donnerstag in Modena oder Genua verkauft werden oder in den Schaufenstern von Bonn oder München zu sehen sein. Ein Großteil der Güter, die auf den italienischen Markt kommen, ist nur als Transit deklariert, aber wie durch Magie wird beim Zoll aus dem Transitvermerk eine Einfuhrerlaubnis. Die Grammatik der Waren hat eine Syntax für die Papiere, eine andere für den Handel. Im April 2005 hat die Zollfahndung bei vier fast zufällig in kürzester Zeit hintereinander ausgelösten Durchsuchungsaktionen 24 000 Jeans für den französischen Markt, 50 000 Objekte aus Bangladesh mit der Herkunftsbezeichnung »Made in Italy« und ungefähr 450 000 Puppenfiguren wie Barbie und Spiderman, außerdem weitere 46 000 Plastikspielzeuge in einem Gesamtwert von ungefähr sechsunddreißig Millionen Euro sichergestellt. Ein Stück der globalisierten Wirtschaft passierte innerhalb weniger Stunden den Hafen und ging von Neapel in die Welt. Jede Stunde, jede Minute geschieht das. Aus einzelnen Stücken werden Viertel und schließlich ein ganzer Kuchen für den Handel.

Der Hafen ist von der Stadt getrennt. Ein entzündeter Blinddarm, der nie zur Peritonitis geworden ist und sich immer im Bauch der Küste gehalten hat. Es gibt verlassene Teile zwischen Wasser und Land, die weder zum Meer noch zur Küste zu gehören scheinen. Amphibisches Land, Meer in Metamorphose. Schutt und Abfall, jahrelang von den Gezeiten ans Ufer gespülter Müll haben neue Formationen geschaffen. Schiffe entleeren ihre Latrinen, lassen beim Säubern ihrer Laderäume den gelblichen Schaum ins Meer fließen, Kutter und Jachten reinigen ihre Motoren und kippen das Öl direkt in die salzige Kloake. Alles treibt auf die Küste zu, zuerst als schwabbelige Masse, dann als harte Kruste. Die Sonne vollbringt das Wunder, das Meer als Wasser erscheinen zu lassen. In Wirklichkeit erinnert die Oberfläche des Golfes an das Glänzen der Müllsäcke. Der schwarzen. Statt eines Wasserbeckens ist der Golf eine Art Kläranlage. Der Hafendamm mit seinen Tausenden von bunten Containern sieht aus wie eine Sperranlage. Neapel ist von Mauern aus Waren umgeben. Es sind nicht Mauern, die die Stadt verteidigen, sondern die Stadt ist es, die die Mauern verteidigt. Hier finden sich weder Heerscharen von Schauerleuten noch romantische Gestalten. Man erwartet in einem Hafen Lärm, Männer mit Narben, die unmögliche Sprachen sprechen, ein ständiges Kommen und Gehen. Statt dessen herrscht hier die Stille einer vollautomatisierten Fabrik. Im Hafen scheint es keine Menschenseele mehr zu geben, Schiffe und Container bewegen sich wie von unsichtbarer Hand gesteuert. Geräuschlose Geschwindigkeit.

Ich war zum Hafen gegangen, um Fisch zu essen. Die Nähe zum Meer ist allerdings keine Garantie für gute Küche, und ich fand auf meinem Teller Bimssteine, Sand, ja sogar ein paar gekochte Algen. Die Vongole landeten genau so im Topf, wie sie aus dem Meer kamen. Garantiert frisch, aber mit hoher Infektionsgefahr. Längst ist man daran gewöhnt, daß Tintenfische wie Hühner schmecken, weil beide aus Züchtungen stammen. Um den unverwechselbaren Geschmack des Meeres auf der Zunge zu haben, mußte ich also ein bestimmtes Risiko eingehen. Da ich nun schon am Hafen war, fragte ich im Restaurant, wo ich ein Zimmer finden könnte.

»Ich weiß nichts, hier gibt es keine Wohnungen mehr. Die reißen die Chinesen an sich ...«

Aber ein Typ mitten im Raum blickte zu mir herüber und

brüllte mit einer Stimme, die noch mächtiger wirkte, als er aussah: »Vielleicht gibt's doch noch was.«

Mehr sagte er nicht. Als wir beide mit dem Essen fertig waren, gingen wir die Straße am Hafen entlang. Er mußte mich nicht einmal auffordern, ihm zu folgen. Wir betraten ein gespenstisch wirkendes mehrgeschossiges Wohnhaus. Im dritten Stock befand sich die letzte an Studenten vermietete Wohnung. Allen anderen Mietern war bereits gekündigt worden, um das Haus leer stehen zu lassen. Es durfte nichts zurückbleiben. Keine Schränke, keine Betten, Bilder, Kommoden, nicht einmal Wände. Es mußte Platz gemacht werden, Platz für die Pakete, für die riesigen Schränke aus Karton, Platz für die Waren.

In der Wohnung bekam ich eine Art Zimmer. Genauer gesagt einen Abstellraum, in den gerade ein Bett und ein Schrank paßten. Von Miete, Aufteilung der Stromrechnung oder einem Telefonanschluß war nicht die Rede. Ich wurde mit meinen vier Mitbewohnern bekannt gemacht, weiter nichts. Sie erklärten mir, dies seien die einzigen wirklich bewohnten Räume im ganzen Haus und dienten der Unterbringung von Xian, dem Chinesen, der »die Mietskasernen« kontrollierte. Ich mußte keine Miete zahlen, sondern sollte jedes Wochenende in den Mietskasernen, die zugleich Lager waren, arbeiten. Ich hatte ein Zimmer gesucht und Arbeit gefunden. Tagsüber wurden Wände eingerissen, abends Zement, Tapetenreste und Ziegel weggeräumt. Der Bauschutt wurde in normale Müllsäcke gefüllt. Der Lärm beim Einreißen der Wände war ungewöhnlich. Nicht wie das Einschlagen auf Stein, sondern als ob Gläser mit der Hand vom Tisch gefegt würden. Jede Wohnung wurde zu einem Lager ohne Zwischenwände. Ich verstehe bis heute nicht, warum die Häuser, in denen ich gearbeitet habe, noch nicht eingestürzt sind. Nicht selten haben wir ganz bewußt tragende Mauern eingerissen. Die Waren hatten Vorrang, die Statik mußte weichen, um für die Produkte Platz zu schaffen.

Die Idee, Kartons in Wohnhäusern unterzubringen, hatten

einige chinesische Kaufleute entwickelt, nachdem die neapolitanische Hafenbehörde einer Delegation des amerikanischen Kongresses ihren Securityplan vorgelegt hatte. Er sah die Einteilung des Hafens in vier Abschnitte vor: für den Kreuzfahrtverkehr, für die Küstenschiffahrt, für die Fracht- und Containerschiffe, wobei für jeden dieser Abschnitte die besonderen Sicherheitsrisiken aufgelistet wurden. Um zu vermeiden, daß sich die Polizei nach der Veröffentlichung dieses Securityplans tatsächlich gezwungen sähe, aktiv zu werden, daß die Zeitungen sich allzu lange mit dem Thema beschäftigten oder irgendeine heimlich installierte Kamera aufsehenerregende Szenen aufnehmen könnte, beschlossen viele chinesische Unternehmer, alles noch mehr den neugierigen Blicken zu entziehen. Auch aufgrund gestiegener Kosten sollte die Präsenz der Waren noch weniger wahrnehmbar sein. Man hätte sie in den Lagerhallen im Umland zwischen trostlosen Schuttabladeplätzen und Tabakfeldern unterbringen können, aber damit wären die Lastwagen nicht von der Bildfläche verschwunden. So dagegen fuhren nicht mehr als ein Dutzend bis unters Dach beladener Kleinlaster im Hafen ein und aus. Nach wenigen Metern waren sie in den Garagen der Mietskasernen verschwunden. In den Hafen hinein und wieder heraus, das genügte.

Nichtexistente, kaum wahrnehmbare Bewegungen, die sich im alltäglichen Verkehrsgewühl verlieren. Gemietete Wohnungen. Entkernt. Untereinander verbundene Garagen, bis unter die Decke vollgestopfte Keller. Kein Hausbesitzer wagte sich zu beschweren. Xian hatte sie alle bezahlt. Miete und Entschädigung für die eigenmächtigen Veränderungen. Tausende von Kartons wurden in einem zur Lastenbeförderung umgebauten Aufzug hinaufgeschafft. In einem Drahtkorb fuhr eine Plattform ununterbrochen auf und ab. Die Arbeit war auf wenige Stunden konzentriert. Die Auswahl der Kartons folgte genauen Regeln. Ich fing zufällig Anfang Juli an. Man kann bei dieser Arbeit gut verdienen, aber man muß dafür gut trainiert sein. Es herrschte eine unerträglich schwüle

Hitze. Niemand wagte, einen Ventilator zu verlangen. Niemand. Nicht aus Angst vor Strafe oder aus anerzogener Unterwürfigkeit. Die Männer, die ausluden, kamen aus allen Winkeln der Erde. Aus Ghana, von der Elfenbeinküste, China, Albanien, aus Neapel, aus Kalabrien und Lukanien. Niemand verlangte etwas, denn alle wußten, daß die Waren nicht unter der Hitze litten, und das war Grund genug, kein Geld für Ventilatoren auszugeben.

Wir stapelten Kartons mit Jacken, Regenmänteln, K-Ways, Baumwollpullis und Regenschirmen. Da ich gehört hatte, daß in diesen Lagerhäusern nicht Güter auf Vorrat gesammelt wurden, sondern nur Sachen, die unmittelbar auf den Markt geworfen werden sollten, schien es absurd, mitten im Sommer Kleider für den Herbst zu beziehen statt Badeanzüge, Bikinis und Sandalen. Doch die chinesischen Unternehmer hielten sich an die Vorhersage, daß der August kühl werden würde. Dabei kam mir die ökonomische Theorie in den Sinn, nach der sich z. B. der Preis einer Flasche Wasser ändert, je nachdem, ob sie in der Wüste oder nahe an einem Wasserfall angeboten wird. In jenem Sommer boten italienische Unternehmer Wasser nahe am Brunnen an, die Chinesen hingegen ließen Quellen in der Wüste sprudeln.

Nach den ersten Arbeitstagen in den Mietskasernen übernachtete Xian bei uns. Er sprach fehlerfrei Italienisch, nur das R klang leicht wie ein V. Wie Totò in seinen Filmen die dekadenten Adeligen imitiert. Xian Zhu nannte sich Nino. Fast alle Chinesen, die in Neapel mit Einheimischen zu tun haben, nehmen einen neapolitanischen Namen an. Diese Gewohnheit ist so weit verbreitet, daß sich niemand mehr wundert, wenn sich ein Chinese als Tonino, Nino, Pino oder Pasquale vorstellt. Statt zu schlafen, verbrachte Xian Nino die Nacht damit, am Küchentisch zu telefonieren und ab und an fernzusehen. Ich hatte mich auf dem Bett ausgestreckt, konnte aber nicht einschlafen. Xian hörte nicht auf zu telefonieren. Die Worte kamen wie mit dem Maschinengewehr zwischen den Zähnen hervorgeschossen. Er schien zu sprechen, ohne auch nur durch die Nase Luft zu holen, wie ein Taucher. Außerdem hatten die Blähungen seiner Bodyguards die Wohnung mit einem süßlichen Geruch erfüllt, der bis in mein Zimmer drang. Nicht nur der Geruch selbst war ekelerregend, sondern auch die Bilder, die er aufsteigen ließ. Sich zersetzende Frühlingsrollen und von den Magensäften aufgelöster Kantonreis. Die anderen Mieter waren daran gewöhnt. Wenn die Tür zu war, schliefen sie seelenruhig. Mich dagegen ließ nicht in Ruhe, was vor meiner Tür passierte. Deshalb setzte ich mich in die Küche. Sie war für alle da, also auch für mich. Oder so hätte es zumindest sein sollen. Xian hörte auf zu reden und begann zu kochen. Er briet Hühnerfleisch an. Mir gingen unzählige Fragen durch den Kopf, die ich ihm stellen, Merkwürdigkeiten und Gemeinplätze, an denen ich kratzen wollte. Ich fing an, über die Triaden zu sprechen. Die chinesische Mafia. Xian briet weiter sein Huhn. Ich wollte Einzelheiten erfahren. Auch wenn sie nur symbolisch waren, natürlich erwartete ich keine Bekenntnisse über seine eigene Rolle. Ich zeigte, daß ich über das Wesen der chinesischen Mafia im allgemeinen gut informiert war, denn ich bildete mir ein, durch das Studium von Prozeßakten sei ein Bild der Wirklichkeit zu gewinnen. Xian stellte sein gebratenes Hühnerfleisch auf den Tisch, setzte sich und sagte nichts. Ich weiß nicht, ob er das, was ich erzählte, für interessant hielt. Bis heute habe ich nicht herausbekommen, ob er der Organisation angehörte. Er trank einen Schluck Bier, hob sein Hinterteil halb an, zog sein Portemonnaie heraus, fingerte, ohne hinzuschauen, darin herum und holte drei Münzen heraus. Er warf sie auf den Tisch und stoppte sie mit einem umgedrehten Glas auf der Tischdecke.

»Euro, Dollar, Yüan. Da hast du meine Triade.«

Xian wirkte glaubwürdig. Keine Ideologie dahinter, nichts von Symbolen und Begeisterung für Hierarchie. Profit, Business, Kapital. Das ist alles. Man neigt dazu, bestimmte Dynamiken als finstere Macht wahrzunehmen, und schreibt sie dann einem finsteren Wesen zu: chinesische Mafia. Diese Betrachtungsweise drängt alle dazwischen liegenden Elemente in den Hintergrund, die Finanzoperationen, die Art der Investitionen und alles, was die Macht der kriminellen Wirtschaftsgruppe ausmacht. Seit mindestens fünf Jahren warnt jeder Bericht der Antimafia-Kommission vor der »wachsenden Gefahr der chinesischen Mafia«, aber in zehn Jahren ist der ermittelnden Polizei nicht mehr gelungen, als in Campi Bisenzio nahe Florenz sechshunderttausend Euro zu beschlagnahmen, einige Motorräder und einen Teil einer Fabrik. Das ist nichts angesichts einer Wirtschaftsmacht, die im selben Zeitraum Hunderte von Millionen Euro umgesetzt hat, wie amerikanische Analysten täglich berichten. Der Unternehmer lächelte mich an.

»Die Wirtschaft hat eine Ober- und eine Unterseite. Wir sind unten eingetreten und kommen oben heraus.«

Bevor Nino Xian ins Bett ging, machte er mir für den nächsten Tag einen Vorschlag.

»Stehst du früh auf?«

»Das kommt drauf an …«

»Wenn du es schaffst, um fünf aufzusein, kommst du mit zum Hafen. Du kannst uns helfen.«

»Bei was?«

»Zieh ein Sweatshirt mit Kapuze an, wenn du eins hast, das ist besser.«

Mehr war nicht zu erfahren, und weil ich unbedingt mitmachen wollte, bohrte ich auch nicht nach. Bei weiteren Fragen hätte Xian seinen Vorschlag vielleicht zurückgezogen. Mir blieben nur wenige Stunden zum Schlafen. Aber ich war viel zu aufgeregt, um Ruhe zu finden.

Um Punkt fünf Uhr war ich zur Stelle, im Hausflur stießen ein paar andere zu uns. Außer mir und einem meiner Mitbewohner fanden sich noch zwei grauhaarige Maghrebiner ein. In einem Kleinbus fuhren wir in den Hafen. Ich weiß nicht, wie lange und auf welchem Weg wir durch das Gewirr von schluchtartigen Gassen fuhren. Ans Fenster gelehnt, war ich eingeschlafen. Bei einem Felsenvorsprung stiegen wir aus, an einer kleinen Mole, in die eine Stichstraße mündete. Dort lag ein Boot vor Anker mit einem riesigen Motor, der wie ein dikker Schwanz an dem schmalen, langgestreckten Bootskörper hing. Mit unseren Kapuzen sahen wir aus wie eine lächerliche Rapperband. Die Kapuze, von der ich geglaubt hatte, wir bräuchten sie, um nicht erkannt zu werden, diente nur als Schutz vor den eisigen Wasserspritzern und vor der Migräne, die am frühen Morgen auf offenem Meer unter den Schläfen pocht. Ein junger Neapolitaner ließ den Motor an, ein anderer steuerte das Boot. Sie sahen aus wie Brüder, jedenfalls hatten sie die gleichen Gesichter. Xian kam nicht mit. Nach einer etwa halbstündigen Fahrt näherten wir uns einem Schiff. Fast schienen wir darauf zu prallen. Es war riesig. Ich konnte nur mit Mühe den Kopf so weit zurücklehnen, daß ich sah, wo die Bordwand endete. Auf dem Meer stoßen die Schiffe eiserne Schreie aus, dumpf und hohl wie der Klagelaut von Bäumen, wenn sie gefällt werden, und unwillkürlich schluckte ich mehrmals die salzige Spucke.

Ein Flaschenzug ließ ruckweise ein prall mit Kartons gefülltes Netz von dem Schiff herunter. Jedesmal, wenn die Last gegen das Holz schlug, geriet unser Boot so ins Schwanken, daß ich mich schon darauf vorbereitete, schwimmen zu müssen. Doch ich landete nicht im Wasser. Die Kartons waren nicht sonderlich schwer. Nachdem ich allerdings etwa dreißig davon im Heck untergebracht hatte, schmerzten mir die Handgelenke, und meine Unterarme waren aufgeschürft von den Kanten der Kisten. Wir kehrten zur Küste um, während zwei andere Boote beidrehten, um weitere Kartons zu laden. Sie waren nicht von derselben Mole wie wir gekommen, aber plötzlich in unserem Kielwasser aufgetaucht. Jedesmal, wenn der Bug unseres Bootes auf die Wasseroberfläche aufschlug, spürte ich, wie sich mein Magen zusammenkrampfte. Ich legte den Kopf auf eine der Schachteln. Am Geruch versuchte ich, ihren Inhalt zu erraten, dann legte ich das Ohr daran, um aus den Geräuschen Rückschlüsse zu ziehen. Plötzlich hatte ich Schuldgefühle. Wer weiß, woran ich mich da beteiligt hatte, ohne nachzudenken, ohne eine wirkliche Entscheidung getroffen zu haben. Etwas riskieren, das schon, aber wenigstens bewußt. Statt dessen hatte ich aus reiner Neugier am Ausladen von Schmuggelware teilgenommen. Unsinnigerweise glaubt man, eine illegale Tat müsse aus irgendeinem Grund genauer überlegt und gewollt sein als eine legale. In Wirklichkeit gibt es keinen Unterschied. Unser Handeln besitzt eine Elastizität, die unseren ethischen Grundsätzen fremd ist. An der Mole sprangen die Maghrebiner mit zwei Schachteln auf den Schultern von Bord, während ich Mühe hatte, mich auf den Beinen zu halten. Auf den Felsen erwartete uns Xian. Mit einem Papiermesser bewaffnet, ging er auf eine große Schachtel zu und schnitt das breite Klebeband über den Kartonlaschen auf. Heraus kamen Turnschuhe, Originale der berühmtesten Marken. Neue, neueste Modelle, die noch gar nicht auf dem italienischen Markt waren. Weil er eine Kontrolle der Finanzpolizei fürchtete, hatte Xian die Ladung lieber auf offenem Meer löschen lassen. Ein Teil der Waren konnte auf diese Weise ohne Steueraufschlag angeboten werden, und die Großhändler brauchten keinen Zoll zu bezahlen. Die Konkurrenz muß man mit Preisnachlässen aus dem Feld schlagen. Bei gleicher Qualität vier, sechs oder sogar zehn Prozent Rabatt. Sätze, die kein Vertreter bieten könnte, aber vom Rabatt lebt ein Geschäft, oder es geht ein, Rabatte ermöglichen die Eröffnung von Discountmärkten, garantieren sichere Einnahmen, und die Einnahmen garantieren Kreditwürdigkeit bei den Banken. Die Preise müssen sinken. Alles muß schnell ankommen und weiterwandern, ohne jedes Aufhebens. Beim Verkauf wie beim Einkauf die Preise immer mehr drücken. Dafür erhielten italienische und europäische Händler unverhoffte Hilfestellung. Sie kam durch den Hafen von Neapel.

Wir luden alle Kartons in verschiedene Kleinlaster um. Auch die anderen Boote legten an. Die Transporter fuhren Richtung Rom, Viterbo, Latina und Formia. Xian sorgte dafür, daß wir nach Hause gebracht wurden.

In den letzten Jahren hatte sich alles verändert. Alles. Urplötzlich. Einige spürten den Wandel, konnten ihn aber noch nicht ganz fassen. Bis vor zehn Jahren waren im Golf von Neapel Schmuggler unterwegs gewesen, am frühen Morgen versorgten sie die Kleinhändler mit Zigaretten. In den Straßen wimmelte es von Menschen, Autos voller Zigarettenstangen, an Straßenecken Stände und Bänke für den Verkauf. Zwischen der Küstenwache, der Finanzpolizei und den Schmugglern spielten sich regelrechte Kriege ab. Man zahlte mit Tonnen von Zigaretten, um einer Verhaftung zu entgehen, oder nahm eine Verhaftung in Kauf, um Tonnen von Zigaretten zu retten, die im doppelten Boden eines flüchtenden Motorboots versteckt waren. Nächtelanges Schmierestehen, Pfiffe, um verdächtige Autos zu signalisieren, krächzende Walkie-Talkies, die Alarm schlugen, Menschenschlangen am Ufer, die die Kartons rasch weiterreichten. Autos rasten von der apulischen Küste ins Hinterland und von dort aus nach Kampanien. Die Strecke Neapel-Brindisi war die Hauptroute des florierenden Geschäfts mit Billigzigaretten. Der Schmuggel war das Fiat-Unternehmen des Südens, der Wohlfahrtsstaat der Staatenlosen. Zwanzigtausend Menschen lebten in Apulien und Kampanien ausschließlich vom Schmuggel. Anfang der achtziger Jahre löste der Schmuggel den großen Krieg der Camorra aus.

Die apulischen und kampanischen Clans reimportierten die nicht mehr dem staatlichen Tabakmonopol unterliegenden Zigaretten nach Europa. Sie führten monatlich Tausende von Kisten aus Montenegro im Wert von fünfhundert Millionen Lire pro Fracht ein. Heute ist alles auseinandergebrochen und völlig verändert. Dieses Geschäft lohnte sich nicht mehr für die Clans. Doch in Wirklichkeit gilt immer noch die Maxime Lavoisiers: nichts entsteht, nichts vergeht, alles wandelt sich. In der Natur, vor allem aber in der Dynamik des Kapitalismus. Jetzt bilden die Gegenstände des täglichen Gebrauchs und nicht mehr die Nikotinsucht die Grundlage für den Schmuggel. Ein verheerender Preiskampf tobt. Die Höhe der Preisnachlässe von Vertretern, Großhändlern und Händlern entscheidet über Leben und Tod aller an diesem Geschäft

Beteiligten. Steuern, besonders die Mehrwertsteuer und das Maximalgewicht der Laster ziehen die Profite nach unten wie tonnenschwerer Zement und behindern den freien Waren- und Geldfluß. Deshalb verlagern die großen Unternehmen ihre Produktion in den Osten, nach Rumänien, Moldawien, nach Asien und vor allem nach China, um billige Arbeitskräfte zu finden. Aber das reicht nicht. Die billig hergestellte Ware muß auf einem Markt abgesetzt werden, auf dem immer mehr Käufer immer weniger und immer unsichereren Lohn erhalten, minimale Ersparnisse haben und auf jeden Cent achten müssen. Die Verkaufszahlen stagnieren, und deshalb müssen alle Güter, seien sie Originale oder Fälschungen, halb falsche oder teilweise echte, möglichst unauffällig in Umlauf gelangen. Ohne Spuren zu hinterlassen. Sie müssen weniger sichtbar sein als die Zigaretten, denn sie verfügen nicht über einen parallelen Markt. Als wären sie nie transportiert worden, sondern wüchsen auf den Feldern und würden von unbekannter Hand geerntet. Während Geld nicht stinkt, hat Ware einen Geruch. Aber nicht den des Meeres, das hinter ihr liegt, nicht den der Hände, die sie hergestellt, und nicht den des Schmierfettes der mechanischen Arme, die sie zusammengesetzt haben. Die Ware riecht, wie sie riecht. Diesen Geruch entfaltet sie erst im Regal des Verkäufers, und er verflüchtigt sich im Haus des Käufers.

Vom Meer aus erreichen wir unsere Mietskaserne. Kaum waren wir ausgestiegen, fuhr der Transporter los und brauste sofort wieder zum Hafen, um weiter und weiter und immer weiter Kartons zu laden. Halb bewußtlos fuhr ich mit dem Lastenaufzug hoch und zog mir nur das von Salzwasser und Schweiß durchnäßte T-Shirt aus, bevor ich mich aufs Bett warf. Ich weiß nicht, wie viele Kartons ich ein- und ausgeladen hatte. Aber ich hatte das Gefühl, Schuhe für halb Italien hin und her gewuchtet zu haben. Ich war so müde wie nach einem langen, anstrengenden Arbeitstag. In der Wohnung standen die anderen gerade auf. Es war erst früher Vormittag.

Angelina Jolie

In der nächsten Zeit begleitete ich Xian zu seinen Geschäfts-
terminen. In Wirklichkeit sollte ich ihm auf der Fahrt und
während der Mahlzeiten Gesellschaft leisten. Ich redete zu
viel oder zu wenig. Beides gefiel ihm. Ich verfolgte, wie man
den *Samen* des Geldes ausstreut und aufzieht, wie der Boden
für das Geschäft beackert wird. Wir kamen nach Las Vegas,
im Norden von Neapel. Die Gegend hier heißt aus mehreren Gründen Las Vegas. Wie Las Vegas in Nevada mitten in
der Wüste steht, so scheinen auch diese Siedlungen aus dem
Nichts emporzuwachsen. Man erreicht sie über eine Wüstenei
von Straßen. Kilometerlange breite Asphaltbänder, auf denen
man diese Gegend in wenigen Minuten durchquert und die
Autobahn nach Rom erreicht, direkt nach Norden. Straßen,
die nicht für Autos, sondern für Lastwagen gebaut sind, nicht,
um Menschen zu transportieren, sondern Kleider, Schuhe,
Taschen. Wenn man von Neapel aus kommt, tauchen die Orte
plötzlich auf, einer nach dem anderen. Zementhaufen. Von
der Geraden zweigen in ununterbrochener Reihenfolge Zu-
fahrten ab nach Casavatore, Caivano, Sant'Antimo, Melito,
Arzano, Piscinola, San Pietro a Patierno, Frattamaggiore, Frattaminore, Grumo Nevano. Wege in alle Richtungen. Ununter-
scheidbare Häuseransammlungen, die ineinander übergehen.
Die Straßen gehören zur Hälfte zur einen, zur Hälfte schon
zur nächsten Ortschaft.

Daß man die Gegend um Foggia *Califoggia*, den Süden
Kalabriens *Calafrica* oder *Calabria Saudita* nennt oder daß
man *Sahara Consiliana* statt Sala Consiliana sagt, *Dritte
Welt*, wenn man die Gegend um Secondigliano meint, habe ich
bestimmt schon hundertmal gehört. Hier aber ist Las Vegas

wirklich Las Vegas. Jeder konnte sich an dieser Stelle als Unternehmer betätigen, über Jahre hinweg. Einen Traum verwirklichen. Mit einem Kredit, einer Abfindung oder ein paar Ersparnissen ließ sich eine Fabrik hochziehen. Man setzte auf ein Geschäft: wenn es klappte, bekam man Effizienz, Produktivität, Schnelligkeit, Verschwiegenheit und niedrige Lohnkosten. Wenn es klappte, war es, wie wenn man am Spieltisch auf die richtige Farbe setzt. Wenn es nicht klappte, machte man nach wenigen Monaten dicht. Las Vegas. Denn es existierten keinerlei präzise Verwaltungsvorschriften und Wirtschaftspläne. Schuhe und Textilien gelangten im verborgenen auf den internationalen Markt. Für die Städte war dieser wertvolle Wirtschaftszweig kein Aushängeschild, seine Produkte hatten um so mehr Erfolg, je heimlicher sie hergestellt wurden. In dieser Gegend wurden seit Jahren die besten Kleidungsstücke der italienischen Mode gefertigt. Und damit die besten Kleidungsstücke der Mode weltweit. Hier gab es keine Unternehmervereinigungen, keine Ausbildungsstätten, nichts außer Arbeitskräften, Nähmaschinen, kleinen Fabriken, nichts außer der verpackten und verschickten Ware. Nichts anderes als die ständige Wiederholung der gleichen Arbeitsgänge. Alles andere war überflüssig. Die Ausbildung erhielt man am Arbeitsplatz, unternehmerische Qualitäten bewies man durch Gewinn oder Verlust. Keinerlei Finanzierungen, keine Pläne, kein Training. Alles hier und jetzt auf dem Markt. Entweder verkaufen oder verlieren. Mit dem Steigen der Löhne wurden die Häuser besser, die gekauften Autos besonders protzig. Alles, ohne daß der kollektive Reichtum erkennbar gestiegen wäre. Ein zusammengeraubter Reichtum, mühevoll jemandem abgerungen und ins eigene Nest geschafft. Aus allen Himmelsrichtungen kamen Investoren, um Kostüme, Hemden, Röcke, Jacken, Blousons, Handschuhe, Hüte, Schuhe, Taschen und Portemonnaies für italienische, deutsche oder französische Firmen herzustellen. Seit den fünfziger Jahren brauchte man hier weder eine Betriebserlaubnis noch Arbeitsverträge oder Räume. Garagen, Treppenhäuser und Verschläge waren gut genug für eine Fabrik. Doch in den letzten Jahren hat die Konkurrenz aus China die Produzenten von mittelmäßiger Qualität vom Markt gefegt. Sie ließ den Arbeitern keine Zeit, ihre Fähigkeiten weiterzuentwickeln. Entweder gelang es auf Anhieb, bestmögliche Qualität zu liefern, andernfalls gab es immer jemanden, der auf mittlerem Niveau schneller arbeitete. Immer mehr Menschen verloren ihre Arbeit. Die Fabrikbesitzer erstickten in ihren Schulden, wurden das Opfer von Wucherern. Viele tauchten unter.

Es gibt einen Ort, der mit dem Ende dieser Lieferanten von billiger Ware aufgehört hat zu atmen, zu wachsen und zu überleben. Er symbolisiert diese Gegend. Die Häuser sind immer erleuchtet, überall sind Menschen, auch in den Höfen. Die Autos bleiben immer auf dem Parkplatz. Niemand fährt weg, wenige kommen, kaum jemand bleibt. Zu keinem Zeitpunkt leeren sich die Mietshäuser, nicht einmal morgens, wenn anderswo alle zur Arbeit oder zur Schule gehen. Hier dagegen herrscht dauernd Betrieb und Lärm von Bewohnern. Der Ort heißt Parco Verde in Caivano.

Parco Verde taucht auf, sobald man die Asse Mediano verläßt, die wie eine Klinge aus Asphalt die Peripherie von Neapel durchtrennt. Statt wie eine Siedlung wirkt der Ort eher wie eine Ansammlung von Betonklötzen, aus denen die Aluminiumveranden als Auswüchse hervortreten. Einer der Orte, bei denen der planende Architekt anscheinend an Sandburgen gedacht hat und die Häuser aussehen lassen wollte, als seien sie mit dem Eimer auf den Strand gekippt. Kahle, graue Mietskasernen. Hier steht in einer Ecke eine winzige Kapelle. Fast unsichtbar. Das war nicht immer so. Früher war die Kapelle groß und weiß. Ein richtiggehendes Mausoleum für Emanuele, der bei der Arbeit ums Leben gekommen ist. Eine Arbeit, die in manchen Gegenden schlimmer ist als Schwarzarbeit in der Fabrik. Aber immerhin Arbeit. Emanuele beging Raubüberfälle. Seit geraumer Zeit, immer am Samstag, jeden Samstag. Immer an derselben Straße, zur gleichen Zeit, am gleichen Tag. Denn Samstag war der Tag seiner Opfer. Der Tag der Liebespaare. Und die Staatsstraße Nr. 87 ist der Ort, wohin sich die Pärchen aus der ganzen Umgegend zurückziehen. Eine Scheißstraße voller Schlaglöcher und illegaler Müllplätze. Jedesmal, wenn ich hier vorbeikomme und die Paare sehe, denke ich, man muß wirklich seine ganze Leidenschaft aufbieten, um sich mitten in diesem Unrat wohlfühlen zu können. Genau hier versteckte sich Emanuele mit seinen beiden Freunden, sie warteten, bis das Auto des Pärchens geparkt hatte und das Licht ausging. Danach ließen sie noch einige Minuten verstreichen, bis die beiden sich ausgezogen hatten und am verwundbarsten waren. Mit dem Griff der Pistole schlugen sie das Autofenster ein und hielten dem Jungen die Waffe unter die Nase. Sie raubten die Paare gründlich aus und erbeuteten so an einem Wochenende bei Dutzenden von Überfällen bis zu fünfhundert Euro: eine lächerliche Beute, die wie ein großer Schatz erscheinen kann.

Eines Nachts jedoch wurden sie von einer Streife der Carabinieri gestört. Emanuele und seine Kumpane waren so unklug, nicht vorherzusehen, daß die immer gleiche Methode der Überfälle immer in derselben Gegend der beste Weg war, um erwischt zu werden. Es gab eine Verfolgungsjagd, die Autos rammten einander, Schüsse fielen. Dann war alles still. Emanuele lag tot im Auto. Er hatte eine Pistole in der Hand und sie auf die Carabinieri gerichtet. Innerhalb weniger Sekunden durchlöcherten die ihn mit elf Kugeln. Elf Schüsse aus nächster Nähe abzugeben heißt, die Waffen schußbereit zu haben und beim geringsten Anlaß abzudrücken. Schießen, um zu töten, und meinen, es zu tun, um nicht selbst erschossen zu werden. Die anderen zwei hatten angehalten. Die Kugeln waren wie der Wind durch das Auto gepfiffen, alle von Emanueles Körper angezogen. Seine Freunde hatten versucht, die Fenster zu öffnen, aber als sie merkten, daß Emanuele tot war, ließen sie davon ab. Sie machten die Türen auf und setzten den Faustschlägen, die jeder Verhaftung vorausgehen, keinerlei Widerstand entgegen. Emanuele war in sich zusammengesackt, in der Hand die Attrappe einer Pistole. Eine

der Nachbildungen, die man früher auf dem Land »Hunde-
jäger« nannte, weil man damit streunende Hunde von den
Hühnerställen fernhielt. Ein Spielzeug, benutzt, als sei es echt;
auch sonst war Emanuele ein Junge, der so tat, als sei er ein
Mann; von Natur aus ängstlich, trat er auf wie ein Drauf-
gänger, die paar Kröten in der Tasche hielt er für große
Reichtümer. Emanuele war fünfzehn Jahre alt. Alle nannten
ihn nur Manù. Er hatte ein schmales, dunkles, kantiges Gesicht
und war genau der Typ, von dem man denkt, dem gehst du
lieber aus dem Weg. Emanuele wuchs in einer Umgebung
auf, in der Ehre und Respekt nicht von dem Geld abhängt, das
einer in der Tasche hat, sondern davon, wie er es sich verschafft. Emanuele war Teil von Parco Verde. Und weder ein
Fehler noch ein Verbrechen kann die Zugehörigkeit zu bestimmten Orten tilgen, die wie ein Feuerzeichen eingebrannt
ist. Alle Familien von Parco Verde hatten Geld gesammelt,
um ein kleines Mausoleum zu bauen. Es enthielt eine Foto-
grafie der Madonna dell'Arco und ein gerahmtes Bild des
lachenden Manù. Schließlich bekam auch Emanuele eine Kapelle neben den anderen zwanzig, die die Bewohner für alle
möglichen Madonnen errichtet hatten, eine für jedes Jahr
Arbeitslosigkeit. Der Bürgermeister aber konnte nicht zulassen, daß einem Gauner ein Altar errichtet wurde, und schickte
einen Bagger, um die Kapelle abzureißen. Die Mauern zerbrö-
selten, als wären sie aus Fimo. In Windeseile verbreitete sich
die Nachricht in Parco Verde, und die Jugendlichen versammelten sich mit ihren Mopeds und Motorrädern rund um den
Bagger. Niemand sagte ein Wort, alle starrten bloß auf den
Baggerfahrer, der die Schaufeln bewegte. Die geballten Blicke
ließen den Arbeiter innehalten, er deutete an, daß sie auf den
maresciallo schauen sollten. Der war es gewesen, der den Befehl erteilt hatte. Eine Geste, um der Wut ein Ziel zu geben und
von sich abzulenken. Der Baggerfahrer hatte Angst, schloß
sich in seiner Kabine ein, fühlte sich belagert. Plötzlich brach
der Aufruhr los. Der Arbeiter konnte sich in das Auto der
Carabinieri retten. Der Bagger wurde mit Fäusten und Fuß-

tritten bearbeitet, die Jugendlichen leerten Bierflaschen, um sie mit Benzin zu füllen. Aus den schräg gestellten Mopeds ließen sie Benzin direkt in die Flaschen laufen. Gegen eine Schule ganz in der Nähe flogen Steine. Wenn Emanueles Kapelle zerstört werden mußte, sollte auch alles andere zerstört werden. Aus den Häusern flogen Teller, Vasen und Besteck. Dann Molotowcocktails gegen die Polizei. Müllcontainer wurden als Barrikaden nebeneinandergeschoben. Alles, was Feuer fangen und weiterverbreiten konnte, wurde in Brand gesetzt. Hunderte hatten sich zusammengerottet, sie konnten lange Widerstand leisten. Sie bereiteten sich auf den Guerillakrieg vor. Der Aufstand breitete sich aus und erreichte die Außenbezirke von Neapel.

Dann aber kam jemand aus allernächster Nähe. Die Zufahrtswege waren von Wagen der Polizei und der Carabinieri abgesperrt, aber ein schwarzer Geländewagen kam durch alle Sperren. Der Fahrer gab ein Zeichen, die Wagentür ging auf, und eine Gruppe von Jugendlichen stieg ein. In weniger als zwei Stunden war der Aufstand beendet. Die Jungen nahmen die Halstücher ab, die sie sich vors Gesicht gebunden hatten, ließen das Feuer auf den Müllbergen verlöschen. Die Clans waren eingeschritten, aber wer weiß, welche. Parco Verde ist ein Reservoir für Handlanger der Camorra. Wer will, holt sich hier Nachwuchs für die niedrigsten Dienste, die noch schlechter bezahlt sind als die nigerianischen oder albanischen Pusher. Alle wollen die Jungen aus Parco Verde: die Casalesi, die Mallardo aus Giugliano, die »Tigrotti« aus Crispano. Dealer aus Parco Verde bekommen nicht einmal Prozente auf den Umsatz. Außerdem werden sie als Fahrer und Schmierensteher angeheuert, die das Territorium im Auge behalten, oft viele Kilometer von ihrem Wohnort entfernt. Nur um Arbeit zu haben, verlangen sie nicht einmal die Spritkosten. Auf die Jungs ist Verlaß, sie gehen ihrer Aufgabe umsichtig nach. Manchmal verfallen sie dem Heroin, der Droge der Armen. Manche können sich retten, gehen zum Militär und dann weit fort, auch einige Mädchen schaffen es, wegzukommen, um nie mehr einen Fuß in diese Gegend zu setzen. Fast niemand aus der jungen Generation wird als Mitglied aufgenommen. Die Clans wollen sie nicht und werben sie nicht an, sie nutzen nur das große Arbeitskräftereservoir. Die Jungen besitzen weder Kompetenzen noch Talent zum Geschäftemachen. Viele arbeiten als Kuriere. Sie bringen Rucksäcke voller Haschisch nach Rom. Wenn sie den Motor voll ausfahren, erreichen sie in eineinhalb Stunden die Hauptstadt. Für diese Fahrten werden sie nicht bezahlt, sondern bekommen nur nach vielleicht zwanzig solcher Reisen das Motorrad geschenkt. Das halten sie für einen unvergleichlich hohen Verdienst, jedenfalls unerreichbar mit irgendeiner Arbeit, die sie in Parco Verde finden könnten. Doch sie haben Ware befördert, die mehr als das Zehnfache dessen einbringt, was ein Motorrad kostet. Das wissen die Jugendlichen nicht und können es sich nicht einmal vorstellen. Wenn die Polizei sie erwischt, riskieren sie Strafen bis zu zehn Jahren, und da sie nicht zur Camorra gehören, bekommen sie nicht einmal die Anwaltskosten bezahlt oder eine Unterstützung für ihre Familie. Aber sie haben den Sound des Motors im Kopf und Rom, auf das sie zusteuern.

Einige Barrikaden brannten noch eine Weile vor sich hin, je nachdem wie groß die Wut im Bauch war. Dann war die Luft ganz raus. Die Clans fürchteten weder den Aufruhr noch das Aufsehen. Die Bewohner von Parco Verde konnten sich ruhig tagelang gegenseitig umbringen und Feuer legen, nichts würde geschehen. Aber die Revolte hätte sie am Arbeiten gehindert, Parco Verde wäre nicht mehr das unerschöpfliche Reservoir für spottbillige Arbeitskräfte gewesen. Auf der Stelle mußte Schluß sein. Alle mußten an die Arbeit zurückkehren oder, besser gesagt, für eventuelle Arbeiten zur Verfügung stehen. Das Aufstandspielen mußte beendet werden.

Ich war bei Emanueles Beerdigung. An manchen Orten in der Welt sind fünfzehn Lebensjahre nichts als eine Zahl. Mit fünfzehn Jahren umzukommen ähnelt hier in den Vorstädten eher einer Todesstrafe als dem Verlust des Lebens. In der Kirche waren viele, sehr viele Jugendliche, alle machten ein finsteres Gesicht und brüllten manchmal etwas, vor der Kirche skandierten sie sogar im Chor: »Im-mer, im-mer bleibst du-u bei uns...« So begleiten die Fans gewöhnlich einen großen Spieler, wenn er seine Karriere beendet. Auch Polizisten in Zivil waren anwesend, die sich im Hintergrund zu halten versuchten. Alle hatten sie erkannt, aber hier war nicht der Ort für Rangeleien. In der Kirche machte ich sie sofort aus, oder, genauer gesagt, sie machten mich aus, denn mein Gesicht war nicht mit den in ihrem Kopf gespeicherten Daten in Verbindung zu bringen. Als wollte er meine düsteren Gedanken bestätigen, kam einer von ihnen auf mich zu und sagte: »Die hier sind alle vorbestraft. Drogenhandel, Diebstahl, Erpressung, Raubüberfall ... Einige sind auch Luden. Keiner hier ist sauber. Je mehr hier umkommen, desto besser ist es für alle ...«

Worte, auf die man mit einem Haken oder einem Schlag aufs Nasenbein antworten sollte. Aber in Wirklichkeit dachten alle so. Vielleicht war es sogar ein weiser Gedanke. Ich schaute mir diese Jugendlichen – Abschaum, Möchtegernmänner, Dealer –, die für 200 Euro eine Zuchthausstrafe riskieren, einen nach dem anderen genau an. Keiner von ihnen war älter als zwanzig. Padre Mauro, der Pfarrer, der die Messe zelebrierte, wußte, wen er vor sich hatte. Er wußte auch, daß die Jungen um ihn herum alles andere als unschuldig waren.

»Heute ist kein Held gestorben ...«

Der Priester hielt die Hände nicht geöffnet, wie es während der Liturgie üblich ist. Er hatte sie zur Faust geballt. Nichts erinnerte an den Tonfall einer Predigt. Anfangs war seine Stimme merkwürdig rauh, als hätte er zu lange mit sich selbst gesprochen. Seine Worte waren voller Wut, keine Nachsicht für die schwache Kreatur, keine Delegation der Schuld.

Der Pfarrer erinnerte an die südamerikanischen Priester während der Guerilla in San Salvador, die es satt hatten, Messen für hingemetzelte Opfer zu lesen, die nicht mehr Mitleid predigen, sondern ihre Stimme erheben wollten. Doch hier kannte niemand den Namen Romero. Padre Mauro bewies ungewöhnliche Energie. »Sosehr wir Emanuele verantwortlich machen müssen für seine Taten, bleibt es doch wahr, daß er nur fünfzehn Jahre alt wurde. In anderen Teilen Italiens gehen die Söhne in diesem Alter ins Schwimmbad oder in die Tanzstunde. Hier ist es nicht so. Der Herrgott wird berücksichtigen, daß ein fünfzehnjähriger Junge den Fehler begangen hat. Wenn fünfzehn Jahre in Süditalien genug sind, um zu arbeiten, einen Raubüberfall zu planen, zu töten und getötet zu werden, dann sind sie auch genug, um die Verantwortung dafür zu übernehmen.«

Dann sog der Pfarrer tief die schlechte Luft der Kirche ein: »Aber fünfzehn Jahre sind so wenig, daß sie uns besser erkennen lassen, was dahinter steht, und sie verpflichten uns, die Verantwortung zu verteilen. Fünfzehn Jahre sind ein Alter, das an das Gewissen derer klopft, die von Legalität, Arbeit und Engagement schwadronieren. Kein Klopfen mit Knöcheln, sondern ein Kratzen mit Krallen.«

Der Pfarrer beendete seine Predigt. Niemand verstand genau, worauf er hinauswollte, und es waren auch weder Vertreter des Staates noch anderer Institutionen anwesend. Die Jugendlichen machten immer mehr Lärm. Von vier Männern getragen, verließ der Sarg die Kirche. Plötzlich aber lag er nicht mehr auf den Schultern, sondern schwebte über der Menge. Alle hielten ihn mit der Handfläche in die Höhe, wie einen Rockstar, der sich von der Bühne in die Zuschauermenge katapultiert hat. Der Sarg schwamm auf einem See aus Fingern. Ein Begleitzug von Motorradfahrern versammelte sich um den langen Leichenwagen, der bereit stand, um Manù auf den Friedhof zu fahren. Mit angezogener Bremse drückten sie aufs Gas. Das Aufheulen der Motoren gab Emanuele das letzte Geleit. Mit quietschenden Reifen und knatterndem Auspuff schienen sie ihn auf ihren Motorrädern bis zu den Pforten des Jenseits eskortieren zu wollen. Dichter Qualm und beißender

Benzingestank erfüllte in kurzer Zeit die Luft und setzte sich in den Kleidern fest. Ich versuchte in die Sakristei zu kommen, denn ich wollte mit diesem Priester sprechen, der so glühende Worte gewählt hatte. Eine Frau kam mir zuvor. Sie wollte zum Ausdruck bringen, daß der Junge es im Grunde nicht anders gewollt hatte, daß ihm seine Familie nichts beigebracht hatte. Dann bekannte sie stolz: »Meine Enkel würden nie einen Überfall begehen, obwohl sie arbeitslos sind …«

Und nervös fuhr sie fort: »Aber was hatte dieser Junge denn gelernt? Nichts?«

Der Priester hielt den Blick gesenkt. Er trug noch die Soutane, versuchte nicht, zu antworten, sah sie nicht einmal an und murmelte, weiter seine Turnschuhe fixierend: »Es ist eben so, daß man hier nur sterben lernt.«

»Was, Padre?«

»Nichts, Signora, nichts.«

Aber nicht alle liegen unter der Erde. Nicht alle sind im Sumpf der Niederlage versunken. Bis jetzt. Es gibt noch einige erfolgreiche Fabriken. Sie sind so stark, daß sie der chinesischen Konkurrenz die Stirn bieten können, denn sie arbeiten für die großen Stilisten. Schnelligkeit und Qualität. Höchste Qualität. Sie besitzen noch immer das Monopol, die schönsten und besten Modelle zu schneidern. Das Made in Italy wird hier gemacht. Caivano, Sant'Antimo, Arzano und all die anderen Orte im kampanischen Las Vegas. »Das Gesicht Italiens in der Welt« hat die Züge eines über den bloßen Schädel der Provinz von Neapel ausgebreiteten Stoffes. Die Markenfirmen wagen nicht, alles im Osten oder in Asien produzieren zu lassen. Die Fabriken hier sind in Räumen unter der Treppe und im Erdgeschoß von Reihenhäuschen untergebracht. In Fertigungshallen an der Peripherie dieser Orte der Peripherie. Hier wird gearbeitet, genäht, Leder zugeschnitten, werden Schuhe gefertigt. Hintereinander, der Rücken des Kollegen vor deinen Augen und dein Rücken vor denen des nächsten. Ein Arbeiter in diesen Textilindustrien arbeitet ungefähr zehn Stunden pro

Tag. Die Löhne liegen zwischen fünfhundert und neunhundert Euro. Überstunden werden oft gut bezahlt. Manchmal sogar fünfzehn Euro mehr als der übliche Stundenlohn. Selten haben die Betriebe mehr als zehn Arbeiter. In den Arbeitsräumen steht meist ein Radio oder ein Fernseher auf einem Wandbrett. Man hört Musik, höchstens summt einmal jemand vor sich hin. Aber wenn die Produktion auf Hochtouren läuft, schweigen alle, und nur das Rattern der Nähmaschinen ist zu hören. Mehr als die Hälfte der Arbeiter sind Frauen. Sie sind geschickt und praktisch vor den Nähmaschinen geboren. Eigentlich gibt es hier weder Fabriken noch Arbeiter. Wenn diese hohe Qualitätsarbeit nach normalen Tarifbedingungen abgegolten würde, müßten die Preise steigen, die Ware fände keine Abnehmer mehr, und die Aufträge würden nach außerhalb Italiens vergeben. Die Unternehmer dieser Gegend kennen diese Logik in- und auswendig. In den Fabriken gibt es selten Spannungen zwischen Arbeitern und Arbeitgebern. Hier ist der Klassenkampf weich wie ein Milchbrötchen. Der Chef war oft selbst Arbeiter und arbeitet mit den anderen im selben Raum, am selben Tisch. Wenn er einen Fehler macht, bekommt er in Form von Hypotheken und Krediten sofort die Quittung präsentiert. Seine Autorität hat die Züge des Patriarchen. Man streitet über einen zusätzlichen Urlaubstag oder ein paar Cent Lohnerhöhung. Es gibt weder Verträge noch bürokratische Regeln. Von Angesicht zu Angesicht werden Zugeständnisse und Verpflichtungen festgelegt, die vage an Rechte und Befugnisse erinnern. Die Unternehmerfamilie wohnt im Stockwerk über dem Arbeitsraum. In diesen Fabriken vertrauen die Arbeiterinnen ihre Kinder oft den Töchtern der Unternehmer an, die als Babysitter fungieren, oder den Müttern, die dann zu Ersatzgroßmüttern werden. Die Kinder der Arbeiterinnen und der Unternehmerfamilien wachsen gemeinsam auf. Daraus entsteht ein Gemeinschaftsleben, es verwirklicht sich der Traum der postfordistischen horizontalen Gesellschaft – Arbeitnehmer und Arbeitgeber sollen gemeinsam ihre Mahlzeiten einnehmen, private Kontakte haben und sich als Teil derselben Gemeinschaft fühlen.

In diesen Fabriken hält niemand den Blick gesenkt. Alle wissen, daß sie hervorragende Arbeit leisten, und sie wissen auch, daß sie dafür miserabel bezahlt werden. Aber das eine geht nicht ohne das andere. Man arbeitet, um so gut wie möglich über die Runden zu kommen, so gibt es keinen Grund, rausgeschmissen zu werden. Es existiert kein soziales Netz. Keine verbrieften Rechte, keine zulässigen oder unzulässigen Entlassungsgründe, Sonderregelungen, Urlaubsansprüche. Sein Recht muß jeder selbst durchsetzen. Ferien muß man erbetteln. Doch es gibt keinen Grund zum Jammern. Alles geschieht, wie es geschehen muß. Hier zählen nur physische Existenz, Geschicklichkeit, Maschine, Lohn. Darüber, wie viele Schwarzarbeiter in dieser Gegend tätig sind, liegen keinerlei gesicherte Daten vor. Und ebensowenig weiß irgend jemand, wie viele Menschen hier normale Arbeitsverträge haben, aber jeden Monat den Erhalt von Lohnsummen quittieren müssen, die sie nie erhalten.

Xian sollte an einer Auktion teilnehmen. Wir betraten die Aula einer Grundschule ohne Schüler, ohne Lehrerin. Nur die auf riesigen Buntpapieren aufgemalten Buchstaben des Alphabets hingen an der Wand. Etwa zwanzig Vertreter von Fabriken saßen herum, Xian war der einzige Ausländer. Er begrüßte nur zwei der Anwesenden und auch sie ziemlich zurückhaltend. Ein Wagen hielt im Schulhof. Drei Personen kamen herein. Zwei Männer und eine Frau. Die Frau trug einen Lederrock und hochhackige Lackschuhe. Alle erhoben sich, um sie zu begrüßen. Die drei setzten sich und begannen mit der Versteigerung. Einer der Männer zog drei senkrechte Striche auf die Tafel und schrieb, was ihm die Frau diktierte. In der ersten Reihe stand:

»800«

Das war die Zahl der herzustellenden Kleidungsstücke. Die Frau beschrieb Stoffarten und Merkmale der Modelle. Ein

Unternehmer aus Sant'Antimo trat ans Fenster und nannte mit dem Rücken zu den Anwesenden seinen Preis und den Liefertermin:

»Vierzig Euro pro Stück in zwei Monaten ...«

Auf der Tafel wurde sein Gebot festgehalten.

»800/40/2«

Die Gesichter der anderen Unternehmer zeigten keine Beunruhigung. Der Bieter hatte sich nicht in den Bereich des Unmöglichen vorgewagt. Und das gefiel allen anderen offensichtlich. Doch die Auftraggeber waren nicht zufrieden. Die Auktion ging weiter.

Die Auktionen der großen italienischen Modehäuser an diesen Orten folgen seltsamen Regeln. Niemand verliert, und niemand gewinnt dabei. Es geht darum, teilzunehmen. Einer legt ein Gebot vor und diktiert damit den Termin und den Preis, der machbar ist. Falls sein Vorschlag aber angenommen wird, ist er nicht der sichere Gewinner. Sein Gebot ist eine Zielvorgabe, die auch die anderen Unternehmer anpeilen können. Wenn ein Preis von den Vermittlern angenommen wird, können die anwesenden Unternehmer entscheiden, ob sie teilnehmen wollen oder nicht; wer annimmt, erhält das Material. Den Stoff, der direkt zum Hafen von Neapel geschickt und dort von den Unternehmern abgeholt wird. Doch nur ein Hersteller wird am Ende bezahlt. Derjenige, der als erster die Modelle in allererster Qualität abgeliefert hat. Die anderen können die Stoffe behalten, bekommen aber keinen Cent. Die Modefirmen verdienen so viel, daß es ihnen nichts ausmacht, Stoff zu opfern. Wenn einer der Bieter mehrmals nichts liefert und so die Auktion bloß nutzt, um kostenlos an Material zu kommen, wird er nicht mehr zugelassen. Die Vermittler für die Modehäuser erreichen durch diese Form der Auktion, daß schnell produziert wird, denn wenn einer versucht, den Liefertermin zu verschieben, tritt ein anderer an seine Stelle. Für die Haute Couture sind Verzögerungen nicht hinnehmbar.

Zur Freude der Frau hinter dem Pult erhob sich ein weiterer Arm. Ein ausgesprochen elegant gekleideter Unternehmer.

»Zwanzig Euro in fünfundzwanzig Tagen.«

Schließlich wurde dieses Gebot angenommen. Von den zwanzig Anwesenden schlossen sich nur neun an. Auch Xian wagte den Versuch nicht. Er konnte nicht zusagen, in so kurzer Zeit zu so niedrigen Preisen Qualitätsarbeit zu liefern. Am Ende vermerkte die Frau auf ihrem Laptop Namen, Adressen und Telefonnummern der beteiligten Fabriken. Der Gewinner lud alle zum Essen bei sich zu Hause ein. Sein Unternehmen war im Erdgeschoß; im ersten Stock wohnte er mit seiner Frau, im zweiten Stock sein Sohn. Stolz erzählte er: »Jetzt beantrage ich die Genehmigung, um noch ein Stockwerk draufzusetzen. Mein zweiter Sohn will heiraten.«

Auf dem Weg nach oben erzählte er von seiner Familie, an der er weiterbaute wie an seinem Haus.

»Laßt die Arbeiterinnen nie von Männern beaufsichtigen, das bringt nur Ärger. Zwei Söhne habe ich, und alle beide haben Näherinnen von uns geheiratet. Laßt es Tunten machen. Tunten sollen die Schichten regeln und die Arbeit kontrollieren, so wie früher …«

Die Arbeiterinnen und Arbeiter kamen herauf, um auf den Zuschlag anzustoßen. Ihnen stand harte Schichtarbeit bevor: von sechs bis einundzwanzig Uhr mit einer Stunde Mittagspause, und eine zweite Schicht von einundzwanzig Uhr abends bis sechs Uhr morgens. Die Arbeiterinnen waren alle geschminkt, trugen Ohrringe und Kittel als Schutz vor Klebstoff, Staub und Maschinenfett. Wie Superman, der unter seinem Hemd schon sein blaues Trikot trägt, waren diese Mädchen, wenn sie ihre Schürze ablegten, bereit um Auszugehen. Die Arbeiter dagegen sahen ziemlich schlampig aus in ihren Fleecehemden und Arbeitshosen. Nach dem Toast zog sich der Hausherr mit einem der Gäste zurück. Diejenigen, die den gebotenen Preis akzeptiert hatten, schlossen sich an. Sie versteckten sich nicht, sondern respektierten lediglich die alte Regel, daß bei Tisch nicht über Geld geredet werden darf. Xian erklärte mir genau, wer der besondere Gast sei. Er sah genau so aus, wie man sich den Kassierer einer Bank vorstellt.

Er mußte Geld vorstrecken und diskutierte über den Zinssatz. Aber er vertrat keine Bank. Die italienischen Modefirmen zahlen erst bei Lieferung der fertigen Arbeit, ja erst, wenn die Qualität geprüft ist. Das Geld für Löhne, Produktionskosten, ja sogar für den Versand muß von den Herstellern selbst finanziert werden. Innerhalb ihres jeweiligen Einflußgebietes gewähren die Clans den Fabriken Kredite. In Arzano sind es die Di Lauro, in Sant'Antimo die Verde, in Crispano die Cennamo und so weiter. Die Camorra schießt zu einem Zinssatz von nur zwei bis vier Prozent Geld vor. Eigentlich wären diese Unternehmen prädestiniert dafür, Bankkredite zu bekommen: sie produzieren für das Aushängeschild der italienischen Wirtschaft, für den Markt der Märkte. Aber sie arbeiten im Untergrund, und Gespenster werden von Bankdirektoren nicht empfangen. Geld von der Camorra ist auch die einzige Möglichkeit für die Arbeiter, einen Kredit zu erhalten. In Gemeinden, in denen mehr als vierzig Prozent der Bewohner von Schwarzarbeit leben, schaffen es auf diese Weise sechs von zehn Familien, eine eigene Wohnung zu kaufen. Auch die Unternehmer, die die von den Modefirmen verlangten Standards nicht schaffen, finden ihre Abnehmer. Sie verkaufen diese Ware an die Clans für den Markt der Fälschungen. Die Mode der Laufstege, der Glanz aller Modeschauen nimmt von hier seinen Ausgang. Aus der Provinz Neapel und aus dem Salento, dem Absatz des italienischen Stiefels, den wichtigsten Zentren der schwarzen Textilindustrie. Die Orte von Las Vegas bis »dintra lu Capu«, bis zum Cap di Leuca. Casarano, Tricase, Taviano, Melissano oder Capo di Leuca im südlichen Salento. Von hier kommen sie, aus diesem Loch. Der Ursprung aller Waren ist dunkel. Das ist das Gesetz des Kapitalismus. Aber vor diesem Loch zu stehen macht einen seltsamen Eindruck. Ein schweres Gewicht, als schlüge einem die Wahrheit auf den Magen.

Von den Arbeitern des Unternehmens lernte ich einen besonders geschickten näher kennen: Pasquale. Er war spindeldürr, groß und wirkte ein bißchen wie ein Schlaffi: seine Größe drückte hinter dem Hals auf die Schultern. Eine Figur wie ein Haken. Er arbeitete an Kleidern und Modellen, die direkt von den Modeschöpfern kamen. Modelle nur für seine Hand. Er bekam deshalb nicht mehr Lohn, nur andere Aufgaben. In gewisser Weise strahlte er Zufriedenheit aus. Pasquale war mir sofort sympathisch. Sobald ich seine große Nase sah. Er hatte das Gesicht eines alten Mannes, obwohl er noch jung war. Ein Gesicht, das immer über Scheren, Zuschnitte und mit den Knöcheln ausgestrichene Nähte gebeugt war. Als einer der wenigen durfte Pasquale selbst Stoff kaufen. Einige Firmen – die auf seine Fähigkeiten vertrauten – ließen ihn direkt in China bestellen und selbst die Qualität des Materials prüfen. Aus diesem Grund hatten sich Xian und Pasquale kennengelernt. Im Hafen hatten wir einmal zusammen gegessen. Danach hatten die beiden sich verabschiedet, und wir waren gleich losgefahren in Richtung Vesuv. Normalerweise sehen Vulkane dunkel aus. Der Vesuv aber ist grün. Von weitem sieht er aus wie über und über von Moos bedeckt. Bevor wir die Straße zu den Städtchen am Fuße des grünen Berges nahmen, fuhren wir in die Einfahrt eines Hauses. Dort erwartete uns Pasquale. Ich begriff nicht, was vor sich ging. Er stieg aus seinem Wagen und versteckte sich in Xians Kofferraum. Ich versuchte, eine Erklärung zu bekommen: »Was ist los? Warum im Kofferraum?«

»Keine Sorge. Wir fahren jetzt nach Terzigno, in die Fabrik.«

Ans Steuer setzte sich eine Art Minotaurus. Er war dem Wagen von Pasquale entstiegen und schien genau zu wissen, was er zu tun hatte. Er legte den Rückwärtsgang ein, fuhr zum Tor hinaus, und bevor er sich in den Verkehr einfädelte, zog er eine Pistole heraus. Eine halbautomatische Waffe, die er sich entsichert zwischen die Beine steckte. Ich machte keinen Mucks, aber der Minotaurus sah im Rückspiegel, daß ich ihn ängstlich anstarrte.

»Die wollten uns einmal umlegen.«

»Wer denn?«

Ich wollte alles genau erklärt bekommen.

»Die, die nicht wollen, daß die Chinesen für die Haute Couture zu arbeiten lernen. Die wollen aus China nur die Stoffe beziehen und sonst nichts.«

Ich verstand nichts. Immer noch nichts. Xian griff in seinem beruhigenden Tonfall ein.

»Pasquale hilft uns lernen. Lernen, wie wir hochwertige Modelle herstellen, die man uns noch nicht anvertraut. Wir lernen von ihm nähen …«

Nach dieser Zusammenfassung von Xian wollte der Minotaurus erklären, warum er die Pistole brauchte: »Also … eines Tages tauchte da einer auf, genau da, siehst du, mitten auf dem Platz, und schießt auf das Auto. Er traf den Motor und den Scheibenwischer. Wenn sie uns hätten wegpusten wollen, hätten sie es getan. Aber es war nur eine Warnung. Falls sie es wieder versuchen, bin ich diesmal gerüstet.«

Der Minotaurus erklärte mir, die Pistole zwischen den Schenkeln zu halten sei im Auto das Beste, sie vom Armaturenbrett zu nehmen würde zu lange dauern. Die Straße nach Terzigno führt bergauf, und die Kupplung quietschte furchtbar. Statt Schüssen aus einer Maschinenpistole fürchtete ich, daß durch das Ruckeln des Wagens die Waffe des Fahrers losgehen und direkt seine Hoden treffen könnte. Wir erreichten unser Ziel ohne Probleme. Sobald wir angehalten hatten, öffnete Xian den Kofferraum und ließ Pasquale aussteigen. Wie ein Papierknäuel rollte er sich langsam auseinander. Als er neben mir stand, sagte er: »Jedesmal dieses Theater, als würde ich polizeilich gesucht. Aber es ist besser, man sieht mich nicht in dem Auto. Sonst …«

Und er machte die Geste der Klinge an der Gurgel. Die Fabrikhalle war groß, nicht riesig. Xian beschrieb sie mir stolz. Sie gehörte ihm, aber im Inneren waren neun Kleinstfabriken von neun chinesischen Unternehmern. Man trat in eine Art Schachbrett. Jede einzelne Fabrik hatte in ihrem Quadrat ihre eigenen Arbeiter und Arbeitsplätze. Xian hatte jeder Fabrik so viel Platz zugewiesen, wie die Fabriken von Las Vegas gewöhnlich besaßen. Die Plätze vergab er bei einer Auktion.

Nach demselben Verfahren. Xian hatte entschieden, keine Kinder zuzulassen, und die Schichten waren wie in den italienischen Fabriken geregelt. Wer für andere Fabriken arbeitete, durfte keine Vorschüsse verlangen. Xian wurde also ein echter Unternehmer der italienischen Modebranche.

Die chinesischen Fabriken in China verdrängten die chinesischen Fabriken in Italien vom Markt. So brachen Prato, Rom und die Chinatowns in ganz Italien kläglich zusammen: sie waren so schnell gewachsen, daß der Verfall noch rasanter vor sich ging. Nur auf einem einzigen Weg konnten sie sich retten: die Arbeiter mußten lernen, für die Haute Couture zu arbeiten und in Italien höchste Qualität zu liefern. Sie mußten von den Italienern, von den Kleinstunternehmern in Las Vegas lernen und statt Hersteller von Massenware in Süditalien zu Ansprechpartnern für die italienischen Stilisten werden. An die Stelle der italienischen Schwarzarbeit treten, deren Logik, deren Platz und deren Sprache übernehmen. Die gleiche Arbeit, nur zu einem geringeren Preis und ein paar Arbeitsstunden mehr.

Pasquale packte aus einem Koffer Stoff aus. Ein Kleidungsstück, das er in seiner Fabrik zuschneiden und nähen sollte. Statt dessen fertigte er es hier auf einem Arbeitstisch vor einer Kamera, deren Bilder auf eine große Leinwand hinter ihm geworfen wurden. Eine junge Frau übersetzte über Mikrofon seine Worte ins Chinesische. Pasquale gab seine fünfte Unterrichtsstunde.

»Äußerste Sorgfalt müssen Sie auf die Nähte verwenden. Die Naht darf nicht auftragen, muß aber sitzen.«

Das chinesische Dreieck. San Giuseppe Vesuviano, Terzigno, Ottaviano. Das Zentrum der chinesischen Textilindustrie. Alles, was in den chinesischen Gemeinden Italiens passiert, ist zuerst in Terzigno passiert. Die ersten Arbeitsstätten, die Veränderung der Qualitätsstandards und auch die ersten Morde. Hier wurde Wang Dingjim ermordet, ein vierzigjähriger Immigrant, der im Auto von Rom gekommen war, um an einem Fest seiner Landsleute teilzunehmen. Sie luden ihn ein, und dann schossen sie ihm in den Kopf. Wang war ein Schlangenkopf, das heißt ein Schleuser. In Zusammenarbeit mit den kriminellen Banden aus Peking brachte er Chinesen illegal nach Italien. Häufig kommt es zu Zusammenstößen zwischen den Schlangenköpfen und Käufern der Ware Mensch. Die Schleuser versprechen den Unternehmern eine bestimmte Menge, die sie dann nicht wirklich liefern. Wie Drogendealer ermordet werden, wenn sie in die eigene Tasche wirtschaften, so werden Schlangenköpfe umgebracht, wenn sie mit der Ware, den Menschen, schummeln wollen. Dabei erwischt es aber nicht nur die Bandenmitglieder. An einer Tür vor der Fabrik hing das Foto einer jungen Frau. Ein hübsches Gesicht, rosa Bäckchen, schwarze Augen, die wie geschminkt wirkten. Das Bild hing genau da, wo man sich früher das gelbe Gesicht von Mao erwartet hätte. Es war aber Zhang Xiangbi, eine schwangere junge Frau, die vor einigen Jahren ermordet und in einen Brunnen geworfen worden war. Sie hatte hier gearbeitet. Ein Mechaniker aus der Gegend hatte ein Auge auf sie geworfen; sie kam oft an seiner Werkstatt vorbei und gefiel ihm, was seiner Meinung nach offensichtlich ausreichte, sie sich zu nehmen. Die Chinesen arbeiten wie Tiere, bewegen sich rasch und unauffällig wie Blindschleichen und sind schweigsamer als Taubstumme, es erscheint unmöglich, daß sie Widerstand leisten oder einen eigenen Willen zeigen. So denken alle oder fast alle über die Chinesen. Zhang dagegen hatte sich gewehrt und hatte zu fliehen versucht, als der Mechaniker sie bedrängte, aber sie konnte ihn nicht anzeigen. Sie war eine Chinesin und durfte keinerlei Aufsehen erregen. Beim zweiten Versuch ließ sich der Mann ihren Widerstand nicht gefallen. Er verprügelte sie, bis sie bewußtlos war, schnitt ihr dann die Kehle durch und warf die Leiche in einen artesischen Brunnen, wo man sie nach Tagen aufgedunsen aus dem Wasser zog. Pasquale kannte die Geschichte, und sie ging ihm immer noch nach; jedesmal, wenn er Unterricht gab, ging er zu Zhangs Bruder, fragte, wie es ihm gehe, ob er etwas brauche, und bekam die immer gleiche Antwort: »Nichts, danke.«

Ich verstand mich mit Pasquale richtig gut. Wenn er über Stoffe sprach, wurde er zum Prediger. In den Geschäften war er pingelig, man konnte mit ihm keinen Spaziergang machen, er blieb vor jedem Schaufenster stehen, schimpfte über den Schnitt einer Jacke oder schämte sich an Stelle des Schneiders für die Fasson eines Rockes. Er sagte genau vorher, wie lange eine Hose, eine Jacke oder ein Kleid tragbar bleiben würde. Wie viele Wäschen ein bestimmter Stoff aushalten würde, bevor er die Form verlor. Pasquale führte mich in die komplizierte Welt der Stoffe ein. Ich wurde sogar zu ihm nach Hause eingeladen. Seine Familie, seine drei Kinder und seine Frau machten mich fröhlich. Sie waren immer in Bewegung, aber ohne Hektik. Auch an jenem Abend rannten die Kinder barfüßig durch die Wohnung. Ohne Lärm zu machen. Pasquale hatte den Fernseher eingeschaltet, eine Weile herumgezappt, starrte dann regungslos auf den Bildschirm und kniff die Augen zusammen wie ein Kurzsichtiger, obwohl er sehr gute Augen hat. Niemand redete, aber das Schweigen schien sich plötzlich zu verdichten. Luisa, seine Frau, merkte etwas, denn sie trat vor den Fernseher und schlug die Hand vor den Mund, wie wenn man etwas Schlimmes wahrnimmt und einen Schrei unterdrückt. Im Fernsehen beschritt Angelina Jolie den roten Teppich der Oscar-Verleihung. Sie trug einen traumhaft schönen Hosenanzug aus weißer Atlasseide. Eines jener maßgeschneiderten Modelle, mit denen italienische Modeschöpfer darum konkurrieren, daß die Stars sie in dieser Nacht vor aller Welt vorführen. Diesen Anzug hatte Pasquale in Schwarzarbeit in einer Fabrik in Arzano geschneidert. Man hatte ihm nur gesagt: »Das geht in die USA.« Pasquale hatte Hunderte von Kleidungsstücken für die USA gefertigt. An diesen weißen Hosenanzug erinnerte er sich noch genau, wußte noch die Maße, alle Maße. Den Halsausschnitt, die Ärmel. Und die Hose. Er war mit der Hand in die Hosenbeine gefahren und erinnerte sich noch, welchen nackten Körper er sich darin vorgestellt hatte, wie dies jeder Schneider tut. Ein nackter Körper ohne Erotik mit seinem Muskelaufbau und seiner Skelettstruktur. Eine Nacktheit, die bekleidet werden, bei der Muskeln, Körperbau und Haltung berücksichtigt werden müssen. Pasquale hatte den Stoff am Hafen abgeholt, auch daran erinnerte er sich noch gut. Er sollte drei Kleidungsstücke schneidern, mehr erfuhr er nicht. Seine Auftraggeber wußten, für wen sie bestimmt waren, aber ihn setzte davon niemand in Kenntnis.

In Japan wurde für den Schneider der Braut des Thronfolgers ein staatlicher Empfang gegeben; dem der ersten deutschen Kanzlerin widmete eine Berliner Zeitung ganze sechs Seiten, auf denen von handwerklichem Können, Phantasie und Eleganz die Rede war. Pasquale hatte eine Wut im Bauch, für die er kein Ventil fand. Doch jeder Mensch hat ein Recht auf Genugtuung, und jedem Verdienst gebührt Anerkennung. Pasquale wußte tief in seinem Innersten, daß er hervorragende Arbeit geleistet hatte, und das wollte er auch aussprechen können. Er wußte, daß er Besseres verdient hatte. Aber ihm hatte man nichts gesagt. Er hatte es nur aus Zufall gemerkt, aus Versehen. Eine sinnlose Wut, die tausendmal recht hat, aber daran nichts ändern kann. Pasquale hätte es niemandem sagen können, nicht einmal vor der Zeitung am nächsten Tag flüstern. Er konnte nicht sagen: »Diesen Anzug habe ich genäht.« Niemand hätte etwas Derartiges geglaubt. In der Oscar-Nacht trug Angelina Jolie ein Kleidungsstück, das Pasquale aus Arzano gemacht hat. Ganz oben und ganz unten. Millionen Dollar und sechshundert Euro im Monat. Wenn alles, was möglich war, getan ist, wenn man all sein Talent, sein Geschick, seine Meisterschaft und seine Hingabe für eine Tat, ein Werk in die Waagschale geworfen hat und sich doch nichts ändert, dann will man sich einfach nur bäuchlings aufs Nichts, ins Nichts fallen lassen. Langsam verschwinden, die Minuten über sich verstreichen lassen, sich darin versenken, als wäre es Treibsand. Nichts, einfach nichts mehr tun. Nur noch atmen, einfach atmen, nichts sonst. Denn nichts kann deine Lage ändern: nicht einmal ein Kleid, das Angelina Jolie in der Oscar-Nacht trägt.

Pasquale verließ die Wohnung und schloß nicht einmal die Tür hinter sich. Luisa wußte, wohin er ging, wußte, daß er nach Secondigliano fahren würde, und sie wußte auch, wen er dort treffen würde. Sie warf sich aufs Sofa und vergrub ihr Gesicht wie ein Kind im Kissen. Als Luisa zu weinen anfing, kam mir aus irgendeinem Grund ein Gedicht von Vittorio Bodini in den Sinn. Es erzählt davon, was die Bauern des Südens taten, um nicht eingezogen zu werden und in den Schützengräben des Ersten Weltkriegs Grenzen verteidigen zu müssen, von deren Existenz sie keine Ahnung hatten. Die Zeilen lauten:

> Während des anderen Krieges legten Bauern und Schmuggler / Blätter von Xanti-Yaca unter die Achseln / damit sie krank wurden. / Das künstliche Fieber, die angebliche Malaria / von der sie erzitterten und mit den Zähnen klapperten, / waren ihr Urteil über die Regierungen und die Geschichte.

Auch Luisas Tränen erschienen mir wie ein Urteil über die Regierung und die Geschichte. Kein Wutausbruch. Keine Verärgerung über eine nicht gewährte Genugtuung. Sie erschienen mir wie ein ergänzendes Kapitel zum *Kapital* von Karl Marx, wie ein Abschnitt aus *Untersuchung über die Ursachen und die Natur des Reichtums der Nationen* von Adam Smith, wie eine These aus der *Allgemeinen Theorie der Beschäftigung* von John Maynard Keynes oder eine Anmerkung zu Max Webers Buch *Protestantische Ethik und der Geist des Kapitalismus*. Eine hinzugefügte oder eine entnommene Seite. Worte, die aus Vergeßlichkeit nicht niedergeschrieben worden sind oder die überall stehen, nur nicht auf dem Papier. Luisas Weinen war kein Akt der Verzweiflung, sondern eine Analyse. Streng, detailliert, genau und begründet. Ich stellte mir

Pasquale auf der Straße vor, mit den Füßen aufstampfend, wie wenn man sich den Schnee von den Stiefeln tritt. Wie ein Kind, das sich wundert, warum das Leben so weh tun muß. Bis dahin hatte er es geschafft. Er hatte an sich gehalten, seinen Beruf ausgeübt, ihn ausüben wollen. So gut wie kein anderer. Aber in dem Augenblick, als er diesen Anzug sah, die Bewegungen des Körpers in dem Stoff, den er gestreichelt hatte, fühlte er sich allein. Mutterseelenallein. Denn wenn man etwas nur mit seinen eigenen Sinnen und in seinem eigenen Kopf weiß, dann ist es, als ob man es nicht wüßte. Und wenn die eigene Arbeit nur dazu dient, über die Runden zu kommen, zu überleben, nur für sich allein, dann ist dies die schlimmste aller Einsamkeiten.

Zwei Monate später traf ich Pasquale wieder. Sie ließen ihn Laster fahren. Er transportierte Waren aller Art – legale und illegale – für die Unternehmen der Familie Licciardi aus Secondigliano. So hieß es wenigstens. Der beste Schneider der Welt fuhr die Lkws der Camorra zwischen Secondigliano und dem Gardasee hin und her. Pasquale lud mich zum Essen ein und nahm mich ein Stück in seinem Ungetüm mit. Seine Hände waren rot und die Haut über den Gelenken gerissen. Wie bei allen Fernfahrern, die stundenlang am Steuer sitzen, werden die Hände kalt, und der Kreislauf kommt ins Stocken. Er wirkte nicht zufrieden, diese Arbeit hatte er aus Rache angenommen, aus Rache an seinem Schicksal, als Fußtritt gegen sein Leben. Aber man kann einfach nicht immer alles hinnehmen, auch wenn der radikale Schritt bedeutet, daß man noch schlechter lebt. Beim Essen stand er auf, um einige seiner Kollegen zu begrüßen. Das Portemonnaie hatte er auf dem Tisch liegenlassen. Ich sah, daß ein zusammengefaltetes Stück Zeitungspapier daraus hervorlugte. Ich öffnete es. Es war ein Foto, ein Titelblatt mit der weißgekleideten Angelina Jolie. Der von Pasquale genähte Hosenanzug. Die direkt auf der Haut getragene Jacke. Nur ein Künstler konnte sie so bedecken und gleichzeitig sichtbar machen. Der Stoff mußte den Körper umschmeicheln, seine Umrisse nachzeichnen und sich den Bewegungen anpassen.

Ich bin sicher, daß Pasquale manchmal, wenn er allein ist, vielleicht nach dem Essen, wenn die Kinder vom Spielen ermüdet bäuchlings auf dem Sofa eingeschlafen sind, wenn seine Frau, bevor sie das Geschirr spült, noch mit ihrer Mutter telefoniert, daß er genau in dem Moment sein Portemonnaie herauszieht und das Foto aus der Zeitschrift anschaut. Und ich bin sicher, daß Pasquale beim Anblick dieses Meisterwerks, das er mit seinen eigenen Händen geschaffen hat, glücklich ist. Ein wütendes Glück. Aber das wird niemand je erfahren.

Das System

Das System versorgt den großen internationalen Bekleidungs-markt, das Universum der italienischen Mode in aller Welt. Jeder Winkel des Globus ist von den Firmen, den Männern und den Produkten des Systems erreicht worden. System, ein Begriff, der hier jedermann geläufig ist, anderswo aber noch entschlüsselt werden muß, ein unverständlicher Hinweis für denjenigen, der mit den Machtmechanismen der kriminellen Wirtschaft nicht vertraut ist. Den Terminus Camorra dagegen gibt es hier nicht, das klingt nach Polyp. Von Camorra reden Staatsanwälte, Journalisten und Drehbuchschreiber. Darüber können die Beteiligten hier nur lachen, es ist ein zu allgemeiner Begriff, etwas für Wissenschaftler, ein Verweis auf die Ge-schichte. Wer einem Clan angehört, spricht hier von System: »Ich gehöre zum System von Secondigliano.« Das ist aus-sagekräftig, denn es geht mehr um einen Apparat als um eine Struktur. Die kriminelle Organisation ist identisch mit der Ökonomie, die Dialektik des Geschäfts ist das Knochengerüst des Clans.

Das System von Secondigliano beherrschte längst das gesamte Textilgewerbe, das Hinterland von Neapel war das Industriegebiet, das Unternehmenszentrum geworden. Alles, was anderswo wegen der rigiden Tarifvertragsbestimmungen, der Gesetze, des Marken- und Patentschutzes unmöglich war, konnte man nördlich von Neapel bekommen. In der Periphe-rie, die sich unter der unternehmerischen Macht der Clans strukturierte, wurden astronomische Summen umgesetzt, un-vorstellbar für jedes legale Industriegebiet. Die Clans hatten alle Zweige der Textil-, die Schuh- und die Lederindustrie organisiert und waren in der Lage, Kleider, Jacketts, Schuhe und Hemden herzustellen, die haargenau so aussahen wie die der großen italienischen Modemarken.

Sie konnten in ihrem Territorium auf hervorragend qualifizierte Arbeitskräfte zurückgreifen, die jahrzehntelang für die Haute Couture tätig gewesen waren, für die wichtigsten Modeschöpfer Italiens und Europas. Diese Leute, die für die großen Namen schwarz gearbeitet hatten, wurden von den Clans übernommen. Nicht nur die Machart war hervorragend, auch die Materialien waren die gleichen, sie wurden direkt auf dem chinesischen Markt gekauft oder von den Modehäusern selbst bei den Auktionen verteilt. Die Clans von Secondigliano produzierten also nicht die klassische Ausschußware, die miserablen Imitationen, die als echt deklarierten Nachahmungen. Vielmehr eine Art echte Fälschung. Dem Produkt fehlte nur der letzte Schritt, die Autorisierung durch das Mutterhaus, die Marke, aber diese Autorisierung nahmen sich die Clans einfach, ohne zu fragen. Die Kunden auf der ganzen Welt interessierten sich ohnehin in erster Linie für die Qualität und das Modell. Die Marke war vorhanden, die Qualität auch. Kein Unterschied also. Die Clans aus Secondigliano hatten ein weltumspannendes Vertriebsnetz aufgebaut, sie waren in der Lage, ganze Ketten von Geschäften aufzukaufen und auf diese Weise den internationalen Modemarkt zu beherrschen. Ihre Organisation sah auch die Einrichtung von Outlets vor. Die Herstellung von Waren etwas minderer Qualität bediente als weiterer Markt den der afrikanischen Straßenverkäufer. Es gab keinerlei Ausschuß, alles wurde vermarktet. Von der Fabrik bis zum Laden, vom Einzelhandel bis zum Vertrieb waren Hunderte von Firmen und Arbeitern, Tausende von Produzenten und Unternehmern beteiligt, die sich danach drängten, am großen Geschäft der Secondiglianesen zu partizipieren.

Die oberste Leitung hatte das Direktorium inne. Ich bekam immer wieder diesen Begriff zu hören. Bei jeder Diskussion in der Bar, die sich um irgendein Geschäft oder die üblichen Klagen über den Mangel an Arbeit drehte, hieß es: »Das Direktorium hat es so gewollt«, oder: »Das Direktorium sollte sich mal rühren und die Sache einfach noch größer aufziehen.« Solche Sätze schienen Reden aus napoleonischer Zeit zu entstammen. Die Staatsanwälte der Antimafia-Einheit Neapel hatten diesen Begriff für die ökonomische, finanzielle und operative Struktur aus Unternehmen und Bossen verschiedener Familien der Camorra im Norden von Neapel geprägt. Eine Struktur mit dezidiert ökonomischen Zielsetzungen. Das Direktorium repräsentierte – ähnlich dem Kollegialorgan des französischen Thermidor – die reale Macht der Organisation und nicht in erster Linie ihre Waffenarsenale und Killer.

Dem Direktorium gehörten die Clans um die Allianz von Secondigliano, ein Kartell verschiedener Familien, an: die Licciardi, Contini, Mallardo, Lo Russo, Bocchetti, Stabile, Prestieri, Bosti und auch, autonomer als die anderen, die Sarno und die Di Lauro. Ein Territorium, das Secondigliano, Scampia, Piscinola, Chiaiano, Miano, San Pietro a Paterno umfaßt und bis nach Giugliano und Ponticelli reicht. Innerhalb dieses Zusammenschlusses machten sich die Clans zunehmend selbständig und zerstörten damit die organische Struktur der Allianz. Als Hersteller saßen im Direktorium Vertreter verschiedener Firmen wie der Valent, Vip Moda, Vocos, Vitec, die in Casoria, Arzano und Melito Modelle von Valentino, Ferré, Versace und Armani fälschten und sie dann überall auf der Welt vertrieben. Die Ermittlungen des Staatsanwalts Filippo Beatrice von der Antimafia-Einheit Neapel aus dem Jahr 2004 haben das Wirtschaftsimperium der neapolitanischen Camorra in seinem ganzen Umfang ans Licht gebracht. Ausgangspunkt war ein normalerweise leicht zu übersehendes Detail gewesen. Ein Boss aus Secondigliano war in einem deutschen Modegeschäft in Chemnitz angestellt. Eine merkwürdige Tatsache, ganz ungewöhnlich. In Wirklichkeit war er der Besitzer des Ladens, der unter dem Namen eines Strohmannes eingetragen war. Von dieser Spur ausgehend, entdeckten die Ermittler das gesamte Produktions- und Handelsnetz der Secondiglianesen. Die Antimafia-Einheit Neapel konnte durch die Aussagen von Kronzeugen und abgehörte Telefongespräche die Handelsketten der Clans von den Lagern bis zu den Geschäften verfolgen.

Geschäfte der Clans gab es so gut wie überall. In Deutschland unterhielten sie Läden und Lager in Hamburg, Dortmund, Frankfurt und Berlin. In Spanien waren sie präsent am Paseo de la Ermita del Santo 30 in Madrid und auch in Barcelona. In Belgien war es Brüssel, in Portugal Porto und Boavista; in Österreich Wien, in Großbritannien besaßen sie ein Geschäft für Jacketts in London, in Irland eines in Dublin, in den Niederlanden eines in Amsterdam. Außerdem bestanden Beziehungen nach Finnland und Dänemark, nach Sarajewo und Belgrad. Jenseits des Atlantiks hatten die Secondiglianesen in Kanada und in den USA investiert und waren bereits in Südamerika angekommen. In Montreal und in Woodbridge, Ontario; über ein riesiges Netz in den Vereinigten Staaten waren in New York, Miami Beach, New Jersey und Chicago Millionen von Jeans verkauft worden, der Markt in Florida war fast ganz von den Secondiglianesen beherrscht. Amerikanische Geschäftsinhaber und Eigentümer von Einkaufszentren wollten ausschließlich mit den Vertretern aus Secondigliano verhandeln. Die akzeptablen Preise für Modelle der Haute Couture und der großen Modeschöpfer aus Italien zogen Kunden in ihre Kaufhäuser und Shopping Malls. Die Markenetiketten waren untadelig.

In einer Werkstatt am Rande Neapels wurde eine Druckvorlage für das Gorgonenhaupt von Versace gefunden. Weil man in Secondigliano wußte, daß der amerikanische Textilmarkt von den Produkten des Direktoriums beherrscht war, zogen die jungen Leute scharenweise in die USA, um dort als Handelsvertreter zu arbeiten, angelockt vom Erfolg der Jeans der Firma Vip moda, die in den Geschäften von Texas als Valentino-Jeans auslagen.

Die Geschäftsbeziehungen reichten bis auf die Südhalbkugel der Erde. Im australischen New South Wales war das Moda Italiana Emporio in 28 Ramsay Road, Five Dock, eines der bekanntesten Geschäfte für elegante Kleidung, und auch in Sydney besaßen die Secondiglianesen Niederlassungen und Geschäfte. In Rio de Janeiro und in São Paulo beherrschten sie ebenfalls den Textilmarkt. In Kuba wollten sie ein Geschäft für europäische und amerikanische Touristen eröffnen, in Saudi-Arabien und in der Maghreb-Region hatten sie längst investiert. Den Vertrieb organisierten sie über sogenannte Magazine. Dieser Begriff tauchte in den abgehörten Telefongesprächen auf: regelrechte Vertriebszentren für Waren und Menschen. Dort wurden alle Arten von Kleidungsstücken gelagert, und von dort aus verkauften die Vertreter die Waren an die Läden der Clans oder andere Einzelhändler. Diese Methode war schon von den *magliari* benutzt worden, den fliegenden Händlern, die nach dem Zweiten Weltkrieg von Neapel aus mit prall gefüllten Taschen voller Strümpfe, Hemden und Jakken in die halbe Welt ausgeschwärmt waren. Durch die Übertragung dieser Geschäftserfahrung auf einen größeren Maßstab verwandelten sich die fliegenden Händler in regelrechte Handelsvertreter, die überall alles verkaufen: von den Märkten in den Stadtvierteln bis zu den Einkaufszentren, von den Parkplätzen bis zu den Tankstellenshops. Die fähigsten *magliari* schafften den Sprung zum Verkauf großer Partien von Kleidern an Einzelhändler. Nach den polizeilichen Ermittlungen hatten sich einige Unternehmer auf den Vertrieb von Fälschungen spezialisiert und boten den Vertretern und den *magliari* logistische Hilfe an. Sie schossen Reise- und Aufenthaltsspesen vor, stellten Kleinlaster und Autos zur Verfügung und kümmerten sich bei Verhaftung oder Beschlagnahme der Ware um einen Rechtsbeistand. Und sie kassierten natürlich die Gewinne. Diese Geschäfte brachten jeder Clan-Familie jährlich etwa 300 Millionen Euro ein.

Die großen italienischen Modemarken protestierten gegen das Geschäft mit den Fälschungen erst zu dem Zeitpunkt, als die Antimafia-Kommission dessen Mechanismen aufgedeckt hatte. Vorher hatten sie nie eine Kampagne gegen die Clans geplant, nie Anzeige erstattet und sich auch nie bei der Presse darüber beklagt, daß sie durch den parallelen Markt Einbußen erlitten. Es erscheint zunächst unverständlich, warum die Nobelfirmen nichts gegen die Clans unternahmen. Wahrscheinlich gibt es eine Vielzahl von Gründen. Eine Anzeige hätte bedeutet, für immer auf die billigen Arbeitskräfte in Kampanien und Apulien verzichten zu müssen. Die Clans hätten den Zugang zu den Textilfabriken um Neapel versperrt und die Beziehungen zu den Fabriken in Osteuropa und Asien gestört. Eine Anzeige hätte den Verkauf über den Einzelhandel erschwert, denn viele Geschäfte waren direkt in der Hand der Clans. Vertrieb, Vertreter und Transport unterstehen vielerorts direkt den Familien. Eine Anzeige hätte die Preise für den Vertrieb in die Höhe getrieben. Im übrigen schadete das kriminelle Vorgehen der Clans dem Image der Modemarken keineswegs, sondern nutzte einfach deren werbeträchtiges und symbolisches Charisma. Die von den Clans produzierten Modelle waren weder häßlicher noch minderwertiger als die Originale. Sie machten den Markennamen keine Konkurrenz, sondern verbreiteten Produkte, deren ursprünglicher Preis für ein größeres Publikum unerschwinglich war. Wenn praktisch niemand mehr die Kleider einer bestimmten Marke trägt und sie nur noch auf dem Laufsteg an lebendigen Menschen zu bewundern sind, dann schlafen die Geschäfte allmählich ein und das Prestige verliert sich. Außerdem wurden in den Fabriken Neapels gefälschte Kleider und Hosen in Größen hergestellt, die die Marken aus Imagegründen nicht produzieren. Die Clans dagegen kümmerten sich, sofern Profit winkte, nicht um Imageprobleme. Durch die echten Fälschungen und die Einnahmen aus dem Drogengeschäft konnten sie Geschäfte und Einkaufszentren in die Hand bekommen, in denen immer häufiger Originalmodelle mit falschen Originalen gemischt wurden, um jede Unterscheidung unmöglich zu machen. In gewisser Weise hatte das System die legale Modewelt in einer Zeit steigender Preise gerettet oder vielmehr die Krise des Marktes genutzt. Mit unvorstellbarem Gewinn hatte das System das »Made in Italy« weiterhin überall auf der Welt verbreitet.

In Secondigliano hatte man begriffen, daß ein feinmaschiges Vertriebsnetz von eminenter Bedeutung war, mindestens ebenso wichtig wie für den Drogenhandel. Die Kanäle für den Vertrieb von Kleidungsstücken waren in vielen Fällen dieselben wie für die Drogen. Dabei beschränkten sich die Unternehmer des Systems nicht auf den Textilsektor, sondern investierten auch in Technologie. Aus den Ermittlungsberichten des Jahres 2004 geht hervor, daß die Clans in Europa über ihr Vertriebsnetz auch verschiedene High-Tech-Produkte vertrieben. Aus Europa kamen das Äußere, die Marke, die Bekanntheit und die Werbung, aus China das Innere, das Produkt als solches, die billige Herstellung, die lächerlich geringen Materialkosten. Das System Camorra führte beides zusammen und erwies sich so auf allen Märkten als siegreich. Die Clans hatten erkannt, daß die Wirtschaft darniederlag, und waren den Unternehmen, die sich aus dem Süden Italiens allmählich zurückzogen und die Produktion nach China verlagerten, gefolgt. Dort entdeckten sie die chinesischen Industriegebiete, die für die großen westlichen Firmen produzierten. So orderten auch sie große Partien von High-Tech-Produkten, um sie in Europa – natürlich unter falschem, profitträchtigerem Markennamen – zu verkaufen. Doch die Clans gaben sich nicht mit dem Augenschein zufrieden, sondern probierten wie bei den Drogen die Qualität der chinesischen Lieferungen zuerst aus. Und erst nachdem die Produkte auf dem Markt ihre Tauglichkeit bewiesen hatten, eröffneten sie einen der blühendsten Zweige in der Geschichte der internationalen kriminellen Handelswege. Digital- und Videokameras, aber auch Werkzeugmaschinen: Bohrmaschinen, Flex, pneumatische Hämmer, Schleif- und Hobelmaschinen, alle unter den Markennamen Bosch, Hammer und Hilti verkauft. Der Boss von Scondigliano, Paolo di Lauro, hatte, zehn Jahre bevor der italienische Unternehmerverband überhaupt Handelsbeziehungen in Asien anknüpfte, bereits in chinesische Fotoapparate investiert. In Osteuropa wurden von Di Lauros Clan unter der Marke Canon und Hitachi Tausende von Artikeln vertrieben. Waren, die anfangs nur für die Ober- und Mittelschicht erschwinglich waren, wurden einem breiten Publikum zugänglich. Die Clans usurpierten nur den Markennamen, um besser anzukommen, das Produkt selbst war praktisch das gleiche.

Die Investitionen der Clans Di Lauro und Contini in China – wie sie aus den Ermittlungen der neapolitanischen Antimafia-Einheit 2004 deutlich werden – zeigen die unternehmerische Weitsicht der Bosse. Die Zeit der Großunternehmen ging zu Ende, und die kriminellen Großstrukturen lösten sich ebenfalls auf. In den achtziger Jahren war die Nuova Camorra Organizzata von Raffaele Cutolo eine Art Riesenkonzern unter zentraler Führung. Dann kam die Nuova Famiglia von Carmine Alfieri und Antonio Bardellino, ein Zusammenschluß wirtschaftlich autonomer, durch gemeinsame operative Interessen verbundener Familien, aber als Ganzes immer noch ein Ungetüm.

Heute hingegen hat die Flexibilisierung der Wirtschaft bewirkt, daß kleine Gruppen von Bossen als Manager mit Hunderten von Geschäftspartnern, die genau beschriebene Aufgaben zu erfüllen haben, das ökonomische und soziale Gefüge bestimmen. Eine horizontale Struktur, flexibler als die Cosa Nostra, durchlässiger für neue Bündnisse als die 'Ndrangheta und in der Lage, immer wieder neue Clans aufzunehmen, neue Strategien zu entwerfen, neue Märkte zu erobern. Dutzende von Polizeioperationen der letzten Jahre haben bewiesen, daß sowohl die sizilianische Mafia als auch die 'Ndrangheta sich mit den neapolitanischen Clans ins Benehmen setzen mußten, um den Kauf großer Partien Drogen auszuhandeln. Die neapolitanischen und kampanischen Kartelle lieferten Kokain und Heroin zu so günstigen Preisen, daß dieser Weg in vielen Fällen bequemer und wirtschaftlicher war als der direkte Kontakt zu den südamerikanischen und albanischen Händlern.

Trotz dieser Neustrukturierung der Clans ist die Camorra gemessen an der Zahl ihrer Mitglieder die größte kriminelle Organisation Europas. Auf jeden sizilianischen Mafioso kommen zwei kampanische Camorristen, auf jedes Mitglied der 'Ndrangheta sogar acht. Das Drei-, ja Vierfache der anderen Organisationen. Da der Mafia mit ihren Bomben nach wie vor eine geradezu obsessive Aufmerksamkeit geschenkt wird, sind die Medien so weit abgelenkt, daß die Camorra praktisch unbekannt bleibt. Im Zuge der postfordistischen Restrukturierung der kriminellen Gruppen haben die neapolitanischen Clans auch ihre Leistungen für die Massen gekürzt. Der erhöhte Druck der Kleinkriminalität, der sich in der Stadt bemerkbar macht, ist das Ergebnis der Lohnkürzungen durch die Neuordnung der kriminellen Kartelle während der letzten Jahre. Die Clans müssen ihr Gebiet nicht mehr bis in alle Ecken militärisch kontrollieren, oder jedenfalls nicht ständig. Die wichtigsten Geschäfte der camorristischen Gruppen finden außerhalb Neapels statt.

Wie die Untersuchungen der Staatsanwaltschaft Neapel beweisen, hat die föderative und flexible Struktur der Camorra das Gewebe der Familien vollkommen verändert: heute kann man nicht mehr von politischen Bündnissen, von festen Verträgen sprechen, sondern eher von Joint-ventures. Die Flexibilität der Camorra ist die Antwort darauf, daß heute das Kapital schneller umgewälzt werden muß. Deshalb werden Gesellschaften gegründet und wieder aufgelöst, Geld zirkuliert ohne Hindernisse und wird ohne die Notwendigkeit, ein bestimmtes Gebiet zu kontrollieren, und ohne politische Vermittlung in Immobilien investiert. Heute müssen sich die Clans nicht mehr zu riesigen Organisationen zusammenschließen. Deshalb können jetzt ein paar Leute auf eigene Faust einen Raubüberfall unternehmen, Schaufenster plündern oder Einbrüche begehen, ohne daß sie wie in der Vergangenheit damit rechnen müssen, von den Clans massakriert oder diszipliniert zu werden. Die Banden, die Neapel heute terrorisieren, bestehen nicht ausschließlich aus Individuen, die ein Verbrechen begehen, um an Geld zu kommen, ein Luxusauto zu kaufen oder einfach bequem zu leben. Oft setzen sie darauf, durch den Umfang und die Gewalttätigkeit ihrer

Aktionen ihr ökonomisches Standing zu verbessern, so daß die Clans oder ihre Geschäftspartner mit ihnen ins Gespräch kommen müssen. Das Gewebe der Camorra besteht einerseits aus Gruppen, die wie gierige Blutsauger jede ökonomische Aktivität behindern, andererseits aus solchen, die als blitzschnelle Avantgarden ihr Business den Erfordernissen anpassen und ein Höchstmaß an Entwicklung erreichen. Zwischen diesen beiden einander entgegenwirkenden und doch komplementären Kräften wird die Widerstandskraft der Stadt völlig aufgerieben. In Neapel ist Gewalt das schwierigste, aber auch das einfachste Mittel, wenn man ein erfolgreicher Unternehmer werden will, der Kriegszustand, der in der Stadt herrscht und den man mit jeder Pore einatmet, riecht nach saurem Schweiß, als würden auf den Straßen wie in einer Art Fitnessstudio unter freiem Himmel Raubüberfälle, Diebstähle und Einbrüche, die Gymnastik der Macht und das Spinning des Wirtschaftswachstums geübt.

Das System blühte auf wie ein Hefeteig in den Holzkästen der Peripherie. Die Kommunal- und Regionalpolitik hatte geglaubt, diese Entwicklung dadurch verhindern zu können, daß sie mit den Clans keine Geschäfte machte. Das aber reichte nicht aus. Man widmete dem Phänomen nicht die nötige Aufmerksamkeit und unterschätzte die Macht der Familien, weil man sie nur als Ausdruck für die Probleme der Vorstädte ansah. So kam es, daß Kampanien die höchste Zahl an Kommunen aufweist, die als von der Camorra infiltriert gelten. Nicht weniger als einundsiebzig Gemeindeverwaltungen in Kampanien sind deshalb seit 1991 bis heute abgesetzt und unter staatliche Aufsicht gestellt worden. Allein in der Provinz Neapel wurden folgende Gemeinderäte aufgelöst: Pozzuoli, Quarto, Marano, Melito, Portici, Ottaviano, San Giuseppe Vesuviano, San Gennaro Vesuviano, Terzigno, Calandrino, Sant'Antimo, Tufino, Crispano, Casamarciano, Nola, Liveri, Boscoreale, Poggiomarino, Pompei, Ercolano, Pimonte, Casola di Napoli, Sant'Antonio Abate, Santa Maria la Carità, Torre Annunziata, Torre del Greco, Volla, Brusciano, Acerra, Caroria, Pomigliano d'Arco und Frattamaggiore. Diese Zahl übertrifft bei weitem die der aufgelösten Gemeindeverwaltungen in anderen Regionen Italiens: vierundvierzig in Sizilien, vierunddreißig in Kalabrien, sieben in Apulien. Nur neun von zweiundneunzig Kommunen der Provinz Neapel standen nie unter vorübergehender staatlicher Verwaltung, wurden nie Gegenstand von Ermittlungen und standen auch nie unter Beobachtung. Die Firmen der Clans haben die Bebauungspläne beeinflußt, haben sich in die Gesundheitsämter eingeschlichen, haben Grundstücke aufgekauft, unmittelbar bevor sie als Baugrund ausgewiesen wurden, und dann darauf als Subunternehmer Einkaufszentren hochgezogen, sie haben Patronatsfeste erzwungen und dafür ihre Dienstleistungsfirmen angeboten, die vom Catering über die Reinigung, den Transport bis hin zur Müllabfuhr alles übernahmen.

Nie war die Kriminalität im Wirtschaftsleben eines Gebiets so omnipräsent und erdrückend wie in den letzten zehn Jahren in Kampanien. Anders als die sizilianischen Mafiosi brauchen die Clans der Camorra die Politiker nicht, hier sind es die Politiker, die das System dringend brauchen. Die in Kampanien verfolgte Strategie hat dazu geführt, daß die an der Oberfläche sichtbaren und den Medien am meisten ausgesetzten Strukturen der Politik scheinbar immun gegen Verquickungen mit dem organisierten Verbrechen sind, aber in der Provinz, in den Orten, wo die Clans bewaffneten Beistand benötigen, im Untergrund nicht entdeckt werden dürfen oder gefährliche ökonomische Manöver wagen wollen, sind die Bündnisse zwischen Politikern und Familien der Camorra dafür um so enger. An die Macht kommen die Clans der Camorra durch das Imperium ihrer Geschäfte. Das reicht aus, um alles übrige zu beherrschen.

Die kriminell-unternehmerische Verwandlung der Peripherie von Secondigliano und Scampia war das Werk der Licciardi, der Familie, die ihren operativen Sitz in Masseria Cardone, einer wahrhaft uneinnehmbaren Festung, hat. Die Metamorphose von Secondigliano leitete der Boss Gennaro Licciardi, »'*a scigna*« (der Affe), ein. Äußerlich ähnelte er tatsächlich einem Gorilla oder Orang-Utan. Seit Ende der achtziger Jahre war er Statthalter von Luigi Giuliano, dem Boss von Forcella in der Innenstadt von Neapel. Die Peripherie wurde damals als nutzlos betrachtet, da es dort weder Geschäfte gab noch Einkaufszentren, noch Wohlstand, den die Blutsaugerbanden durch Schutzgelderpressungen hätten anzapfen können. Doch Licciardi erkannte, daß gerade dort ein Umschlagplatz für den Drogenhandel und günstiger Ausgangspunkt für den Transport entstehen konnte und daß außerdem für wenig Geld Handlanger zur Verfügung standen. In dieser Gegend würden bald die Baustellen für die Stadterweiterung entstehen. Gennaro Licciardi konnte seine Strategie nicht vollständig in die Tat umsetzen, denn er starb mit nur achtunddreißig Jahren im Gefängnis an einem banalen Leistenbruch, ein wahrhaft klägliches Ende für einen Boss. Und dies um so mehr, als er in seiner Jugend, während er in einer der Sicherheitszellen des Justizpalasts von Neapel auf seinen Prozeß wartete, bei einer Auseinandersetzung zwischen Mitgliedern der Nuova Camorra Organizzata von Cutolo und ihren Hauptgegnern, der Nuova Famiglia, von sechzehn Messerstichen durchbohrt worden war. Damals hatte er überlebt.

Die Familie Licciardi verwandelte diese Gegend, die höchstens billige Hilfskräfte lieferte, in eine Maschine für den Drogenhandel: in ein internationales kriminelles Unternehmen. Tausende wurden kooptiert, als Mitglieder aufgenommen und im System zerschlissen. Textilindustrie und Drogen. In allererster Linie Handelsinvestitionen. Nach dem Tod von Gennaro »'*a scigna*« übernahmen die Gebrüder Pietro und Vincenzo das militärische Kommando, die Zügel der Wirtschaftsmacht des Clans aber hielt Maria mit dem Spitznamen »'*a piccerella*« (die Kleine) in der Hand.

Nach dem Fall der Berliner Mauer leitete Pietro Licciardi die Masse seiner legalen und illegalen Investitionen nach Prag und Brünn um. Die Tschechische Republik geriet vollständig unter die Herrschaft der Secondiglianesen, die auch hier von der Peripherie aus agierten, um die Märkte in Deutschland zu erobern. Pietro Licciardi wirkte wie ein Manager und wurde von den mit ihm verbündeten Unternehmern der »römische Imperator« genannt, weil er so anmaßend auftrat, als sei die ganze Welt nur das Hinterland von Secondigliano. Er hatte ein Bekleidungsgeschäft in China und eine Handelsniederlassung in Taiwan eröffnet, um von dort aus auch auf den chinesischen Markt vorzustoßen, statt nur die billigen Arbeitskräfte auszubeuten. Im Juni 1999 wurde er in Prag verhaftet. Er griff bedenkenlos zur Gewalt und soll laut Anklage 1998 das Bombenattentat in der Via Cristallini im berüchtigten Viertel Sanità in Neapel in Auftrag gegeben haben. Mit dieser Autobombe sollten in dem Konflikt zwischen den Clans der Peripherie und denen der Innenstadt nicht nur die Verantwortlichen in den Clans, sondern das ganze Viertel bestraft werden. Bei der Explosion des Autos flogen Blechteile und Glassplitter wie Geschosse durch die Luft und verletzten dreizehn Menschen. Pietro Licciardi wurde jedoch aus Mangel an Beweisen freigesprochen. Der Clan hat inzwischen den größten Teil seiner unternehmerischen Aktivitäten in der italienischen Textilindustrie und im Handel nach Castelnuovo del Garda in Venetien verlegt. Nicht weit entfernt, in Portogruaro, wurde Vincenzo Pernice, Pietro Licciardis Schwager, zusammen mit einigen Partnern des Clans verhaftet, darunter Renato Peluso aus Castelnuovo del Garda. Mit dem Clan verbündete Kaufleute und Unternehmer aus Venetien deckten Pietro Licciardi, als er untergetaucht war, und standen somit dem kriminellen Unternehmen nicht nur nahe, sondern gehörten fest dazu. Die Licciardi unterhielten neben ihrem gutorganisierten Wirtschaftsimperium auch einen militärischen Apparat. Seit der Verhaftung von Pietro und Maria wird sowohl der militärische als auch der ökonomische Teil des Unternehmens von dem untergetauchten Boss Vincenzo dirigiert.

Der Clan war immer besonders rachsüchtig. Als Vincenzo Esposito, der Neffe von Gennaro Licciardi, mit nur einundzwanzig Jahren 1991 in Monterosa, einem Territorium der Prestieri, einer der Familien der Alleanza, ermordet worden war, übten sie blutige Rache. Esposito hieß, weil er der Neffe der Herrscher von Secondigliano war, »il principino« (der kleine Prinz). Er war auf dem Motorrad unterwegs, um einige Leute wegen Gewalttätigkeiten gegen seine Freunde zur Rede zu stellen. Da er einen Helm trug, verwechselten sie ihn mit einem Killer und schossen ihn nieder. Die Licciardi beschuldigten die Di Lauro, enge Verbündete der Prestieri, die Mörder besorgt zu haben, und nach den Aussagen des Kronzeugen Luigi Giuliano ermordete Di Lauro selbst den »principino«, weil er sich allzusehr in bestimmte Geschäfte einmischte. Was auch immer das Motiv gewesen sein mag, war die Machtposition der Licciardi so unangreifbar, daß sie die beteiligten Clans zwingen konnten, selbst die Verantwortlichen für den Tod von Esposito zu beseitigen. Innerhalb weniger Tage wurden vierzehn Menschen, die direkt oder indirekt in die Ermordung des jungen Thronfolgers verwickelt waren, umgebracht.

Dem System ist es auch gelungen, das klassische Geschäft der Erpressung und des Wuchers auf ein neues Niveau zu heben. Da die Bosse erkannt hatten, daß der Handel immer mehr liquide Mittel brauchte, während die Banken immer härtere Bedingungen stellten, schalteten sie sich zwischen Groß- und Einzelhandel ein. Die Kaufleute können Warenlieferungen entweder in bar oder mit Wechsel bezahlen. Wenn sie bar bezahlen, liegt der Preis bei der Hälfte oder zwei Dritteln dessen, was sie mit Wechsel bezahlen würden. Deshalb ist sowohl der Geschäftsinhaber als auch der Großhändler an Barzahlung interessiert. Die Clans bieten Bargeld zu einem durchschnittlichen Zinssatz von zehn Prozent. Dadurch entsteht automatisch ein faktisches Vertragsverhältnis zwischen dem Geschäftsinhaber als Käufer, dem Verkäufer und dem heimlichen Finanzier, das heißt den Clans. Die Gewinne werden halbe-halbe geteilt, aber es kommt vor, daß die Verschuldung des Einzelhändlers immer höhere Prozentsätze in die Kassen des

Clans fließen läßt, so daß der Kaufmann am Ende nur noch als Strohmann fungiert, der ein festes Gehalt bekommt. Die Clans nehmen nicht wie die Banken einem zahlungsunfähigen Kunden alles weg, sondern nutzen die immobilen und mobilen Güter und lassen die erfahrenen Menschen, die ihren Besitz verloren haben, weiter damit arbeiten. Nach den Aussagen eines Kronzeugen während der Ermittlungen der Antimafia-Einheit im Jahr 2004 werden etwa 50 Prozent der Geschäfte allein in Neapel aus dem Hintergrund von der Camorra gesteuert.

Die Erpressung, bei der wie in Nanni Loys Film *Picone schickt mich* an Weihnachten, Ostern und Ferragosto der Abgesandte der Bosse Schutzgeld verlangt, ist längst überholt und wird nur noch von Gruppen betrieben, die zu überleben suchen, aber keinerlei unternehmerische Qualitäten besitzen. Alles hat sich geändert. Die Nuvoletta aus Marano im Norden von Neapel haben eine viel differenziertere und effizientere Form der Erpressung entwickelt, die für beide Seiten Vorteile brachte und darauf basierte, den Einzelhändlern Lieferungen aufzuzwingen. Giuseppe Gala, mit Spitznamen »Showman«, wurde auf diese Weise einer der gesuchtesten Vertreter für Lebensmittelfirmen. Er vertrat die Firmen Bauli und Van Holten und hatte über die Vip Alimentari das Vertriebsmonopol der Parmalat in der Gegend von Marano erhalten. In einem von der Staatsanwaltschaft Neapel abgehörten Telefonat im Herbst 2003 brüstete sich Gala mit seinen Fähigkeiten als Vertreter: »Wir haben sie alle aus dem Feld geschlagen, wir sind die Stärksten am Markt.«

Die Firmen, die Gala vertrat, konnten fest damit rechnen, überall in seinem Territorium präsent zu sein und große Bestellungen einzufahren. Die Lebensmittelgeschäfte und Supermärkte auf der anderen Seite waren froh, Peppe Gala als Ansprechpartner zu haben, denn er konnte auf die Firmen und Großhändler Druck ausüben und Preisnachlässe herausschinden. Als Mann des Systems bürgte »Showman« dadurch, daß er den Transport kontrollierte, zudem für günstige Preise und pünktliche Lieferungen.

Der Clan plaziert das Produkt, für das er sich entscheidet, nicht durch Einschüchterungen, sondern dadurch, daß er Vorteile bietet. Die von Gala vertretenen Firmen erklärten, hilflos den Erpressungen der Camorra und dem Diktat der Clans ausgesetzt gewesen zu sein. Doch wenn man die – über den Berufsverband einsehbaren – Verkaufszahlen der Firmen, die sich in der Zeit von 1998 bis 2003 an Gala gewandt hatten, analysiert, stellt sich heraus, daß ihr Umsatz um 40 bis 80 Prozent gestiegen war. Mit seinen unternehmerischen Strategien gelang es Gala sogar, ein Liquiditätsproblem der Clans zu lösen. In der Weihnachtszeit setzte er einen Aufpreis auf den Panettone durch, um damit das dreizehnte »Monatsgehalt« für die Familien der Mitglieder des Nuvoletta-Clans zu finanzieren, die im Gefängnis saßen. Sein geschäftlicher Erfolg wurde »Showman« jedoch zum Verhängnis. Nach Darstellung einiger Kronzeugen erhob er Anspruch auf das Monopol im Drogenmarkt. Davon aber wollte die Familie Nuvoletta nichts wissen. Im Januar 2003 verbrannte Gala bei lebendigem Leib in seinem Auto.

Die Nuvoletta sind die einzige Familie außerhalb Siziliens, die in der »Cupola«, dem Leitungsgremium der Cosa Nostra, sitzen, nicht als einfache Bündnispartner oder Mitglieder, sondern als gleichwertige Partner der Clans aus Corleone, einer der mächtigsten Gruppen innerhalb der Mafia. So viel Einfluß haben sie, daß die Sizilianer nach Aussagen des Kronzeugen Giovanni Brusca bei der Planung von Bombenattentaten in ganz Italien Ende der neunziger Jahre den Clan aus Marano um seine Meinung befragten und ihn um Mithilfe baten. Die Nuvoletta hielten die Idee, überall Bomben hochgehen zu lassen, für Wahnsinn und für eine Strategie, die zwar politische, aber keinerlei greifbare militärische Ergebnisse bringen würde. Sie lehnten eine Teilnahme ab und weigerten sich auch, logistische Hilfe zu leisten. Aus dieser Haltung erwuchs ihnen nicht der geringste Nachteil. Selbst Totò

Riina, der *capo dei capi*, der Boss der Bosse in Sizilien, wandte sich an Angelo Nuvoletta mit der Bitte, bei seinem ersten großen Prozeß die Staatsanwälte zu bestechen, aber auch in diesem Fall kamen die Maranesen dem militärischen Flügel der Corleonesen nicht zu Hilfe. Während des Krieges, der nach dem Sieg über Cutolo innerhalb der Nuova Famiglia ausbrach, beauftragten die Nuvoletta den Mörder des sizilianischen Richters Falcone, Giovanni Brusca, den Boss von San Giovanni Jato, damit, in Kampanien fünf Menschen umzubringen und zwei in Säure aufzulösen. Sie beauftragten ihn, so wie man einen Installateur beauftragt. Der Täter selbst hat vor Gericht ausgesagt, wie er vorging, um Luigi und Vittorio Vastarella mit Säure umzubringen:

Wir gaben Order, hundert Liter Salzsäure zu kaufen, außerdem Zweihundert-Liter-Behälter, wie sie normalerweise für die Aufbewahrung von Öl benutzt werden, sie sollten oben aufgeschnitten sein. Nach unserer Erfahrung mußte man in jedes Faß fünfzig Liter Säure schütten, und da die Beseitigung von zwei Personen vorgesehen war, brauchten wir zwei Fässer.

Die Nuvoletta brachten zusammen mit zwei Clans aus der zweiten Reihe, den Nettuno und den Polverino, den Drogenhandel wieder in Schwung, und zwar dadurch, daß sie für das Geschäft mit Kokain richtiggehende Volksaktien ausgaben. Die Antimafia-Einheit Neapel hat 2004 nachgewiesen, daß der Clan über seine Vermittler praktisch jedermann am Geschäft mit Kokain teilnehmen ließ. Rentner, Angestellte und Kleinunternehmer gaben den Agenten Geld für den Ankauf von Drogen. Die Investition einer Rente von sechshundert Euro in Kokain brachte nach einem Monat das Doppelte. Außer dem Wort des Vermittlers gab es keine Garantie, aber die Anlage brachte regelmäßig Gewinn. Das Risiko, zu verlieren, stand in keinem Verhältnis zum möglichen Gewinn, vor allem verglichen mit dem, was herauskam, wenn die Summe bei einer regulären Bank angelegt worden wäre. Der einzige

Nachteil war organisatorischer Natur, denn die Kokain-Päckchen wurden nicht selten bei den Kleinanlegern aufbewahrt, um große Lager zu vermeiden und Beschlagnahmungen praktisch unmöglich zu machen. Die Clans der Camorra konnten auf diese Weise ihr Investitionskapital enorm erhöhen und gewannen gleichzeitig die kleinen Leute für sich, die zwar nichts mit kriminellen Machenschaften zu tun haben wollten, es aber leid waren, ihr Geld den Banken anzuvertrauen. Auch der Verkauf der Drogen an die Endverbraucher nahm eine völlig neue Form an. Die Nuvoletta und die Polverino verwandelten Friseurläden und Sonnenstudios in Verkaufsstellen für Kokain. Die Gewinne aus dem Drogenhandel wurden dann über Strohmänner in den Kauf von Wohnungen, Hotels, Anteilen an Dienstleistungsunternehmen, Privatschulen und sogar in Kunstgalerien reinvestiert.

Laut Anklage war Pietro Nocera der wichtigste Mann, wenn es um Kapitalinvestitionen ging. Als einer der mächtigsten Manager des Territoriums fuhr er selbstverständlich einen Ferrari und verfügte über ein Privatflugzeug. Im Jahr 2005 haben neapolitanische Richter die Beschlagnahmung von Immobilien und Firmen im Wert von über dreißig Millionen Euro angeordnet; in Wirklichkeit nur fünf Prozent von Noceras Wirtschaftsimperium. Der Kronzeuge Salvatore Speranza sagte aus, daß Nocera das gesamte Vermögen der Nuvoletta verwalte und »die Investitionen der Organisation in Grundstücken und im Baubereich allgemein« koordiniere. Die Nuvoletta waren über das Unternehmen Enea, das Nocera ebenfalls aus dem Untergrund leitete, in der Emilia Romagna, in Venetien, den Marken und in Latium tätig. Da die Enea den Zuschlag für öffentliche Bauten in Bologna, Reggio Emilia, Modena, Venedig, Ascoli Piceno und Frosinone erhalten hatte, setzte sie enorme Summen um. Seit Jahren hatten die Nuvoletta auch in Spanien investiert. Nocera fuhr nach Teneriffa, um sich mit Armando Orlando, den die Ermittler für einen der Spitzenleute des Clans halten, wegen der Ausgaben für den Bau des imposanten Marina Palace auseinanderzusetzen.

Nocera warf seinem Geschäftspartner vor, durch die Verwendung zu teuren Materials die Kosten in die Höhe getrieben zu haben. Ich kenne den Marina Palace nur aus dem Internet, die Website zeigt eine riesige Ferienanlage mit Pool-Landschaft und viel Beton, den die Nuvoletta errichten ließen, um am boomenden Tourismusgeschäft Spaniens zu partizipieren.

Paolo Di Lauro begann seine kriminelle Laufbahn in Marano im Dienste der Nuvoletta. Allmählich entfernte er sich jedoch von ihnen und wurde in den neunziger Jahren die rechte Hand und dann der Stellvertreter des Bosses von Castellammare, Michele D'Alessandro, als dieser untertauchte. Di Lauro plante, den Drogenhandel nach demselben Prinzip zu organisieren wie Geschäftsketten und Textilfabriken. Der Boss sah voraus, daß das nördliche Hinterland von Neapel, nachdem Gennaro Licciardi im Gefängnis gestorben war, zum größten Drogenmarkt Italiens und Europas werden konnte. Ganz in der Hand seiner Männer. Paolo Di Lauro agierte stets in aller Stille, seine Qualitäten waren eher die eines Managers als die eines Killers, er griff nie offen auf das Territorium anderer Bosse über und war nicht von Ermittlungen oder Hausdurchsuchungen betroffen.

Als einer der ersten deckte der Kronzeuge Gaetano Conte das Organigramm von Di Lauros Imperium auf. Dieser Kronzeuge hat selbst eine interessante Geschichte. Zuerst war er Carabiniere und gehörte in Rom zur Leibwache von Francesco Cossiga, dem ehemaligen Staatspräsidenten. Seine Fähigkeiten als Bodyguard eines Staatspräsidenten qualifizierten ihn für die Aufnahme in den Kreis um den Boss Di Lauro. Nachdem er im Auftrag des Clans Schutzgelder erpreßt hatte und im Drogengeschäft tätig war, entschied er sich für die Zusammenarbeit mit der Staatsanwaltschaft und enthüllte Informationen und Einzelheiten, wie sie nur ein Carabiniere liefern konnte.

Paolo Di Lauro ist bekannt als »*Ciruzzo 'o millionario*« (Schnuckelbär, der Millionär), ein lächerlicher Spitzname, aber Bei- und Spitznamen haben eine eigene Logik und Geschichte.

Ich habe nie gehört, daß die Mitglieder des Systems anders als mit ihrem Spitznamen bezeichnet werden, so daß der Eigenname in vielen Fällen verschwindet und gar nicht mehr bekannt ist. Einen Beinamen wählt man nicht, er entsteht plötzlich aus irgend etwas, aus irgendwelchen Gründen und wird von anderen aufgegriffen. Die Decknamen der Camorra entstehen aus reinem Zufall. Paolo Di Lauro wurde vom Boss Luigi Giuliano »*Ciruzzo 'o millionario*« getauft, weil er eines Abends sah, wie Di Lauro zum Pokern kam und aus seiner Tasche Dutzende von Hunderttausend-Lire-Scheine fallen ließ. Da rief Giuliano aus: »Kommt da etwa Schnuckelbär, der Millionär?« Ein Name, wie man ihn in leicht angetrunkenem Zustand erfindet, aus dem Moment heraus, absolut treffend.

Die Auswahl an Beinamen ist unendlich. Carmine Alfieri, der Boss der Nuova Famiglia, hieß »*'o 'ntufato*«, der Wütende, weil sein Gesichtsausdruck immer Unzufriedenheit oder Wut signalisierte. Dann gibt es Spitznamen, die schon die Vorfahren der Familie trugen und die sich weitervererben, wie bei dem Boss Mario Fabbrocino, der mit dem Kapital der neapolitanischen Camorra Argentinien kolonisiert hat. Er hieß »*'o graunar*«, der Kohlenhändler, weil seine Vorfahren diesem Gewerbe nachgegangen waren. Manche Spottnamen beziehen sich auf Vorlieben einzelner Camorristen wie bei Nicola Luongo, der »*'o wrangler*« hieß, weil er nur den gleichnamigen Geländewagen fuhr, der zur Lieblingsautomarke des ganzen Systems wurde. Andere Namen sind auf bestimmte körperliche Merkmale zurückzuführen, so Giovanni Birra, genannt »*'a mazza*« (die Stange), weil er groß und schlank war, Constantino Iacomino ist bekannt als »*capaianca*« (weißes Haupt), weil er schon früh graue Haare hatte, Ciro Mazzarella »*'o scellone*« (die große Schulter) wegen seiner vorstehenden Schulterblätter, Nicola Pianese »*'o mussuto*« (Klippfisch) wegen seiner auffallend hellen Haut, Rosario Privato »*mignolino*« (Kleiner Finger) und Dario De Simone »*'o nano*« (der Zwerg). Dann gibt es unerklärliche Namen wie den von Antonio Di Fraia, genannt »*'u urpacchiello*«, ein neapolitanisches Wort für eine Reitpeitsche aus getrocknetem Eselspenis. Carmine Di Girolamo wird »'o sbirro« (der Bulle) genannt, weil er Polizisten und Carabinieri für sich arbeiten läßt. Ciro Meriso ist aus welchen Gründen auch immer »'o mago« (der Zauberer). Pasquale Gallo aus Torre Annunziata hat ein hübsches Gesicht und heißt deshalb »'o bellillo« (Schönling), die Lo Russo sind die »capitoni« (die Aale), die Mallardo die »Carlantoni« (die Karlantons), die Belforte die »Mazzacane«, die Piccolo die »Quaquaroni« (Schwätzer), alles schon von der Familie ererbte Namen. Vincenzo Mazzarella galt als »'o pazzo« (der Verrückte) und Antonio Di Biasi als »pavesino«, weil er bei militärischen Operationen immer eine Schachtel Pavesi-Kekse dabei hatte. Domenico Russo, Boss der neapolitanischen Quartieri Spagnoli, hatte seinen Beinamen »Mimì dei cani« (Mimì von den Hunden) daher, daß er als kleiner Junge an der Via Toledo Welpen verkauft hatte. Antonio Carlo D'Onofrio, »Carluccciello ò mangiavatt« (Karlchen Katzenfresser) soll bei seinen Schießübungen streunende Katzen als Zielscheibe gewählt haben. Gennaro Di Chiara, der es nicht ertragen konnte, im Gesicht berührt zu werden, hieß »file scupierto« (offene Stromleitung). Manche Namen sind einfach Lautmalereien wie »picc pocc« für Agostino Tardi, »scipp scipp« für Domenico di Ronza, »quaglia quaglia« für die Familie De Simone, »zig zag« für die Aversano, »'o zuì« für Raffaele Giuliano und »zuzù« für Antonio Bifone.

Nur weil Antonio Di Vicino häufig eine Zitronenlimonade bestellte, wurde er »lemon« genannt, Vincenzo Benitozzi verdankte seinem rundlichen Gesicht den Spitznamen »Cicciobello« (Puppe), Gennaro Lauro war vielleicht wegen seiner Hausnummer »'o diciasette« (siebzehn), Giovanni Apreas Großvater spielte 1974 in Pasquale Squitieris Film *I guappi* *(Die Rache der Camorra)* den alten Camorristen, der die *guappi*, den Nachwuchs der Camorra, im Messerwerfen trainierte, und deshalb wurde er zu »punt 'e curtiello« (Messerspitze).

Manche Beinamen bedeuten für einen Boss auch in den

Medien Erfolg oder Mißerfolg, wie der berühmte Francesco Schiavone, besser bekannt unter dem furchteinflößenden Pseudonym Sandokan, weil er Kabir Bedi, dem Darsteller von Salgaris Helden, verblüffend ähnelte. Pasquale Tavoletta hieß Zorro nach dem Schauspieler, der Zorro im Fernsehen verkörpert hatte, und Luigi Giuliano war »'o re« (der König) oder auch Lovigino in Anlehnung daran, daß seine amerikanischen Geliebten ihm zärtlich ins Ohr flüsterten »I love you, Luigino«. Sein Bruder Carmine hieß »'o lione« (der Löwe) und Francesco Verde trug wegen seiner hieratischen Haltung und seiner langen Herrschaft als Boss den äthiopischen Kaisertitel »'o negus«. Mario Schiavone hieß nach dem berühmten äthiopischen Staatsoberhaupt, das sich den italienischen Truppen entgegengestellt hatte, »Menelik«, und Vincenzo Carobene machte seine erstaunliche Ähnlichkeit mit dem Sohn des libyschen Revolutionsführers zu »Gaddhafi«. Der Boss Francesco Bidognetti ist bekannt als »Cicciotto di Mezzanotte« (Mitternachtsfranz), entweder weil er dafür sorgte, daß jedem, der es wagte, sich seinen Plänen zu widersetzen, schwarz vor den Augen wurde, selbst am frühen Morgen, oder aber, so behaupten andere, weil er seine Karriere als Zuhälter begonnen hatte. Der ganze Clan wird als »Clan der Mezzanotte« bezeichnet.

Fast alle Bosse haben einen Spitznamen: er macht sie einzigartig und gibt ihnen eine Identität, er ist vergleichbar mit den Wundmalen eines Heiligen und der Ausweis für die Zugehörigkeit zum System. Jeder kann Francesco Schiavone sein, aber nur einer wird Sandokan genannt; Carmine Alfieri ist ein Allerweltsname, aber nur einer dreht sich um, wenn man ihn mit »'o 'ntufato« anspricht, nur Francesco Verde wird auf »'o negus« reagieren, und auch Paolo Di Lauro ist nichts Besonderes, einzigartig aber ist »Ciruzzo 'o millionario«.

Ciruzzo hatte beschlossen, seine Geschäfte in aller Stille abzuwickeln, geschützt durch eine engmaschige militärische Struktur, die aber selten zum Einsatz kam. Als Boss war er lange Zeit sogar der Polizei unbekannt. Bevor er untertauchen mußte, war er nur einmal mit der Staatsanwaltschaft in Berührung gekommen, als sein Sohn Nunzio einen Lehrer angriff, der es wagte, ihn zu rügen. Paolo di Lauro hat es geschafft, direkt mit den südamerikanischen Kartellen zusammenzuarbeiten und durch ein Bündnis mit den albanischen Kartellen ein riesiges Vertriebsnetz aufzuziehen. Der Drogenhandel verläuft in den letzten Jahren auf ganz bestimmten Routen. Kokain kommt aus Südamerika nach Spanien und wird dort entweder direkt abgeholt oder von Albanien aus auf dem Landweg weiterverteilt. Heroin dagegen kommt aus Afghanistan über Bulgarien, den Kosovo und Albanien; Haschisch und Marihuana werden aus dem Maghreb über die Türkei und Albanien nach Europa geleitet. Di Lauro hatte sich direkte Kontakte zu den Herkunftsländern für alle Drogen verschafft und sich in mühseliger Kleinarbeit ein richtiggehendes Unternehmen im Leder- und Drogenhandel aufgebaut. 1989 gründete er die bekannte Firma Confezioni Valent di Paolo Di Lauro & Co., die nach ihren Statuten bis 2002 bestehen sollte, im November 2001 jedoch auf richterlichen Beschluß aufgelöst wurde. Die Valent hatte den Zuschlag für die Errichtung von *Cash-and-carry*-Märkten in ganz Italien erhalten. Das im Handelsregister deklarierte Aufgabenfeld des Unternehmens reichte vom Möbel- und Textilhandel über Verpackung und Vertrieb von Fleisch bis zum Handel mit Mineralwasser. Die Valent belieferte zahlreiche öffentliche und private Einrichtungen mit Fertigmenüs und unterhielt Schlachtbetriebe für alle Arten von Fleisch. Ferner sah die Beschreibung des Aufgabenfeldes der Valent di Paolo Di Lauro die Errichtung von Hotels, Restaurant- und Schnellrestaurantketten vor und von allem, was »für die Freizeitgestaltung in Frage kommt«. Außerdem hieß es: »Die Gesellschaft kann Grundstücke kaufen, direkt oder indirekt Gebäude für Einkaufszentren oder Wohnhäuser errichten.« Die Firma wurde 1993 von der Gemeinde Neapel zugelassen und von Di Lauros Sohn Cosimo geleitet. Paolo Di Lauro stieg aus Gründen, die etwas mit dem Clan zu tun hatten, 1996 aus und überschrieb seine Gesellschaftsanteile an seine Frau Luisa. Die Di Lauro wurden durch harte Arbeit zur Dynastie. Luisa gebar zehn Kinder und ließ wie die Matronen der großen italienischen Industrie die Nachkommenschaft im Gleichschritt mit dem wirtschaftlichen Erfolg ihres Unternehmens wachsen. Alle Söhne wurden Teil des Clans: Cosimo, Vincenzo, Ciro, Marco, Nunzio, Salvatore, und dann kamen die noch Minderjährigen. Paolo Di Lauro investierte anscheinend besonders gern in Frankreich, denn er besaß Geschäfte in Nizza, aber auch in Paris, in der Rue Charenton 129, und in Lyon am Quai Perrache 22. Er wollte durch seine Geschäfte die italienische Mode in Frankreich bekannt machen, sie sollte auf seinen Lastern ins Land rollen, um auf den Champs Elysées den Duft der Macht aus Scampia zu verbreiten.

Doch in Secondigliano bekam das Imperium der Di Lauro Risse. Es war schnell gewachsen, und seine Bestandteile hatten sich ziemlich unabhängig voneinander entwickelt, auf dem Drogenmarkt verschlechterte sich das Klima. In Scampia hoffte man noch, alles wie beim letztenmal lösen zu können. Bei einem Glas hatte noch jede Krise eine Lösung gefunden. Diesmal war es ein ganz besonderes Getränk, als Domenico, einer von Di Lauros Söhnen, nach einem schweren Unfall im Krankenhaus lag. Domenico war ein rebellischer junger Mann. Die Söhne der Bosse entwickeln häufig eine Art Allmachtsphantasie und glauben, nach Gutdünken über ganze Städte und ihre Einwohner herrschen zu können. Nach den Ermittlungen der Polizei hatte Domenico mit seinen Bodyguards und einer Gruppe von Freunden im Dezember 2003 das Städtchen Casoria angegriffen, Fenster eingeschlagen, Garagen zerstört, Autos und Müllcontainer in Brand gesetzt, Haustüren mit Spray verschandelt und Gegensprechanlagen mit dem Feuerzeug unbrauchbar gemacht. Mit dem diplomatischen Geschick, mit dem man in der Familie wiedergutmacht, was die Kinder angerichtet haben, kam sein Vater in aller Stille für die Schäden auf, ohne jedoch das eigene Ansehen zu beschädigen. Dann verlor Domenico bei hoher Geschwindigkeit in einer Kurve die Kontrolle über sein Motorrad und erlag nach einigen Tagen im Krankenhaus den schweren Verletzungen, die er sich bei dem Sturz zugezogen hatte. Dieses tragische Ereignis führte zu einem Gipfeltreffen, einer Bestrafung und zugleich zu einer Amnestie. In Scampia kennt jeder diese Geschichte, eine Legende, vielleicht frei erfunden, aber wesentlich, um zu verstehen, wie innerhalb der Dynamiken der Camorra Konflikte beigelegt werden.

Es heißt, daß Gennaro Marino, genannt McKay, der Kronprinz von Paolo Di Lauro, ans Krankenbett des sterbenden Jungen kam, um den Boss zu trösten. Seine Tröstung war willkommen. Di Lauro nahm ihn danach zur Seite und bot ihm einen Drink an. Er pißte in ein Glas und hielt es ihm hin. Dem Boss waren Informationen über bestimmte Verhaltensweisen seines Favoriten zu Ohren gekommen, die er in keiner Weise gutheißen konnte. McKay hatte eigenmächtig bestimmte unternehmerische Entscheidungen getroffen und Gelder abgezweigt, ohne darüber Rechenschaft abzulegen. Der Boss schloß daraus, daß sein Kronprinz sich selbständig machen wollte, war aber bereit, ihm zu verzeihen und das Verhalten als Übereifer dessen, der sein Metier zu gut versteht, hinzunehmen. Man erzählt sich, McKay habe das Glas bis auf den Grund ausgetrunken. Ein großer Schluck Pisse brachte das erste Beben, das sich innerhalb des Machtkartells des Clans Di Lauro ereignet hatte, zum Verebben. Ein fragiler Waffenstillstand, der einer Zerreißprobe nicht standhalten sollte.

Der Krieg von Secondigliano

McKay und Angioletto hatten sich entschieden. Sie wollten als autonome Gruppe auftreten, alle älteren Führungsfiguren waren einverstanden, denn sie hatten unmißverständlich erklärt, nicht als Gegner, sondern nur als Konkurrenten zur Organisation aufzutreten. Als loyale Konkurrenten auf einem riesigen Markt. Seite an Seite, aber jeder für sich. Diese Botschaft ließen sie – nach den Aussagen des Kronzeugen Pietro Esposito – Cosimo Di Lauro, dem Leiter des Kartells, zukommen. Sie wollten mit seinem Vater Paolo sprechen, mit dem obersten Boss, dem Mann an der Spitze, dem ersten Ansprechpartner des Bündnisses. Mit ihm persönlich sprechen, ihm sagen, daß sie die von seinen Söhnen getroffenen Entscheidungen zur Sanierung der Geschäfte nicht guthießen. Sie wollten ihm in die Augen sehen, Schluß machen damit, daß ihre Meinung von Mund zu Mund weitergetragen und von der Spucke vieler Zungen gewendet wurde, da man kein Handy benutzen durfte, um die Spur des Untergetauchten nicht zu verraten. Genny McKay wollte Paolo Di Lauro treffen, den Boss, der ihm den Aufstieg als Unternehmer ermöglicht hatte.

Cosimo akzeptiert formal diese Einladung zu einem Treffen, bei dem sich die gesamte Führung der Organisation versammeln soll, Bosse, Manager und die Verantwortlichen für ein Gebiet, die Capizona. Eine Absage kommt nicht in Frage. Aber Cosimo hat bereits einen genauen Plan, so schaut es zumindest aus. Anscheinend weiß er wirklich, wie er seine Geschäfte ausrichten und seine Verteidigung aufbauen muß. Wie nämlich aus den Ermittlungen und den Aussagen der Kronzeugen hervorgeht, läßt Cosimo nicht irgendwelche Untergebenen den Termin wahrnehmen. Er schickt nicht seinen »reitenden Boten« Giovanni Cortese, den offiziellen Sprecher, der für die Familie Di Lauro bisher immer die Außenkontakte gepflegt hat. Cosimo schickt seine Brüder Marco und Ciro, um den Ort des Treffens auszukundschaften. Sie prüfen, ob die Luft rein ist, kündigen sich nicht an. Sie sind ohne Bodyguards vermutlich im Auto unterwegs. Schnell, aber nicht zu schnell. Sie stellen fest, daß Fluchtwege vorgesehen sind, Wachen aufgestellt, ganz unauffällig. Aus ihrem detaillierten Bericht wird Cosimo alles klar. Es war ein Hinterhalt geplant. Um Paolo und jeden, der ihn begleitet hätte, zu ermorden. Das Treffen ist eine Falle, um zu töten und eine neue Ära in der Führung des Kartells einzuleiten. Ein Imperium löst man nicht dadurch auf, daß man seine Hand zurückzieht, sondern indem man die des anderen abhackt. So berichtet man, so berichten Ermittlungen und Kronzeugen.

Cosimo, dem sein Vater Paolo die volle Verantwortung für den Drogenhandel übertragen hat, muß entscheiden. Ein Krieg ist unvermeidlich, aber er erklärt ihn nicht, er merkt sich alles, will die Taktik der Gegner verstehen, seine Rivalen nicht mißtrauisch machen. Er weiß, daß sie sich bald auf ihn stürzen werden, er muß sich darauf gefaßt machen, ihre Krallen zu spüren, aber er will Zeit gewinnen, um eine präzise, unfehlbare, siegreiche Strategie zu entwickeln. Verstehen, auf wen er sich verlassen, über welche Kräfte er verfügen kann. Wer für ihn und wer gegen ihn ist. Mehr Platz gibt es auf dem Spielfeld nicht.

Die Di Lauro rechtfertigen die Abwesenheit ihres Vaters damit, daß er von der Polizei gesucht wird und sich deshalb nur schwer bewegen kann. Seit mehr als zehn Jahren lebt er im Untergrund. Ein Treffen abzusagen ist ganz normal für einen der dreißig meistgesuchten Verbrecher Italiens. Die größte unternehmerische Holding im nationalen und internationalen Drogengeschäft gerät in ihre schwerste Krise, nachdem sie jahrzehntelang perfekt funktioniert hat.

Der Di-Lauro-Clan war stets bestens organisiert. Der Boss

hat ihn nach dem Prinzip der Multi Level Governance strukturiert. Auf einer ersten Ebene ist der Vertrieb und die Finanzverwaltung unter der Leitung der wichtigsten Manager des Clans angesiedelt, die Handel und Vertrieb der Drogen planen und kontrollieren: zu diesem Kreis gehören nach Angaben der neapolitanischen Ermittler: Rosario Pariante, Raffaele Abbinante, Enrico D'Avanzo und Arcangelo Valentino. Auf der zweiten Ebene arbeiten diejenigen, die direkt mit den Drogen zu tun haben, sie kaufen und verpacken und den Vertrieb an die Dealer organisieren, denen im Falle einer Verhaftung ein Rechtsbeistand gestellt wird. Die wichtigsten Männer sind hier Gennaro Marino, Lucio De Lucia, Pasquale Gargiulo. Die dritte Ebene bilden die Capi der Umschlagplätze, das heißt diejenigen Mitglieder des Clans, die direkt mit den Dealern zu tun haben, die Posten organisieren, die Fluchtwege festlegen und sich um die Sicherheit der Warenlager und der Labors für den Verschnitt kümmern. Die Dealer sind die vierte Ebene, die am meisten exponiert ist. Jede dieser Ebenen ist in sich wiederum gegliedert und hat nur mit der jeweiligen Leitung Kontakt, nie mit der ganzen Struktur. Diese Organisation ermöglicht einen Profit von fünfhundert Prozent auf das ursprünglich investierte Kapital.

Das Unternehmensmodell der Di Lauro hat mich immer an das mathematische Konzept der Fraktale erinnert, wie es von den Handbüchern erklärt wird, an das Beispiel einer Bananenstaude, von der wiederum jede einzelne Banane eine Bananenstaude ist, die ihrerseits Bananenstauden sind, und so weiter bis unendlich. Der Clan Di Lauro setzt allein mit dem Drogenhandel fünfhunderttausend Euro täglich um. Dealer, Lagerverwalter und Boten gehören oft nicht zur Organisation, sondern sind einfache Angestellte. Tausende arbeiten dabei mit, wissen aber nicht genau, wer über ihnen steht. In der Regel ahnen sie, für welche Familie der Camorra sie arbeiten, aber nicht mehr. Sollte jemand verhaftet werden und sich bereit finden, mit der Justiz zusammenzuarbeiten, ist seine Kenntnis auf einen spezifischen, sehr kleinen Bereich beschränkt, ohne das ganze Organigramm, den riesigen Umfang der ökonomisch-militärischen Macht der Organisation zu erfassen.

Dem ökonomisch-finanziellen Ganzen steht ein militärisches Team zur Seite: eine gnadenlose Kampfeinheit und ein feinmaschiges Netz von Flankenschützern. Zu den Killern gehörten Emanuele D'Ambra, Ugo De Lucia, genannt »Ugariello«, Nando Emolo »'o schizzato« (der Verrückte), Antonio Ferraro »'o tavano« (die Bremse), Salvatore Tamburino, Salvatore Petriccione, Umberto La Monica, Antonio Mennetta. In der Ebene darunter die Flankenschützer, d. h. die Capizona für ein Gebiet: Gennaro Aruta, Ciro Saggese, Fulvio Montanino, Antonio Galeota, Giuseppe Prezioso, der Bodyguard von Cosimo Di Lauro, und Costantino Sorrentino. Diese Organisation umfaßte insgesamt mindestens dreihundert Personen, die alle ein Gehalt bekamen. Innerhalb dieser komplexen Struktur herrschte eine präzise Ordnung. Es gab einen riesigen Wagen- und Motorradpark, der für Notfälle immer bereit sein mußte. Außerdem ein geheimes Waffenarsenal, verbunden mit einem Netz von Lieferanten, die bei einem Mordanschlag benutzte Waffen sofort vernichteten. Darüber hinaus war stets alles vorbereitet, damit die Killer unmittelbar nach der Tat an einem normalen Übungsschießstand trainieren konnten, wo jeder Besucher registriert wird, um die Schmauchspuren zu vermischen und auf diese Weise für derartige polizeiliche Analysen ein Alibi zu haben. Den Schmauch fürchten Killer am allermeisten, da er über längere Zeit haften bleibt und ein erdrückendes Beweismittel ist. Die Kampfeinheiten wurden teilweise sogar mit eigener Kleidung versorgt: ein unauffälliger Trainingsanzug und ein Motorradhelm, die nach dem Attentat sofort vernichtet wurden. Ein unangreifbares Unternehmen, perfekt – oder fast perfekt. Man macht keinen Versuch, die jeweiligen Schritte, einen Mord oder eine Investition zu verstecken, will sie nur für die Polizei nicht nachweisbar machen.

Ich fuhr seit einiger Zeit nach Secondigliano. Seit Pasquale nicht mehr als Schneider arbeitete, informierte er mich über den Stand der Dinge in der Gegend, die sich schnell veränderten, so schnell, wie die Kapital- und Finanzströme ihre Richtung wechseln.

Ich fuhr mit meiner Vespa im Norden von Neapel herum. Mir gefällt vor allem das Licht in und um Secondigliano und Scampia. Riesige breite Straßen und viel Luft im Gegensatz zu dem Gassengewirr in der Altstadt von Neapel, als ob unter dem Teer, neben den Mietskasernen noch offenes Feld läge. Im übrigen trägt Scampia dies im Namen. Scampia ist ein heute vergessenes Wort des neapolitanischen Dialekts und bedeutet Brachland. Darauf wurde seit Mitte der sechziger Jahre ein ganzer Ort hochgezogen und die berüchtigten Häuserblocks, die, weil sie von fern an Segel erinnern, »Vele« heißen. Sie sind das verrottete Symbol des architektonischen Irrsinns oder vielleicht eine Utopie aus Zement. Dem Aufbau des Drogengeschäfts, das sich im Sozialgefüge dieser Gegend einnistete, hatte sie nichts entgegenzusetzen. Chronische Arbeitslosigkeit und das vollständige Fehlen von Wirtschafts- und Sozialprogrammen haben dafür gesorgt, daß hier tonnenweise Drogen gelagert werden können. Hier wird erprobt, wie sich die damit erzielten Gewinne in den Strom der normalen Wirtschaft zurückführen lassen. Secondigliano ist die abschüssige Bahn in die Illegalität, von der aus die legale Wirtschaft mit Sauerstoff versorgt wird. 1989 schrieb eine Stiftung zur Überwachung der Camorra in einer ihrer Publikationen, daß im Norden von Neapel mit der höchste Prozentsatz von Dealern im Verhältnis zur Bevölkerung in ganz Italien anzutreffen sei. Fünfzehn Jahre später ist daraus der höchste Prozentsatz von Europa und der fünfte Platz weltweit geworden.

Mit der Zeit kannte man mein Gesicht, und für die Schmiersteher des Clans war ich ein Neutrum. In jedem streng überwachten Territorium gibt es negative Werte – Polizisten, Carabinieri, eingeschmuggelte Mitglieder rivalisierender Clans – und positive Werte: die Käufer. Alles, was weder unerwünscht ist noch stört, ist neutral, unnütz. Zu dieser Kategorie zu gehören heißt, nicht existent zu sein. Die Orte, wo gedealt wird, haben mich wegen ihrer perfekten Ordnung, die der gewöhnlichen Lesart widerspricht, daß hier alles heruntergekommen sei, stets fasziniert. Der Mechanismus des Dealens ähnelt einem Uhrwerk, und die Individuen bewegen sich darin wie Zahnräder. Jede Bewegung löst eine andere aus. Das zu beobachten fasziniert mich jedes Mal. Die Dealer werden wöchentlich entlohnt, hundert Euro für die Posten, fünfhundert für den Koordinator und Kassierer eines bestimmten Drogenmarktes, achthundert für jeden Pusher und tausend für diejenigen, die die Lager verwalten und die Drogen bei sich zu Hause aufbewahren. Die Schichten gehen von drei Uhr nachmittags bis Mitternacht und von Mitternacht bis vier Uhr morgens. Am Vormittag wird kaum gedealt, weil zu viel Polizei unterwegs ist. Jeder hat einen Ruhetag, und wer zu spät zur Arbeit erscheint, dem werden pro Stunde fünfzig Euro von seinem Wochenlohn abgezogen.

In der Via Baku blüht der Handel. Die Kunden kommen, zahlen, erhalten die Ware und verschwinden. Manchmal warten Autoschlangen hinter den Dealern. Vor allem am Samstagabend. Dann müssen Pusher von anderen Stellen als Verstärkung geholt werden. In der Via Baku wird im Monat eine halbe Million Euro umgesetzt, die Drogenfahndung geht davon aus, daß im Durchschnitt täglich vierhundert Dosen Marihuana und ebensoviel Kokain verkauft werden. Wenn die Polizei auftaucht, wissen die Dealer, in welchen Häusern sie sich und die Ware verstecken müssen. Wenn sich die Polizeiautos dem Drogenmarkt nähern, setzt sich fast immer ein Auto oder Moped davor, um die Fahrt zu verlangsamen und den Schmierestehern Gelegenheit zu geben, die Dealer mit dem Motorrad wegzuschaffen. Häufig sind die Wachposten nicht vorbestraft und tragen nicht einmal Waffen, so daß sie kaum Gefahr laufen, angezeigt zu werden. Wenn Pusher verhaftet werden, greift man auf die Reserve zurück, meist Drogenabhängige oder regelmäßige Kunden, die sich bereit erklärt haben, im

Notfall einzuspringen. Für jeden verhafteten Pusher wird ein anderer benachrichtigt, der sofort auf den Plan tritt. Das Geschäft muß weitergehen. Auch in kritischen Momenten.

In der Via Dante wird ebenfalls viel Geld umgesetzt. Hier sind alle Pusher blutjung, hier blüht das Geschäft, dieser Umschlagplatz wurde von den Di Lauro erst vor kurzem eingerichtet. Dann gibt es noch im Viale della Resistenza den alten Markt für Heroin, aber auch für das in Neapel als Downer entwickelte Cobret und Kokain. Die Verantwortlichen für den jeweiligen Umschlagplatz haben richtiggehende Büros, in denen sie die Überwachung des Territoriums organisieren. Die Schmieresteher berichten über Handy, was passiert. Der Koordinator hat bei den Gesprächen ein Headset auf und eine Karte vor sich, so daß er die Ortsveränderungen der Polizei und der Kunden mitverfolgen kann.

Der Clan Di Lauro hat neu eingeführt, daß in Secondigliano auch der Kunde geschützt wird. Früher schützten die Wachposten nur die Pusher vor Verhaftungen und Personenkontrollen. Deshalb konnten die Käufer festgehalten, identifiziert und auf die Wache mitgenommen werden. Di Lauro hat dagegen Posten auch für die Kunden bereitgestellt, so daß jeder sicher und bequem den von Di Lauros Männern betriebenen Markt besuchen kann. Höchster Komfort für die Kleinkonsumenten, ein Kerngeschäft des Drogenhandels in Secondigliano. Im Ortsteil Berlingieri kann man anrufen und findet dann die Ware fertig vor. Die Via Ghisleri, Parco Ises, der ganze Ortsteil Don Guanella, der Abschnitt H von Via Labriola, die Sette Palazzi: alles in ertragreiche Märkte verwandelt, bewachte Straßen, Gegenden, in denen die Anwohner sich einen selektiven Blick angewöhnt haben, als ob ihre Augen, wenn sie auf etwas Schreckliches stoßen, den Gegenstand oder die Situation einfach ausblenden könnten. Man wählt aus, was man sehen will, um weiterleben zu können. Der grenzenlose Supermarkt der Drogen. Alle nur denkbaren Rauschmittel. Alles, was in Europa eingeführt wird, passiert zuerst Secondigliano. Wenn mit dieser Menge nur Neapel und Kampanien versorgt würde, müßten die Statistiken wahnwitzige Ergebnisse zeigen. In jeder neapolitanischen Familie müßten mindestens zwei Mitglieder kokain- und einer heroinabhängig sein. Ganz zu schweigen von Haschisch und Marihuana. Heroin, Cobret, leichte Drogen und dann die Pillen, die einige heute noch Ecstasy nennen, obwohl inzwischen 179 Varianten davon existieren. Hier in Secondigliano sind sie der große Renner und heißen X-file oder Jeton oder Bonbon. Damit werden enorme Gewinne erzielt. Ein Euro für die Herstellung, drei bis fünf für den Großhandel, und dann werden die Pillen in Mailand, Rom oder anderen Gegenden von Neapel für fünfzig bis sechzig Euro verkauft. In Scampia kosten sie fünfzehn Euro.

Der Markt von Secondigliano ist flexibler geworden und setzt auf Kokain als sein Erfolgsprodukt der Zukunft. Früher war es die Droge der Elite, heute ist es dank der neuen Wirtschaftspolitik der Clans für den Massenkonsum zugänglich, es gibt Qualitätsunterschiede, aber jeder Bedarf wird befriedigt. Nach den Untersuchungen der Hilfsorganisation Gruppo Abele sind neunzig Prozent der Kokainkonsumenten Arbeiter oder Studenten. Kokain wird nicht mehr benutzt, um high zu werden, sondern in jeder möglichen Phase des Alltags, zur Entspannung nach Überstunden, um noch Kraft dafür zu haben, etwas zu tun, was lebendig und nicht nur als ein Surrogat der Erschöpfung wirkt. Kokain wird von Lastwagenfahrern für Nachtfahrten genommen, es dient dazu, stundenlang vor dem Computer zu sitzen oder wochenlang ohne jede Pause zu arbeiten. Ein Lösungsmittel für Erschöpfung, ein Heilmittel gegen Schmerz, ein Ersatz für Glück. Um einem Markt gerecht zu werden, der die Droge als Ressource und nicht bloß zur Betäubung verlangt, mußte der Verkauf flexibler und von den Zwängen der Kriminalität befreit werden. Das qualitativ Neue in der Unternehmenspolitik des Clans Di Lauro war die Liberalisierung von An- und Verkauf der Drogen. Die italienischen kriminellen Kartelle bevorzugten bis dahin stets den Ankauf von großen Partien statt mittlerer oder kleiner. Die Di Lauro dagegen setzten auf mittelgroße Mengen, um damit im Drogengeschäft ein Kleinunternehmertum heranzuziehen, das neue Kunden anwirbt. Unabhängige freie Kleinunternehmer, die mit ihrer Ware machen, was sie wollen, den Preis festsetzen, den sie wollen, und verkaufen, wo und wie sie wollen. Jeder kann sich an dem Geschäft beteiligen, mit jeder beliebigen Menge. Man braucht dazu keine Mittelsmänner des Clans. Die Cosa Nostra und die 'Ndrangheta weiten ihr Drogengeschäft überallhin aus, aber sie müssen über die Verzweigungen Bescheid wissen, und um Drogen für den Weiterverkauf von ihren Mittelsmännern zu erwerben, braucht man ein Mitglied oder einen Bündnispartner des Clans als Gewährsmann. Sie wollen genau wissen, in welcher Gegend man verkaufen und wie der Vertrieb organisiert sein soll. Nicht so das System von Secondigliano. Hier heißt die Parole *laissez faire, laissez passer*. Freihandel total und absolut. Die Theorie von der Selbstregulierung des Marktes. Damit werden all diejenigen angesprochen, die einen kleinen Handel unter Freunden aufziehen wollen, die für fünfzehn einkaufen und für hundert verkaufen wollen, um sich einen Urlaub zu leisten, einen Master oder einen Kredit zu finanzieren. Die vollkommene Liberalisierung des Drogenmarktes hat die Preise drastisch sinken lassen.

Der Einzelhandel außerhalb bestimmter Umschlagplätze fällt auf diese Weise weg. Heute sind an dessen Stelle die sogenannten Kreise getreten. Der Kreis der Ärzte, der Kreis der Piloten, der Journalisten und der Beamten. Dieses informelle und völlig uneingeschränkte Geschäft mit der Droge wurde paßgenau für das Kleinbürgertum entwickelt. Es sieht aus wie ein kleiner Deal unter Freunden, weit entfernt von kriminellen Strukturen, und ähnelt dem von Hausfrauen, die ihren Freundinnen Cremes und Staubsauger andrehen. Bestens geeignet auch dafür, von übertriebenen moralischen Skrupeln zu befreien. Kein Pusher im acetatglänzenden Trainingsanzug muß, vom Schmieresteher bewacht, den ganzen Tag an den Ecken der Piazza herumstehen. Nichts außer Ware und Geld, Raum nur für die Dialektik des Geschäfts. Die Daten der wichtigsten Staatsanwaltschaften Italiens zeigen, daß ein Drittel der wegen Drogenhandels Verhafteten nicht vorbestraft ist und mit der organisierten Kriminalität überhaupt nichts zu tun hat. Der Kokainkonsum dagegen hat nach den Angaben der Obersten Gesundheitsbehörde einen Höchststand erreicht und ist allein im Zeitraum von 1999 bis 2002 um achtzig Prozent gestiegen. Die Zahl der Abhängigen, die sich täglich an die Drogenberatungsstelle SERT wenden, verdoppelt sich von Jahr zu Jahr. Der Markt wird immer größer, der genmanipulierte Anbau erlaubt mittlerweile vier Ernten pro Jahr, deshalb gibt es keinerlei Nachschubprobleme für die Rohstoffe, und das Fehlen einer übergeordneten Organisation erleichtert individuelle Initiativen. Robin Williams, ein berühmter kokainsüchtiger Schauspieler, behauptete jahrelang: »Gott hat das Kokain erfunden, um dir zu sagen, daß du zu viel Geld hast.« Dieser Satz, den ich in irgendeiner Zeitschrift gelesen habe, kam mir wieder in den Sinn, als ich in Case Celesti einige Jungs traf, die ihre Ware und den Ort mit folgenden Worten priesen: »Wenn es das Kokain der Case Celesti gibt, heißt das, daß Gott dem Geld keinerlei Wert gegeben hat.«

Die Case Celesti, die ihren Namen »himmlische Häuser« wegen der einst hellblauen Fassaden tragen, liegen an der Via Limitone d'Arzano und haben sich zu einem der besten Umschlagplätze für Kokain in ganz Europa entwickelt. Das war nicht immer so. Nach den polizeilichen Ermittlungen ist dafür Gennaro Marino McKay verantwortlich. Er ist der Statthalter des Clans in diesem Territorium. Nicht nur der Statthalter; Paolo Di Lauro, der seine Fähigkeiten schätzt, hat ihm das Geschäft in Franchising überlassen. McKay hat völlig freie Hand und muß lediglich am Ende des Monats eine bestimmte Summe in die Kasse des Clans einzahlen. Gennaro und sein Bruder Gaetano heißen die McKays, weil ihr Vater eine verblüffende Ähnlichkeit mit dem Sheriff Zeb McKay aus der Fernsehserie *Die Eroberung des Wilden Westens* hatte. Die ganze Familie wird deshalb nicht mehr Marino, sondern McKay genannt. Gaetano hat keine Hände mehr, sondern zwei

Prothesen aus Holz. Sie sind unbeweglich und schwarz lakkiert. Die Hände hat er 1991 im Kampf verloren. Im Krieg gegen die Puca, eine alte Familie aus dem Umkreis von Raffaele Cutolo. Eine Handgranate explodierte ihm zwischen den Fingern und riß ihm beide Hände weg. Gaetano McKay hat deshalb immer einen Begleiter bei sich, eine Art Butler, der die Aufgaben der Hände übernimmt, aber wenn Gaetano eine Unterschrift leisten muß, kann er einen in die Prothese geklemmtem Stift wie einen Dorn oder Nagel auf dem Papier fixieren und durch die Bewegung von Arm und Schulter seinen Namen mit nur unmerklich verzerrten Buchstaben schreiben.

Genny McKay hatte, wie die Ermittlungen der Antimafia-Einheit der Staatsanwaltschaft Neapel zeigen, erfolgreich einen Umschlagplatz aufgebaut, wo er in großem Umfang Drogen lagerte und vertrieb. Ob man bei den Lieferanten günstig einkaufen kann, hängt wesentlich davon ab, wieviel man zu lagern vermag, und dafür eignet sich der Zementdschungel von Secondigliano mit seinen hunderttausend Einwohnern ausgezeichnet. Die Menschen selbst, ihre Häuser und ihr alltägliches Leben verwandeln sich in die große Mauer, die die Lager der Drogen umschließt. Besonders Case Celesti hat wesentlich zum Preissturz des Kokains beigetragen. Normalerweise rechnet man von fünfzig bis siebzig Euro bis höchstens hundert oder zweihundert Euro pro Gramm. Bei gleichbleibend hoher Qualität ist der Preis hier auf fünfundzwanzig bis maximal fünfzig Euro gesunken. Die Untersuchungsergebnisse der Antimafia-Einheit zeigen, daß Genny McKay zu einem der mächtigsten Drogenunternehmer Italiens aufgestiegen ist und sich in einem Markt durchgesetzt hat, der expandiert wie kein anderer. Die Organisation der Umschlagplätze hätte auch am Posillip in Neapel, im Parioli-Viertel in Rom oder im Brera-Viertel in Mailand stattfinden können, aber sie hat hier in Secondigliano stattgefunden. Die Arbeitskräfte an jedem anderen Ort hätten sehr viel mehr gekostet. Hier senkt der Mangel an Arbeitsplätzen und die Unmöglichkeit, eine andere Lebensperspektive als die Auswanderung zu finden, die Löhne auf ein Minimum. Das ist das ganze Geheimnis, und es ist sinnlos, eine Soziologie der Armut oder eine Metaphysik des Ghettos zu bemühen. Eine Gegend, in der dreihundert Millionen Euro im Jahr von einer einzigen Familie umgesetzt werden, kann kein Ghetto sein. Ein Territorium, in dem Dutzende von Clans agieren und Profite erzielen, die nur mit dem Staatshaushalt zu vergleichen sind. Bei dieser Arbeit muß alles genau stimmen, die verschiedenen Phasen des Geschäfts treiben den Preis in die Höhe. Ein Kilo Kokain kostet beim Produzenten tausend Euro, beim Großhändler schon dreißigtausend. Aus dreißig Kilo werden nach dem ersten Verschnitt hundertfünfzig mit einem Marktwert von ungefähr fünfzehn Millionen Euro. Und wenn mehr als um das Dreifache gestreckt wird, kann man bis zu zweihundert Kilo herausholen. Der Verschnitt spielt eine große Rolle, wobei dem Rohstoff Koffein, Glukose, Mannit, Paracetamol, Xylocain, Benzocain oder Amphetamine beigemischt werden. Aber auch Talkum und Kalk für Hunde, wenn nichts anderes zur Hand ist. Der Verschnitt bestimmt die Qualität, schlecht gestrecktes Rauschgift bedeutet Tod, Polizei, Verhaftungen. Es verstopft die Arterien des Geschäfts.

Auch in dieser Hinsicht sind die Clans von Secondigliano allen anderen weit voraus, und dieser Vorsprung hat sich als wertvoll erwiesen. Dafür gibt es die Visitors: die Heroinsüchtigen. Diesen Namen tragen sie nach einer Fernsehserie der achtziger Jahre, deren Protagonisten Ratten verspeisten und unter einer scheinbar menschlichen Haut grünliche, schleimige Schuppen verbargen. In Secondigliano benützt man die Visitors als Versuchskaninchen, als menschliche Versuchskaninchen, um die Verschnitte auszuprobieren. Um herauszufinden, ob ein Verschnitt schädlich ist, welche Reaktionen er hervorruft, wie weit man das Pulver strecken kann. Wenn die »Zuschneider« viele Versuchskaninchen brauchen, werden die Preise gesenkt. Von zwanzig Euro für die Dosis gehen sie bis auf zehn herunter. Das spricht sich herum, und die Heroinsüchtigen kommen für ein paar Gramm sogar aus den Marken und aus Lukanien. Der Markt für Heroin bricht zusehends zusammen. Die Zahl der Heroinabhängigen geht immer mehr zurück. Sie sind verzweifelt. An allen Gliedern zitternd, steigen sie in Busse, nehmen mehrfaches Umsteigen mit der Bahn in Kauf, fahren nachts, machen Autostop und gehen kilometerweit zu Fuß. Aber das billigste Heroin in ganz Europa ist jede Anstrengung wert. Die »Zuschneider« der Clans empfangen die Visitors, schenken ihnen eine Dosis und warten dann ab. In einem von der Staatsanwaltschaft Neapel abgehörten Telefongespräch, das für die Ausstellung eines Haftbefehls als Beweismaterial diente, unterhalten sich zwei Personen über einen Test für den Verschnitt eines Rauschmittels an menschlichen Versuchskaninchen. Zunächst rufen sie sich zusammen, um das Experiment zu organisieren:

»Nimmst du fünf T-Shirts weg ... für die Allergieproben?«

Nach einer Weile rufen sie sich wieder an:

»Hast du das Auto ausprobiert?«

»Ja ...«

Damit ist offensichtlich gemeint, ob der Test stattgefunden hat:

»Ja, ehrlich, echt super, Bruder, wir sind echt die Nummer eins, da müssen alle zumachen.«

Sie jubelten darüber, daß ihre Versuchskaninchen nicht gestorben, sondern im Gegenteil sehr angetan waren von dem Gebotenen. Ein gelungener Verschnitt verdoppelt die Verkaufszahlen, bei höchster Qualität wird er sofort landesweit nachgefragt, so daß die Konkurrenz das Nachsehen hat.

Erst nachdem ich diesen telefonischen Meinungsaustausch gelesen hatte, verstand ich eine Szene, die ich vor einiger Zeit beobachtet hatte. Damals hatte ich überhaupt nicht begriffen, was sich vor meinen Augen abspielte. In der Gegend von Miano, ganz in der Nähe von Scampia, war ein Dutzend Visitors zusammengerufen worden. Auf den Platz vor einer Fabrikhalle. Ich war nicht aus Zufall dort, sondern um der Realität, ihrem warmen Atem nachzuspüren, denn so, meinte ich, könnte ich den Dingen auf den Grund kommen. Ich bin nicht sicher, ob es wichtig ist, zu beobachten und wirklich dabeizusein, um die Dinge zu kennen, aber es ist wichtig, dabei zu sein, damit die Dinge dich kennen. Dort trat ein gut, ich würde sogar sagen: sehr gut gekleideter Typ auf, in weißem Anzug, blaßblauem Hemd und nagelneuen Sportschuhen. Auf dem Kofferraum seines Autos breitete er ein weiches Tuch aus. Darauf lagen einige Spritzen. Die Visitors näherten sich und drängten einander gegenseitig weg wie bei einer dieser seit Jahren immer gleichen, stets sich wiederholenden Szenen, wenn das Fernsehen zeigt, wie in Afrika von einem Lastwagen aus Mehlsäcke verteilt werden. Einer der Visitors allerdings fing an zu schreien: »Nein, ich nehme das Zeug nicht, wenn ihr es verschenkt, nehme ich es nicht... Ihr wollt uns umbringen...«

Auf den bloßen Verdacht dieses einen hin zogen sich die anderen sofort zurück. Der Typ schien keine Lust zu haben, irgend jemanden zu überzeugen, und blieb stehen. Ab und zu spuckte er den Staub aus, den die Visitors beim Weggehen aufgewirbelt hatten und der sich ihm auf die Zähne gelegt hatte. Einer traute sich trotzdem vor, oder genauer ein Pärchen. Sie zitterten und waren wirklich am Ende. Auf Turkey, wie man sagt. Die Venen in der Armbeuge des jungen Mannes waren nicht mehr zu verwenden, deshalb zog er sich die Schuhe aus, aber auch die Fußsohlen waren schon ruiniert. Das Mädchen nahm die Spritze von dem Tuch und klemmte sie sich zwischen die Lippen, während sie dem Jungen langsam, als hätte es hundert Knöpfe, das Hemd öffnete und dann die Spritze in den Hals stach. In der Spritze war Kokain. In die Blutbahnen gespritzt, läßt sich in kürzester Zeit erkennen, ob der Verschnitt funktioniert oder nicht, ob zu viel oder zu wenig gestreckt ist. Nach kurzer Zeit begann der Junge zu schwanken, Schaum bildete sich in den Mundwinkeln, und er fiel hin. Auf dem Boden bewegte er sich ruckartig, dann blieb er ausgestreckt auf dem Rücken liegen und schloß die Augen, erstarrt. Der Weißgekleidete begann mit seinem Handy zu telefonieren: »Ich glaube, er ist tot ..., ja, ist gut, na, dann massiere ich ihn ...«

Mit der Stiefelette begann er den Brustkorb des jungen Mannes zu traktieren. Dabei hob er das Knie, stieß das Bein dann nach unten und führte die Herzmassage mit Fußtritten aus. Das Mädchen an seiner Seite begann zu plärren, die Worte schienen ihr an den Lippen kleben zu bleiben: »Du machst es falsch, du tust ihm weh ...«

Mit ihrem Federgewicht versuchte sie den Typ vom Körper ihres Freundes wegzuschieben. Der aber war abgestoßen, schien sich beinahe zu fürchten vor ihr und den anderen Visitors: »Faß mich nicht an ... du ekelst mich an ... wag ja nicht, mir nahe zu kommen ... faß mich nicht an, sonst knall ich dich ab!«

Er trat weiter auf den Brustkorb des Jungen ein; dann griff er, mit dem Fuß auf dem Brustbein, wieder zum Handy:

»Der ist platt. Ach ja, das Taschentuch... wart, jetzt probier ich's.«

Er nahm ein Papiertaschentuch aus der Tasche, goß aus einer Flasche Wasser darüber und breitete es über den Mund des Jungen aus. Wenn der auch nur schwach geatmet hätte, wäre das Kleenex zerrissen, ein Beweis, daß er noch lebte. Eine Vorsichtsmaßnahme, um jeder Berührung mit diesem Körper aus dem Wege zu gehen. Ein letztes Telefonat: »Der ist tot. Wir müssen es weniger stark machen ...«

Der Typ stieg ins Auto, in dem der Fahrer sich die ganze Zeit auf dem Sitz zu einer Musik verrenkt hatte, von der ich keinen Ton hörte, obwohl sie seinem Gehopse nach voll aufgedreht sein mußte. Fluchtartig entfernten sich alle, zurück blieb der Körper des Jungen, auf dem staubigen Boden ausgestreckt. Und seine jammernde Freundin. Auch die Klagelaute blieben ihr an den Lippen hängen, als erlaubte das Heroin ihrer Stimme nur einen rauhen Singsang.

Ich begriff nicht, warum das Mädchen das tat, aber sie ließ die Trainingshose herunter, kauerte sich über den Kopf ihres Freundes und pißte ihm direkt ins Gesicht. Das Taschentuch blieb auf Lippen und Nase haften. Bald darauf schien er wieder zu sich zu kommen und fuhr sich mit der Hand über Nase und Mund, wie wenn man aus dem Meer kommend das Wasser vom Gesicht wischt. Der von wer weiß welchen Substanzen im Urin des Mädchens wieder zum Leben erweckte Lazarus von Miano stand langsam auf. Ich schwöre, daß ich, wenn mich die Situation nicht völlig überwältigt hätte, lauthals das Wunder gepriesen hätte. Statt dessen marschierte ich auf und ab. Das tue ich immer, wenn ich etwas nicht begreife und nicht weiß, was ich tun soll. Nervös besetze ich den Raum. Dadurch muß ich die Aufmerksamkeit der Visitors auf mich gezogen haben, denn sie kamen auf mich zu und schrien mich an. Anscheinend glaubten sie, ich gehörte zu dem Typ, der den Jungen beinahe getötet hatte. Sie beschimpften mich: »Du, du … du wolltest ihn umbringen …«

Sie umringten mich, aber ich brauchte nur ein wenig schneller zu gehen, um sie abzuhängen, doch sie verfolgten mich weiter, hoben vom Boden irgendwelches Zeug auf und warfen es mir nach. Ich hatte nichts getan, doch wenn du kein Junkie bist, bist du für sie ein Dealer. Plötzlich kam ein Laster auf mich zu. Dutzende verließen täglich die Lager. Er hielt direkt vor mir, und ich hörte eine Stimme meinen Namen rufen. Pasquale. Er öffnete mir die Kabinentür und ließ mich einsteigen. Kein Schutzengel, der seinen Schützling rettet, sondern eher zwei Ratten, die, eine am Schwanz der anderen hängend, durch dasselbe Abflußrohr hetzen.

Pasquale schaute mich an mit der Strenge eines Vaters, der alles vorhergesehen hatte. Mit einer Miene, die alles sagt und es nicht nötig hat, in Worten gefaßt zu werden. Ich dagegen starrte auf seine Hände. Sie waren noch röter, rissiger, an den Knöcheln aufgeplatzt und an den Handflächen anämisch weiß. Finger, die mit Samt und Seide der Haute Couture umgegangen sind, gewöhnen sich nur schwer daran, zehn Stunden lang das Lenkrad eines Lasters zu umklammern. Pasquale redete, aber ich war abgelenkt von den Bildern der Visitors. Affen. Nein, weniger als Affen. Versuchskaninchen. Um den Verschnitt von Drogen zu testen, die ganz Europa überschwemmen werden, wobei man nicht riskieren kann, einen umzubringen. Diese Testpersonen sorgen dafür, daß in Rom, in Neapel, in den Abruzzen, Lukanien oder in Bologna niemand zu Tode kommt, daß niemandem Blut aus der Nase und Schaum aus dem Mund tritt. Ein toter Visitor in Secondigliano ist lediglich der x-te arme Hund, bei dem kein Mensch weiterermittelt. Es ist schon viel, wenn sie ihn von der Erde auflesen, sein Gesicht von Erbrochenem und Pisse reinigen und ihn beerdigen. Anderswo würden Analysen angestellt, Untersuchungen und Vermutungen über die Todesursache. Hier nur: Überdosis.

Pasquale fährt mit seinem Laster über die Landstraßen, die das Gebiet nördlich von Neapel durchziehen. Werks- und Lagerhallen, Mülldeponien und überall Haufen von weggeworfenem, verrostetem Zeug. Es riecht nach Fabrikschloten, aber es gibt keine Fabriken. Die Häuser ziehen sich an den Straßen hin, Plätze sind da, wo eine Bar ist. Eine konfuse, komplizierte Wüstenei. Pasquale hatte gemerkt, daß ich ihm nicht zuhörte, und bremste abrupt. Ohne an die Seite zu fahren, nur damit ich mit dem Rücken gegen die Lehne krachte und aufgerüttelt wurde. Dann fixierte er mich und sagte: »In Secondigliano sieht's nicht gut aus ... ›'a vicchiarella‹ ist in Spanien, mit dem ganzen Geld. Du darfst dich nicht mehr hier in der Gegend herumtreiben, überall spüre ich die Spannung. Sogar der Teer löst sich schon von den Straßen und macht sich davon ...«

Ich hatte beschlossen, zu verfolgen, was in Secondigliano vor sich gehen würde. Je eindringlicher Pasquale mich warnte, wie gefährlich die Lage sei, desto mehr war ich davon überzeugt, daß ich unbedingt begreifen mußte, wie das Desaster zustande kam. Und begreifen bedeutet, irgendwie beteiligt zu sein. Dazu gab es keine Alternative, und ich glaube, anders kann man die Dinge nicht verstehen. Aus einer Position der Neutralität oder der objektiven Distanz heraus habe ich nie etwas herausgefunden. Raffaele Amato, »'a vicchiarella« (die Alte), der für den spanischen Markt verantwortlich war, ein Manager der zweiten Führungsebene des Clans, war mit der Kasse der Di Lauro in Barcelona verschwunden. So hieß es. In Wirklichkeit hatte er seine Quote an den Clan nicht bezahlt und damit gezeigt, daß er sich dem gegenüber, der ihn zum Gehaltsempfänger machen wollte, nicht mehr verpflichtet fühlte. Er hatte sich offiziell losgesagt. Bis dahin war er nur in Spanien tätig, das seit jeher von den Clans beherrscht wird. In Andalusien sind es die Casalesen aus Caserta, auf den Inseln die Nuvoletta aus Marano und in Barcelona die »Abtrünnigen«. Mit diesem Namen begann man die Männer zu bezeichnen, die sich von Di Lauro lossagten. Geprägt haben den Begriff die ersten Journalisten, die sich dafür interessierten. Die Chronisten der Unterwelt. In Secondigliano spricht man dagegen von den »Spaniern«, und zwar deshalb, weil ihre Anführer in Spanien sitzen und dazu übergegangen sind, nicht nur die Umschlagplätze, sondern auch die Handelswege zu kontrollieren, da Madrid einer der Hauptknotenpunkte für den Kokainimport aus Kolumbien und Peru ist. Die Männer von Amato hatten nach den polizeilichen Ermittlungen jahrelang mit einem genialen Trick tonnenweise Drogen verschoben. Sie benutzten Müllwagen. Oben Abfall, unten Rauschgift. Eine unfehlbare Methode, um Kontrollen zu vermeiden. Niemand würde einen Müllaster nachts anhalten, der Abfall auf- oder ablädt und gleichzeitig zentnerweise Drogen transportiert.

Cosimo Di Lauro hatte gemerkt – so geht aus den Dokumenten der Staatsanwaltschaft hervor –, daß die Manager immer weniger Geld in die Kassen des Clans fließen ließen. Die Einsätze waren mit dem Kapital der Di Lauro getätigt worden, aber ein großer Teil des Gewinns, der geteilt werden sollte, wurde einbehalten. Einsatz heißen die Investitionen der Manager beim Kauf einer Partie Drogen mit dem Kapital der Di Lauro. Einsatz. Diese Bezeichnung paßt zu dem völlig regel- und schrankenlosen Geschäft mit Kokain und Pillen, in dem nichts sicher und berechenbar ist. Man riskiert, auch in diesem Fall, wie beim Roulette. Wenn du hunderttausend Euro einsetzt, können daraus, wenn alles gut läuft, in zwei Wochen dreihunderttausend werden. Wenn ich auf solche rasanten Gewinnspannen stoße, fällt mir Giovanni Falcone ein, der einmal vor Schülern folgendes Beispiel brachte, das dann in Hunderten von Heften niedergeschrieben wurde: »Um zu verstehen, wie das Geschäft mit dem Rauschgift floriert, müßt ihr euch vorstellen, daß aus tausend Lire, die am 1. September in Drogen investiert werden, am 1. August des folgenden Jahres hundert Millionen geworden sind.«

Die Summen, die die Manager in die Kassen der Di Lauro einzahlten, waren weiterhin astronomisch hoch, wurden jedoch allmählich geringer. Auf lange Sicht hätte diese Praxis einige Leute auf Kosten anderer erstarken lassen, und diese Gruppe hätte, sobald sie organisatorisch und militärisch stark genug geworden war, zum Schlag gegen Paolo Di Lauro ausgeholt. Zum entscheidenden Schlag, von dem man sich nicht mehr erholt. Zu dem mit Blei, nicht durch geschäftliche Konkurrenz. Daher befahl Cosimo, daß alle ein Gehalt bekommen sollten. Er wollte alle Männer direkt von sich abhängig machen. Diese Entscheidung widersprach der Politik, die sein Vater bisher verfolgt hatte, aber sie war notwendig, um die eigenen Geschäfte zu schützen, die eigene Autorität und die eigene Familie. Die anderen sollten nicht mehr verbündete Unternehmer sein, die frei über das zu investierende Kapital, die Qualität und die Art der Drogen, die sie auf den Markt werfen wollten, entscheiden konnten. Nicht mehr freie, unabhängige Ebenen innerhalb einer Multilevel-Gesellschaft, sondern Abhängige. Gehaltsempfänger. Fünfzigtausend Euro im Monat, heißt es. Eine enorme Summe. Aber letztlich doch nur ein Gehalt. Letztlich doch nur eine untergeordnete Rolle. Letztlich das Ende des Traums vom freien Unternehmer anstelle der Arbeit als angestellter Manager. Außerdem war damit die revolutionäre Umgestaltung der Strukturen noch keineswegs zu Ende. Die Kronzeugen erzählen, daß Cosimo auch einen Generationswechsel erzwingen wollte. Die Manager durften nicht älter als dreißig sein. Sofort die Spitze verjüngen. Der Markt macht menschlichem Mehrwert keine Konzessionen. Er läßt nichts durchgehen. Man muß gewinnen, Geschäfte machen. Jedes Hindernis, sei es Gefühl, Gesetz, Recht, Liebe, Emotion oder Religion, jedes Hindernis ist ein Punkt für die Konkurrenz, ein Stolperstein, der zur Niederlage führen kann. Alles ist möglich, aber der wirtschaftliche Erfolg hat Vorrang, die Überlegenheit muß sicher sein. Ein Rest früheren Respekts führte dazu, daß man den alten Bossen noch Gehör schenkte und ihre Entscheidungen wegen ihres Alters berücksichtigte, auch wenn sie überholte Vorschläge machten und sinnlose Befehle erteilten. Vor allem das Alter konnte den Führungsanspruch der Söhne von Paolo Di Lauro in Gefahr bringen.

Jetzt dagegen standen alle auf gleicher Augenhöhe: niemand konnte sich mehr auf vergangene Mythen beziehen, auf frühere Erfahrungen und geschuldeten Respekt. Alle mußten sich an ihren Vorschlägen messen lassen, an ihren Führungsqualitäten, an der Macht ihres Charismas. Als die Kampfeinheiten in Secondigliano ihre Muskeln spielen ließen, war die Spaltung noch nicht vollzogen. Doch sie bahnte sich an. Als ersten traf es Ferdinando Bizzarro, »*bacchetella*« (Stöckchen) oder auch »Onkel Fester« (wie das kahlköpfige, kleine, schleimige Mitglied der Addams Family). Bizzarro war der »Ras« von Melito. Mit diesem Titel werden Männer bezeichnet, die starke, aber nicht vollkommene Autorität besitzen und einem Boss unterstellt bleiben. Bizzarro hatte aufgehört, ein fleißiger Capo für sein Gebiet zu sein. Er wollte selbst über das Geld verfügen. Auch die grundlegenden Entscheidungen wollte er selbst treffen, nicht nur die verwaltungstechnischen. Sein Ziel war keine klassische Revolte, er wollte nur eine neue, eigenständige Rolle spielen. Doch seine Beförderung wurde von niemandem unterstützt. Die Clans in Melito nehmen keine Rücksicht. In den Fabriken der Gegend blüht die Schwarzarbeit, hier werden Schuhe von höchster Qualität für die ganze Welt hergestellt. Diese Fabriken liefern die unverzichtbare Liquidität für den Wucher. Der Besitzer eines solchen Unternehmens unterstützt fast immer einen Politiker oder den Capo eines Clans, der die Wahl eines Politikers garantiert, von dem weniger Kontrollen zu gewärtigen sind. Die Clans der Camorra von Secondigliano waren nie Sklaven der Politiker, haben nie an programmatischen Bündnissen Gefallen gefunden, aber Freunde muß man in dieser Gegend schon haben.

Und ausgerechnet der Ansprechpartner Bizzarros in den Institutionen wurde zu seinem Todesengel. Um Bizzarro beseitigen zu können, hatte der Clan die Hilfe eines Politikers erbeten: Alfredo Cicala. Nach den Ermittlungen der Antimafia-Einheit Neapel verriet Cicala, der ehemalige Bürgermeister von Melito und örtlicher Parteiführer der »Margherita«, wo Bizzarro aufzuspüren war. Die mitgeschnittenen Telefongespräche machen nicht den Eindruck, daß es um Mord geht, sondern hören sich an, als ginge es einfach nur um das Auswechseln eines leitenden Angestellten. Keinerlei Unterschied. Das Geschäft muß weitergehen, die Entscheidung Bizzarros, sich unabhängig zu machen, barg die Gefahr, die Geschäfte ins Stocken zu bringen. Das mußte mit jedem Mittel, mit aller Macht verhindert werden. Als Bizzarros Mutter starb, wollten die Di Lauro zur Beerdigung erscheinen und schießen, auf alle und alles. Bizzarro, seinen Sohn und seine Cousins aus dem Weg schaffen. Alle. Sie waren bereit. Aber Bizzarro und sein Sohn ließen sich bei der Beerdigung nicht blicken. Doch die Vorbereitungen für ein Attentat liefen weiter. So umfassend, daß der Clan seinen Mitgliedern per Fax mitteilte, was geschah und was zu tun war:

»In Secondigliano ist niemand mehr übrig, er hat alle verjagt … er verläßt das Haus nur noch dienstags und samstags mit vier Autos … Ihr sollt euch auf keinen Fall sehen lassen. Onkel Fester hat wissen lassen, daß er an Ostern zweihundertfünfzig Euro von jedem Geschäft haben will und sich vor nichts und niemandem fürchtet. Nächste Woche muß Siviero gefoltert werden.«

So wird per Fax eine Strategie ausgearbeitet. Jemanden zu foltern wird auf die Tagesordnung gesetzt, als handele es sich um eine Rechnung, eine Bestellung oder eine Flugbuchung. Wie sich der Verräter verhält, wird allen bekannt gemacht. Bizzarro ließ sich von vier Wagen begleiten und verlangte ein Schutzgeld von zweihundertfünfzig Euro im Monat. Siviero, Bizzarros Vertrauter und Chauffeur sollte gefoltert werden, weil man in Erfahrung bringen wollte, was sein Capo in der nächsten Zeit vorhatte. Aber die Aufzählung der Möglichkeiten, Bizzarro umzulegen, geht noch weiter. Man denkt daran, seinen Sohn zu Hause aufzusuchen und »niemanden zu verschonen«. Dann ein Telefonat: ein Killer ist fast verzweifelt, weil er erfahren hat, daß Bizzarro sein Versteck verlassen und sich auf der Piazza gezeigt hat, um seine Macht und seine Unversehrtheit zu demonstrieren. Der Killer schimpft über die versäumte Gelegenheit: »Zum Teufel, er geht uns durch die Lappen, der ist doch tatsächlich den ganzen Vormittag auf der Piazza gewesen ...«

Nichts bleibt verborgen. Alles scheint klar, offensichtlich, vollkommen alltäglich. Der ehemalige Bürgermeister von Melito läßt wissen, in welchem Hotel Bizzarro sich mit seiner Geliebten versteckt, wo er Spannung und Sperma abbaut. Alles kann man hinnehmen. Kein Licht machen, damit niemand erkennt, ob man zu Hause ist, mit vier Wagen unterwegs sein, nicht telefonieren und keine Telefonate empfangen, nicht zur Beerdigung der eigenen Mutter gehen. Aber es soweit kommen lassen, seine Geliebte nicht zu treffen, das wäre ein Hohn, das Ende jeder Macht.

Am 26. April 2004 befindet sich Bizzarro im dritten Stock des Hotels Villa Giulia mit seiner Geliebten im Bett. Das Kommando erscheint. Die Männer tragen Westen mit der Aufschrift »Polizei«. An der Rezeption lassen sie sich die Magnetkarte zum Öffnen der Tür geben, der Portier verlangt nicht einmal den Ausweis der angeblichen Polizisten. Sie klopfen an die Tür. Bizzarro ist noch in Unterhosen, aber sie hören, wie er zur Tür geht. Sie schießen. Pistolenschüsse zerfetzen die Tür, dringen durchs Holz und treffen Bizzarros Körper. Sie drücken die Tür vollends ein und strecken ihn mit Kopfschüssen nieder. Projektile und Holzsplitter sind ins Fleisch gedrungen. Das Massaker hat Form angenommen. Bizzarro ist der erste gewesen. Oder einer der ersten. Oder zumindest der erste, der die Macht des Clans Di Lauro zu spüren bekommen hat. Eine Macht, die sich auf jeden stürzt, der es wagt, das Bündnis aufzukündigen, die Basis des Geschäfts zu zerstören. Die Organisationsstruktur der Abtrünnigen ist noch nicht gefestigt, nicht ohne weiteres zu verstehen. Die Atmosphäre ist gespannt, aber man wartet anscheinend noch auf irgend etwas. Klarheit wird erst einige Monate nach der Ermordung Bizzarros geschaffen und der Konflikt mit einer Art Kriegserklärung eröffnet. Am 20. Oktober 2004 werden Fulvio Montanino und Claudio Salerno – nach den Ermittlungen engste Vertraute von Cosimo und für einige Drogenhandelsplätze verantwortlich – von vierzehn Kugeln durchsiebt. Nachdem die als Treffen getarnte Falle, bei dem Cosimo und sein Vater beseitigt werden sollten, nicht funktioniert hatte, markiert dieses Attentat den Beginn der Feindseligkeiten. Wenn es Tote gibt, kann man nichts anderes tun als den Kampf aufnehmen. Alle Capi haben sich dem Aufstand gegen die Di Lauro angeschlossen: Rosario Pariante und Raffaele Abbinante, außerdem die neuen Manager Raffale Amato, Gennaro McKay Marino, Arcangelo Abate, Giacomo Migliaccio. Zu Di Lauro halten die De Lucia, Giovanni Cortese, Enrico D'Avanzo und eine starke Gruppe aus dem Fußvolk. Eine ziemlich starke. Diesen jungen Leuten hat man den Aufstieg zur Macht versprochen, Beute, wachsenden wirtschaftlichen und sozialen Einfluß im Clan. Die Leitung der Gruppe übernehmen die Söhne von Paolo Di Lauro. Cosimo, Marco und Ciro. Cosimo hat sehr wahrscheinlich vorhergesehen, daß er entweder umkommen oder ins Gefängnis wandern wird. Verhaftungen und wirtschaftliche Probleme stehen bevor. Aber es gibt keinen anderen Weg: entweder zusehen, wie man von einem Clan im eigenen Herrschaftsgebiet ausgeschaltet wird, oder versuchen, die Geschäfte zu retten oder wenigstens die eigene Haut. Die wirtschaftliche Macht zu verlieren bedeutet automatisch, auch das Leben zu verlieren.

Es herrscht Krieg. Niemand weiß, wie er geführt werden wird, aber alle wissen, daß er lang und schrecklich sein wird. Der schlimmste Krieg, den der Süden Italiens in den letzten zehn Jahren erlebt hat. Die Di Lauro haben weniger Leute, sind weniger stark, viel weniger gut organisiert. In der Vergangenheit hatten sie Spaltungsversuche stets gewaltsam unterdrückt. Spaltungen, die aus der liberalisierten Organisationsstruktur entstanden, die einige als einen Freibrief mißverstanden haben, sich ganz unabhängig zu machen und eigene Unternehmen aufzubauen. Eine solche Freiheit mag der Clan Di Lauro gewähren, einfach nehmen kann man sie sich nicht. 1992 machte die Führungsriege des Clans dem Spaltungsversuch von Antonio Rocco, dem Capo von Mugnano, ein Ende, als sie, mit Maschinenpistolen und Handgranaten bewaffnet, die Bar Fulmine stürmten und fünf Personen umbrachten. Um seine Haut zu retten, erklärte Rocco sich zur Zusammenarbeit mit der Staatsanwaltschaft bereit. Zweihundert Personen, die ins Visier der Di Lauro geraten waren, wurden unter Polizeischutz gestellt. Aber Roccos Reue erbrachte nichts. Seine Aussagen konnten der Führungsebene des Bündnisses nichts anhaben.

Diesmal dagegen waren die Männer von Cosimo Di Lauro allmählich beunruhigt, wie ein Haftbefehl der Staatsanwaltschaft von Neapel vom 7. Dezember 2004 zeigt. Die beiden Clanmitglieder Luigi Petrone und Salvatore Tamburino besprechen am Telefon die Kriegserklärung, den Mord an Montanino und Salerno.

Petrone: »Sie haben den Fulvio umgelegt.«

Tamburino: »Aha…«

Petrone: »Hast du kapiert?«

Die Strategie des Kampfes, die nach Meinung Tamburinos von Cosimo Di Lauro vorgegeben ist, beginnt sich abzuzeichnen. Jeden einzelnen fassen und umbringen, notfalls auch mit Handgranaten.

Tamburino: »Wirklich Handgranaten? Cosimino hat gesagt: einen nach dem anderen mach ich sie fertig … ich mach sie kaputt … alle miteinander …«

Petone: »Die da … Hauptsache, daß die Leute mitmachen, daß sie ›ordentlich hinlangen‹ …«

Tamburino: »Gino, daran mangelt's nicht. Unzählige brave Jungs … alles brave Jungs … du wirst schon sehen, was der auf die Beine stellt …«

Die Strategie ist neu. Für den Krieg die Jugendlichen rekrutieren, sie zu Soldaten machen, den perfekt organisierten Apparat des Drogenhandels, der Investitionen und der Kontrolle über das Territorium in eine Kriegsmaschinerie verwandeln. Lehrlinge von Lebensmittel- und Metzgerläden, Automechaniker, Kellner und arbeitslose Jugendliche. Alle sollten die neue, überraschende Truppe des Clans werden. Mit dem Tod Montaninos beginnt ein langer und blutiger Schlagabtausch mit zahlreichen Toten: ein, zwei Anschläge pro Tag, erst die Soldaten der Clans, dann die Verwandten, Brandanschläge auf Häuser, Prügeleien, Verdächtigungen.

Tamburino: »Cosimino ist wirklich cool, er hat gesagt: ›Wir essen, wir trinken, und wir vögeln‹. Was soll's … es ist passiert, wir müssen einfach weitermachen.«

Petone: »Aber ich bring einfach nichts runter. Ich habe gegessen, nur um was zu essen.«

Der Kampfbefehl darf nicht verzweifelt klingen. Wichtig ist es, sich als Sieger zu präsentieren. Das gilt für ein Heer genauso wie für ein Unternehmen. Wer zeigt, daß er in Schwierigkeiten ist, wer flieht, verschwindet, sich zurückzieht, hat schon verloren. Essen, trinken, vögeln. Als ob nichts geschehen wäre, als ob nichts geschehen würde. Aber die beiden Camorristen haben Angst, sie wissen nicht, wie viele Mitglieder zu den Spaniern übergewechselt sind, wie viele auf ihrer Seite geblieben sind.

Tamburino: »Und daß wir nicht wissen, wie viele von ihnen sich mit denen zusammengetan haben … wir wissen es einfach nicht!«

Petrone: »Ja! Wie viele sie mitgenommen haben? Ein ganzer Haufen ist dageblieben, Totore! Ich kapier das nicht … gefallen denen die Di Lauro nicht?«

Tamburino: »Wenn ich Cosimino wäre, weißt du, was ich dann machen würde? Ich würde sie alle zusammen umlegen. Auch wenn ich mir nicht sicher wäre … alle zusammen. Ich würde anfangen … kapierst du? … mit dem ersten Dreckskerl …«

Alle umbringen. Alle miteinander. Auch, wenn man sich nicht sicher ist. Auch, wenn man nicht weiß, auf welcher Seite sie eigentlich stehen. Schieß! Es ist Dreck. Dreck, nur Dreck. Im Krieg, wenn eine Niederlage droht, sind Verbündete und Feinde austauschbare Rollen. Aus Individuen werden sie zu Elementen, an denen sich die eigene Macht erprobt und beweist. Erst danach werden die Seiten abgesteckt, die Verbündeten, die Feinde. Zuvor muß man erst einmal schießen.

Am 30. Oktober 2004 kommen sie zu Salvatore De Magistris nach Hause: ein Mann von sechzig Jahren, der die Mutter von Biagio Esposito, einem Abtrünnigen, einem Spanier, geheiratet hat. Sie wollen wissen, wo er sich versteckt hält. Die Di Lauro müssen alle erwischen, bevor sie sich organisieren, bevor sie merken, daß sie die Mehrheit sind. Mit einem Prügel werden dem Mann Arme und Beine gebrochen, das Nasenbein zertrümmert. Bei jedem Schlag fragen sie nach Informationen über den Sohn seiner Frau. Er antwortet nicht, und auf jedes Schweigen folgt ein weiterer Schlag. Sie mißhandeln ihn immer weiter, er soll gestehen. Aber er tut es nicht. Oder vielleicht kennt er das Versteck wirklich nicht. Einen Monat später erliegt er seinen schweren Verletzungen.

Am 2. November wird Massimo Galdiero auf einem Parkplatz umgebracht. Das Ziel war sein Bruder Gennaro, angeblich ein Freund von Raffaele Amato. Am 6. November ist in der Via Labriola Antonio Landieri an der Reihe, um ihn zu erwischen, schießen sie auf die ganze Gruppe, die um ihn herum steht. Fünf Menschen werden schwer verletzt. Alle hatten einen Umschlagplatz für Kokain in der Hand und gehörten anscheinend zu Gennaro McKay. Die Spanier reagieren jedoch und parken, nachdem sie die Polizeikontrollen umgangen haben, einen weißen Fiat Punto mitten auf der Via Cupa Perillo. Am hellichten Nachmittag findet die Polizei drei Leichen. Stefano Maisto, Mario Maisto und Stefano Mauriello. Hinter jeder Wagentür finden die Polizisten einen Toten. Vorne, hinten, im Kofferraum. Am 20. November emorden sie in Mugnano Biagio Migliaccio. Er wird in der Autowerkstatt, in der er arbeitet, umgebracht. Die Mörder rufen: »Das ist ein Überfall!« und schießen ihn in die Brust. Der Anschlag galt Biagios Onkel Giacomo. Noch am selben Tag antworten die Spanier mit der Ermordung von Gennaro Emolo, dem Vater eines der engsten Vertrauten der Di Lauro, der angeblich zum militärischen Flügel gehört. Am 21. November erschießen die Di Lauro in einem Tabakgeschäft Domenico Riccio und Salvatore Gagliardi, die Raffale Abbinante nahestehen. Eine Stunde später stirbt Francesco Tortora. Die Killer kommen nicht mit dem Motorrad, sondern im Auto. Sie nähern sich, schießen und laden die Leiche ins Auto wie einen Sack. Dann bringen sie ihn zur Peripherie von Casavatore, wo sie das Auto mitsamt der Leiche in Flammen aufgehen lassen. Zwei Fliegen mit einer Klappe. Am 22. November um Mitternacht finden die Carabinieri ein ausgebranntes Auto. Noch eins.

Um die Fehde weiter zu verfolgen, hatte ich mir ein Radio besorgt, mit dem man die Frequenz des Polizeifunks abhören konnte. So kam ich mit meiner Vespa ungefähr gleichzeitig mit den Streifenwagen an. An diesem Abend aber war ich eingeschlafen. Das gleichmäßige Gekrächze der Zentralen war zu einer Art Schlaflied für mich geworden. Daher wurde ich diesmal mitten in der Nacht von einem Anruf geweckt. Am Ort des Geschehens fand ich ein völlig ausgebranntes Auto. Sie hatten es mit Benzin übergossen. Literweise Benzin. Überall. Benzin auf den Vordersitzen, Benzin auf der Rückbank, auf den Rädern, auf dem Lenkrad. Die Flammen waren schon niedergebrannt und das Glas explodiert, als die Feuerwehr erschien. Ich weiß nicht genau, warum ich es so eilig hatte, dieses Autowrack zu besichtigen. Es stank fürchterlich nach verbranntem Plastik. Ein paar Leute standen herum, ein Polizist leuchtete mit seiner Taschenlampe zwischen die Blechteile. Da lag ein Körper oder etwas Ähnliches. Die Feuerwehrmänner öffneten die Türen und packten die Leiche mit einem Ausdruck des Abscheus an. Einem Carabiniere wurde schlecht, und er erbrach, an die Mauer gelehnt, die Pasta mit Kartoffeln, die er wenige Stunden zuvor gegessen hatte. Der Körper war nur noch ein steifer, völlig schwarzer Stumpf, das Gesicht ein verkohlter Totenkopf, die Beine von den Flammen gehäutet. Die Feuerwehrmänner faßten die Leiche an den Armen und legten sie auf die Erde, bis der Leichenwagen kam.

Die Totengräber sind mit ihrem Kleinlaster von Torre Annunziata bis Scampia ununterbrochen unterwegs. Sie laden die Leichen von Erschossenen ein, legen sie übereinander und schaffen sie weg. Kampanien ist die Region mit den meisten Ermordeten in ganz Italien und nimmt weltweit einen der ersten Plätze ein. Die Reifen des Leichenwagens sind vollkommen abgefahren, ein Foto dieser bis auf den grauen Mantel abgeriebenen Reifen könnte als Symbol für diese Gegend dienen. Die Typen, die dem Kleinlaster entsteigen, tragen, als sie sich ans Werk machen, ganz verschmutzte, schon unzählige Male benutzte Latexhandschuhe. Sie stecken den Leichnam in ein Futteral, den schwarzen *body bag*, den man normalerweise für tote Soldaten benutzt. Der Körper sieht aus wie einer von denen, die unter der Asche des Vesuv gefunden und von den Archäologen mit Gips ausgegossen wurden. Inzwischen haben sich Dutzende Menschen eingefunden, aber alle schweigen. Als wäre niemand da. Man wagt nicht einmal, heftig zu atmen. Seit in der Camorra Krieg ausgebrochen ist, haben sich für viele die Grenzen des Erträglichen ins Unendliche verschoben. Sie warten, was noch passieren wird. Jeden Tag lernen sie, was noch alles möglich ist, was sie noch aushalten müssen. Sie lernen, nehmen es mit nach Hause und leben weiter. Die Carabinieri machen Fotos, der Kleinlaster mit der Leiche fährt weg.

Ich gehe ins Polizeipräsidium. Irgend etwas werden sie wohl zu diesem Tod sagen. Im Pressesaal warten die üblichen Journalisten und einige Polizisten. Nach einer Weile werden Kommentare laut: »Die bringen sich gegenseitig um, besser so!« »Da sieht man, was passiert, wenn du dich der Camorra anschließt.« »Das viele Geld hat dir gefallen, jetzt mußt du dir auch diesen Tod gefallen lassen, Miststück.« Das übliche Gerede, aber immer angewiderter, verzweifelter. Als wenn die Leiche vor ihnen läge und jeder ihr etwas vorzuwerfen hätte, die schlaflose Nacht, den Krieg, der kein Ende nehmen will, das riesige Militäraufgebot an allen Ecken und Enden Neapels. Die Ärzte brauchen Stunden, um die Leiche zu identifizieren. Jemand bringt ihn mit einem Capo in Verbindung, der vor einigen Tagen verschwunden ist. Die Leiche ist jetzt eine der vielen, die in den Kühlzellen des Cardarelli-Krankenhauses darauf warten, einen möglichst schrecklichen Namen zu bekommen. Dann das Dementi.

Einige schlagen die Hände vors Gesicht, die Journalisten müssen so oft schlucken, bis ihnen der Mund ganz trocken wird. Die Polizisten schütteln den Kopf und fixieren ihre Schuhspitzen. Die Kommentare brechen ab, schuldbewußt. Die Tote war Gelsomina Verde, nur zweiundzwanzig Jahre alt. Entführt, gefoltert, getötet mit einem Schuß in den Hinterkopf aus nächster Nähe, so daß das Projektil aus der Stirn austrat. Dann war das Mädchen ins Auto, in ihr eigenes Auto geworfen und verbrannt worden. Gelsomina war befreundet gewesen mit Gennaro Notturno, der für die Clans arbeitete und zu den Spaniern gewechselt war. Das Mädchen war nur wenige Monate mit ihm zusammengewesen, und das war einige Zeit her. Aber irgend jemand hatte sie eng umschlungen gesehen, vielleicht auf einer Vespa. Oder im Auto. Gennaro war zum Tode verurteilt, hatte sich aber irgendwo verstecken können, wer weiß, wo, vielleicht in einer Garage in der Nähe der Straße, wo Gelsomina ermordet wurde. Er hatte es nicht für nötig gehalten, sie zu schützen, weil er nicht mehr mit ihr verkehrte. Aber die Clans müssen zuschlagen, und die Menschen werden für sie Teil einer Karte, auf der Freundschafts-, Verwandtschafts- und sogar Liebesbeziehungen eingezeichnet sind. Auf diesen Karten werden Botschaften verschickt, auch die schlimmsten. Man muß strafen. Wenn jemand straflos davonkommt, erwächst daraus die Gefahr des Verrats, die Möglichkeit neuer Spaltungen. Zuschlagen, und zwar so hart wie möglich. So lautet der Befehl. Alles übrige zählt nicht. Deshalb suchen die Getreuen der Di Lauro Gelsomina auf, treffen sie unter irgendeinem Vorwand. Sie sperren sie ein, schlagen sie blutig, quälen sie und wollen wissen, wo Gennaro ist. Sie antwortet nicht. Vielleicht weil sie gar nicht weiß, wo er ist, oder weil sie lieber erträgt, was sie sonst ihm angetan hätten. Und deshalb wird sie bestialisch ermordet. Die Camorristen, die diesen »Auftrag« erledigen sollten, waren vielleicht mit Kokain vollgepumpt oder mußten besonders nüchtern sein, um auch die kleinste Einzelheit zu erfassen. Aber es ist kein Geheimnis, mit welchen Methoden man den letzten Widerstand bricht und jeden Rest von Menschlichkeit auslöscht. Meiner Ansicht nach wurde die Leiche verbrannt, um die Spuren der Folterungen zu beseitigen. Der Körper eines mißhandelten Mädchens hätte eine dumpfe Wut ausgelöst. Auch wenn die Clans nicht auf die Zustimmung der Leute im Viertel angewiesen sind, können sie sich doch ihre Feindschaft auf keinen Fall leisten. Deshalb verbrennen, alles verbrennen. Die Beweise für Mord wiegen nicht schwer. Nicht schwerer als die jedes anderen Mordes in diesem Krieg. Doch sich die Umstände dieses Todes, die Einzelheiten dieser Qualen vorzustellen ist nicht auszuhalten. Nur dadurch, daß ich den Schleim aus der Brust durch die Nase hochzog und ausspuckte, gelang es mir, die Bilder in meinem Kopf zu stoppen.

Gelsomina Verde: Mina hieß sie im Viertel. So nannten sie auch die Zeitungen, als sie sich schuldbewußt, weil zu spät, mit ihr zu beschäftigen begannen. Beinahe wäre sie nur eines der Opfer dieses gegenseitigen Abschlachtens gewesen. Oder hätte, wenn sie am Leben geblieben wäre, als die Freundin eines Camorristen gegolten, als eine der vielen, die sich vom Geld blenden lassen oder sich dann wichtig vorkommen. Als eine weitere »Signora«, die den Reichtum ihres Ehemanns, der bei der Camorra ist, genießt. Doch der »Saracino«, wie Gennaro Notturno hieß, stand erst am Anfang. Danach erst wird man Capozona und kontrolliert die Dealer, so daß man auf tausend bis zweitausend Euro kommt. Bis dahin ist der Weg weit. Zweitausendfünfhundert Euro scheinen das Entgelt für einen Mord zu sein. Wenn der Killer dann seine Zelte abbrechen muß, weil die Polizei ihm auf den Fersen ist, zahlt ihm der Clan einen einmonatigen Aufenthalt in Norditalien oder im Ausland. Auch Gennaro träumte vielleicht davon, ein Boss zu werden, über halb Neapel zu herrschen und überall in Europa zu investieren.

Wenn ich innehalte und tief Luft hole, kann ich mir ohne weiteres die Begegnung vorstellen, auch wenn ich nicht einmal weiß, wie die Beteiligten aussahen. Sie haben sich sicher in der üblichen Bar kennengelernt, in diesen verdammten Bars der Vorstädte im Süden, um die wie ein Strudel die Existenz aller kreist, von den Jugendlichen bis zu den hustenden Neunzigjährigen. Oder vielleicht in einer Disco. Eine Runde auf der Piazza Plebiscito, ein Kuß vor dem Nachhausegehen. Dann die gemeinsam verbrachten Wochenenden, manchmal eine Pizza mit Freunden, das abgesperrte Zimmer am Sonntagnachmittag, wenn die anderen erschöpft vom Mittagessen eingeschlafen sind. Und so weiter. Wie es immer geschieht, wie es alle machen, zum Glück. Dann trat Gennaro ins System ein. Er hat wahrscheinlich irgendeinen Freund aufgesucht, der bei der Camorra ist, hat sich von ihm einführen lassen und dann angefangen, für Di Lauro zu arbeiten. Ich stelle mir vor, daß das Mädchen es vielleicht erfahren und versucht hat, ihm eine andere Arbeit zu verschaffen, denn in dieser Gegend setzen sich die jungen Frauen häufig für ihre Freunde ein. Aber am Ende hat sie vielleicht einfach vergessen, was Gennaro tat. Denn es ist schließlich eine Arbeit wie jede andere. Ein Auto fahren, irgendein Paket transportieren, man fängt mit kleinen Dingen an. Nichtigkeiten. Aber davon kann man leben, man arbeitet und bekommt auch manchmal das Gefühl, sich selbst zu verwirklichen, geschätzt zu sein und belohnt zu werden. Dann zerbrach die Beziehung.

Diese wenigen Monate aber waren genug. Genug, um Gelsomina mit Gennaro in Verbindung zu bringen. Ihr sein »Zeichen« aufzudrücken als ein Mensch, dem seine Gefühle gelten. Auch wenn sie kein Paar mehr sind, es vielleicht nie richtig waren. Unwichtig. Nur Vermutungen und Phantasien. Was bleibt, ist, daß ein Mädchen gefoltert und getötet wird, weil es einige Monate zuvor gesehen worden war, wie es irgendwo in Neapel mit einem Jungen Zärtlichkeiten und einen Kuß austauschte. Ich kann es nicht glauben. Gelsomina arbeitete viel, wie alle hier in dieser Gegend. Oft müssen die Mädchen, die Ehefrauen allein für den Unterhalt der Familie sorgen, weil sehr viele Männer jahrelang in Depressionen verfallen. Auch wer in Secondigliano, auch wer in der »Dritten Welt« lebt, hat eine Psyche. Jahrelang nicht zu arbeiten verändert den Menschen, von den Vorgesetzten immer nur als Abschaum behandelt zu werden, ohne Vertrag zu sein, ohne Respekt, ohne Geld bringt dich langsam um. Entweder wirst du zum Tier oder gerätst an den Abgrund. Gelsomina schuftete also wie alle, die mindestens drei Arbeitsstellen brauchen, um so viel Geld zusammenzukratzen, daß es für die halbe Familie reicht. Weil sie sich außerdem ehrenamtlich um alte Menschen ihres Viertels kümmerte, überboten sich die Zeitungen in Lobeshymnen und wetteiferten darum, sie zu rehabilitieren und ihre verkohlte Leiche in eine Symbolfigur zu verwandeln, über die man im Ton sentimentalen Mitleids berichten konnte.

Wenn Krieg herrscht, sind weder Liebesbeziehungen noch Bindungen, nicht einmal mehr Affären möglich, alles kann sich in ein Element der Schwäche verwandeln. Das emotionale Erdbeben, das die jungen Clanmitglieder ereilt, geht aus den Telefonmitschnitten der Carabinieri hervor, wie beispielsweise aus dem Gespräch zwischen Francesco Venosa und seiner Freundin Anna, das in dem Haftbefehl der Antimafia-Einheit Neapel vom Februar 2006 wiedergegeben ist. Bevor er sich nach Latium absetzt und seine Nummer ändert, warnt Francesco in einer SMS seinen Bruder Giovanni davor, das Haus zu verlassen, denn auch er ist im Visier der Gegner:

»Ciao, Bruderherz, HDL, geh besser nicht raus, unter keinen Umständen. OK?«

In seinem letzten Telefonat versucht Francesco seiner Freundin zu erklären, daß er verschwinden muß und daß das Leben als Mann des Systems schwierig ist.

»Ich bin mittlerweile achtzehn ... die meinen's ernst ... die machen dich hin ... die legen dich um, Anna!«

Anna aber gibt nicht auf, sie will sich bei den Carabinieri bewerben, um Maresciallo zu werden, ihr eigenes Leben und das von Francesco umkrempeln. Ihr Freund ist durchaus damit einverstanden, daß Anna zu den Carabinieri geht, aber er fühlt sich zu alt, um sein Leben zu ändern.

Francesco: »Ich hab dir's gesagt, es freut mich für dich ... Aber mein Leben ist anders ... Und ich will mein Leben nicht ändern.«

Anna: »Aha, gut, gut, das freut mich ... Mach nur weiter so, kapiert?«

Francesco: »Anna, Anna, ... sei doch nicht so ...«

Anna: »Aber du bist doch erst achtzehn, du kannst ohne weiteres noch was ändern ... Warum bist du nur so resigniert? Das versteh ich nicht ...«

Francesco: »Ich ändere mein Leben nicht, unter keinen Umständen.«

Anna: »Aha, weil's dir dabei ja so gut geht.«

Francesco: »Nein, mir geht's überhaupt nicht gut, aber im Moment sind wir unter Druck ... und man muß uns wieder respektieren ... Wenn wir früher im Viertel herumgelaufen sind, hatte niemand den Mut, uns ins Gesicht zu sehen ... jetzt erheben sie alle das Haupt.«

Francesco, der zu den Spaniern gehört, ist am meisten darüber empört, daß niemand mehr ihre Macht fürchtet. Auf ihrer Seite sind zu viele Männer umgebracht worden, und deshalb halten die Leute in seinem Viertel sie für Möchtegern-Killer, für gescheiterte Camorristen. Das darf man sich nicht gefallen lassen, man muß reagieren, auch um den Preis des eigenen Lebens. Seine Freundin versucht Francesco aufzuhalten, sie will, daß er sich nicht schon verloren glaubt.

Anna: »Du mußt dich nicht in dieses Schlamassel mit hineinziehen lassen, du kannst ganz ruhig leben …«

Francesco: »Nein, ich will mein Leben nicht ändern …«

Der blutjunge Abtrünnige hat Angst davor, daß die Di Lauro seine Freundin ins Visier nehmen könnten, doch er beruhigt sie mit dem Argument, er habe viele Mädchen gehabt, niemand könne behaupten, Anna sei seine Freundin. Dann aber gesteht er ihr ganz romantisch, sie sei jetzt seine einzige …

»… Am Schluß hatte ich dreißig Frauen im Viertel … jetzt aber, wo ich nicht mehr raus kann, ruf ich nur noch dich an …«

Anna scheint keine Angst davor zu haben, in die Fänge des Clans zu geraten, und denkt, jung wie sie ist, nur an Francescos letzte Worte:

Anna: »Ich würde es so gern glauben.«

Der Krieg geht weiter. Am 24. November 2004 wird Salvatore Abbinante ermordet. Sie schießen ihm ins Gesicht. Er war der Neffe von Raffaele Abbinante, einem der Anführer der Spanier aus Marano. Dem Territorium der Nuvoletta. Die Maranesen ließen viele ihrer Leute samt Familie in den Ortsteil Monterosa umziehen, um aktiv am Markt von Secondigliano zu partizipieren, und Raffaele Abbinante war laut Anklage der Manager der Mafia in Secondigliano. Abbinante besaß höchstes Ansehen in Spanien, wo er das Territorium der Costa del Sol beherrschte. Bei einer umfangreichen Beschlagnahmungsaktion wurden 1997 zweitausendfünfhundert Kilo Haschisch, tausendzwanzig Ecstasy-Pillen und tausendfünfhundert Kilo Kokain sichergestellt. Die Staatsanwaltschaft wies nach, daß die neapolitanischen Kartelle der Abbinante und Nuvoletta fast den ganzen Markt für synthetische Drogen in Spanien und

Italien unter ihrer Kontrolle hatten. Nach dem Mord an Salvatore Abbinante fürchtete man, daß die Nuvoletta einschreiten und damit auch die Cosa Nostra in den Krieg von Secondigliano hineinziehen würden. Doch nichts geschah, jedenfalls militärisch nicht. Die Nuvoletta öffneten die Grenzen ihrer Territorien für die flüchtigen Abtrünnigen und machten damit die Kritik der Cosa Nostra in Kampanien an Cosimos Krieg deutlich. Am 25. November töteten die Di Lauro Antonio Esposito in seinem Lebensmittelladen. Als ich am Tatort eintraf, lag die Leiche zwischen Wasserflaschen und Milchtüten. Zwei Beamte packten ihn an der Jacke und den Füßen und legten ihn auf eine Bahre aus Metall. Als der Leichenwagen weggefahren war, erschien eine Frau im Laden, um die Milchtüten vom Boden wieder einzuräumen und die Blutspritzer von der Wursttheke abzuwischen. Die Carabinieri ließen sie gewähren. Die ballistischen Spuren, die Fingerabdrücke und sonstigen Beweisstücke waren gesichert. Der sinnlose Almanach der Spurensicherung war ausgefüllt. Die ganze Nacht über brachte die Frau das Geschäft wieder auf Hochglanz, als ob sie dadurch das Vorgefallene auslöschen könnte, als ob die wiederhergestellte Ordnung von Milchtüten und Müsliriegeln die Präsenz des Todes auf die wenigen Minuten des Attentats und nur auf diese begrenzen könnte.

Unterdessen verbreitete sich in Scampia das Gerücht, Cosimo Di Lauro habe hundertfünfzigtausend Euro für Informationen über den Aufenthaltsort von Gennaro Marino McKay ausgesetzt. Eine große, aber nicht allzu große Summe für ein Wirtschaftsimperium wie das des Systems von Secondigliano. Auch bei der Belohnung hatte man darauf geachtet, den Feind nicht aufzuwerten. Doch das Angebot führte zu nichts, die Polizei war zuerst da. In der Via Fratelli Cervi hatten sich alle führenden Abtrünnigen, die noch vor Ort waren, im dreizehnten Stockwerk eines Gebäudes versammelt. Das Stockwerk war sicherheitshalber schußsicher abgedichtet. Am Ende der Treppe grenzte ein eiserner, mit Schlössern gesicherter Käfig den Zu-

gang ab. Gepanzerte Türen machten den Ort des Treffens un-
einnehmbar. Die Polizei aber riegelte das ganze Gebäude ab.
Die Panzerung gegen mögliche Angriffe ihrer Gegner verurteilte die Eingeschlossenen jetzt dazu, tatenlos abzuwarten, bis
die Trennschleifer der Polizei die Gitter öffneten und Schüsse
die gepanzerten Türen sprengten. Während sie ihre Verhaftung erwarteten, warfen sie einen Rucksack mit Maschinenpistolen, Pistolen und Handgranaten aus dem Fenster. Beim
Aufprall löste sich eine Salve aus der Maschinenpistole. Ein
Schuß streifte einen der Polizisten, die das Gebäude umstellt
hatten, fast zärtlich über den Nacken. Nervös sprang er hoch.
Schweißüberströmt und von Panik erfaßt, atmete er keuchend.
Niemand rechnet damit, von der abgeprallten Kugel einer Maschinenpistole getroffen zu werden, die aus dem dreizehnten
Stockwerk geflogen ist. Wie im Delirium redete der Polizist
mit sich selbst, beschimpfte alle, stieß Namen aus und fuch-
telte mit den Armen, als wollte er Schnaken von seinem Gesicht vertreiben, und rief dann: »Sie sind abgehauen. Weil sie's
nicht geschafft haben, sind sie einfach abgehauen und haben
uns vorgeschickt … Wir lassen uns von beiden Seiten einspan-
nen, wir retten denen da das Leben. Lassen wir sie doch einfach, die sollen sich doch gegenseitig fertigmachen, alle sollen
sie sich fertigmachen, was geht uns das an?«
    Die Kollegen des Polizisten machten mir Zeichen, daß
ich verschwinden solle. In dieser Nacht verhafteten sie in der
Via Fratelli Cervi Arcangelo Abete und seine Schwester Anna,
Massimiliano Cafasso, Ciro Mauriello, Gennaro Notturno,
den Exfreund von Mina Verde, und Raffaele Notturno. Doch
der eigentliche Schlag gelang der Polizei mit der Verhaftung
von Gennaro McKay. Dem Anführer der Abtrünnigen. Vor
allem auf die Marino hatten es die Gegner abgesehen. Ihr ge-
samter Besitz war in Brand gesetzt worden: das Restaurant
Orchidea in der Via Diacono in Secondigliano, eine Bäckerei
im Corso Secondigliano und eine Pizzetteria in der Via Pietro
Nenni in Arzano. Auch die Villa von Gennaro McKay in der
Via Limitone d'Arzano, eine Art russische Datscha ganz aus

Holz, war in Flammen aufgegangen. Zwischen den Betonklötzen, den aufgerissenen Straßen, den verstopften Gullis und den spärlichen Straßenlaternen der Case Celesti hatte McKay sich eine bizarre Idylle geschaffen und eine Villa aus wertvollem Holz bauen lassen, umgeben von libyschen Palmen, den teuersten. Angeblich soll er sich in diesen Baustil verliebt haben, als er bei einer Geschäftsreise nach Rußland auf eine Datscha eingeladen worden war. Und damals konnte nichts und niemand einen Gennaro Marino daran hindern, mitten in Secondigliano eine Datscha zu bauen, Symbol für den Erfolg seiner Geschäfte und mehr noch Versprechen an seine Gefolgsleute, daß sie sich, wenn sie sich richtig verhielten, früher oder später auch einen derartigen Luxus leisten konnten, selbst im Umland von Neapel, selbst in diesem trostlosesten Winkel der Mittelmeerwelt. Heute sind von der Datscha nur das Skelett aus Beton und verkohltes Holz übrig. Gennaros Bruder Gaetano wurde von den Carabinieri in dem Luxushotel La Certosa in Massa Lubrense aufgespürt. Um seine Haut zu retten, hatte er sich in einem Zimmer mit Meerblick versteckt, eine ungewöhnliche Art, diesem Konflikt aus dem Weg zu gehen. Als er verhaftet wurde, fixierte der Butler, der Gaetanos Hände ersetzte, die Polizisten und sagte: »Ihr habt mir den Urlaub ruiniert.«

Doch die Verhaftung der Spanier konnte das Blutvergießen nicht stoppen. Am 27. November wurde Giuseppe Bencivenga umgebracht. Am 28. wurde Massimo de Felice erschossen, und am 5. Dezember war Enrico Mazzarella an der Reihe.

Die Spannung wird zu einer Art Wand zwischen den Menschen. Im Krieg darf man nichts unbeachtet lassen. Jedes Gesicht, jedes einzelne Gesicht muß dir etwas sagen. Du mußt es entziffern. Du mußt es fixieren. Alles ändert sich. Du mußt wissen, welches Geschäft du betrittst, mußt sicher sein, welches Wort du aussprichst. Wenn du mit jemandem spazierengehst, mußt du wissen, wer er ist. Du mußt dir seiner mehr als sicher sein, auch die leiseste Möglichkeit ausschließen, daß er in dem Konflikt eine Rolle spielen könnte. Neben jemand herzugehen, ihn anzusprechen bedeutet, auf seiner Seite zu stehen. Im Krieg vervielfacht und intensiviert man die Aufmerksamkeit aller Sinne, als ob man schärfer hören, genauer sehen und Gerüche besser wahrnehmen würde. Auch wenn alle Umsicht nichts nützt angesichts der Entschlossenheit zum Massaker. Wer zuschlägt, achtet nicht darauf, wer gerettet werden soll und wer zum Tode verurteilt ist. In einem mitgeschnittenen Telefongespräch wandte sich Rosario Fusco, laut Anklage einer der Capi der Di Lauro, mit besorgter Stimme an seinen Sohn und versuchte überzeugend zu wirken:

»… Du darfst dich mit niemand blicken lassen, das ist ganz klar, das habe ich dir auch geschrieben: du willst rausgehen, du willst mit deiner Freundin spazierengehen, meinetwegen, nur darfst du dich mit keinem Jungen sehen lassen, denn wir wissen nicht, auf welcher Seite er steht oder zu wem er gehört. Wenn sie nämlich gegen den was unternehmen, und du bist dabei, dann bist du auch dran. Hast du verstanden, worum es geht …?«

Man darf sich nicht einbilden, außerhalb zu stehen. Es reicht nicht zu glauben, die eigene Lebensführung halte einen aus jeder Gefahr heraus. Es gilt nicht mehr, sich zu sagen: »Die bringen sich gegenseitig um.« Bei einer Auseinandersetzung der Camorra gerät alles, was fest gebaut schien, in Gefahr, weggerissen zu werden wie ein Sandwall von der Flutwelle. Die Menschen versuchen, sich unauffällig zu bewegen, sich möglichst wenig draußen sehen zu lassen. Wenig Schminke, unauffällige Farben, aber nicht nur das. Wer an Asthma leidet und nicht rennen kann, schließt sich zu Hause ein, unter einem Vorwand, mit irgendeiner Ausrede, denn sich einfach nur einzuschließen könnte als Schuldbekenntnis ausgelegt werden: auch wenn man sich keiner Schuld bewußt ist, bleibt es doch immer das Eingeständnis von Angst. Die Frauen tragen keine hohen Absätze mehr, man kann damit nicht rennen. Einem nicht offiziell erklärten, von den Regierungen nicht anerkannten und von den Journalisten nicht berichteten Krieg entspricht eine nicht erklärte Angst, eine Angst, die sich unter der Haut einnistet.

Du fühlst einen inneren Druck wie nach zu üppigem Essen oder zu viel miserablem Wein. Eine Angst, die nicht auf Plakaten und in den Zeitungen herausgeschrien wird. Es marschieren keine Truppen ein, und keine Flugzeuggeschwader verdunkeln den Himmel, den Krieg fühlst du in dir. Wie eine Phobie. Du weißt nicht, ob du deine Angst zeigen oder aber sie verstecken sollst, ob du übertreibst oder die Gefahr unterschätzt. Man hört keine Alarmsirenen, sondern erhält die widersprüchlichsten Informationen. Es heißt, im Krieg der Camorra brächten sich zwei Banden gegenseitig um. Aber niemand weiß, wo die Grenze verläuft zwischen dem, was ihnen gehört, und dem, was ihnen nicht gehört. Die Streifen der Carabinieri, die Polizeikontrollen, die ständig kreisenden Hubschrauber beruhigen nicht, sondern markieren den Kriegsschauplatz. Sie engen den Raum ein, vermitteln keinerlei Sicherheit. Das Feld für den tödlichen Kampf wird nur umschrieben und damit immer kleiner. Man fühlt sich in der Falle, eingepfercht und empfindet die Wärme der anderen als unerträglich.

Ich fuhr mit meiner Vespa durch diese spannungsgeladene Atmosphäre. Jedesmal, wenn ich während des Krieges nach Secondigliano kam, wurde ich mindestens zehnmal am Tag durchsucht. Wenn ich auch nur im Besitz eines Schweizer Taschenmessers gewesen wäre, hätten sie mich gezwungen, es zu verschlucken. Die Polizei hielt mich an, die Carabinieri, manchmal die Finanzpolizei, dann die Posten der Di Lauro und schließlich die der Spanier. Alle mit dem gleichen anmaßenden Auftreten, den gleichen mechanischen Bewegungen, den gleichen Redewendungen. Die Sicherheitskräfte verlangten meinen Ausweis und durchsuchten mich dann, die Posten der Clans dagegen durchsuchten mich und stellten mir Fragen, achteten auf meinen Akzent und durchleuchteten jede Lüge. In der Hochphase des Konflikts durchsuchten die Posten jeden und schauten in jedes Auto. Um die Gesichter einzuordnen und Bewaffnete auszumachen. Zuerst kamen sie mit Mopeds auf einen zu und wollten alles haarklein wissen, dann wurde man mit Motorrädern oder schließlich mit Autos verfolgt.

Die Fahrer von Krankenwagen beschwerten sich, daß sie aus der Ambulanz aussteigen und sich durchsuchen lassen mußten, bevor sie jemandem Hilfe leisteten, egal, ob es sich um einen bei einem Schußwechsel Verletzten oder um ein altes Mütterchen handelte, das sich das Bein gebrochen oder einen Herzinfarkt erlitten hatte. Eine Wache stieg in den Wagen und kontrollierte, ob es sich wirklich um einen Krankentransport handelte oder ob Waffen, Killer oder flüchtige Personen darin versteckt waren. In den Kriegen der Camorra ist das Rote Kreuz nicht anerkannt, kein Clan hat die Genfer Konvention unterzeichnet. Auch die Streifenwagen der Carabinieri sind gefährdet. Eines Tages wurde der Wagen einer Gruppe von Carabinieri in Zivil beschossen, weil sie mit Mitgliedern eines rivalisierenden Clans verwechselt worden waren, doch es gab nur Verletzte. Einige Tage später meldete sich ein Junge, der offensichtlich genau wußte, was man im Falle einer Verhaftung braucht, mit seinem Übernachtungsgepäck in der Carabinieri-Kaserne. Er gestand alles und sofort, vielleicht weil die Bestrafung dafür, daß er auf die Carabinieri geschossen hatte, schlimmer gewesen wäre als die Haftstrafe. Oder, noch wahrscheinlicher: der Clan wollte keinen privaten Haß zwischen Ordnungshütern und Camorristen aufkommen lassen und ermunterte den Jungen mit den notwendigen Versprechungen und der Bezahlung der Anwaltskosten dazu, sich zu stellen. Der Schütze erklärte in der Kaserne ohne Zögern: »Ich dachte, es seien Spanier, und da habe ich geschossen.«

Auch am 7. Dezember riß mich mitten in der Nacht ein Anruf aus dem Schlaf. Ein befreundeter Fotograf machte mich auf die Razzia aufmerksam. Nicht irgendeine Razzia, sondern *die* Razzia. Die, die die Politiker vor Ort und im ganzen Land als Reaktion auf die Fehde gefordert hatten.

Der Ortsteil Terzo Mondo (Dritte Welt) ist von tausend Polizisten und Carabinieri umzingelt. Der Name dieses riesigen Gebiets sagt alles aus über die Zustände hier, genau wie der Spruch auf einer Mauer am Anfang der Hauptstraße: »Ortsteil Terzo Mondo, nicht betreten!« Die Durchsuchungsaktion wird als großes Medienereignis aufgezogen. Danach werden Scampia, Miano, Piscinola, San Pietro a Paterno und Secondigliano von Journalisten überschwemmt und von Fernsehteams belagert. Nach Jahren des Schweigens gibt es die Camorra wieder. Plötzlich. Aber die Kriterien der Analyse sind veraltet, völlig veraltet, es hat keinerlei durchgängige Beobachtung gegeben. Als ob man ein Gehirn zwanzig Jahre lang eingefroren und nun wieder aufgetaut hätte. Als ob man die Camorra von Raffaele Cutolo vor sich hätte oder die Mafia, die Autobahnen zerbombt und Richter umbringt. Alles ist heute anders, nur nicht der Blick der mehr oder weniger spezialisierten Beobachter. Zu den Verhafteten gehört auch Ciro Di Lauro, einer der Söhne des Bosses. Der Buchhalter des Clans, heißt es. Die Carabinieri brechen Türen auf, durchsuchen alle und halten ihre Waffen auch kleinen Jungen ins Gesicht. Ich erlebe lediglich mit, wie ein Carabiniere auf einen Jungen einbrüllt, der ihn mit einem Messer bedroht.

»Laß es fallen! Laß es fallen! Dalli! Jetzt aber dalli! Laß es sofort fallen!«

Der Junge läßt das Messer fallen. Der Carabiniere kickt es mit einem Fußtritt weg, beim Aufprall gegen eine Fußleiste klappt die Klinge ein. Das Messer ist aus Plastik, eines von den Ninja-Monstern. Währenddessen kontrollieren, fotografieren und durchkämmen die Polizisten alles. Dutzende von kleinen Festungen werden geschleift, Mauern eingerissen, die in Mietshäusern unter den Treppenhäusern als Versteck dienten, Tore werden aufgebrochen, die ganze Straßenzüge absperrten, damit sie als Drogendepot benutzt werden konnten.

Hunderte von Frauen gehen auf die Straße, zünden Müllcontainer an, schleudern Gegenstände gegen die Streifenpolizisten. Ihre Söhne, Neffen und Nachbarn werden verhaftet. Ihre Arbeitgeber. Und dennoch gelingt es mir nicht, in den Gesichtern und den zornigen Worten dieser Frauen, die in so eng-anliegenden Hosen stecken, daß sie jeden Moment zu explo-dieren drohen, nur Solidarität mit dem Verbrechen zu sehen. Der Drogenmarkt ist die Quelle für ihren Lebensunterhalt, für einen äußerst geringen Lebensunterhalt, der größte Teil der Menschen von Secondigliano ist weit davon entfernt, sich dar-an bereichern zu können. Die Unternehmer der Clans sind die einzigen, die überschießende Gewinne erzielen. Für all die an-deren, die nur zuarbeiten, die verkaufen, lagern, verstecken und bewachen, steht ihr Verdienst in keinem Verhältnis dazu, daß sie Verhaftung und Monate, ja Jahre im Gefängnis ris-kieren. Die Gesichter der Frauen sind wutverzerrt. Von einer Wut, die aus dem Bauch kommt, einer Wut, die den eigenen Lebensraum verteidigt, aber auch diejenigen anklagt, die die-sen Ort immer nur als inexistent, als verloren und vernachläs-sigenswert betrachtet haben.

Dieses plötzliche gigantische Aufgebot von Sicherheitskräf-ten, das erst dann eingesetzt wird, als es schon Dutzende Tote und den verkohlten Leichnam eines gefolterten Mädchens aus dem Viertel gegeben hat, wirkt wie eine Inszenierung. Die Frauen hier empfinden es als Hohn. Die Verhaftungen, die Bagger machen nicht den Eindruck, daß sie etwas an den Zu-ständen ändern werden, sondern nur denen dienen, die Fest-genommene und eingerissene Wände vorzeigen wollen. Als ob jemand plötzlich die Deutungsmuster ändern und ihnen sagen würde, ihr Leben sei verkehrt. Sie wußten ganz genau, daß hier alles verkehrt war, daran mußten nicht erst Hubschrauber und gepanzerte Fahrzeuge erinnern, doch bis dahin war diese Ver-kehrtheit ihre elementare Lebensform, die ihnen das Über-leben sicherte. Außerdem würde nach dieser Invasion, die alles nur noch komplizierter machte, kein Mensch ernsthaft ver-suchen, ihr Leben zum Besseren zu wenden. Deshalb waren diese Frauen eifersüchtig darauf bedacht, das Vergessen, das diese Isolation, diese Verkehrtheit ihres Lebens bedeckte, zu bewahren und diejenigen davonzujagen, denen dieser blinde Fleck plötzlich aufgefallen war.

Die Journalisten warteten in den Autos. Sie ließen die Carabinieri erst ihre Arbeit tun und waren deren Stiefeln nicht im Weg, bevor sie sich an die Berichterstattung machten. Am Ende der Operation waren dreiundfünfzig Personen verhaftet, der jüngste Jahrgang 85. Alle waren in der Zeit der »Wiedergeburt Neapels« großgeworden, als die Politik versprochen hatte, das Schicksal der Bewohner dieser Stadt zu verändern. Während sie in die Grüne Minna einsteigen und sich von den Carabinieri die Handschellen anlegen lassen, wissen alle, was sie zu tun haben: diesen oder jenen Anwalt anrufen, darauf warten, daß die Familie am 28. des Monats den Lohn und Ehefrauen und Mütter ihre Pasta-Packungen vom Clan bekommen. Wirklich beunruhigt sind die Männer, die zu Hause halbwüchsige Jungen haben, denn sie wissen nicht, welche Rolle die nach ihrer Verhaftung übernehmen müssen. Darüber aber dürfen sie nichts sagen.

Nach der Razzia geht der Krieg weiter. Am 18. Dezember wird Pasquale Galasso, ein Namensvetter eines der mächtigsten Bosse der neunziger Jahre, hinter dem Tresen einer Bar ermordet. Dann stirbt am 20. Dezember Vincenzo Iorio in einer Pizzeria. Am 24. erschießen sie den vierunddreißigjährigen Giuseppe Pezzella. Er versucht, sich in einer Bar zu verstekken, aber sie feuern ein ganzes Magazin auf ihn ab. An Weihnachten herrscht Waffenstille. Die Geschütze schweigen. Die Gegner organisieren sich neu. Man versucht, Ordnung und Strategie in diese völlig anarchische Auseinandersetzung zu bringen. Am 27. Dezember wird Emanuele Leone mit einem Kopfschuß niedergestreckt. Er war einundzwanzig Jahre alt. Am 30. Dezember schlagen die Spanier zurück: sie töten den sechsundzwanzigjährigen Antonio Scafuro und verwunden seinen Sohn am Bein. Die beiden waren mit dem Capo der Di Lauro in Casavatore verwandt.

Die Entwicklung war nur sehr schwer zu verstehen. Zu verstehen, wie es die Di Lauro geschafft hatten, aus diesem Konflikt als Sieger hervorzugehen. Zuschlagen und verschwinden.

In der Menschenmenge untertauchen, von den Häusern verschluckt werden. Lotto T, le Vele, Parco Postale, Case Celesti, Case dei Puffi, Terzo Mondo hatten sich in eine Art Dschungel verwandelt, in einen Regenwald aus Beton, in dem man sich verstecken konnte, einfacher als anderswo untertauchen, zu einer Sinnestäuschung werden. Die Di Lauro hatten alle Manager und Capi verloren, aber dennoch ohne schwere eigene Verluste einen gnadenlosen Krieg entfacht. Als ob ein Staatspräsident, der bei einem Umsturz abgesetzt worden ist, zur Erhaltung seiner Macht und zum Schutz seiner Interessen Schulkinder und Postboten bewaffnen und kleine Beamte und Bürovorsteher als sein Heer ausrüsten würde. Anstelle ihrer bisherigen subalternen Posten gewährt er ihnen Zugang zu den Schalthebeln der Macht.

Ugo De Lucia, ein enger Vertrauter der Di Lauro, den die Antimafia-Einheit Neapel für den Mord an Gelsomina Verde verantwortlich macht, äußerte in einem Telefongespräch, das von einer in seinem Auto angebrachten Wanze aufgenommen wurde, folgendes:

»Ich bewege mich nur auf Befehl, so bin ich eben!«

Der perfekte Soldat beweist seine völlige Ergebenheit gegenüber Cosimo. Dann geht er darauf ein, daß bei einem Attentat ein Mann verwundet wurde:

»Ich hätte ihn umgelegt, ich hätte ihn nicht nur in die Beine geschossen, wenn ich es gewesen wäre, hätte ich ihn zu Brei gemacht, das weißt du … Verlassen wir uns auf die Leute in meinem Viertel, da ist es ruhig, da können wir arbeiten …«

»Ich bin der Meinung, daß wir jetzt, wo wir nur noch unter uns sind, alle an einem Ort bleiben sollten … hier in der Gegend, fünf in einem Haus … fünf in einem anderen … und fünf in einem weiteren, und ihr ruft uns nur, wenn wir runterkommen sollen, um ihnen das Gehirn auszublasen!«

Fünfköpfige Kampfeinheiten zusammenstellen, sie in sicheren Wohnungen verstecken und nur noch herauskommen lassen, um zu töten. Nichts anderes. Die Kampfeinheiten heißen *paranze,* »Trupps«. Doch Petrone, Ugariellos Gesprächspartner, ist beunruhigt.

»Schon, aber wenn einer von diesen Arschlöchern irgendeinen Trupp finden sollte, der sich irgendwo versteckt hat, dann sehen sie uns, verfolgen uns und machen uns platt ... ein paar von denen müssen wir doch umlegen, bevor es uns erwischt, hast du kapiert, was ich meine? Laß mich wenigstens vier oder fünf von ihnen erledigen!«

Petrone wäre es am liebsten, die zu töten, die gar nicht wissen, daß sie entdeckt worden sind:

»Am einfachsten ist es, wenn du mit ihnen befreundet bist, du nimmst sie im Auto mit und bringst sie dann ...«

Die Di Lauro sind überlegen, weil sie völlig unvorhersehbar zuschlagen, aber auch, weil sie sich über ihr Schicksal im klaren sind. Vor dem Ende aber wollen sie dem Gegner möglichst hohe Verluste beibringen. Die Logik eines Amokläufers. Die einzige Logik, mit der die zahlenmäßig Unterlegenen auf einen Sieg hoffen können. Noch bevor sie die Kampfeinheiten aufgestellt haben, schlagen sie unerwartet zu.

Am 2. Januar 2005 erschießen sie Crescenzo Marino, den Vater der McKay. Er sitzt mit nach hinten hängendem Kopf in einem für einen Siebzigjährigen ungewöhnlichen Wagen: einem Smart, dem teuersten Modell der Serie. Vielleicht glaubte er, damit die Posten in die Irre zu führen. Anscheinend wurde er mit einem einzigen Schuß in die Stirn getötet. Kein Blut außer einem dünnen Rinnsal im Gesicht. Vielleicht glaubte er, das Haus für einen Augenblick zu verlassen, nur für ein paar Minuten, könnte nicht so gefährlich sein. Für die Killer reichte die Zeit. Am selben Tag bringen die Spanier Salvatore Barra in einer Bar in Casavatore um. An diesem Tag trifft Staatspräsident Carlo Azeglio Ciampi in Neapel ein, fordert die Stadt auf, zu reagieren, und verkündet, daß der Staat Stärke beweisen und den Bürgern zur Seite stehen werde. Allein während seiner Rede finden drei Anschläge statt.

Am 15. Januar schießen sie Carmela Attrice mitten ins Gesicht. Sie ist die Mutter des Abtrünnigen Francesco Barone, »'o russo« (der Russe), der bei den Ermittlern als einer der engsten Mitarbeiter der McKay gilt. Die Frau hat das Haus seit langem nicht mehr verlassen, deshalb schicken die Mörder einen kleinen Jungen als Lockvogel vor. Er meldet sich an der Gegensprechanlage. Die Signora kennt ihn gut und wittert keine Gefahr. Im Schlafanzug kommt sie die Treppe herunter, öffnet die Haustür, wo ihr jemand die Pistole ins Gesicht hält und schießt. Blut und Gehirnmasse spritzen aus dem Kopf wie aus einem aufgeschlagenen Ei.

Als ich den Ort des Attentats in Case Celesti erreiche, ist der Leichnam noch nicht mit einem Tuch bedeckt. Die Menschen treten ins Blut und hinterlassen überall Spuren. Ich muß heftig schlucken, um meinen Magen zu beruhigen. Carmela Attrice war nicht geflohen. Man hatte sie gewarnt, sie wußte, daß ihr Sohn auf der Seite der Spanier stand, aber darin besteht die Ungewißheit des Krieges der Camorra. Nichts ist klar und eindeutig. Alles wird erst wahr, sobald es geschieht. In der Dynamik der totalen Macht gibt es nichts, was über das Konkrete hinausgeht. Jede Entscheidung, ob fliehen, bleiben, sich verstecken oder denunzieren, hängt in der Luft, bleibt unsicher, jeder Rat wird durch einen gegenteiligen Rat widerlegt, und erst, wenn etwas Konkretes geschehen ist, kann man eine Entscheidung treffen. Und wenn es geschieht, bleibt keine Wahl.

Wenn man mitten auf der Straße stirbt, herrscht ein grauenhafter Lärm um einen herum. Es ist nicht wahr, daß man einsam stirbt. Unbekannte Gesichter drängen sich nahe heran, fremde Menschen berühren Beine und Arme, um festzustellen, ob der Tod eingetreten ist oder ob es sich lohnt, den Krankenwagen zu holen. Der Gesichtsausdruck von Schwerverletzten und Sterbenden zeigt die gleiche Angst. Und die gleiche Scham. Es mag seltsam erscheinen, aber einen Augenblick vor dem Ende gibt es eine Art Scham. Hier nennen sie das *scuorno*. Ein bißchen wie Nacktheit in der Öffentlichkeit. Das gleiche Gefühl kommt auf, wenn ein Mensch auf der Straße tödlich getroffen wird. Ich habe mich nie an den Anblick von Ermordeten gewöhnt. Die Notärzte und die Polizisten sind alle ruhig und unerschütterlich, führen ihre auswendig gelernten Bewegungen aus, egal, wen sie vor sich haben. »Wir haben Hornhaut auf dem Herzen, und der Magen ist mit Leder ausgekleidet«, hat mir einmal der blutjunge Fahrer eines Leichenwagens gesagt. Wenn man vor dem Krankenwagen an Ort und Stelle ist, kann man den Blick nur schwer von dem Verwundeten abwenden, auch wenn man ihn lieber nie gesehen hätte. Ich habe nie verstanden, daß man auf diese Weise stirbt. Zum erstenmal in meinem Leben habe ich einen Ermordeten gesehen, als ich dreizehn war. Ich erinnere mich noch genau an jenen Tag. Beim Aufwachen schämte ich mich furchtbar, denn unter dem Pyjama, den ich ohne Unterhose trug, war unverkennbar eine ungewollte Erektion sichtbar. Die typische Morgenerektion, die nicht zu verheimlichen ist. Daran erinnere ich mich deshalb genau, weil ich an diesem Tag eine Leiche in der gleichen Lage sah. Wir waren zu fünft mit unseren vollgepackten Schulranzen auf dem Weg zur Schule, als wir auf eine von Schüssen durchsiebte Alfetta stießen. Meine Schulkameraden stürzten sich voller Neugier darauf und wollten alles mitkriegen. Über die Kopfstütze ragten die Füße heraus. Der Mutigste unter uns fragte den Carabiniere, wieso da, wo man den Kopf anlehnt, die Füße seien. Der Carabiniere antwortete seelenruhig, als hätte er gar nicht gemerkt, daß er mit einem Kind sprach.

»Der Kugelhagel hat ihn herumgeschleudert.«

Obwohl ich noch klein war, wußte ich, daß er mit Kugelhagel Schüsse mit der Maschinenpistole meinte. Der Camorrist hatte so viele Schüsse abgekriegt, daß sich sein Körper umgedreht hatte. Kopf nach unten und Füße nach oben. Dann öffneten die Carabinieri die Autotür, die Leiche fiel heraus wie geschmolzenes Eis vom Stiel. Wir schauten ungestört zu, niemand sagte uns, das sei kein Anblick für Kinder. Keine Hand legte sich schützend vor unsere Augen. Der Tote hatte eine Erektion. Durch die enganliegende Jeans deutlich sichtbar. Das brachte mich völlig durcheinander. Ich starrte lange auf die Szene und dachte tagelang darüber nach, wie das hatte geschehen können. Woran hatte der Mann gedacht, was hatte er gemacht, bevor er starb. Ich verbrachte meine Nachmittage mit Überlegungen darüber, was dem Mann vor seinem Tod durch den Kopf gegangen sein mochte, und quälte mich herum, bis ich endlich den Mut fand zu fragen, worauf man mir sagte, daß eine Erektion bei Ermordeten häufig vorkomme. An jenem Morgen begann Linda, ein Mädchen aus unserer Gruppe, zu weinen, als die Leiche aus dem Auto glitt, und steckte auch zwei andere Kinder an. Sie schluchzten. Ein junger Mann in Zivil packte die Leiche bei den Haaren und spuckte ihr ins Gesicht. Zu uns gewandt, sagte er:

»Nicht doch, was soll das Weinen? Das war eine Ratte, es ist nichts passiert, alles ist gut. Nichts ist passiert. Weint nicht …«

Seitdem vermochte ich Szenen, bei der sich die Spurensicherung mit ihren Handschuhen vorsichtig bewegt, um weder Staub noch Kugeln zu verschieben, einfach nie mehr zu glauben. Wenn ich vor dem Krankenwagen ankomme und die letzten Augenblicke des Lebens eines Menschen miterlebe, fällt mir immer die letzte Szene aus *Herz der Finsternis* ein, in der eine Frau den in die Heimat zurückgekehrten Marlow fragt, was der Mann, den sie einst geliebt hat, vor seinem Tod gesagt habe. Marlow lügt und behauptet, er habe ihren Namen ausgesprochen, während er in Wirklichkeit kein zärtliches Wort und keinen wertvollen Gedanken geäußert hat. Kurtz hat lediglich gesagt: »Das Grauen! Das Grauen!« Man denkt, die letzten Worte eines Sterbenden seien sein letzter, wichtigster, grundlegender Gedanke, als spräche er beim Sterben aus, wofür es sich zu leben gelohnt hat. Das stimmt nicht. Beim Sterben kommt nichts außer Angst zum Vorschein. Alle oder fast alle wiederholen denselben banalen, einfachen und selbstverständlichen Satz: »Ich will nicht sterben.« Gesichter, die sich für mich immer über das Gesicht von Kurtz gelegt haben, Gesichter, die die Qual, den Abscheu und die Weigerung ausdrücken, auf so gräßliche Weise in der schlechtesten der möglichen Welten zu enden. Im Grauen.

Nachdem ich Dutzende von Ermordeten gesehen habe, die,

besudelt von ihrem eigenen, mit Dreck vermischten Blut und abscheulich stinkend, neugierigen oder professionell gleichgültigen Blicken ausgesetzt und wie gefährlicher Unrat gemieden oder von herzzerreißenden Schreien begleitet waren, habe ich nur eine einzige Gewißheit, einen in seiner Einfachheit an Schwachsinn grenzenden Gedanken gewonnen: der Tod ist widerlich.

In Secondigliano wissen kleine Jungs, ja schon Kinder ganz genau, wie man stirbt oder wie man lieber sterben sollte. Als ich den Ort des Attentats auf Carmela Attrice verließ, hörte ich das Gespräch eines kleinen Jungen mit seinem Freund. Der Ton war sehr ernst:

»Ich will sterben wie die Signora. In den Kopf, bum, bum … und alles ist vorbei.«

»Aber ins Gesicht, sie haben sie ins Gesicht geschossen, ins Gesicht ist schlimm!«

»Nein, gar nicht schlimm, ist eh nur eine Sekunde. Vorne oder hinten, es ist immer der Kopf!«

Ich mischte mich ein, um meine Meinung zu äußern und Fragen zu stellen. Deshalb fragte ich die beiden Jungen: »Ist es nicht besser in die Brust? Ein Schuß ins Herz und dann ist's aus.«

Doch der Junge kannte die Dynamik des Schmerzes besser als ich und begann detailliert über die Folgen einer Schußverletzung zu referieren, wie ein echter Fachmann.

»Nein, ein Schuß in die Brust tut weh, sehr weh, und du stirbst erst nach zehn Minuten. Die Lungen müssen sich mit Blut füllen, und es trifft dich wie eine feurige Nadel, mit der sie hineinstechen und in der Wunde herumbohren. Auch an Armen und Beinen tut es weh. Da ist es wie ein heftiger Schlangenbiß. Ein Biß, der sich ins Fleisch frißt. Am Kopf dagegen ist es besser, so machst du dir nicht in die Hose, die Scheiße kommt dir nicht raus, und du krümmst dich nicht eine halbe Stunde auf dem Boden …«

Der Junge hatte mehr als eine Leiche gesehen. Am Kopf getroffen zu werden verhindert, daß man vor Angst zittert, sich in die Hose macht und daß der Gestank, der Gestank der Eingeweide, aus den Löchern im Bauch dringt. Ich stellte weitere Fragen über die Einzelheiten des Sterbens und über Morde. Alle möglichen Fragen, nur die eine nicht, die ich ihm hätte stellen sollen, die, warum man mit vierzehn Jahren darüber nachdenkt, wie man am besten sterben sollte. Dieser Gedanke kam mir gar nicht in den Sinn. Der Junge stellte sich mit seinem aus der japanischen Zeichentrickserie Pokémon entnommenen Spitznamen vor. Weil er blond und ein bißchen rundlich war, nannten ihn seine Freunde Pikachu. Er zeigte mir zwei Typen in der Menge, die um die Tote herumstand und sie betrachtete. Pikachu sagte mit leiser Stimme: »Schau, die da, die haben Pupetta umgebracht ...«

Carmela Attrice wurde Pupetta genannt. Ich versuchte das Gesicht der jungen Männer zu sehen, die Pikachu mir gezeigt hatte. Sie wirkten ziemlich aufgeregt und bewegten Kopf und Schultern mal hierhin, mal dorthin, um die Polizisten besser zu sehen, die die Leiche zudeckten. Ohne ihr Gesicht zu verbergen, hatten sie die Frau umgebracht, sich dann in der Nähe unter das Standbild von Padre Pio gesetzt und waren, als sich eine Menge um die Leiche versammelt hatte, hingegangen, um sie anzuschauen. Einige Tage später wurden sie erwischt. Eine ganze Truppe, um eine arglose Frau in Pantoffeln und Pyjama zu ermorden. Killer bei ihrer Feuertaufe, die Kleinstdealer, die zur Kampftruppe umfunktioniert worden waren. Der Jüngste war sechzehn, der älteste achtundzwanzig. Der mutmaßliche Mörder zweiundzwanzig. Als bei der Verhaftung Blitzlichter und Fernsehkameras auftauchten, lächelte einer von ihnen und zwinkerte den Journalisten zu. Auch der mutmaßliche Lockvogel, der Sechzehnjährige, der die Frau über die Gegensprechanlage heruntergeholt hatte, wurde verhaftet. Sechzehn Jahre, genauso alt wie die Tochter von Carmela Attrice, die, als sie die Schüsse hörte, vom Balkon herunterschaute und zu weinen anfing, weil sie sofort alles verstanden hatte. Auch die polizeilichen Ermittlungen ergaben, daß die Täter an den Ort ihres Verbrechens zurückgekehrt waren. Von der Neugierde überwältigt. Als nähmen sie an ihrem eigenen Film teil. Erst in der Rolle der Schauspieler und dann als Zuschauer, aber beides im selben Film. Vielleicht stimmt es, daß derjenige, der schießt, sich nicht genau an diese Geste erinnern kann, denn diese Jungs sind aus reiner Neugierde zurückgekommen, um zu sehen, was sie angerichtet hatten und wie das Gesicht ihres Opfers aussah. Ich fragte Pikachu, ob diese Typen ein »Trupp« der Di Lauro waren oder wenigstens einer werden wollten. Der Kleine fing zu lachen an.

»Von wegen Trupp … das hätten die wohl gern, ein Trupp … das sind doch Hosenscheißer, ich hab' einen gesehen, einen richtigen Trupp …«

Ich wußte nicht, ob Pikachu mir Lügengeschichten auftischte oder sich Dinge zusammenreimte, die er in Scampia aufgeschnappt hatte, doch was er sagte, war stimmig. Der Junge erklärte alles genau, so genau, daß kein Zweifel möglich war. Ihm gefiel mein erstaunter Gesichtsausdruck. Er erzählte mir, er habe einen Hund namens Careca gehabt, wie der brasilianische Stürmer, der mit dem Fußballclub Napoli die italienische Meisterschaft gewonnen hatte. Dieser Hund ging häufig auf den Treppenabsatz vor der Wohnung hinaus. Eines Tages fing er an, an der gegenüberliegenden Tür zu kratzen, weil er roch, daß dahinter jemand war, obwohl niemand dort wohnte. Nach wenigen Sekunden durchlöcherte eine Salve aus einer Maschinenpistole die Tür und traf den Hund. Pikachu untermalte seine Erzählung mit der Nachahmung der Geräusche.

»Trrtrrtrr … Careca war sofort tot … und die Tür, pam … sprang auf, ganz plötzlich.«

Pikachu setzte sich nahe einer niedrigen Mauer auf seinen Hintern, stemmte die Füße gegen die Mauer und tat so, als hielte er in der Hand eine Maschinenpistole. Damit zeigte er mir, wie der Camorrist sich verhielt, der seinen Hund erschossen hatte. Der Posten, der immer hinter der Tür Wache hält. Sitzend, mit einem Kissen im Rücken, die Füße rechts und links von der Tür. Diese unbequeme Haltung soll daran hindern einzuschlafen, und vor allem trifft man, von unten nach oben schießend, unfehlbar jeden, der sich der Tür nähert, ohne selbst getroffen zu werden. Pikachu erzählte mir, daß diejenigen, die den Hund erschossen hatten, als Entschuldigung seiner Familie Geld gaben und ihn in die Wohnung einluden. In die Wohnung, in der ein ganzer Trupp versteckt war. Er erinnerte sich an alles, an die leeren Zimmer, in denen nur Betten standen, ein Tisch und ein Fernseher.

Pikachu sprach schnell, mit heftigen Gesten zeigte er mir Haltungen und Bewegungen der Mitglieder des Trupps. Sie waren nervös, angespannt, und einer von ihnen hatte »Ananasse« um den Hals. Die Ananasse sind die Handgranaten, wie sie die Mitglieder der Trupps am Körper tragen. Pikachu erzählte, am Fenster habe ein Korb voller Ananasse gestanden. Die Clans der Camorra hatten stets eine besondere Vorliebe für Handgranaten. Überall waren die Waffenarsenale der Clans voll von Handgranaten und Panzerfäusten, alle aus Osteuropa. Pikachu erzählte, sie hätten stundenlang an der Playstation gespielt, und er habe alle Mitglieder des Trupps herausgefordert und geschlagen. Er gewann immer, worauf sie ihm versprachen, ihn »eines Tages mitzunehmen, um richtig zu schießen«.

In einer der Geschichten, die im Viertel kursieren, einer von denen, die immer weiter aufgebauscht werden, heißt es, Ugo De Lucia habe ständig *Winning Eleven*, das berühmteste Playstation-Spiel, gespielt. In vier Tagen soll er – gemäß der Anklageschrift – nicht nur drei Morde begangen, sondern auch eine Meisterschaft im Videogame-Fußball gewonnen haben.

Das, was der Kronzeuge Pietro Esposito, genannt «Kojak», erzählt hat, scheint dagegen keine Legende zu sein. Er war in eine Wohnung gekommen, in der Ugo De Lucia vor dem Fernseher auf dem Bett liegend die Nachrichten kommentierte:

»Wir haben schon wieder zwei Stücke fertig! Und die anderen eines im Terzo Mondo.«

Fernzusehen war die einfachste Art, sich in Echtzeit über den Stand des Krieges zu informieren, ohne kompromittierende Telefonate führen zu müssen. Insofern brachte das durch den Krieg hervorgerufene Interesse der Medien für Scampia einen strategisch-militärischen Vorteil. Mehr aber beeindruckte mich der Ausdruck »Stück«. So hieß neuerdings ein Mord. Auch Pikachu sagte, wenn es um die Toten des Krieges in Secondigliano ging, die Di Lauro oder die Abtrünnigen hätten soundso viele Stücke gemacht. »Fertige Stücke« erinnert an die Stückzahlen der Akkordarbeit, und die Tötung eines Menschen wird gleichgesetzt mit der industriellen Fertigung einer Sache, egal welcher. Ein Stück.

Ich ging mit Pikachu spazieren, und er erzählte mir dabei von den Jugendlichen des Clans, der wahren Macht der Di Lauro. Auf meine Frage, wo sie sich trafen, versprach er mir, mich hinzubringen, er kannte alle und wollte sie mir zeigen. Sie trafen sich abends in einer Pizzeria. Bevor wir dorthin gingen, nahmen wir noch einen Freund von Pikachu mit, der seit langem zum System gehörte. Pikachu bewunderte ihn und beschrieb ihn als eine Art Boss, für die Jungen des Systems war er ein wichtiger Bezugspunkt, denn er hatte die Aufgabe, die Untergetauchten zu versorgen, und nach seiner Aussage kaufte er auch für die Familie Di Lauro ein. Er hieß Tonino Kit Kat, weil er tonnenweise Schokoriegel vertilgte. Kit Kat gerierte sich als kleiner Boss, aber ich zeigte mich skeptisch und stellte ihm Fragen. Statt einer Antwort rollte er seinen Pulli hoch. Sein Brustkorb war übersät von kreisrunden blauen Flecken. In der Mitte der violetten Ringe waren gelbe und grünliche Punkte von zerstörten Kapillargefäßen zu sehen.

»Was hast du denn da gemacht?«

»Die Weste ...«

»Weste?«

»Ja, die schußsichere Weste ...«

»Eine schußsichere Weste macht doch keine solchen Flekken?«

»Aber die Pflaumen kommen von den Treffern darauf ...«

Die blauen Flecken, die Pflaumen, waren der Abdruck der Kugeln, die die Weste, einen Zentimeter bevor sie ins Fleisch eingeschlagen wären, aufgehalten hatte. Damit die Halbwüchsigen lernten, ihre Angst vor Waffen zu verlieren, gab man ihnen schußsichere Westen und schoß dann auf sie. Eine kugelsichere Weste allein genügt nicht, einen Menschen so weit zu bringen, daß er sich nicht vor einer Waffe in Sicherheit bringt. Eine Weste ist kein Impfstoff gegen die Angst. Die Buben erzählten mir, sie seien aufs Land gebracht worden, außerhalb von Secondigliano. Dort zogen sie unter ihrem T-Shirt die kugelsicheren Westen an, und dann wurde ein halbes Magazin darauf abgefeuert. »Wenn der Schlag kommt, haut's dich um und dir bleibt die Luft weg, du machst den Mund auf und willst einatmen, aber es kommt nichts. Du schaffst es einfach nicht. Die Kugeln sind wie Fausthiebe in die Brust, du meinst, es zerreißt dich ... aber dann stehst du auf, das ist das Wichtigste. Nach dem Schlag stehst du wieder auf.« Kit Kat hatte mit anderen zusammen gelernt, sich den Kugeln entgegenzustellen, eine Anleitung zum Sterben oder genauer, zum Beinahe-Sterben.

Sobald sie in der Lage sind, dem Clan treu zu sein, werden sie rekrutiert, im Alter von zwölf bis siebzehn Jahren. Viele sind Söhne oder Brüder von Clanmitgliedern, andere kommen aus Familien, die nur ab und zu mit den Clans zu tun haben. Diese Jugendlichen bilden das neue Heer der Clans der neapolitanischen Camorra. Sie kommen aus der Altstadt, aus dem Sanità-Viertel, aus Forcella, Secondigliano, San Gaetano, aus den Quartieri Spagnoli und aus Pallonetto, rekrutiert für abgestufte Zugehörigkeitsgrade in verschiedenen Clans. Es sind ganze Heerscharen. Für die Clans sind diese Jugendlichen in vieler Hinsicht vorteilhaft, denn sie erhalten weniger als die Hälfte des Lohns eines erwachsenen Mitglieds niedrigsten Ranges, in den seltensten Fällen müssen sie für ihre Eltern oder eine eigene Familie sorgen, sie brauchen keine festen Arbeitszeiten, müssen nicht pünktlich bezahlt werden und sind vor allem bereit, sich ständig auf der Straße aufzuhalten. Unterschiedliche Aufgaben und Verantwortungen werden ihnen übertragen. Am Anfang dealen sie mit leichten Drogen, vor allem Haschisch, fast immer in den belebtesten Straßen. Später dann dealen sie mit Pillen und bekommen in der Regel ein Moped. Am Ende kommt das Kokain, das sie direkt in den Universitäten, vor Lokalen, Hotels und an den U-Bahnhöfen verkaufen. Die Kinderdealer spielen eine zentrale Rolle für die Flexibilität des Drogengeschäfts, denn sie fallen weniger auf, sie verkaufen das Rauschgift zwischen einem Fußballspiel und einem Wettrennen auf dem Moped und liefern es häufig dem Kunden direkt nach Hause. Der Clan zwingt die Jugendlichen meist nicht, morgens zu arbeiten, so daß sie weiter die Schule besuchen können, denn solange sie schulpflichtig sind, wären sie leichter zu identifizieren, wenn sie den Unterricht schwänzen. Oft tragen diese Kinderdealer nach wenigen Monaten bereits Waffen, um sich zu verteidigen, aber auch, um ihren Rang zu unterstreichen, denn eine solche Auszeichnung eröffnet Aufstiegschancen bis an die Spitze des Clans; den Umgang mit den automatischen oder halbautomatischen Waffen lernen sie an den Abfallplätzen rings um Neapel oder in den Tuffsteinhöhlen unter der Stadt.

Wenn sie sich als zuverlässig erwiesen und das Vertrauen eines örtlichen Capo gewonnen haben, können die Jugendlichen auch Aufgaben übernehmen, die über das Dealen hinausgehen, und werden zu »Schmierestehern«. Dann kontrollieren sie in einer bestimmten Straße, ob die Lastwagen bei den Supermärkten, Lebensmittel- und Delikatessengeschäften von den Firmen kommen, die der Clan bestimmt, und wenn der Lieferant nicht zu den »Auserwählten« gehört, machen sie Meldung. Auch auf Baustellen ist die Anwesenheit eines »Schmierestehers« wichtig. Die Firmen, die auf einer Baustelle tätig sind, vergeben Aufträge häufig an Subunternehmer im Umkreis der Camorra, manchmal aber auch an solche, die »nicht angeraten« sind. Um zu wissen, ob auf Baustellen »fremde« Firmen beschäftigt werden, brauchen die Clans ständig unauffällige Kontrolleure. Diese Aufgabe wird den Jugendlichen übertragen, die beobachten, überwachen, an den Capo berichten und von ihm Anweisungen erhalten, wie sie reagieren sollen, wenn eine Baustelle »nicht gespurt hat«. Diese Jugendlichen legen ein Verhalten an den Tag und übernehmen Aufgaben wie erwachsene Camorristen, beginnen ihre Karriere sehr früh, arbeiten sich schnell hoch, und ihr Aufstieg innerhalb der Camorra verändert die genetische Struktur der Clans radikal. Kinder sind Capi für ganze Gebiete, blutjunge Bosse verfolgen unvorhersehbar und unbarmherzig neue Strategien, deren Dynamiken für die Sicherheitskräfte und die Antimafia unverständlich bleiben. Seit der von Cosimo initiierten Restrukturierung des Clans haben Fünfzehn-, Sechzehnjährige ganze Bereiche des Drogengeschäfts in der Hand und erteilen Vierzig-, Fünfzigjährigen Befehle, ohne auch nur einen einzigen Augenblick befangen zu sein oder sich nicht recht kompetent zu fühlen. Der junge Antonio Galeota Lanza wurde von einer Wanze der Carabinieri belauscht, als er bei laut aufgedrehter Stereoanlage erzählte, wie man als Pusher lebt.

»… Jeden Sonntagabend mache ich achthundert oder neunhundert Euro, auch wenn du als Pusher mit Crack, Kokain und fünfhundert Jahren Gefängnis zu tun hast …«

Immer öfter versuchen die Jugendlichen des Systems das, was sie wollen, mit dem »Eisen« zu bekommen, wie sie die Pistole nennen, und der Wunsch nach einem Handy, einer Stereoanlage, einem Auto oder einem Moped endet schnell mit Mord. Im Neapel der Kindersoldaten kann man nicht selten an der Ladenkasse oder in Supermärkten Sätze hören wie: »Ich gehöre zum System von Secondigliano« oder »Ich gehöre zum System der Quartieri«. Mit diesem Zauberspruch nehmen sich die Jugendlichen, was sie wollen, und der Ladenbesitzer oder der Angestellte wird es nicht wagen, Geld dafür zu verlangen.

Diese neue Organisationsstruktur wurde in Secondigliano militarisiert. Die Jugendlichen wurden zu Soldaten. Pikachu und Kit Kat brachten mich zu Nello, einem Pizzabäcker der Gegend, der damit betraut war, die Jugendlichen des Systems nach Beendigung ihrer Schicht zu beköstigen. Sobald ich das Lokal betrat, kam eine Gruppe herein. Sie sahen furchtbar unförmig aus mit ihren weiten Pullovern wegen der schußsicheren Westen darunter. Ihre Mopeds parkten sie auf dem Gehsteig und betraten dann grußlos die Pizzeria. Kindergesichter, denn sie waren, auch wenn bei einigen bereits ein Bartflaum sprießte, dreizehn bis höchstens sechzehn Jahre alt. Pikachu und Kit Kat wollten, daß ich mich zu ihnen setzte, was niemanden zu stören schien. Sie waren hungrig, vor allem aber durstig und tranken Wasser, Cola, Fanta. Ein unglaublicher Durst. Selbst mit der Pizza wollten sie ihren Durst löschen, ließen sich eine Flasche Öl bringen und gossen immer mehr Öl darüber, weil sie angeblich zu trocken war. Ihre Münder waren vollkommen ausgetrocknet, von der Spucke bis zu den Worten. Ich merkte sofort, daß sie von der Nachtwache kamen und Pillen genommen hatten. Die Camorra gab ihnen MDMA, also das klassische Ecstasy. Damit sie nicht einschliefen und nicht ihren Posten verließen, um täglich zwei Mahlzeiten einzunehmen. Das damals als Methylsafrylamin bezeichnete MDMA wurde übrigens zuerst von der Firma Merck in Deutschland patentiert und den Soldaten in den Schützengräben des Ersten Weltkriegs verabreicht, denjenigen, die man als *Menschenmaterial* bezeichnete, Material also, das auf diese Weise Hunger, Kälte und Todesangst überwinden sollte. Dann wurde es von den Amerikanern zu Spionagezwecken verwendet. Nun bekamen auch diese kleinen Soldaten ihr Quantum künstlichen Mut und synthetische Widerstandskraft verabreicht. Sie lutschten an ihren Pizzastücken. An dem Tisch waren ähnliche Geräusche zu hören, wie wenn alte Männer ihre Suppe vom Löffel schlürfen. Sobald sie wieder redeten, bestellten sie weiter Wasser. Und da tat ich etwas, womit ich auf eine gewaltsame Reaktion hätte stoßen können, aber ich spürte, daß ich es tun konnte, ich spürte, daß ich kleine Jungs vor mir hatte. Gepanzert mit Bleiwesten, aber doch immer noch kleine Jungs. Ich stellte einen Recorder auf den Tisch, versuchte jedem einzelnen in die Augen zu sehen und forderte sie mit lauter Stimme auf: »Los, sprecht da rein, sagt, was ihr wollt ...«

Keinem kam es merkwürdig vor, keinem kam es in den Sinn, ich könnte ein Bulle oder ein Journalist sein. Einige brüllten zunächst Schimpfwörter ins Mikrophon, dann begann einer der Jungen auf meine Fragen hin von seiner Karriere zu erzählen. Und es sah so aus, als hätte er nur auf die Gelegenheit gewartet.

»Zuerst habe ich in einer Bar gearbeitet, ich bekam zweihundert Euro im Monat, mit Trinkgeld kam ich auf zweihundertfünfzig, und die Arbeit gefiel mir nicht. Ich wollte mit meinem Bruder in der Autowerkstatt arbeiten, aber sie haben mich nicht genommen. Im System kriege ich dreihundert Euro die Woche, aber wenn ich gut verkaufe, gibt's noch Prozente auf jeden Ziegel (den Barren Haschisch), und so komme ich auf dreihundertfünfzig bis vierhundert Euro. Ich muß schon schuften, aber am Schluß schieben sie immer ein bißchen mehr rüber.«

Nach einer Salve von Rülpsern, die zwei Jungen unbedingt aufgenommen haben wollten, fuhr Satore – eine Mischung aus Sasà und Totore – fort: »Früher war ich immer auf der Straße, ich war genervt, weil ich kein Moped hatte, immer alles zu Fuß oder mit dem Bus machen mußte. Die Arbeit gefällt mir, alle respektieren mich, und ich kann machen, was ich will. Dann aber haben sie mir das Eisen gegeben, und ich muß immer hier sein. Terzo Mondo, Case dei Puffi. Immer nur hier drinnen, hin und her. Und das mag ich nicht.«

Satore lächelte mich an und brüllte dann in den Recorder: »Laßt mich hier raus! … Sagt es dem Boss!«

Sie hatten ihm die Waffe gegeben und ein eng begrenztes Gebiet, das er bewachen sollte. Kit Kat ergriff dann das Wort und preßte seine Lippen so nah ans Mikrophon, daß auch sein Atem aufgenommen wurde.

»Ich will eine Firma aufmachen zur Renovierung der Häuser oder einen Großhandel oder ein Geschäft, das System muß mir Geld geben für den Anfang, um den Rest kümmere ich mich selbst, auch darum, wen ich heirate. Ich will keine von hier, sondern ein Model, eine Schwarze oder eine Deutsche.«

Pikachu holte Karten aus der Tasche, vier von ihnen begannen zu spielen. Die anderen standen auf, reckten und streckten sich, aber niemand zog die Weste aus. Ich fragte Pikachu weiter nach den Trupps, aber ich wurde ihm mit meiner Hartnäckigkeit allmählich lästig. Er erzählte mir, vor einigen Tagen sei er in der Wohnung eines Trupps gewesen, die sie aufgegeben hatten, nur noch ein MP3-Player war übriggeblieben, mit dem sie Musik hörten, wenn sie auf der Jagd nach Teilen waren. Was die Männer, die zum Töten gingen, an Musik hörten, hing in Form von MP3-Dateien um Pikachus Hals. Unter einem Vorwand bat ich ihn, mir den Player für einige Tage zu leihen. Er lachte, als wollte er mir verzeihen, daß ich ihn für so blöd hielt, für so hirnverbrannt, Sachen zu verleihen. Also kaufte ich das Gerät und gab dafür fünfzig Euro aus. Ich steckte mir sofort die Kopfhörer ins Ohr, denn ich wollte wissen, was die Hintergrundmusik zu den Massakern war. Ich erwartete Rap, Hard Rock oder Heavy Metal, aber statt dessen hörte ich nur neapolitanische Schnulzen und Pop. In Amerika schießt man, aufgeputscht vom Rap, in Secondigliano hatten sie Liebeslieder im Ohr, wenn sie zum Töten gingen.

Pikachu mischte die Karten und fragte mich, ob ich mitspielen wollte, aber Kartenspielen war noch nie meine Stärke. So stand ich vom Tisch auf. Die Kellner der Pizzeria waren genauso alt wie die Jungs des Systems, betrachteten sie voller Bewunderung und wagten nicht einmal, sie zu bedienen. Das übernahm der Besitzer persönlich. In dieser Gegend als Küchenjunge, als Kellner oder auf dem Bau zu arbeiten wird als Schande empfunden. Abgesehen von den immer gleichen Gründen: Schwarzarbeit, keine Bezahlung für Urlaub und Krankheit und in der Regel ein Zehnstundentag, gibt es hier keine Chance, vorwärtszukommen. Das System dagegen bietet wenigstens die Illusion, Leistung lohne sich, und es gebe Aufstiegsmöglichkeiten. Ein Camorrist genießt ein ganz anderes Ansehen als ein Küchenjunge, die Mädchen würden ihn nie als Loser verachten. Diese aufgeplusterten Kids, diese lächerlichen Kuriere, die aussahen wie amerikanische Footballspieler im Kleinformat, wollten nicht Al Capone werden, sondern Flavio Briatore, keine Revolverhelden, sondern Geschäftsleute, die sich mit Models schmücken können: sie wollten erfolgreiche Unternehmer werden.

Am 19. Januar wird der fünfundvierzigjährige Pasquale Paladini ermordet. Acht Schüsse. In die Brust und in den Kopf. Wenige Stunden später schießen sie dem neunzehnjährigen Antonio Auletta in die Beine. Doch am 21. Januar scheint ein Wendepunkt erreicht zu sein. Das Gerücht verbreitet sich in Windeseile auch ohne Nachrichtenagenturen. Cosimo Di Lauro ist verhaftet worden. Der Herrscher über die mafiose Struktur, laut Anklage der Antimafia-Sondereinheit der Staatsanwaltschaft Neapel ist er der Auftraggeber des Massakers, laut der Aussagen der Kronzeugen ist er der Kopf des Clans. Cosimo versteckte sich in einem Loch von vierzig Quadratmetern und schlief auf einem durchgelegenen Bett. Der Erbe einer kriminellen Vereinigung, die allein im Drogenhandel täglich fünfhunderttausend Euro umsetzte, und wahrscheinlich Besitzer einer fünf Millionen Euro teuren Villa mitten in einem der trostlosesten Orte Italiens war gezwungen gewesen, sich in einem stinkenden, winzigen Loch unweit seiner mutmaßlichen Residenz zu verkriechen.

Eine Villa, die in der Via Cupa dell'Arco, nahe dem Familienwohnsitz der Di Lauro, urplötzlich entstand. Ein großzügiger Gutshof aus dem 18. Jahrhundert, im Stil einer pompeianischen Villa renoviert. Impluvium, Säulen, Stuck und Gips, abgehängte Decken und Freitreppen. Eine Villa, deren Existenz niemand vermutete. Niemand kannte die offiziellen Eigentümer, die Carabinieri ermittelten, aber in der Umgebung hegte niemand auch nur den geringsten Zweifel. Sie war für Cosimo. Die Carabinieri entdeckten die Villa, die von hohen Mauern umgeben war, durch Zufall und wurden mißtrauisch, denn einige Arbeiter im Inneren ergriffen sofort die Flucht, als sie die Uniformen sahen. Der Krieg hatte verhindert, daß die Villa fertiggestellt, mit Möbeln und Bildern ausgestattet zur

Residenz des Herrschers werden konnte, zum goldenen Herzen im verrottenden Körper der Bauindustrie von Secondigliano.

Als Cosimo das Dröhnen der gepanzerten Fahrzeuge der Carabinieri hört, die kommen, um ihn zu verhaften, als er hört, wie sie ihre Gewehre in Anschlag bringen, macht er keinen Versuch zu fliehen und nimmt nicht einmal eine Waffe in die Hand. Er stellt sich vor den Spiegel, feuchtet den Kamm an und frisiert sich die Haare nach hinten, um sie zu einem Pferdeschwanz zusammenzufassen, der ihm lockig über den Nakken fällt. Er zieht einen dunklen Rollkragenpullover und einen schwarzen Regenmantel an. Cosimo Di Lauro verkleidet sich als kriminelle Knallcharge, als Krieger der Nacht und schreitet kerzengerade die Treppen herunter. Seit er vor einigen Jahren einen schweren Motorradunfall hatte und sich dabei das Bein schwer verletzte, hinkt er. Aber bei seinem Auftritt denkt er auch daran. Gestützt auf den Arm der Carabinieri, die ihn begleiten, kann er sein Gebrechen verbergen und ganz normal gehen. Die neuen militärischen Oberbefehlshaber der kriminellen Vereinigungen Neapels treten nicht wie Kleinkriminelle auf, sie haben nicht die weit aufgerissenen Augen und den verwirrten Gesichtsausdruck von Cutolo, meinen nicht, sich wie Luciano Liggio oder Al Capone oder als Karikaturen von Lucky Luciano und Al Capone verhalten zu müssen. *Matrix*, *The Crow – die Krähe* und *Pulp Fiction* machen besser deutlich, was sie wollen und wer sie sind. Mit diesen Vorbildern ist jedermann vertraut, und sie bedürfen keiner weiteren Erklärung. Sein Auftritt ist erhaben über zweideutige Anbiederung oder das beschränkte Repertoire aus dem Ganovenmilieu. Cosimo blickt in die Fernsehkameras und die Objektive der Fotografen, senkt das Kinn, streckt den Kopf vor. Er hat sich nicht wie der Mafiaboss Giovanni Brusca in abgewetzten Jeans und im mit Sauce bekleckerten Hemd überraschen lassen, nicht verängstigt wie Totò Riina, den man schnell in einen Hubschrauber verfrachtete, und nicht schlaftrunken wie Misso, der Boss des Sanità-Viertels. Cosimo ist im Medienzeitalter groß geworden und weiß, daß er ins Rampenlicht tritt. Deshalb präsentiert er sich wie ein Krieger, der zum erstenmal aufgehalten wird. Als müßte er für seinen übergroßen Mut bezahlen, für seinen Übereifer im Kampf. Das ist auf seinem Gesicht zu lesen. Er scheint nicht ins Gefängnis zu wandern, sondern lediglich seine Kommandozentrale zu verlegen. Als er den Krieg begann, wußte er, daß er verhaftet werden würde. Aber er hatte keine Wahl. Entweder Krieg oder Tod. Deshalb will er die Verhaftung als Beweis für seinen Sieg verstanden wissen, als Symbol dafür, daß er seine Sicherheit hintanstellt, um das System der Familie zu retten.

Die Leute aus dem Viertel bekommen schon Magenschmerzen, wenn sie ihn nur sehen. Ein Aufstand bricht los, Autos werden umgestürzt, mit Benzin gefüllte Flaschen fliegen durch die Luft. Dieser hysterische Ausbruch soll nicht, wie es vielleicht scheinen mag, die Verhaftung verhindern, sondern Racheakte vereiteln. Keinerlei Verdacht aufkommen lassen. Cosimo beweisen, daß er nicht verraten worden ist, daß niemand etwas hat durchsickern lassen, daß keiner der Nachbarn die Geheimnisse seines Lebens im Untergrund entschlüsselt hat. Der Aufruhr ist ein riesiges Ritual, um die Schuld von sich zu weisen, eine metaphysische Sühnekapelle aus in Brand gesetzten Streifenwagen, zu Barrikaden zusammengeschobenen Müllcontainern und dem schwarzen Rauch brennender Autoreifen. Sollte Cosimo jemanden im Verdacht haben, dann bleibt ihm nicht einmal mehr Zeit, den Koffer zu packen, das Henkersbeil seiner Schergen wird unausweichlich auf sie niedergehen.

Wenige Tage nach der Verhaftung des Thronerben des Clans schmückt sein arroganter Gesichtsausdruck bei der Verhaftung das Display der Handys zahlreicher Mädchen und Jungen in den Schulen von Torre Annunziata, Quarto und Marano. Die Jugendlichen wollen damit nur provozieren, ihren pubertären Widerstandsgeist demonstrieren. Gewiß. Aber Cosimo wußte das. So muß man auftreten, um als Boss anerkannt zu werden und das Herz der Menschen zu erreichen. Man muß auch Fernsehen und Presse mit einbeziehen, sein Haar zum Pferdeschwanz binden. Cosimo repräsentiert ohne Zweifel den neuen Unternehmertypus des Systems. Das Image der neuen Bourgeoisie, die, von allen Fesseln befreit und einem unbeugsamen Willen getrieben, jeden Bereich des Marktes beherrschen und alles in der Hand haben will. Auf nichts verzichten. Eine Entscheidung zu treffen bedeutet keineswegs, den eigenen Aktionsradius einzuschränken und sich anderer Möglichkeiten zu berauben. Nicht für den, der das Leben als einen Raum versteht, in dem alles zu gewinnen ist, auch auf die Gefahr hin, alles zu verlieren. Die Möglichkeit, verhaftet zu werden, zu scheitern und zu sterben, ist Teil des Kalküls. Das bedeutet aber nicht, zu verzichten, sondern alles zu wollen, hier und jetzt, und es sich so schnell wie möglich zu verschaffen. Das ist die Macht und die Anziehungskraft, die Cosimo Di Lauro verkörpert.

Niemand entkommt der Tristesse des Rentnerdaseins, auch wenn er sich noch so um sein Wohlergehen kümmert, alle müssen früher oder später einsehen, daß ihnen Hörner aufgesetzt worden sind, und kaum jemand kann im Alter auf fremde Hilfe verzichten. Warum soll man sich also der deprimierenden Erfahrung aussetzen, eine Arbeit zu suchen, von der man doch nicht leben kann, warum einen Halbtagsjob in einem Callcenter annehmen? Unternehmer werden! Aber richtig. Fähig, mit allem zu handeln und auch aus nichts ein Geschäft zu machen. Ernst Jünger würde sagen, Größe sei dem Unwetter ausgesetzt. Einen solchen Satz würden auch die Bosse, die Unternehmer der Camorra unterschreiben. Das Zentrum allen Handelns sein, das Zentrum der Macht. Alles als Mittel verwenden und sich selbst als Zweck. Wer behauptet, das sei unmoralisch, ein Leben ohne Ethik sei undenkbar, die Wirtschaft müsse sich an Grenzen und Regeln orientieren, der hat es einfach nicht geschafft, sich durchzusetzen, und ist vom Markt geschlagen worden. Die Ethik ist die Grenze des Verlierers, der Schutz des Unterlegenen, die moralische Rechtfertigung derjenigen, die nicht auf volles Risiko gespielt und alles gewonnen haben. Das Gesetz hat seine festen Regeln, nicht die Gerechtigkeit, die ist etwas anderes. Gerechtigkeit ist ein abstraktes Prinzip, das alle einbezieht und die Menschen freispricht oder verurteilt, je nach dem, wie man sie interpretiert: schuldig sind die Regierenden, schuldig die Päpste, die Heiligen und die Ketzer, schuldig Revolutionäre und Reaktionäre. Alle schuldig, verraten zu haben, getötet, gefehlt. Schuldig, gealtert und gestorben zu sein. Schuldig, besiegt und geschlagen worden zu sein. Allesamt schuldig gesprochen vom Jüngsten Gericht der überkommenen Moral und freigesprochen von dem der Notwendigkeit. Gerechtigkeit und Ungerechtigkeit gewinnen ihre Bedeutung nur am konkreten Beispiel. Anhand von Sieg oder Niederlage, Handeln oder Erleiden. Wenn du beleidigt wirst, wenn dich jemand schlecht behandelt, dann begeht er ein Unrecht, wenn er dir dagegen eine Vorzugsbehandlung angedeihen läßt, dann ist das nur gerecht. Wenn es um die Macht der Clans geht, muß man sich an diese Gewichtung halten. An diese Maßstäbe für Gerechtigkeit. Sie reichen aus. Sie müssen ausreichen. Nur in dieser realen Form läßt sich Gerechtigkeit abwägen. Alles übrige ist Glaube und Beichtstuhl. Der ökonomische Imperativ ist von dieser Logik geprägt. Nicht die Camorristen jagen den Geschäften nach, es sind die Geschäfte, die den Camorristen nachjagen. Die Logik des kriminellen Unternehmertums, das Denken der Bosse ist identisch mit radikalstem Neoliberalismus. Er diktiert, ja erzwingt die Regeln des Geschäfts, des Profits, des Sieges über alle Konkurrenten. Alles übrige zählt nicht. Existiert nicht. Für die Macht, über Leben und Tod aller zu entscheiden, ein Produkt zu lancieren, ein Marktsegment zu monopolisieren oder in Sektoren der Zukunft zu investieren, riskiert man Haft oder das eigene Leben. Für zehn Jahre dieser Macht, für ein Jahr, für eine Stunde. Die Dauer spielt keine Rolle: leben, um wirklich zu herrschen, ist das einzige, was zählt. Sich auf dem Markt durchsetzen und mit offenen Augen in die Sonne schauen, wie es Raffaele Giuliano, der Boss von Forcella, tat, als Herausforderung, um zu zeigen, daß ihn nicht einmal das Sonnenlicht blenden konnte.

Raffaele Giuliano, der Peperoncino auf die Messerklinge gestreut hatte, bevor er den Verwandten eines seiner Feinde erstach, um ihm brennende Schmerzen zu bereiten, als das Messer Zentimeter für Zentimeter ins Fleisch drang. Im Gefängnis war er nicht wegen dieser blutrünstigen Akribie gefürchtet, sondern weil er seinen Blick nicht einmal vor der direkten Berührung mit dem Sonnenlicht gesenkt hatte. Das Bewußtsein, als Businessman unweigerlich der Ermordung oder Verhaftung entgegenzugehen, paart sich mit dem unbeugsamen Willen, machtvolle, grenzenlose Wirtschaftsimperien zu beherrschen. Der Boss wird umgebracht oder verhaftet, aber das ökonomische System, das er geschaffen hat, bleibt bestehen: es hört nie auf, sich zu verwandeln, zu vergrößern, zu verbessern und Profit zu machen. Dieses Bewußtsein eines Samurai des Neoliberalismus, der weiß, daß er, um Macht, die absolute Macht zu bekommen, einen Preis zahlen muß, findet sich zusammengefaßt in dem Brief, den ein Junge in einer Jugendhaftanstalt einem Priester anvertraute. Ich hörte den Wortlaut auf einer Tagung und erinnere mich noch genau daran.

Alle, die ich kenne, sind tot oder im Gefängnis. Ich will ein Boss werden. Ich will Supermärkte, Geschäfte, Fabriken, ich will Frauen. Ich will drei Autos, ich will, daß man mich respektiert, wenn ich ein Geschäft betrete, ich will Kaufhäuser in der ganzen Welt haben. Und dann will ich sterben. Aber wie ein echter Mann, einer der wirklich das Sagen hat. Ich will umgebracht werden.

Das ist die neue, von den kriminellen Unternehmern geprägte Zeit. Das ist die neue Macht der Wirtschaft. Herrschen, koste es, was es wolle. Die Macht an erster Stelle. Der wirtschaftliche Erfolg, der mehr wert ist als das Leben. Mehr wert als das Leben aller und sogar das eigene.

Die Jugendlichen des Systems nannten sie sogar schon »sprechende Tote«. In einem Telefongespräch, das in einem

Haftbefehl der Antimafia-Staatsanwalt vom Februar 2006 wiedergegeben ist, erklärt ein Junge, wer die Capi von Secondigliano sind.

»Das sind doch bloß kleine Bengel, sprechende Tote, lebende Tote, Tote, die sich bewegen ... Ruck zuck packen sie zu und töten dich, aber das Leben ist sowieso schon vertan ...«

Kinder-Capi, Kamikaze der Clans, die ihr Leben nicht für einen Glauben aufs Spiel setzen, sondern für Geld und Macht, um jeden Preis, als die einzige Form des Lebens, die der Mühe wert ist.

In der Nacht des 21. Januar, in der Cosimo Di Lauro verhaftet wurde, fand man die Leiche von Giulio Ruggiero. Man fand ein ausgebranntes Auto, eine Leiche hinter dem Lenkrad. Ein Körper ohne Kopf. Der lag auf der Rückbank. Sie hatten ihn geköpft. Nicht mit einem glatten Axthieb, sondern mit der Flex: mit dem Trennschleifer, den man zum Glätten oder Trennen von Schweißnähten verwendet. Das schlimmste Mordinstrument, aber gerade deshalb besonders auffällig. Zuerst wird das Fleisch zerschnitten, dann werden die Knochen durchgesägt. Die Mörder mußten dieses Werk vor Ort vollbracht haben, denn auf dem Boden lagen Fleischfetzen herum, als wären es Kutteln. Bevor die Ermittlungen überhaupt begonnen hatten, war man in der Gegend der Meinung, dieser Mord sei eine Botschaft. Ein Symbol. Die Verhaftung von Cosimo Di Lauro war nur möglich, wenn jemand der Polizei einen Hinweis gegeben hatte. Dieser zerstückelte Körper wurde in der kollektiven Phantasie als der Verräter angesehen. Nur wer einen Boss verpfiffen hat, kann auf diese Weise zerfleischt werden. Das Urteil war gesprochen worden, bevor die Polizei Beweise hatte. Egal, ob wahr oder bloße Vermutung. Das Auto und den Kopf, die in der Via Hugo Pratt gefunden worden waren, schaute ich mir an, ohne von der Vespa abzusteigen. In meinem Gehirn formten sich Bilder, wie sie den Körper verbrannt und den Kopf abgesägt, wie sie den Mund mit Benzin gefüllt und einen Lappen zwischen die Zähne gestopft hatten, um ihn anzuzünden und dann zu warten, bis das ganze Gesicht explodierte. Ich setzte meinen Roller in Gang und fuhr los.

Als ich am 24. Januar 2005 dort ankomme, liegt er tot auf dem Steinfußboden. Eine kleine Gruppe von Carabinieri patrouilliert nervös vor dem Geschäft auf und ab, in dem das Attentat stattgefunden hatte. Das x-te. »Ein Toter pro Tag ist zum Rhythmus Neapels geworden«, sagt ein aufgeregter Jugendlicher im Vorbeigehen. Er bleibt stehen, zieht die Mütze vor dem Toten, den er nicht sieht, und geht weiter. Als die Killer das Geschäft betraten, hatten sie bereits die Pistolen gezogen. Es war klar, daß sie keinen Raubüberfall begehen wollten, sondern töten, strafen. Attilio hatte versucht, sich hinter dem Ladentisch zu verstecken. Er wußte, es würde nichts nützen, aber er hoffte vielleicht doch, er könnte zeigen, daß er unbewaffnet war, nichts damit zu tun und nichts getan hatte. Vielleicht hatte er die beiden als Soldaten der Camorra erkannt. Sie feuerten ihr ganzes Magazin auf ihn ab und verließen, nachdem der »Auftrag« erledigt war, das Geschäft, ganz ruhig, wie einige sagen, als hätten sie ein Handy gekauft und nicht einen Menschen umgebracht. Attilio Romanò liegt da. Überall Blut. Es sieht fast so aus, als ob seine Seele durch die vielen Einschußlöcher auf seinem Körper herausgeflossen sei. Wenn du so viel Blut am Boden siehst, beginnst du, dich abzutasten, zu kontrollieren, ob nicht auch du verletzt bist, ob dieses Blut nicht auch dein Blut ist, dich überfällt eine psychotische Angst, du willst sicher sein, daß du nicht ebenfalls verletzt, nicht ebenfalls, ohne daß du es gemerkt hast, getroffen worden bist. Jedenfalls kannst du nicht glauben, daß in einem einzelnen Mensch so viel Blut sein kann, und bist sicher, daß deines weniger geworden ist. Auch wenn du ganz sicher bist, kein Blut verloren zu haben, reicht das nicht: du fühlst dich ausgeleert, auch wenn die Blutlache nicht von dir stammt. Du selbst bist die Blutlache, du fühlst, wie deine Beine nachgeben, die Zunge pelzig wird, die Arme lösen sich in der zähen Flüssigkeit auf, du wünschst dir, daß dir jemand den Augenhintergrund kontrolliert, um festzustellen, wie weit es schon mit deiner An-ämie ist. Du würdest gern einen von den Sanitätern anhalten und ihn bitten, dir eine Bluttransfusion zu verabreichen, oder am liebsten hättest du einen weniger verkrampften Magen, um ein Steak essen zu können, falls du nicht kotzen mußt. Du mußt die Augen schließen und den Atem anhalten. Der Geruch von geronnenem Blut, der schon in den Putz der Wände eingedrungen ist, erinnert an rostiges Eisen. Du mußt rausgehen, ins Freie, Luft schnappen, bevor Sägemehl über das Blut gestreut wird, denn dieser Brei riecht grauenhaft, und dann kannst du den Brechreiz nicht mehr unterdrücken.

Ich begreife nicht recht, warum ich erneut den Ort eines Attentats aufgesucht habe. Eines weiß ich sicher: es hat keinen Sinn, das, was zu Ende ist, festzuhalten und das schreckliche Drama, das sich abgespielt hat, zu rekonstruieren. Es ist nutzlos, die Kreideringe um die Patronen zu betrachten, die aussehen wie ein Kegelspiel für Kinder. Man muß vielmehr ergründen, ob noch etwas übrig ist. Dem bin ich vielleicht auf der Spur. Ich will wissen, ob noch etwas Menschliches vorhanden ist; ob es einen Pfad gibt, einen Spalt, den der Wurm der Existenz gegraben hat, durch den eine Lösung gefunden werden kann, eine Antwort, die verrät, was hier wirklich vorgeht.

Attilios Leiche liegt noch auf dem Boden, als seine Angehörigen kommen. Zwei Frauen, vielleicht seine Mutter und seine Frau, ich weiß es nicht. Sie stützen einander auf dem Weg, gehen eng umschlungen, Schulter an Schulter gelehnt, die einzigen, die noch hoffen, daß das, was sie genau verstanden haben und wissen, nicht wahr sei. Doch sie sind verbunden, halten einander aufrecht, bevor sie am Ort der Tragödie eintreffen. In diesem Augenblick, in den Schritten dieser Frauen und Mütter zur Begegnung mit dem von Kugeln durchsiebten Körper, erahnt man ein irrationales, verrücktes, wirres Vertrauen in die Kraft des Wünschens. Sie hoffen, hoffen, hoffen und hoffen immer noch, daß ein Fehler vorliegt, daß die Gerüchte falsch sind und die Carabinieri, die das Attentat und den Tod gemeldet haben, einem Mißverständnis erlegen sind. Ein hartnäckiger Glaube daran, daß irgend etwas den Gang der Dinge ändern könnte. In diesem Moment erreicht die Hoffnung ihren Gipfel, darunter liegt der Abgrund. Aber es ist nichts zu machen. Schreie und Tränen beweisen die Schwerkraft der Realität. Attilio liegt hier auf dem Boden. Er hat in einem Handygeschäft gearbeitet und, um über die Runden zu kommen, in einem Callcenter. Seine Frau Natalia und er hatten noch kein Kind. Es war keine Zeit, vielleicht fehlten die finanziellen Mittel oder vielleicht wollten sie warten, um ihr Kind anderswo aufwachsen zu lassen. Ihr Leben war Arbeit, und als sich die Möglichkeit bot und genügend Geld gespart war, ergriff Attilio die Chance, Teilhaber des Geschäfts zu werden, in dem er den Tod fand. Sein Partner war jedoch entfernt mit Pariante verwandt, dem Boss von Bacoli, einem der Statthalter der Di Lauro, der die Seite gewechselt hatte. Attilio weiß davon nichts oder unterschätzt es zumindest, er vertraut seinem Partner, von dem er weiß, daß er von seiner Arbeit lebt, viel schuftet, zu viel. In dieser Gegend entscheidet man nicht über Lebensentwürfe, Arbeit zu haben erscheint als Privileg, das man, einmal erreicht, festhält, als hätte man einen Glückstreffer gemacht und sei vom Schicksal begünstigt, auch wenn das bedeutet, dreizehn Stunden täglich außer Haus zu sein, nur den halben Sonntag freizuhaben und nur tausend Euro im Monat zu verdienen, die kaum zum Abzahlen der Hypothek reichen. Doch man hat wenigstens Arbeit, dafür muß man schon dankbar sein und darf sich selbst und dem Schicksal nicht zu viele Fragen stellen.

Aber irgend jemand äußert einen Verdacht. Und möglicherweise wird die Leiche von Attilio Romanò zu denen der in diesen Monaten ermordeten Soldaten der Camorra gerechnet werden. Die Leichen sehen alle gleich aus, aber die Gründe für ihren Tod sind unterschiedlich, auch wenn sie an derselben Front fallen. Die Clans entscheiden darüber, wer du bist, welche Rolle dir im Risikospiel des Konflikts zufällt. Du kannst darüber nicht entscheiden. Wenn die Heere aufmarschieren, läßt sich ihre Strategie von außen nicht erkennen, sie sind es, die die Richtung, die Motive und die Gründe festlegen. In jenem Augenblick war der Laden, in dem Attilio arbeitete, Ausdruck der Geschäfte, deren sich die Spanier bemächtigt hatten, und die mußten verschwinden.

Natalia, Nata, wie Attilio sie nannte, ist von der Tragödie niedergeschmettert. Sie hatte erst vier Monate zuvor geheiratet, aber ihr wird kein Trost zuteil, beim Begräbnis ihres Mannes erscheint nicht der Staatspräsident, kein Minister und nicht einmal der Bürgermeister, um ihr die Hand zu schütteln. Vielleicht besser so, es erspart die institutionelle Inszenierung. Doch über Attilios Tod schwebt ein ungerechtfertigter Verdacht. Und dieser Verdacht bedeutet stillschweigende Billigung der Ordnung der Camorra, bedeutet, daß man dem Handeln der Clans zustimmt. Doch die Kollegen des Callcenters organisieren Mahnwachen für Attila, wie sie ihn wegen seiner heftigen Lebenslust nannten, und gehen hartnäckig auf die Straße, auch wenn es dabei zu weiteren Anschlägen kommt, auch wenn wieder Blut fließt. Sie machen weiter, zünden Kerzen an, erklären, widerlegen alle Vorwürfe, räumen jeden Verdacht aus. Attila ist an seinem Arbeitsplatz umgebracht worden und hatte überhaupt nichts mit der Camorra zu tun.

In Wirklichkeit lastet nach jedem Attentat ein Verdacht auf allen. Das Räderwerk der Clans ist zu perfekt. Es gibt keinen Fehler. Nur Strafe. Deshalb schenkt man den Clans Glauben, nicht den Verwandten, die nichts begreifen, nicht den Arbeitskollegen, die den Menschen kannten, nicht seiner Biographie. In den Strudel dieses Krieges gerät der einzelne ohne eigene Schuld und wird als Kollateralschaden oder möglicher Schuldiger abgehakt.

Der sechsundzwanzigjährige Dario Scherillo wurde am 26. Dezember 2004 auf seinem Motorrad ins Gesicht und in die Brust geschossen, die Mörder ließen ihn liegen, so daß das ganze Hemd blutdurchtränkt war. Seine einzige Schuld bestand darin, aus Casavatore zu stammen, einem der Orte, in denen der Konflikt wütet. Auch bei ihm Stillschweigen, Unverständnis. Keine Grabinschrift, keine Tafel, keine Erinnerung. »Wenn jemand von der Camorra umgebracht wird, weiß man nie«, sagt ein alter Mann zu mir, während er sich bekreuzigt, an der Stelle, wo Dario gestorben ist. Das Blut auf dem Boden ist tiefrot. Blut hat nicht immer die gleiche Farbe. Das von Dario ist purpurrot, scheint noch zu fließen. Das Sägemehl saugt es nur langsam auf. Nach einer Weile nutzt ein Fahrer die freie Stelle und parkt sein Auto über dem Blutfleck. Und alles ist vorbei. Alles wird zugedeckt. Dario ist getötet worden, um die Menschen hier zu warnen, eine Warnung aus Fleisch und Blut. Wie in Bosnien, in Algerien, in Somalia, in all den wirren Bürgerkriegen, bei denen man nicht recht begreift, auf welcher Seite einer steht, und wo es genügt, den Nachbarn umzubringen, den Hund, den Freund oder einen Verwandten. Ein Gerücht, man sei mit jemandem verwandt, eine Ähnlichkeit reicht aus, damit man zur Zielscheibe wird. Eine Straße zu überqueren kann Grund genug für eine Kugel sein. Der Schmerz, die Tragödie, der Schrecken müssen aufs äußerste konzentriert werden. Es geht darum, absolute Macht zu demonstrieren, unangefochtene Hegemonie und die Unmöglichkeit, sich der eigentlichen, der realen und alles beherrschenden Macht zu widersetzen. Bis man sich daran gewöhnt, zu denken wie die, die eine Geste oder ein Wort übelnehmen könnten. Aufpassen, vorsichtig sein, schweigen, um das eigene Leben zu retten, um die Hochspannungsleitung der Rache nicht zu berühren. Während ich mich entferne, während die Leiche von Attilio Romanò weggebracht wird, begreife ich allmählich. Ich begreife, warum meine Mutter mich immer so besorgt anschaut und nicht versteht, warum ich nicht fortgehe, nicht fliehe, sondern weiter in dieser Höllengegend lebe. Ich will mich erinnern, wie viele Tote, Ermordete und Verletzte es gegeben hat, seit ich auf der Welt bin.

Eigentlich braucht man die Toten nicht zu zählen, um die Geschäfte der Camorra zu verstehen, eigentlich sagen sie am wenigstens aus über ihre reale Macht, doch sie sind die sichtbarste Spur und lösen die unmittelbarsten Reaktionen aus. Ich mache die Rechnung auf: 1979 hundert Tote, 1980 hundertvierzig, 1981 hundertzehn, 1982 zweihundertvierundsechzig, 1983 zweihundertvier, 1984 hundertfünfundfünfzig, 1986 hundertsieben, 1987 hundertsiebenundzwanzig, 1988 hundertachtundsechzig, 1989 zweihundertachtundzwanzig, 1990 zweihundertzweiundzwanzig, 1991 zweihundertdreiundzwanzig, 1992 hundertsechzig, 1993 hundertzwanzig, 1994 hundertfünfzehn, 1995 hundertachtundvierzig, 1996 hundertsiebenundvierzig, 1997 hundertdreißig, 1998 hundertzweiunddreißig, 1999 einundneunzig, 2000 hundertachtzehn, 2001 achtzig, 2002 dreiundsechzig, 2003 dreiundachtzig, 2004 hundertzweiundvierzig, 2005 neunzig.

Dreitausendsechshundert Tote, seit ich geboren bin. Die Camorra hat mehr Menschen umgebracht als die sizilianische Mafia, mehr als die 'Ndrangheta, mehr als die russische Mafia, mehr als die albanischen Familien, mehr als die ETA in Spanien und die IRA in Irland, mehr als die Roten Brigaden, mehr als die Rechtsterroristen der NAR und mehr als alle Attentate in Italien, bei denen die Geheimdienste ihre Hand im Spiel hatten. Die Camorra hat mehr Menschen umgebracht als alle anderen. Mir kommt ein Bild in den Sinn. Die Weltkarte, die man oft in den Zeitungen sieht. In *Le Monde Diplomatique* ist oft diese Karte zu sehen, wo alle Weltgegenden, in denen ein Konflikt herrscht, mit einem Flämmchen gekennzeichnet sind. Kurdistan, Sudan, Kosovo, Osttimor. Man sollte auch einen Blick auf den Süden Italiens werfen. Da müßten die Leichen auftauchen, die sich in den Kriegen der Camorra, der Mafia, der 'Ndrangheta, der Sacristi in Apulien oder der Basilischi in Lukanien summieren. Dafür steht jedoch kein Flämmchen, da ist es nicht heiß. Da sind wir im Herzen Europas. Da, wo der größte Teil der Wirtschaftsleistung des Landes entsteht. Wie er entsteht, spielt keine Rolle. Hauptsache, das Schlachtvieh bleibt an der Peripherie, eingepfercht in Silos aus Zement und Berge von Müll, in illegale Fabriken und Drogendepots. Hauptsache, niemand spricht darüber, und alles wird als Bandenkrieg, als ein Krieg unter Lumpengesindel abgetan. Jetzt begreifst du auch das schiefe Lächeln deiner Freunde, die emigriert sind und, wenn sie aus Mailand oder Padua zurückkommen, nicht wissen, was aus dir geworden ist. Sie taxieren dich von Kopf bis Fuß, um dein spezifisches Gewicht abzuwägen, ob du ein *chiachiello* oder ein *bbuono* bist. Ein Versager oder ein Camorrist. Am Scheideweg ist schon klar, welchen Weg du einschlägst, und am Ende des Wegs erwartet dich nichts Gutes.

Ich ging nach Hause, kam aber nicht zur Ruhe. So ging ich wieder runter und begann zu laufen, schnell, immer schneller, die Knie schlackerten, die Fersen schlugen hoch, die Arme schienen ausgerenkt und bewegten sich wie die einer Marionette. Laufen, laufen, laufen. Mein Herz schlug, mein Mund füllte sich über Zunge und Zähne mit Spucke. Ich spürte das Blut in der Halsschlagader, in der Brust, ich kam außer Puste, sog durch die Nase so viel Luft ein wie möglich und stieß sie wieder aus wie ein Stier. Ich rannte weiter, fühlte, wie meine Hände eisig wurden, das Gesicht brennend heiß, und schloß die Augen. All das Blut, das ich am Boden gesehen hatte, als wäre es aus einem ausgeleierten Hahn geflossen, schien ich in mich aufgenommen zu haben, ich spürte es in meinem Körper.

Schließlich kam ich ans Meer. Ich sprang auf die Felsen, die Nacht war dunstig, nicht einmal die Lichter der Schiffe im Golf waren zu erkennen. Das Meer wurde unruhig, es erhoben sich hier und da Wellen, sie schienen den Schmutz am Ufer nicht berühren zu wollen, kehrten aber auch nicht in das ferne Rollen der hohen See zurück, sondern verharrten wie unbeweglich im Auf und Ab des Wassers, als wollten sie sich mit ihren Schaumkronen in einem unmöglichen Gleichgewichtszustand halten. Weder vor noch zurück, ohne zu wissen, wo das Meer noch Meer ist.

Einige Wochen später tauchten die Journalisten auf. Von überall her, plötzlich war die Camorra wieder lebendig in einer Gegend, von der man geglaubt hatte, es gebe nur noch Banden und Taschendiebe. Secondigliano stand innerhalb weniger Stunden im Mittelpunkt des Interesses. Sonderkorrespondenten, Fotoreporter der wichtigsten Agenturen, sogar ein Team der BBC war dauerhaft vor Ort, Jugendliche ließen sich neben einem Kameramann fotografieren, auf dessen Apparat deutlich das Logo von CNN zu erkennen war. »Die gleichen, die bei Saddam sind«, sagten die Leute von Scampia lachend. Von den Fernsehkameras aufgenommen, fühlten sie sich ins Zentrum des Weltgeschehens katapultiert. Dieses Interesse scheint der Gegend zum erstenmal eine wirkliche Existenz zuzugestehen. Das Massaker von Secondigliano zieht die Aufmerksamkeit auf sich, die man der Entwicklung der Camorra seit zwanzig Jahren hätte widmen müssen. In dem Krieg im Norden Neapels gibt es in kurzen Abständen Tote, genau passend für die Anforderungen der Reporter, in nicht mehr als einem Monat sind es dann schon Dutzende von Opfern. Als wäre es Absicht, damit jeder Korrespondent seinen Toten abkriegt. Ein Erfolg für alle. Man hat Scharen von Praktikantinnen hergeschickt, damit sie das Metier lernen. Überall werden Kleindealern Mikrophone vor die Nase gehalten, Kameras nehmen die trostlosen, kantigen Umrisse der »Vele« auf. Einigen der jungen Frauen gelingt es sogar, angebliche Pusher zu befragen, die man nur von hinten sieht. Fast überall kommen die Heroinsüchtigen zu Wort und leiern ihre Geschichte herunter. Zwei junge Journalistinnen lassen sich vor einem ausgebrannten Auto aufnehmen, bevor es weggeschafft wird. Vom ersten kleinen Krieg, den sie als Reporter mitbekommen, müssen sie ein Souvenir haben. Ein französischer Journalist rief mich an, um zu fragen, ob er eine kugelsichere Weste brauche, da er die Villa von Cosimo Di Lauro fotografieren wolle. Die Teams fahren mit dem Auto herum und filmen, als wären sie Forscher in einem Urwald, in dem alles zur Dekoration wird. Andere Presseleute haben Leibwächter dabei. Der schlechteste Weg, um über Secondigliano zu berichten, ist, sich von der Polizei begleiten zu lassen. Scampia ist für jedermann offen zugänglich, darin liegt gerade die Stärke dieses Drogenumschlagplatzes. Die Berichterstatter, die mit der Polizei kommen, erfahren nur das, was sie auch jeder Agenturmeldung entnehmen könnten. Nicht anders, als wenn sie vor ihrem PC in der Redaktion säßen, der Unterschied liegt nur darin, daß sie sich vom Schreibtisch entfernen.

Mehr als hundert Presseleute in kaum zwei Wochen. Plötzlich existiert der größte Rauschgiftmarkt Europas wirklich. Selbst die Polizisten werden mit Anfragen bestürmt, alle wollen an Polizeiaktionen teilnehmen, zusehen, wie ein Dealer verhaftet oder eine Wohnung durchsucht wird. Alle wollen in ihrem fünfzehnminütigen Bericht einige Bilder bringen, in denen Handschellen angelegt und Maschinenpistolen beschlagnahmt werden. Einige Polizeibeamte entledigen sich der Reporter und neuernannten investigativen Journalisten dadurch, daß sie sie Polizisten in Zivil fotografieren lassen, die so tun, als seien sie Pusher. Damit geben sie ihnen, was sie erwartet haben, ohne Zeit zu verlieren. Das Schlechtestmögliche in der kürzestmöglichen Zeit. Das Schlechteste vom Schlechten, den Horror des Horrors, die Tragödie rüberbringen, das Blut, die Eingeweide, die Schüsse, die eingeschlagenen Köpfe, das verbrannte Fleisch. Das Schlimmste, von dem sie berichten, ist nur die Spitze des Eisbergs. Viele Korrespondenten glauben, hier das Ghetto Europas, das absolute Elend vor sich zu haben. Wenn sie nicht gleich wieder davonrennen würden, müßten sie sich darüber klarwerden, daß hier die Stützpfeiler der Wirtschaft, die verborgenen Goldminen und die dunklen Abgründe sind, aus denen das pulsierende Herz der Ökonomie seine Energie bezieht.

Von den Fernsehleuten erhielt ich die unwahrscheinlichsten Angebote. Einige boten mir an, eine Minikamera am Ohr zu montieren und die Straßen zu besuchen, »die Sie kennen«, und den Leuten zu folgen, »über die Sie Bescheid wissen«. Die Journalisten träumten davon, aus Scampia eine Realityshow zu machen, in der man einen Mord und den Drogenverkauf live miterleben konnte. Ein Drehbuchautor gab mir ein Manuskript mit einer Geschichte von Blut und Tod, in dem der Teufel des neuen Jahrhunderts im Terzo-Mondo-Viertel zur Welt kam. Einen Monat lang wurde ich jeden Abend zum

Essen eingeladen und von Fernsehteams zu den absurdesten Initiativen gedrängt, da sie an Informationen aus erster Hand kommen wollten. In Secondigliano und Scampia entstand in der Zeit der Fehde ein richtiggehender Markt für Begleiter, offizielle Sprecher, Informanten und Führer durch das Reservat der Camorra. Viele Jugendliche entwickelten spezielle Techniken. Sie trieben sich in der Nähe der Stützpunkte der Journalisten herum, taten so, als wären sie Dealer oder stünden Schmiere, und sobald jemand den Mut hatte, sie anzusprechen, waren sie sofort bereit, zu erzählen, zu erklären und sich aufnehmen zu lassen. Als erstes gaben sie ihre Tarife bekannt. Fünfzig Euro für eine Aussage, hundert für eine Führung über den Drogenmarkt, zweihundert für den Besuch der Wohnung eines Dealers in den »Vele«.

Um den Weg des Goldes zu verstehen, genügt es nicht, nur die Metallader und das Bergwerk zu besuchen. Man muß in Secondigliano anfangen und dann der Spur der Imperien der Clans folgen. Die Kriege der Camorra umreißen die Herrschaftsgebiete der Familien auf der Landkarte im Hinterland Kampaniens, dem Kernland, das von manchen der Wilde Westen Italiens genannt wird, wo angeblich mehr Maschinenpistolen als Gabeln existieren. Jenseits der Gewalt, die in bestimmten Phasen zum Ausbruch kommt, wird hier ein unermeßlicher Reichtum produziert, von dem diese Landstriche nur einen fernen Abglanz abkriegen. Davon aber berichten weder die Fernsehsender noch die Korrespondenten, deren ganze Mühe darauf gerichtet ist, die Ästhetik der neapolitanischen Slums einzufangen.

Am 29. Januar wird Vincenzo De Gennaro ermordet, am 31. Januar Vittorio Bevilacqua in einer Salumeria. Am 1. Februar werden Giovanni Orabona, Giuseppe Pizzone und Antonio Patrizio massakriert. Die Killer gehen nach altbewährtem Muster vor und verkleiden sich als Polizisten. Der dreiundzwanzigjährige Giovanni Orabona war Stürmer bei Real Casavatore. Mit zwei anderen ging er spazieren, als ein Auto sie aufhielt. Es hatte eine Sirene auf dem Dach. Zwei Männer mit Polizeiausweis stiegen aus. Die jungen Männer versuchten nicht, zu fliehen oder Widerstand zu leisten. Sie wußten, wie sie sich verhalten mußten: Handschellen anlegen lassen und ins Auto einsteigen. Das Auto hielt dann plötzlich, und die drei sollten aussteigen. Sie begriffen wohl nicht gleich, aber als sie die Pistolen sahen, war alles klar. Eine Falle. Die vermeintlichen Polizisten waren Spanier. Die Aufrührer. Zwei mußten sich hinknien und wurden mit einem Kopfschuß sofort getötet, der dritte, so zeigten die Spuren, hatte mit hinter dem Rücken gefesselten Händen zu fliehen versucht, so daß er nur durch Schulter- und Kopfbewegungen das Gleichgewicht halten konnte. Er stürzte. Kam wieder hoch. Fiel wieder hin. Dann erwischten sie ihn und hielten ihm die Pistole in den Mund. Die Leiche hatte zerbrochene Zähne, denn der junge Mann hatte in den Pistolenlauf gebissen, instinktiv, als könnte er ihn zermalmen.

Am 27. Februar wurde gemeldet, daß Raffaele Amato in Barcelona verhaftet worden sei. In einem Spielkasino hatte er beim Black Jack versucht, Bargeld in Umlauf zu bringen. Die Di Lauro hatten bis dahin nur seinen Cousin Rosario zu fassen bekommen und dessen Haus niedergebrannt. Den Ermittlungen der neapolitanischen Staatsanwaltschaft zufolge war Amato der unangefochtene Anführer der Spanier. Er war in der Via Cupa dell'Arco, wo auch Paolo Di Lauro mit seiner Familie wohnten, aufgewachsen. Amato war zu einem wichtigen Manager aufgestiegen, seit er für den Drogenhandel und die Investitionseinsätze verantwortlich war. Aussagen von Kronzeugen und Untersuchungen der Antimafia-Kommission belegen, daß er bei den internationalen Rauschgifthändlern einen sehr guten Ruf besaß und tonnenweise Kokain importierte. Bevor maskierte Polizisten ihn im Spielkasino mit dem Gesicht nach unten auf den Boden zwangen, war Raffaele schon einmal verhaftet worden: in einem Hotel in Casandrino zusammen mit einem anderen Statthalter der Gruppe und einem albanischen Rauschgiftgroßhändler, dem als Dolmetscher kein Geringerer als der Neffe eines Ministers aus Tirana zur Seite stand.

Am 5. Februar ist Angelo Romano an der Reihe. Am 3. März wird Davide Chiarolanza in Melito erschossen. Er hat die Killer erkannt, vielleicht war er sogar mit ihnen verabredet, und wird getötet, als er in Richtung seines Autos zu fliehen versuchte. Weder Staatsanwaltschaft noch Polizei noch Carabinieri können die Fehde stoppen. Die Sicherheitskräfte verhindern manche Weiterungen, ziehen Beteiligte aus dem Verkehr, scheinen aber nicht in der Lage zu sein, dem Blutvergießen ein definitives Ende zu bereiten. Während die übrige Presse die Chronik der Verbrechen verfolgt und sich in Interpretationen und Bewertungen ergeht, erfährt ein neapolitanisches Blatt von einem Pakt zwischen den Spaniern und den Di Lauro, von einem plötzlichen Friedensschluß durch die Vermittlung des Clans der Licciardi. Diesen Pakt haben die anderen Clans aus Secondigliano und vielleicht auch die anderen Kartelle der Camorra erzwungen, weil sie fürchten, ihre in einem Jahrzehnt im Verborgenen herangewachsene Macht werde nun ins Rampenlicht gezerrt. Statt dessen sollten die Institutionen die Territorien der kriminellen Akkumulation wie zuvor mit Schweigen übergehen. Der Pakt wird nicht von irgendeinem charismatischen Führer nachts in der Zelle formuliert. Er wird nicht heimlich verbreitet, sondern in einer Zeitung veröffentlicht. Am 27. Juni 2005 kann man die *Cronache di Napoli* am Kiosk kaufen und in einem Artikel von Simone Di Meo den Pakt der Camorra lesen und studieren, um ihn zu verstehen. Hier die veröffentlichten Vereinbarungen:

1) Die Abtrünnigen haben die Rückgabe der zwischen November und Januar in Scampia und Secondigliano geräumten Wohnungen verlangt. Ungefähr achthundert Personen waren von den Kampfeinheiten der Di Lauro gezwungen worden, ihre Häuser zu verlassen.

2) Das Monopol der Di Lauro im Drogenhandel existiert nicht mehr. Es gibt kein Zurück. Das Territorium muß gerecht aufgeteilt werden. Das Umland den Abtrünnigen, Neapel den Di Lauro.

3) Die Abtrünnigen können beim Rauschgiftimport ihre eigenen Kanäle benutzen und müssen sich nicht mehr auf die Vermittlung der Di Lauro stützen.

4) Private Racheakte sind von den Geschäften zu trennen, das heißt, das Geschäft ist wichtiger als persönliche Fragen. Sollte in einigen Jahren Rache geübt werden, die sich auf diese Fehde bezieht, dann bleibt das Privatsache und wird keine weiteren Feindseligkeiten nach sich ziehen.

Der Boss der Bosse aus Secondigliano muß zurückgekehrt sein. Von Apulien bis Kanada wird das vermeldet. Seit Monaten sind Geheimagenten hinter ihm her. Paolo Di Lauro hinterläßt Spuren, winzige Spuren, fast ebenso unsichtbar wie seine Macht vor der Fehde. Angeblich hat er sich in einer Klinik in Marseille operieren lassen, wo auch der Boss der Cosa Nostra, Bernardo Provenzano, gewesen war. Paolo Di Lauro ist zurückgekehrt, um den Frieden zu besiegeln oder den Schaden zu begrenzen. Er ist hier, seine Gegenwart ist bereits zu spüren, es herrscht eine andere Atmosphäre. Der seit zehn Jahren untergetauchte Boss, von dem ein Mitglied am Telefon sagte: »Er muß zurückkommen, auch wenn er dafür in den Knast geht.« Der Geisterboss, dessen Gesicht nicht einmal die Mitglieder kennen: »Bitte zeig ihn mir, nur einen Moment, nur einen, ich schau ihn mir an, und dann geh ich wieder«, hatte ein Mitglied den Boss Maurizio Prestieri angebettelt.

Paulo Di Lauro wird am 16. September 2005 in der Via Canonico Stornaiuolo verhaftet. Er hatte sich in der bescheidenen Wohnung von Fortunata Liguori versteckt, der Freundin eines einfachen Mitglieds. Eine anonyme Wohnung wie die, in der sein Sohn Cosimo Zuflucht gesucht hatte. In dem Urwald aus Zement ist es leicht, sich unsichtbar zu machen, in diesen nichtssagenden Wohnsilos lebt man gesichts- und geräuschlos. In diesem städtischen Umfeld verschwindet man vollkommener und anonymer als in einem Verschlag mit doppeltem Boden. Paolo Di Lauro wurde kurz vor seinem Geburtstag verhaftet. An seinem Geburtstag nach Hause zu kommen, im Kreis der Familie zu essen, während die Polizei halb Europas ihm auf den Fersen ist, wäre der Gipfel der Provokation gewesen. Doch er wurde rechtzeitig gewarnt. Als die Carabinieri in seine Villa eindrangen, fanden sie den Tisch gedeckt, aber seinen Platz leer. Diesmal aber treffen die Carabinieri der Spezialabteilung, die ROS, ins Schwarze. Nachdem sie das Haus die ganze Nacht beobachtet haben, verschaffen sie sich um vier Uhr nachts Eintritt. Sie stehen unter Hochspannung. Der Boss aber wehrt sich nicht, sondern beruhigt sie.

»Kommen Sie herein ... ich bin ganz ruhig ... kein Problem.«

Zwanzig Streifenwagen begleiten das Auto, in das Di Lauro einsteigen soll, dazu vier Motorräder, die vorausfahren, um zu kontrollieren, ob alles ruhig ist. Der Zug setzt sich in Bewegung, der Boss sitzt in dem gepanzerten Fahrzeug. Es gibt drei Wege, um ihn in die Kaserne der Carabinieri zu bringen. Über die Via Capodimonte, dann Via Pessina und Piazza Dante, oder durch Sperrung des Corso Secondigliano auf der Tangenziale zum Vomero. Für alle Fälle steht ein Hubschrauber bereit, um Di Lauro zu transportieren. Die Motorrräder melden ein verdächtiges Auto auf dem Weg. Alle erwarten einen Anschlag. Doch es handelt sich um falschen Alarm. Di Lauro wird in die Kaserne der Carabinieri in der Via Pastrengo mitten in Neapel gebracht. Bei der Landung reißt der Hubschrauber Staub und Erde von den Blumenrabatten auf dem Platz hoch und wirbelt sie mit Fetzen von Plastik, Papiertaschentüchern und Zeitungen nach oben. Ein Strudel aus Müll.

Es besteht keinerlei Gefahr. Doch die Verhaftung muß laut herausposaunt werden, man muß zeigen, daß der Ungreifbare ergriffen worden ist, der Boss. Sobald der Geleitzug der gepanzerten Fahrzeuge und Streifenwagen eintrifft und die Carabinieri sehen, daß auch die Presse schon vor der Kaserne wartet, setzen sie sich mit heruntergezogener Gesichtsmaske und schußsicherer Weste rittlings auf die heruntergekurbelten Fenster der Autotüren und halten die Pistole im Anschlag. Nach der Verhaftung von Giovanni Brusca wollten sich alle Carabinieri und Polizisten in dieser Haltung aufnehmen lassen. Entschädigung für das nächtelange Wachestehen, Befriedigung darüber, die Beute endlich geschnappt zu haben, schlaue Pressepolitik, um auf jeden Fall auf den Titelseiten zu erscheinen. Als Paolo Di Lauro aus der Kaserne kommt, tritt er nicht hochfahrend auf wie sein Sohn Cosimo, sondern beugt sich nach unten, das Gesicht so tief wie möglich, und bietet den Kameraleuten und Fotografen nur seine Halbglatze dar. Vielleicht will er sich damit nur schützen. Vielleicht hätten die von Hunderten Objektiven von allen Seiten aufgenommenen und in ganz Italien verbreiteten Bilder manchem unwissenden Nachbarn gezeigt, daß er ihm begegnet war. Besser den Ermittlungen keinen Vorschub leisten, die Wege des Lebens im Untergrund nicht enthüllen. Einige halten das Senken des Kopfes einfach für ein Zeichen dafür, daß er Blitzlichtgewitter und Kamerapulks verabscheut und es haßt, wie ein Stück Vieh vorgeführt zu werden.

Einige Tage später erscheint Paolo Di Lauro vor Gericht, im Saal Nr. 215. Ich habe mich zu den Verwandten gesetzt. Der Boss sagt nichts weiter als »anwesend«. Alles übrige formuliert er ohne Worte. Gesten, Zwinkern, Blinzeln, Lächeln bilden die stumme Syntax, mit deren Hilfe er aus seinem Käfig heraus kommuniziert. Er grüßt, antwortet, beruhigt. Hinter mir hat ein Herr mit grauen Schläfen Platz genommen. Paolo Di Lauro schien mich zu fixieren, dabei meinte er den Mann hinter mir. Sie blicken sich eine Weile an, dann zwinkert der Boss ihm zu.

Es sieht so aus, als seien auf die Nachricht von der Verhaftung hin viele gekommen, um den Boss zu begrüßen, den sie, weil er untergetaucht war, jahrelang nicht hatten treffen können. Paolo Di Lauro trägt Jeans und ein dunkles Polohemd, dazu Schuhe von Cesare Paciotti wie alle führenden Persönlichkeiten der Clans hier. Die Wachen nehmen ihm die Handschellen ab. Di Lauro hat einen Käfig für sich. Im Gerichtssaal erscheint der Gotha der Clans aus dem Norden Neapels: Raffaele Abbinante, Enrico D'Avanzo, Giuseppe Criscuolo, Arcangelo Valentino, Maria Prestieri, Maurizio Prestieri, Salvatore Britti und Vincenzo Di Lauro. Vertraute und ehemalige Vertraute des Bosses, die jetzt in zwei verschiedene Käfige verteilt sind: die Getreuen und die Spanier. Am elegantesten ist Prestieri, im blauen Blazer und farblich abgestimmten hellblauen Button-Down-Hemd. Er nähert sich als erster der Glasscheibe, die ihn vom Boss trennt. Die beiden begrüßen sich. Auch Enrico D'Avanzo nähert sich, und sie können sich durch die Spalte zwischen den kugelsicheren Scheiben sogar etwas zuflüstern. Auch viele der führenden Mitglieder des Clans haben Paolo seit Jahren nicht gesehen. Sein Sohn Vincenzo hat ihn nicht getroffen, seit er 2002 seinerseits in Chivasso im Piemont untertauchte, wo er zwei Jahre später verhaftet wurde.

Ich beobachtete den Boss sehr genau. Mit der Interpretation jeder Geste, jeder Grimasse hätte ich, so schien es mir, Seiten um Seiten füllen können, um neue Codes der Zeichensprache festzulegen. Mit seinem Sohn entspann sich jedoch ein merkwürdiger stummer Dialog. Vincenzo deutete mit dem Zeigefinger auf den Ringfinger seiner Linken, als wollte er seinen Vater fragen: »Was ist mit dem Trauring?« Der Boss streifte mit den Händen auf beiden Seiten des Kopfes nach hinten und tat dann so, als säße er am Steuer eines Wagens. Ich konnte diese Gesten nicht deuten. Die Zeitungen verstanden sie so, daß Vincenzo seinen Vater gefragt habe, warum er keinen Trauring trage, und der Vater habe geantwortet, die Carabinieri hätten ihm allen Schmuck weggenommen. Nach der Verständigung durch Gebärden, Zwinkern, stumm geformte Silben, Augenkontakt und auf das Panzerglas gelegte Hände ließ Paolo Di Lauro seinen Blick lächelnd auf dem Sohn ruhen. Sie küßten beide die Scheibe. Am Ende der Verhandlung verlangte der Rechtsanwalt, eine Umarmung zwischen Vater und Sohn zuzulassen. Sie wurde gestattet und von sieben Polizisten überwacht:

»Du bist blaß«, sagte Vincenzo, und sein Vater, der ihm fest in die Augen schaute, antwortete: »Seit vielen Jahren hat dieses Gesicht die Sonne nicht gesehen.«

Die Untergetauchten sind häufig am Ende ihrer Kräfte, wenn sie gefaßt werden. Die dauernde Flucht beraubt sie der Möglichkeit, ihren Reichtum zu genießen, und das zwingt sie zu einer immer engeren Symbiose mit ihrem Generalstab, der zum einzigen Gradmesser ihres ökonomischen und sozialen Erfolges wird. Durch die Schutzmaßnahmen, die unablässige Notwendigkeit, jeden Schritt sorgfältig zu planen, und den überwiegenden Aufenthalt in geschlossenen Räumen, in denen sie Geschäfte und Unternehmungen planen, werden die untergetauchten Bosse zu Gefangenen des eigenen Business. Eine Dame im Gerichtssaal erzählte mir etwas über das Leben Di Lauros im Untergrund. Dem Aussehen nach hätte die Frau eine Lehrerin sein können, ihre Haare waren eher gelb als blond gefärbt und am Scheitel deutlich nachgewachsen. Mit rauher und tiefer Stimme erzählte sie von der Zeit, als Paolo Di Lauro noch in Secondigliano war, aber sich nur dank raffiniert ausgeklügelter Strategien bewegen konnte. Es schien der Frau fast leid zu tun, was der Boss auf sich nehmen mußte. Di Lauro besaß, so vertraute sie mir an, fünf Autos, deren Farbe, Modell und Kennzeichen identisch waren. Wenn er irgendwohin wollte, ließ er sie alle fünf losfahren. Alle fünf Autos wurden begleitet, doch keiner seiner Männer wußte mit Sicherheit, in welchem Auto der Boss saß. Das Auto verließ die Villa, und die Leibwache folgte. Auf diese Weise war Verrat unmöglich, nicht einmal der bloße Hinweis, daß der Boss das Haus verlassen habe. Die Signora erzählte diese Geschichte im Ton tiefsten Mitgefühls für das Leiden und die Einsamkeit eines Mannes, der immer fürchten mußte, ermordet zu werden. Nach dem Reigen der Gesten und Umarmungen, nach den Begrüßungen und Freundschaftsbekundungen zwischen den Vertretern der gewalttätigsten kriminellen Macht in Neapel trug das Panzerglas, das den Boss von den anderen trennte, ganz andere Spuren: Handabdrücke, Fettspuren, Kußmünder.

Nicht einmal vierundzwanzig Stunden nach der Verhaftung des Bosses wurde an der Kreisverkehrsanlage von Arzano ein Pole aufgegriffen, der wie Espenlaub zitternd ein riesiges Bündel in den Müll zu bugsieren versuchte. Der junge Mann war blutbesudelt, und seine Angst machte all seine Bewegungen unsicher. Das Bündel war ein Körper. Ein mit unvorstellbarer Grausamkeit gemarterter, gefolterter und entstellter Körper. Es schien unmöglich, daß man einen Menschen so zurichten konnte. Hätte man jemanden eine Mine verschlucken und im Magen explodieren lassen, so hätte das weniger Verwüstung angerichtet. Es handelte sich um die Leiche von Edoardo la Monica, aber seine Züge waren nicht mehr zu erkennen. Es gab nur noch die Lippen, alles andere war zerfetzt. Der Körper voller Löcher und blutverkrustet. Sie hatten ihn gefesselt und dann mit einem genagelten Stock langsam gequält, über Stunden. Jeder Schlag hatte ein Loch in den Körper gemacht, Schläge, die nicht nur die Knochen brachen, sondern auch das Fleisch durchbohrten, Nägel, die eindrangen und wieder herausgezogen wurden. Sie hatten ihm die Ohren abgeschnitten, die Zunge verstümmelt, die Handgelenke zerschlagen, die Augen mit einem Schraubenzieher ausgestochen, bei lebendigem Leib und vollem Bewußtsein. Um ihn vollends zu erledigen, hatten sie ihm das Gesicht mit einem Hammer zertrümmert und mit einem Messer ein Kreuz in die Lippen geschnitten. Die Leiche mußte auf den Müll geworfen werden, damit sie verwest auf einem Müllabladeplatz gefunden wurde. Die in sein Fleisch geschnittene Botschaft konnte jedermann entziffern, auch wenn es keinen anderen Beweis als die Folter gab: dir wurden die Ohren abgeschnitten, mit denen du gehört hast, wo der Boss versteckt war, die Hände zerschlagen, mit denen du das Geld genommen, die Augen ausgestochen, mit denen du gesehen, und die Zunge verstümmelt, mit der du geredet hast. Das Gesicht entstellt, das du durch deine Tat vor dem System verloren hast. Die von dem Kreuzeszeichen versiegelten Lippen: für immer geschlossen von dem Treueschwur, den du gebrochen hast. Edoardo La Monica war nicht vorbestraft. Doch er trug einen schwer belasteten Namen, den einer der Familien, die Secondigliano zum Land der Camorra und zur Goldgrube gemacht hatten. Der Familie, in der Paolo Di Lauro sich seine ersten Sporen verdient hatte. Der Tod von Edoardo La Monica ähnelt dem von Giulio Ruggiero. Beide wurden mit geradezu pedantischer Gründlichkeit wenige Stunden nach der Festnahme der Bosse zu Tode gequält. Zerfetzt, zerschlagen, zerstückelt und zerfleischt. Seit Jahren hatte es keine Morde mit so sorgfältiger und blutrünstiger Symbolkraft mehr gegeben: seit dem Ende der Herrschaft von Cutolo und seinem Killer Pasquale Barra, genannt »'o nimale« (das Tier), der berüchtigt war, weil er im Gefängnis Francis Turatello umgebracht, ihm das Herz mit bloßen Händen aus dem Leib gerissen und zerbissen hatte. Diese vergessenen Rituale hat die Fehde von Secondigliano wieder zum Leben erweckt und jede Handlung, jeden Zentimeter Fleisch und jedes Wort zu einem Instrument der Kriegspropaganda gemacht.

In der Pressekonferenz erklärten die Beamten der ROS, sie seien durch die Frau, die immer Di Lauros Lieblingsspeise, einen Graubarsch, gekauft habe, auf seine Spur gekommen. Diese Geschichte sollte das Bild des mächtigen Bosses, über den Hunderte von Getreuen wachten, dadurch diskreditieren, daß er am Ende wegen eines Essensgelüsts zu Fall kam. Diese Mär von der Verfolgung des Graubarsches fand jedoch in Secondigliano keinen Augenblick Glauben. Viele sahen dagegen im SISDE, dem italienischen Geheimdienst, die Verantwortlichen für die Festnahme. Der Geheimdienst hatte sich eingeschaltet, das bestätigten auch die Sicherheitskräfte, aber wie er das getan hatte, war in Secondigliano schwer, nur sehr schwer feststellbar. Eine Spur davon, daß der SISDE, wie viele Zeitungen vermuteten, verschiedene Leute in der Gegend für Informationen oder fürs Stillhalten bezahlt hatte, machte ich in Gesprächsfetzen in der Bar aus. Männer, die ihren Espresso oder Cappuccino mit Croissant zu sich nahmen, sagten Sätze wie:

»Wo du doch Geld von James Bond bekommst ...«

In jenen Tagen habe ich zweimal erlebt, daß 007 flüchtig erwähnt wurde, eine zu geringfügige und lächerliche Andeutung, um daraus irgendwelche Schlüsse zu ziehen, aber gleichzeitig zu ungewöhnlich, um nicht aufzufallen.

Die Strategie der Geheimdienste, die zur Verhaftung von Di Lauro geführt hat, könnte darin bestanden haben, die Verantwortlichen für die Bewachung ausfindig gemacht und dafür bezahlt zu haben, daß sie die Posten und Schmieresteher anderswohin schickten. Deshalb wurde kein Alarm ausgelöst und eine Flucht des Bosses vereitelt. Die Familie von Edoardo La Monica verneint kategorisch jede mögliche Verwicklung des jungen Mannes und besteht darauf, daß er keinerlei Beziehung zum System, ja geradezu Angst vor ihm und seinen Geschäften hatte. Vielleicht hat er für jemand anders aus seiner Familie die Zeche bezahlt, doch die chirurgische Folter an seinem Körper wirkt wie für ihn gemacht und nicht als Botschaft für einen anderen.

Eines Tages sah ich einige Leute in der Nähe der Stelle, wo Edoardo La Monica gefunden worden war. Ein Junge zeigte auf seinen Ringfinger, faßte sich dann an den Kopf und bewegte die Lippen, ohne einen Laut von sich zu geben. Als würde ein Streichholz vor meinen Augen entflammen, fiel mir die Gebärde von Vincenzo Di Lauro im Gerichtssaal ein, diese merkwürdige, ungewöhnliche Geste, mit der er – nach Jahren, in denen er seinen Vater nicht gesehen hatte – als erstes nach seinem Trauring zu fragen schien. Der Ring, *anello*, wird in Neapel *aniello* ausgesprochen. Der Ring verwies auf den Namen Aniello und der Ringfinger auf die Treue. Demnach ging es um den Treuebruch, als wollte Di Lauro auf die Familie verweisen, aus der der Verräter kam. Der für die Verhaftung verantwortlich war. Der ihn verpfiffen hatte.

Aniello La Monica war der Patriarch der Familie, nach dem die Leute im Viertel die La Monica die »Anielli« nannten, wie die Familie Gionta in Torre Annunziata nach dem Boss Valentino Gionta »Valentini« hießen. Anniello La Monica war, so hatten die Kronzeugen Ruocco und Luigi Giuliano der Polizei verraten, ausgerechnet von seinem Patensohn Paolo Di Lauro umgebracht worden. Gewiß gehören alle Männer der La Monica zu den Reihen der Di Lauro. Aber dieser furchtbare Tod könnte auch die Strafe der Rache für jenen Mord vor zwanzig Jahren sein, eine Rache, kalt, eiskalt ausgeführt mit einem Aufschub, der gewaltsamer wirkte als eine Salve von Pistolenschüssen. Die Erinnerung reicht weit, sehr weit zurück. Anscheinend erinnern sich daran alle Clans, die einander in Secondigliano an der Spitze der Macht abwechselten, und auch die Menschen in ihrem Herrschaftsgebiet. Aber alles basiert nur auf Gerüchten, Vermutungen und Verdachtsmomenten und kann zwar zu einer aufsehenerregenden Verhaftung oder zur Folterung eines Menschen führen, aber keinen Anspruch auf Wahrheit erheben. Eine Wahrheit, die immer gedeutet werden muß – wie eine Hieroglyphe, die man, so hast du gelernt, lieber nicht entziffert.

Secondigliano lebte wieder nach seinen herkömmlichen ökonomischen Mechanismen. Alle Führungsfiguren der Spanier und der Di Lauro saßen im Gefängnis. Neue Capi stiegen auf, neue blutjunge Manager erprobten ihre Fähigkeiten an den Schalthebeln der Macht. Der Begriff Fehde verschwand allmählich aus dem Vokabular, und man sprach statt dessen von »Vietnam«.

»Der war in Vietnam ... deswegen muß er jetzt ganz ruhig sein.«

»Nach Vietnam haben jetzt alle Angst hier ...«

»Vietnam ist jetzt doch vorbei, oder?«

Solche Gesprächsfetzen der neuen Generation der Clans, abgehört von den Carabinieri, führten am 8. Februar 2006 zur Verhaftung von Salvatore Di Lauro, dem achtzehnjährigen Sohn des Bosses, der ein kleines Heer von Jugendlichen für den Drogenverkauf zusammenstellen wollte. Die Spanier hatten die Schlacht verloren, aber ihr Ziel erreicht, sich mit einem eigenen Kartell unabhängig zu machen und die Hegemonie auszuüben. Die Carabinieri fingen eine SMS ab, die ein junges Mädchen einem ganz jungen Capo schickte, der während der Fehde im Gefängnis gelandet war und nach seiner Freilassung sofort wieder mit dem Drogenhandel begonnen hatte: »Glückwunsch zur Arbeit und zur Rückkehr ins Viertel, ich bin froh über deinen Sieg. Gratuliere!«

Die Gratulation galt dem militärischen Sieg, den der Junge auf der richtigen Seite erlebt hatte. Die Di Lauro sitzen zwar im Gefängnis, aber sie haben ihre Haut und das Business gerettet, wenigstens das der Familie.

Die Lage beruhigte sich unmittelbar nach den Vereinbarungen zwischen den Clans und nach den Verhaftungen. Secondigliano war erschöpft, von zu vielen Menschen überschwemmt, fotografiert, gefilmt, mißbraucht. Erschöpft von allem. Ich trieb mich immer noch dort herum und hielt vor den Murales von Felice Pignataro an, vor den Sonnengesichtern, vor den Totenköpfen auf Puppenfiguren. Murales, die den Betonmauern einen Anstrich von Leichtigkeit und unerwarteter Schönheit geben. Plötzlich explodierten am Himmel Feuerwerkskörper, und das Geknalle nahm kein Ende. Die Presseteams, die ihre Stationen nach der Verhaftung der Bosse gerade abbauten, stürzten hin, um zu sehen, was da vor sich ging. Die letzten wertvollen Aufnahmen, zwei ganze Mietskasernen, die ein Fest feierten. Die Journalisten machten ihre Mikrophone bereit, richteten die Scheinwerfer auf die Gesichter, kündigten telefonisch in der Redaktion einen Bericht darüber an, wie die Spanier die Verhaftung von Paolo Di Lauro feiern. Ich trat näher, um zu fragen, was los sei, und ein Junge antwortete mir bereitwillig: »Es ist für Peppino, er ist aus dem Koma erwacht.« Peppino war ein Jahr zuvor auf dem Weg zur Arbeit mit seinem motorisierten Dreirad, der Ape, ins Schleudern gekommen und hatte sich überschlagen. Die Straßen Neapels sind wasserlöslich, nach zwei Stunden Regen beginnt der Basalt zu schwimmen, und der Asphalt löst sich auf, als sei er mit Salzwasser hergestellt. Als die Ape sich überschlug, erlitt Peppino ein schweres Gehirntrauma. Das Fahrzeug mußte man mit einem von den Feldern herbeigeholten Traktor aus dem Straßengraben ziehen. Nach einem Jahr erwachte Peppino aus dem Koma und durfte einige Monate später nach Hause. Nun feierte das Viertel seine Rückkehr. Unmittelbar danach, noch bevor er im Rollstuhl saß, stiegen die ersten Feuerwerkskörper in den Himmel. Die Kinder ließen sich fotografieren, während sie seinen kahlrasierten Kopf streichelten. Peppinos Mutter schirmte ihren Sohn gegen allzu heftige Zärtlichkeiten und Küsse ab, weil er noch sehr schwach war. Die Korrespondenten vor Ort erklärten ihren Redaktionen, die angekündigte Serenade Kaliber 38 habe sich in ein Fest für einen aus dem Koma erwachten Jungen verwandelt, und bliesen das Ganze ab. Sie kehrten in ihre Hotels zurück, ich blieb und ging mit in Peppinos Wohnung, wie einer, der sich bei einem fröhlichen Fest einschleicht, das er nicht verpassen will. Die ganze Nacht stieß ich mit den Leuten aus dem Haus auf Peppinos Wohl an. Alle saßen auf Treppen und Treppenabsätzen, die Wohnungstüren standen offen, und niemand achtete darauf, wessen Wohnung es war und wer all die guten Sachen auf die Tische gestellt hatte. Vollkommen betrunken fuhr ich mit meiner Vespa immer wieder zu einer noch geöffneten Bar, um Nachschub an Rotwein und Cola zu holen. In dieser Nacht war Secondigliano still und erschöpft. Ohne Journalisten und Hubschrauber. Ohne Drogenkuriere und Schmieresteher. Eine Stille, die müde machte, wie wenn man mit im Nacken verschränkten Armen nachmittags im Sand liegt und an nichts mehr denkt.

Frauen

Ich nahm einen undefinierbaren Geruch an mir wahr. Wie wenn sich der Gestank von schlechtem Fett von einem Imbißstand in den Mantel hängt, ein Gestank, der erst langsam wieder vergeht und sich mit dem der Auspuffgase mischt. Du kannst zigmal duschen, stundenlang mit Badesalzen und duftenden Schaumbädern in der Wanne die Haut einweichen: der Geruch geht nicht weg. Nicht weil er ins Fleisch eingedrungen ist wie der Schweiß der Vergewaltiger, sondern du merkst allmählich, daß du ihn längst in dir hattest, als käme er von einer Drüse, die bisher nie angeregt worden war, einer schlummernden Drüse, die plötzlich diesen Geruch absondert, ausgelöst nicht so sehr von Angst, sondern von einer Ahnung der Wahrheit. Als ob irgend etwas in deinem Körper dir ein Zeichen gäbe, daß du vor der Wahrheit stehst. Sie mit allen Sinnen wahrnimmst. Unvermittelt. Keine Wahrheit aus zweiter Hand, berichtet und abgelichtet, sondern klar und deutlich vor dir. Verstehen, wie die Dinge laufen, wie die Gegenwart funktioniert. Kein Gedanke kann die Wahrheit dessen belegen, was du erlebt hast. Wenn du die Opfer im Krieg der Camorra mit eigenen Augen gesehen hast, drängen sich im Gedächtnis zu viele Bilder, sie kommen nicht einzeln hoch, sondern alle auf einmal, sie überlagern und vermischen sich. Auf die Augen kannst du dich nicht verlassen. Nach einem Krieg der Camorra bleiben keine Ruinen zurück, und das Sägemehl trocknet das Blut schnell auf. Als ob nur du allein alles gesehen oder erlitten hättest, als ob jemand mit dem Finger auf dich zeigen und sagen wollte: »Nein, es ist nicht wahr.«

Die Auswüchse eines Krieges zwischen den Clans, die gegeneinander gerichteten Kapitalstrategien und die Investitionen, die den Konkurrenten auslöschen sollen, finden immer eine tröstliche Begründung, eine Deutung, um die Gefahr zu verlagern und einen Konflikt, der sich in Wirklichkeit im eigenen Hausflur abspielt, als fern, sehr fern erscheinen zu lassen. Man kann alles in ein selbstkonstruiertes Sinngebäude einfügen, aber Gerüche lassen sich nicht in Reih und Glied bringen, sie sind einfach da. Wie die letzte und einzige Spur eines verlorenen Erfahrungsschatzes. Mir waren Gerüche in der Nase hängen geblieben: nicht nur der Geruch von Sägemehl und Blut, nicht nur das Rasierwasser auf den Wangen noch bartloser Kindersoldaten, sondern vor allem weibliche Düfte. Ich trug noch den schweren Geruch der Deodorants, des Haarlacks und der süßlichen Parfums in der Nase.

Die Frauen spielten in der Dynamik der Macht in den Clans immer eine Rolle. Nicht zufällig wurden während der Fehde von Secondigliano zwei Frauen mit einer Grausamkeit umgebracht, wie sie normalerweise nur die Männer trifft. Und Hunderte von Frauen waren auf die Straße gegangen, um die Verhaftung von Dealern und Posten zu verhindern, sie hatten Müllcontainer in Brand gesetzt und die Carabinieri abgedrängt. Immer wenn irgendwo eine Fernsehkamera auftauchte, sah ich, wie sich die Mädchen vor die Objektive drängten, lächelten, ein paar Takte trällerten, interviewt werden wollten, die Fernsehleute umschwänzelten und nach dem Logo des Teams suchten, um zu wissen, von welchem Sender sie aufgenommen wurden. Man weiß ja nie. Vielleicht wurde jemand auf sie aufmerksam und lud sie zu einer Sendung ein. Hier bietet sich eine Gelegenheit nicht, man muß sie mit Gewalt an sich reißen, sie kaufen und nach ihr wühlen. Günstige Gelegenheiten müssen erzwungen werden. So geht es auch mit den Jungen, nichts wird dem Zufall der Begegnung, dem Schicksal des Sichverliebens überlassen. Hinter jeder Eroberung steckt eine Strategie. Leichtsinnige Mädchen, die darauf verzichten, laufen Gefahr, überall betatscht und bedrängt zu werden. Enganliegende Jeans und bauchfreie T-Shirts: alles muß die Schönheit wie einen Köder betonen. Schönheit ist an bestimmten Orten wie eine Falle, freilich eine sehr hübsche Falle. Wenn du darauf reinfällst und dem Genuß des Augenblicks folgst, weißt du nicht, was dich erwartet. Das Mädchen gilt am meisten, das den Besten zu umgarnen weiß und ihn, wenn er in die Fall getappt ist, nicht mehr losläßt, ihn bindet, ihn erträgt und, selbst mit zugehaltener Nase, vereinnahmt. Aber ihn für sich behält. Ganz und gar. Einmal fuhr ich an einer Schule vorbei, als gerade ein Mädchen von einem Motorrad stieg. Langsam, damit alle das Motorrad bewundern konnten, den Helm, die Motorradhandschuhe und ihre hochhackigen spitzen Stiefel, mit denen sie kaum auf den Boden kam. Der Hausmeister, einer von denen, die ganze Generationen von Schulkindern haben Revue passieren sehen, ging auf sie zu und fragte: »France', habt ihr schon was miteinander? Und ausgerechnet Angelo, du weißt doch, daß der in Poggioreale enden wird?«

»Etwas miteinander haben« bedeutet nicht, Sex zu haben, sondern, wie man früher sagte, miteinander gehen. Dieser Angelo war erst vor kurzem Mitglied im System geworden und schien schon eine nicht unwichtige Rolle zu spielen. Seine Freundin versuchte gar nicht, ihren Angelo zu verteidigen, sondern gab eine Antwort, die sie offensichtlich schon fertig in der Tasche hatte: »Wo ist da das Problem, ich krieg doch trotzdem jeden Monat mein Geld? Der mag mich wirklich …«

Die *mesata*, die monatliche Zahlung. Das ist der erste Erfolg für ein Mädchen. Wenn ihr Freund im Gefängnis landen würde, bekäme sie jeden Monat Geld. Diese Summe zahlen die Clans den Familien ihrer Mitglieder. Sobald jemand eine feste Freundin hat, bekommt sie das Geld, auch wenn es als Nachweis der Beziehung besser ist, schwanger zu sein. Man muß nicht unbedingt heiraten, ein Kind genügt, auch ein noch ungeborenes. Wenn ein Mädchen nur »verlobt« ist, läuft sie Gefahr, daß sich eine andere beim Clan meldet und Ansprüche erhebt, eine geheime Geliebte, und beide Frauen wußten nichts voneinander. In diesem Fall entscheidet entweder der Capo, ob die *mesata* zwischen den beiden Frauen aufgeteilt wird, was zu gefährlichen Spannungen unter den Familien führen kann, oder das Mitglied muß entscheiden, wer die Summe erhalten soll. Meist aber bekommt keine der beiden Frauen das Geld, sondern direkt die Familie des Inhaftierten, damit das Problem ein für allemal aus der Welt geschafft ist. Nur Heirat oder Kinder garantieren sicheren Unterhalt. Das Geld wird meist in bar entrichtet, um zu vermeiden, daß die Zahlungen auf den Bankauszügen Spuren hinterlassen. Die sogenannten »U-Boote« teilen die Monatsgehälter aus. Der Name kommt daher, daß diese Leute unsichtbar herumschleichen. Sie lassen sich nie sehen und dürfen nicht erkennbar sein, denn sonst wären sie erpreßbar, könnten unter Druck gesetzt oder beraubt werden. Sie tauchen plötzlich an der Ecke auf und kommen nie auf dem gleichen Weg. Die U-Boote haben nur mit den Gehältern der einfachen Clanmitglieder zu tun. Die Führungskräfte verhandeln je nach Bedarf direkt mit den Kassenwarten. Die U-Boote gehören nicht zum System und werden nicht als Mitglieder aufgenommen; sie könnten die Verwaltung der Löhne ausnützen und innerhalb des Clans Ansprüche stellen. Meist handelt es sich um Rentner, alte Buchhalter, die mit dieser Arbeit für die Clans ihre Rente aufstocken, etwas außerhalb des Hauses zu tun haben und nicht vor dem Fernseher verfaulen müssen. Jeden 28. des Monats klopfen sie an die Tür, legen ihre Plastiktüte auf dem Tisch ab und holen dann aus der prall gefüllten Innentasche ihres Jacketts einen Umschlag mit dem Namen des toten oder im Gefängnis sitzenden Mitglieds heraus, um ihn der Ehefrau oder, wenn die nicht da ist, dem ältesten Sohn auszuhändigen. Meist bringen sie außer der monatlichen Zahlung auch etwas zu essen. Schinken, Obst, Pasta, Eier, ein bißchen Brot. Man hört, wie die Tüten im Treppenhaus rascheln. Dieses dauernde Rascheln und die schweren Schritte der alten Männer sind das Klingeln der U-Boote. Sie sind immer vollbepackt wie Lastesel, denn sie kaufen alles im selben Lebensmittelladen und beim selben Gemüsehändler, ein Großeinkauf, der an alle Familien verteilt wird. Wie viele Ehefrauen oder Witwen von Camorristen in einer

Straße wohnen, sieht man daran, wie schwer beladen das U-Boot ist.

Don Ciro ist das einzige U-Boot, das ich kennengelernt habe. Er verteilte in der Altstadt die Gehälter von Clans, die allmählich auseinanderfielen, sich jedoch in dieser neuen fruchtbaren Phase nicht nur über Wasser zu halten, sondern neu zu organisieren versuchten. Die Clans der Quartieri Spagnoli und einige Jahre lang auch die von Forcella. Jetzt arbeitete er manchmal für den Clan des Sanità-Viertels. Don Ciro kannte sich so gut im Gewirr der Gassen Neapels aus und fand Mietshäuser, Erdgeschoß- und Souterrainwohnungen, Häuser ohne Nummer und illegal in den Treppenhäusern ausgebaute Wohnungen, so daß ihm manchmal die Postboten, die sich dauernd verirrten, die Briefe für seine Kunden mitgaben. Don Ciros Schuhe hatten vorne ein Loch, wo der große Zeh wie eine Beule heraustrat, und die Absätze waren abgetreten. Ein regelrechtes Symbol für die Kilometer, die er zu Fuß durch Gassen und über Treppen zurückgelegt hatte, Wege im Herzen Neapels, die aus Angst vor Verfolgern länger und länger wurden. Don Ciro trug verknitterte Hosen, die zwar sauber, aber offensichtlich nicht gebügelt waren. Er hatte keine Frau mehr, und seine neue Lebensgefährtin aus Moldawien war zu jung, um sich richtig um ihn zu kümmern. Er war entsetzlich ängstlich und hielt den Blick stets gesenkt, auch wenn er mit mir sprach. Sein Oberlippenbart war vom Nikotin genauso gelb verfärbt wie Zeige- und Mittelfinger der rechten Hand. Die U-Boote geben auch Männern von Frauen, die im Gefängnis gelandet sind, jeden Monat Geld. Es ist erniedrigend, die *mesata* als Ehemann einer verhafteten Frau zu erhalten, und deshalb kommt es oft zu geheuchelten Vorwürfen und Geschrei auf dem Treppenabsatz. Die U-Boote werden von den Männern lauthals verjagt, wobei sie freilich nie vergessen, vorher den Umschlag mit dem Geld zu nehmen. Um all dies zu vermeiden, geben sie lieber den Müttern der Frauen das Geld, damit es an die Familie der Inhaftierten weitergeleitet wird. Die U-Boote hören sich die Klagen der Frauen an. Klagen über die gestiegenen Strom- und Gaspreise, die Miete, die Kinder, die durchfallen oder die Universität besuchen wollen. Forderungen und Tratsch über die Frauen anderer Mitglieder, die mehr Geld haben, weil ihre Ehemänner schlauer waren und innerhalb des Clans aufgestiegen sind. Wenn die Frauen reden, sagt das U-Boot in einem fort: »Ich weiß, ich weiß.« Als wollte er den Frauen helfen, den Kropf zu leeren, gibt er am Ende nur zwei Antworten: »Das hängt nicht von mir ab«, oder: »Ich bring nur das Geld: entscheiden kann ich nicht.« Die Ehefrauen wissen genau, daß die U-Boote nichts zu entscheiden haben, hoffen aber dennoch, von ihren unablässigen Klagen werde etwas aus dem Mund des U-Bootes einem Capo zu Ohren gelangen und dieser dann vielleicht eine Erhöhung der Gehälter oder eine sonstige Vergünstigung beschließen. Don Ciro war so daran gewöhnt, immer »Ich weiß, ich weiß« zu sagen, daß er auch im Gespräch mit mir zu jedem beliebigen Thema sein »Ich weiß, ich weiß« beisteuerte. Er hatte Hunderten von Frauen der Camorra die *mesata* gebracht und hätte über Generationen von Frauen, Ehefrauen und Verlobten und auch über die wenigen alleinstehenden Männer genauestens berichten können. Eine Geschichte der Kritik an Bossen und Politikern, aber Don Ciro war ein verschwiegenes, melancholisches U-Boot, das seinen Kopf wirklich zu einem hohlen Klangkörper gemacht hatte, in dem jedes gehörte Wort widerhallte, ohne eine Spur zu hinterlassen. Während ich mit ihm sprach, führte er mich aus dem Stadtzentrum heraus an die Peripherie von Neapel, wo er sich verabschiedete und einen Bus in die Stadt zurück nahm. Alles war Teil seiner Ablenkungsmanöver, damit ich auch nicht im entferntesten erraten konnte, wo er wohnte.

Für viele Frauen ist die Heirat mit einem Camorristen wie ein Kredit, wie erobertes Kapital. Wenn das Schicksal und die eigenen Fähigkeiten es erlauben, kann das Kapital Früchte tragen, so daß die Frauen Unternehmerinnen, Managerinnen, Generalinnen einer schrankenlosen Macht werden. Wenn es schief läuft, bleiben sie allein und verbringen viele Stunden im Wartesaal eines Gefängnisses, müssen in Konkurrenz zu den Slawinnen treten und als Hausangestellte Arbeit finden, um die Rechtsanwälte bezahlen und ihre Kinder ernähren zu können, wenn der Clan gescheitert ist und die *mesata* nicht mehr zahlen kann. Die Frauen bürgen mit ihrem Körper für die Einhaltung von Bündnissen, ihre Gesichter und ihr Verhalten versammeln und beweisen die Macht der Familie, in der Öffentlichkeit erkennt man sie an den schwarzen Kopftüchern bei den Beerdigungen, den Schreien bei den Verhaftungen, den über die Absperrungen geworfenen Küssen während der Gerichtsverhandlungen.

Das Bild der Frauen in der Camorra scheint sich aus Klischees zusammenzusetzen, Frauen, die nur auf den Schmerz und den Willen der Männer reagieren: den ihrer Brüder, Ehemänner und Söhne. Das stimmt nicht. Die Veränderung der Camorra in den letzten Jahren hat sich auch auf die Lage der Frauen ausgewirkt, von der Rolle der Mutter und treuen Begleiterin in Glück und Unglück wandelt sie sich zur Figur der Managerin, die fast ausschließlich die unternehmerische und finanzielle Seite betreut, während sie die militärischen Dinge und den Drogenhandel anderen überläßt.

Als Managerin der Camorra ist sicherlich Anna Mazza in die Geschichte eingegangen, die Witwe des Paten von Afragola, eine der ersten Frauen, die in Italien wegen der Mitgliedschaft in einer mafiaartigen Vereinigung verurteilt worden sind, als Oberhaupt einer der mächtigsten kriminellen und unternehmerischen Bündnisse. Anna Mazza nutzte anfangs die Aura ihres Mannes Gennaro Moccia, der in den siebziger Jahren umgebracht worden war. »Die schwarze Witwe der Camorra«, wie man sie nannte, war mehr als zwanzig Jahre lang der Kopf des Moccia-Clans und konnte ihren Einfluß so ausdehnen, daß sie in den neunziger Jahren, als sie auf polizeiliche Anweisung in der Nähe von Treviso leben mußte, Kontakte zur dortigen Mafia an der Brenta aufnahm und trotz völliger Isolation damit beschäftigt war, das Netz ihrer Herrschaft wiederherzustellen. Unmittelbar nach dem Tod ihres

Mannes wurde sie beschuldigt, ihren noch nicht dreizehn-
jährigen Sohn dazu angestiftet zu haben, den Auftraggeber für
die Ermordung ihres Ehemannes zu töten. Aus Mangel an Beweisen wurde sie von dieser Anklage freigesprochen. Anna
Mazza organisierte ihren Clan als streng hierarchisches Unternehmen und lehnte militärische Eskalationen ab, dennoch
reichte ihr Einfluß in alle Winkel des von ihr beanspruchten
Territoriums, wie im Jahre 1999 die Auflösung des Gemeinde-
rates von Afragola wegen Verbindungen zur Camorra bewies.
Die Politiker hörten auf Anna Mazza und suchten ihre Unterstützung. Sie war eine Pionierin. Vor ihr gab es lediglich
Pupetta Maresca, die schöne Mörderin, die in den fünfziger
Jahren in ganz Italien bekannt wurde, weil sie, im sechsten
Monat schwanger, den Mord an ihrem Mann Pascalone 'e Nola
gerächt hatte.

Anna Mazza war nicht nur ein Racheengel. Sie begriff,
daß sie die kulturelle Rückständigkeit der Bosse der Camorra
ausnutzen und eine Straflosigkeit genießen konnte, die den
Frauen vorbehalten blieb. Diese kulturelle Rückständigkeit
schützte sie vor Anschlägen, Neid und Konflikten. In den
achtziger und neunziger Jahren widmete sie sich vor allem
dem Erfolg ihrer Unternehmen und kämpfte geduldig um den
Aufstieg im Bauwesen. Der Moccia-Clan wurde zu einem der
wichtigsten Bauunternehmen, kontrollierte Steinbrüche und
war als Grundstücksmakler tätig. Das ganze Gebiet von Frattamaggiore, Crispano, Sant'Antimo bis Frattaminore und Caivano wurde von den Capi der Moccia beherrscht. In den neunziger Jahren waren sie eine der tragenden Säulen der Nuova
Famiglia, dem Kartell, das die Nuova Camorra Organizzata
von Raffaele Cutolo bekämpfte und die Kartelle der Cosa Nostra in den Schatten stellte, was Umsatz und politischen Einfluß betraf. Nach dem Zusammenbruch der Parteien, die von
dem Bündnis mit den Unternehmen der Clans profitiert hatten, wurden lediglich die Bosse der Nuova Famiglia zu Zucht-
hausstrafen verurteilt. Diese aber wollten nicht für die Politiker büßen, denen sie geholfen und die sie unterstützt hatten.

Sie wollten nicht als krankhafter Auswuchs eines Systems gelten, das sie vielmehr aufrechterhalten hatten und dessen lebendiger und produktiver, wenn auch krimineller Teil sie gewesen waren. Deshalb beschlossen sie, sich zu rächen. In den neunziger Jahren begann als erster hochrangiger unternehmerischer und militärischer Vertreter der Camorra Pasquale Galasso, der Boss von Poggiomarino, mit der Justiz zusammenzuarbeiten. Namen, Strategien, Kapitalströme, alles legte er offen, und als Gegenleistung sicherte ihm der Staat zu, das Vermögen seiner Familie und teilweise auch sein eigenes nicht anzutasten. Galasso gab alles preis, was er wußte. Innerhalb des großen Bündnisses übernahmen die Moccia die Aufgabe, Galasso für immer zum Schweigen zu bringen. Seine Aussagen hätten mit einigen wenigen Enthüllungen das Imperium der Witwe in kürzester Zeit zum Einsturz bringen können. Die Moccia versuchten, seinen Leibwächter zu bestechen und ihn zu vergiften, dann planten sie, ihn mit einer Bazooka zu töten. Doch nachdem die militärischen Versuche der Männer ihres Hauses gescheitert waren, trat Anna Mazza auf den Plan, die ahnte, daß der Zeitpunkt für ein neues Vorgehen gekommen war. Sie schlug vor, die Camorristen sollten sich wie Terroristen von der Organisation lossagen. Die Mitglieder der Roten Brigaden erklärten ihre Abkehr vom bewaffneten Kampf, ohne mit der Justiz zusammenzuarbeiten, ohne Namen zu nennen und ohne Auftraggeber oder Täter zu denunzieren. Abkehr bedeutete, sich ideologisch zu distanzieren, eine Gewissensentscheidung zu treffen und einer politischen Praxis ihre Rechtfertigung abzusprechen, bei der die rein moralische, öffentlich erklärte Ablehnung bereits Strafnachlaß einbrachte. Das erschien der Witwe Mazza als der beste Trick, um die Zusammenarbeit mit der Justiz zu eliminieren und gleichzeitig den Glauben zu erwecken, die Clans hätten nichts mit dem Staat zu tun. Sich ideologisch von der Camorra lossagen, um Vorteile wie Strafnachlaß und erleichterte Haftbedingungen zu genießen, ohne Mechanismen, Namen, Kontonummern und Bündnisse offenzulegen. Was von manchen Beobachtern als die Ideologie der Camorra betrachtet wurde, war für die Clans selbst nichts anderes als die wirtschaftliche und militärische Praxis von Geschäftsleuten. Die Clans befanden sich in einer Phase der Veränderung: die kriminelle Rhetorik verschwand, die Manie Cutolos, das Handeln der Camorra zu ideologisieren, hatte sich erschöpft. Die Abkehr bot sich als die Lösung für die tödliche Wirkung der Kronzeugenregelung an, die trotz ihrer vielfachen Widersprüche den Kern des Angriffs auf die Macht der Camorra bildet. Die Witwe erkannte das hohe Potential dieses Tricks. Ihre Söhne schrieben an einen Priester, um zu zeigen, daß sie sich lossagen wollten, ein Auto voller Waffen vor einer Kirche in Acerra sollte das Symbol der »Abkehr« des Clans sein, wie es die IRA gegenüber den Engländern getan hatte. Waffenabgabe. Doch die Camorra ist nicht der bewaffnete Arm einer Unabhängigkeitsbewegung, und ihre Waffen sind nicht Ausdruck ihrer wirklichen Macht. Das Auto tauchte nie auf, und die Strategie der Abkehr, die dem Gehirn eines weiblichen Bosses entsprungen war, verlor allmählich ihre Anziehungskraft, sie fand weder im Parlament noch bei der Justiz Gehör und wurde nicht einmal mehr von den Clans unterstützt. Statt dessen nahm die Zahl der Kronzeugen zu, die immer nutzlosere Wahrheiten ans Licht brachten. Die Aussagen von Galasso jedoch gaben zwar den militärischen Apparat der Clans preis, die unternehmerischen und politischen Pläne ließen sie praktisch unangetastet. Anna Mazza baute weiter an ihrem camorristischen Matriarchat. Frauen als wahres Machtzentrum, die Männer nur noch zuständig für den militärischen Flügel, als Vermittler und Führungsfiguren nur noch im Dienste der Frauen. Alle wichtigen ökonomischen und militärischen Entscheidungen traf allein die schwarze Witwe.

Die Frauen des Clans bewiesen überlegene unternehmerische Fähigkeiten, waren weniger darauf versessen, ihre Macht demonstrativ zur Schau zu stellen, und neigten weniger zu Auseinandersetzungen. Frauen als Manager, Frauen als Leibwächter, Frauen als Unternehmer des Clans. Eine der »Hausdamen« von Anna Mazza namens Immacolata Capone machte ebenfalls im Clan Karriere. Sie war Patentante der Tochter der Witwe. Während ihre Chefin matronenhaft wirkte mit ihren hochtoupierten Haaren und runden Wangen, war Immacolata zierlich, trug eine blonde, stets perfekte Kurzhaarfrisur und kleidete sich nüchtern-elegant. Sie hatte nichts von dem finsteren Aussehen eines Camorra-Mitglieds. Nicht sie war auf der Suche nach Männern, die ihr mehr Ansehen verleihen konnten, sondern die Männer suchten ihre Protektion. Sie heiratete Giorgio Salierno, der an dem Versuch beteiligt gewesen war, Galassos Zusammenarbeit mit der Polizei zu verhindern, und war später mit einem Mann aus dem Puca-Clan von Sant'Antimo liiert, einer Familie, die früher als mächtige Verbündete von Cutolo durch Antonio Puca, den Bruder von Immacolatas Lebensgefährten, berühmt geworden war. Bei ihm wurde ein Adreßbuch mit dem Namen des Fernsehmoderators Enzo Tortora gefunden, der dann zu Unrecht als Camorrist angeklagt wurde. Als Immacolata soweit war, eine wichtige unternehmerische Rolle zu übernehmen, befand sich der Clan in einer Krise. Verhaftungen und die Aussagen der Kronzeugen hatten die geduldige Aufbauarbeit von Donna Anna in Gefahr gebracht. Immacolata setzte auf das Geschäft mit Baustoffen, sie leitete auch eine Ziegelbrennerei in Afragola. Sie versuchte, möglichst enge Beziehungen zum Clan der Casalesen herzustellen, der auf nationaler und internationaler Ebene wie kein anderer den Baustoffhandel und das Bauwesen beherrschte. Wie die Antimafia-Einheit Neapel nachweisen konnte, gelang es Immacolata Capone, den Firmen der Moccia wieder eine führende Rolle im Baugeschäft zu verschaffen. Die von ihr geleitete MOTRER wurde eine der wichtigsten Firmen für Erdbewegungen im Süden Italiens. Mit Hilfe eines Lokalpolitikers hatte sie, den Ermittlern zufolge, ein perfektes Verfahren ausgeklügelt. Der Politiker schrieb Aufträge aus, ein Unternehmer gewann die Ausschreibung, und Donna Immacolata trat dann als Subunternehmerin auf. Ich glaube, sie nur ein einziges Mal gesehen zu haben. Mitten in Afragola, auf dem

Weg zu einem Supermarkt. Zwei junge Frauen folgten ihr in einem Smart, dem kleinen Zweisitzer, den alle Frauen der Camorra fahren. Die Türen aber waren so dick, daß dieser Smart wohl gepanzert war. Man stellt sich weibliche Leibwächter als Frauen vor, die Bodybuilding betreiben und durch ihre geschwollenen Muskeln wie Männer wirken. Schenkel wie Weintrauben, Brustmuskel, die den Busen verschwinden lassen, überentwickelte Bizepse und ein Hals wie ein Baumstamm. Die Leibwächterinnen, die ich vor mir hatte, besaßen keinerlei Ähnlichkeit mit einer solchen Virago. Die eine war klein, hatte einen ausladenden Hintern und übertrieben schwarz gefärbte Haare, die andere war mager, zierlich, eckig. Ins Auge stach mir ihre sorgfältige Kleidung, beide trugen zu dem leuchtenden Gelb des Smart passende Farben. Die eine hatte ein T-Shirt in der Farbe des Autos an, bei der anderen, der am Steuer, war die Fassung der Sonnenbrille gelb. Diese Wahl hatten die beiden sicher nicht aus Zufall und sicher nicht aus Zufall am selben Tag getroffen. Es war ein Zeichen von Professionalität. Das gleiche Gelb wie der Motorradanzug von Uma Thurman in *Kill Bill* von Quentin Tarantino, der Film, in dem Frauen zum erstenmal als kriminelle Protagonistinnen im Vordergrund stehen. Mit diesem Anzug war Uma Thurman mit gezücktem Samuraischwert auch auf dem Filmplakat abgebildet, das sich ins Gedächtnis einbrennt. Ein Gelb, so falsch, daß es zum Symbol wird. Ein erfolgreiches Unternehmen muß sich das Image des Siegers geben. Nichts darf dem Zufall überlassen bleiben, nicht einmal die Farbe des Autos und die Berufskleidung der Leibwächter. Immacolata Capone war zur Vorreiterin geworden, denn seitdem verlangen sehr viele Frauen, die auf verschiedenen Ebenen und in unterschiedlicher Weise in den Clans eine Rolle spielen, weibliche Leibwächter und kümmern sich um Stil und Image.

Irgend etwas lief jedoch schief. Vielleicht hatte sie sich auf fremdes Territorium vorgewagt, vielleicht wußte sie um Geheimnisse, mit denen sie andere erpressen konnte: im März 2004 wurde Immacolata Capone in Sant'Antimo, der Heimat ihres Lebensgefährten, erschossen. Sie war ohne Bodyguards. Vielleicht hatte sie sich sicher gewähnt. Die Killer erreichten sie mitten im Ort, zu Fuß. Immacolata Capone bemerkte noch, daß sie verfolgt wurde, und begann zu rennen, die Leute um sie herum glaubten, man habe ihr die Handtasche weggerissen und sie verfolge die Diebe, aber sie hatte die Tasche umhängen. Beim Rennen hielt sie die Tasche instinktiv fest, statt sie fallenzulassen, was sie behinderte, als sie um ihr Leben rannte. Sie schaffte es noch in ein Geflügelgeschäft, konnte sich aber nicht mehr hinter dem Ladentisch verstecken. Die Killer holten sie ein, setzten ihr die Pistole in den Nacken und töteten sie mit zwei Schüssen: mit der kulturellen Rückständigkeit, die es mit sich brachte, daß Frauen nicht angerührt wurden, und die Anna Mazza noch geschützt hatte, war es vorbei. Der von Kugeln zerschmetterte Schädel, das blutüberströmte Gesicht waren der Beweis für die neue militärische Doktrin der Clans. Kein Unterschied mehr zwischen Mann und Frau. Kein angeblicher Ehrenkodex mehr. Doch das Matriarchat der Moccia erholte sich langsam und tätigte weiter große Geschäfte, kontrollierte sein Territorium mittels geschickter Investitionen und umfangreicher Kreditvergaben, beherrschte den Grundstücksmarkt und vermied Fehden oder Bündnisse, die die Unternehmen der Familie gestört hätten.

Heute steht auf dem von ihren Firmen beherrschten Gebiet der größte Ikea-Komplex Italiens, und bald wird ausgerechnet von hier aus die Strecke für den Hochgeschwindigkeitszug in Süditalien gebaut werden. Zum wiederholten Mal wurde die Gemeindeverwaltung von Afragola im Oktober 2005 wegen Verbindungen zur Camorra aufgelöst. Eine Gruppe von Gemeinderäten von Afragola steht unter dem schweren Verdacht, den Leiter eines Handelsunternehmens gezwungen zu haben, mehr als zweihundertfünfzig Personen einzustellen, die eng mit dem Moccia-Clan verwandt waren.

Für den Beschluß zur Auflösung der Gemeindeverwaltung waren auch einige Bauvergaben maßgebend, bei denen die gesetzlichen Regelungen nicht eingehalten wurden. Es handelte sich um riesige Bauvorhaben auf Grundstücken der Bosse, und auch das örtliche Krankenhaus sollte auf einem Gelände gebaut werden, das die Moccia gekauft hatten, als im Gemeinderat darüber beraten wurde. Grundstücke, die sie zu lächerlich niedrigen Preisen kauften und dann, nachdem sie für den Bau des Krankenhauses ausgewiesen waren, natürlich zu astronomischen Preisen verkauften. Dabei wurde ein Gewinn von sechshundert Prozent auf den ursprünglichen Kaufpreis erzielt. Einen solchen Gewinn konnten nur die Frauen der Moccia einfahren.

Frauen, die den Besitz und das Vermögen ihres Clans mit Klauen und Zähnen verteidigen. So auch Anna Vollaro, die Nichte des Bosses des Clans von Portici, Luigi Vollaro. Sie war neunundzwanzig Jahre alt, als die Polizei wieder einmal eines der Lokale der Familie, eine Pizzeria, schließen wollte. Die junge Frau nahm einen Kanister, übergoß sich mit Benzin und zündete sich mit einem Feuerzeug an. Damit niemand die Flammen löschen konnte, rannte sie wie wahnsinnig los. Schließlich prallte sie gegen eine Mauer und hinterließ einen schwarzen Fleck, wie wenn eine Stromleitung einen Kurzschluß hat. Anna Vollaro wurde zur lebenden Fackel, um gegen die Beschlagnahmung ihres mit illegalen Mitteln erworbenen Eigentums zu protestieren, das sie als natürliches Ergebnis eines ganz normalen Geschäftsgebarens betrachtete.

Man glaubt, bei der organisierten Kriminalität sei militärischer Erfolg Voraussetzung für eine Tätigkeit als Unternehmer. Das stimmt nicht, oder zumindest nicht immer. Beispielhaft dafür ist die Fehde von Quindici, einem Dorf in der Provinz Avellino, das seit Jahren unter der erdrückenden Präsenz der Clans Cava und Graziano leidet. Die beiden Familien bekämpfen sich schon immer, und beim Geschäft haben die Frauen das Sagen. Bei dem Erdbeben von 1980 wurde die Valle di Lauro zerstört, und die Milliarden, die für den Wiederaufbau zur Verfügung gestellt wurden, ließen eine camorristische Unternehmerschicht entstehen. Doch in Quindici ereignete sich mehr und etwas anderes als überall sonst in Kampanien:

hier kam es nicht nur zum Konflikt zwischen zwei Gruppierungen, sondern zu einer Familienfehde, die im Lauf der Jahre zu vierzig Attentaten auf beiden Seiten der Front führte. Ein unstillbarer Haß erfaßte wie eine ansteckende psychische Krankheit über mehrere Generationen hinweg alle Vertreter beider Familien. Der Ort mußte hilflos zusehen, wie sich die beiden Parteien gegenseitig abschlachteten. Die Cava hatten in den siebziger Jahren zum Clan der Graziano gehört. Zu der Auseinandersetzung führten die hundert Milliarden Lire für den Wiederaufbau, eine Summe, die zu Unstimmigkeiten über die Anteile an den Ausschreibungen und die Verteilung von Bestechungsgeldern führte. Die staatlichen Gelder erlaubten beiden Familien, unter Leitung der Frauen des jeweiligen Clans ansehnliche Bauunternehmen aufzubauen. Eines Tages klopfte ein Kommando der Cava an das Büro des Bürgermeisters, den die Graziano hatten wählen lassen. Weil sie nicht sofort schossen, hatte der Bürgermeister Zeit, das Fenster zu öffnen, aufs Rathausdach zu klettern, über die Dächer zu fliehen und dem Attentat zu entkommen. Zum Graziano-Clan gehörten fünf Bürgermeister, von denen zwei ermordet und drei vom Staatspräsidenten wegen Verbindungen zur Camorra abgesetzt wurden. Eines Tages jedoch schien sich die Lage zu ändern, als die junge Apothekerin Olga Santaniello zur Bürgermeisterin gewählt wurde. Nur eine hartnäckige Frau konnte sich der Macht der Frauen der Cava und Graziano entgegenstellen. Sie versuchte alles, um den Augiasstall auszumisten, aber es gelang ihr nicht. Als am 5. Mai 1998 die ganze Valle di Lauro von einer riesigen Überschwemmung heimgesucht wurde, füllten sich die Häuser wie Schwämme mit Wasser und Schlamm, der Boden wurde ein brauner Morast, die Straßen unpassierbare Wasserläufe. Olga Santaniello ertrank in den Fluten. Die Brühe, die der Bürgermeisterin zum Verhängnis wurde, brachte den Clans in doppelter Weise Glück. Die Überschwemmung spülte noch mehr Geld in die Gegend, und damit wuchs die Macht der beiden Familien. Antonio Siniscalchi wurde ins Bürgermeisteramt gewählt und vier Jahre später mit überwältigender Mehrheit im Amt bestätigt. Nach dem ersten Wahlerfolg von Siniscalchi bildete sich vor dem Wahllokal eine Prozession, an der der Bürgermeister, die Gemeinderäte und seine wichtigsten Unterstützer teilnahmen. Sie führte in den Ortsteil Brosagro vor das Haus von Arturo Graziano, genannt »guaglione« (Bürschchen), doch sie galt nicht ihm. Die Ehrung durch den neuen Bürgermeister galt, nachdem Olga Santaniello endgültig ausgeschaltet war, in erster Linie den Frauen, die sich dem Alter nach auf dem Balkon aufgereiht hatten. Im Juni 2002 wurde Antonio Siniscalchi von der Antimafia-Einheit verhaftet. Die Staatsanwaltschaft Neapel warf ihm vor, mit den ersten Hilfsgeldern nach der Überschwemmung den Bau der Zufahrtsstraße und der Umfassungsmauer für die stark befestigte Villa der Graziano finanziert zu haben.

Die über ganz Quindici verstreuten Villen, die Verstecke, die asphaltierten Privatstraßen und die Straßenlaternen waren ein Werk der Gemeinde, die mit öffentlichen Geldern den Graziano half, sich gegen Attentate und Anschläge abzusichern. Die Vertreter der beiden Familien lebten hinter unüberwindbaren Mauern und eisernen Toren, die Tag und Nacht von Fernsehkameras überwacht wurden.

Der Boss Biagio Cava wurde am Flughafen von Nizza verhaftet, als er gerade nach New York fliegen wollte. Nach seiner Festnahme ging die ganze Macht in die Hände seiner Tochter, seiner Frau und der anderen Frauen des Clans über. Nur die Frauen ließen sich im Ort sehen, sie waren nicht nur die geheimen Verwalterinnen, die denkenden Köpfe, sondern auch das offizielle Symbol der Familien, Gesicht und Auge ihrer Macht. Wenn sich die rivalisierenden Familien auf der Straße begegneten, tauschten sie vernichtende Blicke, hochmütige Augenaufschläge und übten das absurde Ritual, daß der verliert, der zuerst die Augen niederschlägt. Die Spannung im Ort erreichte ihren Höhepunkt, als die Frauen der Cava die Zeit für gekommen hielten, zu den Waffen zu greifen. Aus Unternehmerinnen mußten sie zu Killerinnen werden. Sie trainierten im Hausflur bei laut aufgedrehter Musik, um die Schüsse auf die Haselnußsäcke von ihren Latifundien zu übertönen. Während der Kommunalwahlen des Jahres 2002 saßen die Cava zum erstenmal bewaffnet in ihrem Audi 80. Maria Scibelli, Michelina Cava, die sechzehnjährige Clarissa und die neunzehnjährige Felicetta Cava. In der Via Cassese kreuzte der Wagen der Cava den der Graziano, in dem die zwanzigjährige Stefania und die ein Jahr ältere Chiara Graziano saßen. Aus dem Wagen der Cava fielen Schüsse, doch als hätten sie einen Anschlag geahnt, gelang es den Frauen der Graziano, scharf zu bremsen und das Steuer herumzureißen. Sie gaben Gas, wendeten und entkamen. Die Schüsse hatten das Fensterglas zersplittern lassen und das Blech durchlöchert, aber niemanden getroffen. Die beiden Mädchen kehrten weinend in die Villa zurück. Ihre Mutter, Anna Scibelli, und der Boss Luigi Salvator Graziano, der siebzigjährige Patriarch der Familie, beschlossen, diesen Affront auf der Stelle zu rächen. Gefolgt von einem gepanzerten Auto, in dem vier mit Maschinenpistolen und Gewehren bewaffnete Männer saßen, verließen sie in ihrem Auto die Villa. Als sie den Audi der Cava erreicht hatten, rammten sie ihn mehrmals. Gleichzeitig blockierte der Begleitwagen alle seitlichen Fluchtwege, überholte, bremste davor und versperrte so auch den Weg nach vorn. Weil sie eine Polizeikontrolle fürchteten, hatten sich die Frauen der Cava in der Zwischenzeit ihrer Waffen entledigt. Als das andere Auto vor ihnen hielt, rissen sie ihr eigenes herum, öffneten die Türen und stürzten heraus, um zu Fuß zu entkommen. Die Graziano stiegen aus, und schossen auf die Frauen. Ein Kugelhagel traf sie an Beinen, Kopf, Schultern, Brüsten, Wangen, Augen. Innerhalb weniger Sekunden hatten alle die Schuhe verloren, stolperten und blieben mit den Füßen in der Luft liegen. Anscheinend schossen die Graziano weiter auf die am Boden Liegenden, bemerkten aber nicht, daß eine von ihnen noch am Leben war. Felicetta Cava konnte sich retten. In der Tasche von einer der Cava-Frauen wurde eine Flasche Säure gefunden, vielleicht hatten sie vorgehabt, nicht nur zu schießen, sondern ihren Feindinnen auch noch Säure ins Gesicht zu schütten.

Die Frauen sind in höherem Maße befähigt, das Verbrechen nur als zeitlich und räumlich begrenzt zu betrachten, als Urteil anderer, als eine Stufe, die man nur berührt und dann hinter sich läßt. Das beweisen die Frauen der Clans mit großer Deutlichkeit. Sie fühlen sich beleidigt und verunglimpft, wenn sie als Camorristinnen und Verbrecherinnen bezeichnet werden. Als ob es sich dabei nur um ein subjektives Urteil, nicht um eine objektive Tat und Haltung handelte. Ein ungerechtfertigter Vorwurf. Bis heute hat sich im Gegensatz zu den Männern kein einziger weiblicher Boss der Camorra als Kronzeugin zur Verfügung gestellt. Noch nie.

Erminia Giuliano, wegen ihrer Augenfarbe Celeste (Himmelblau) genannt, hat stets mit aller Gewalt das Eigentum ihrer Familie verteidigt. Die auffallende Schönheit ist die Schwester von Carmine und Luigi, den Bossen von Forcella, und nach den Ermittlungen der Staatsanwaltschaft allein verantwortlich für den Immobilienbesitz und die Handelsinvestitionen des Clans. Celeste wirkt wie eine typische Neapolitanerin, die *guappa* (Camorristin) aus der Altstadt: sie trägt ihre Haare platinblond gefärbt, die hellen, eiskalten Augen sind stets mit tiefschwarzem Lidschatten umrandet. 2004 wurden in den Unternehmen der Giuliano insgesamt achtundzwanzig Millionen Euro beschlagnahmt, die wirtschaftliche Basis der Macht des Clans. Die Giuliano besaßen eine Kette von Geschäften in und um Neapel und eine Firma, deren Markenname dank des unternehmerischen Geschicks und des militärischen und wirtschaftlichen Schutzes durch den Clan sehr bekannt geworden war und über ein Netz von sechsundfünfzig Franchising-Geschäften in Italien, Tokio, Bukarest, Lissabon und Tunis verfügte.

Der in den achtziger und neunziger Jahren mächtige Clan der Giuliano war mitten in Neapel, in Forcella, entstanden, einem Viertel, das alle Mythen einer Kasbah und des verkommenen Nabels der Altstadt verkörpert. Die Giuliano scheinen ans Ziel gelangt zu sein nach einem langsamen Aufstieg aus dem Elend: vom Schmuggel über Prostitution, von der Schutzgelderpressung von Tür zu Tür bis hin zu Raubüberfällen. Ihre riesige Dynastie stützt sich auf Cousins, Neffen, Onkel und entferntere Verwandte. Den Gipfel ihrer Macht hatten sie bereits Ende der achtziger Jahre erreicht und genießen nach wie vor ungebrochenes Ansehen. Auch heute muß jeder, der in der Altstadt etwas zu sagen haben will, mit den Giuliano rechnen. Dem Clan sitzt noch die Erinnerung an die Armut und die Angst, wieder dahin zurückzukehren, im Nacken. Eine der Äußerungen von Luigi Giuliano, dem König von Forcella, die seine Abscheu vor der Armut besonders deutlich macht, hat der Journalist Enzo Perez aufgeschrieben. In Anspielung auf eine Figur aus einer Komödie Edoardo de Filippes hatte Giuliano erklärt: »Ich bin anderer Meinung als Tommasino, ich mag die Krippe, aber die Schäfer hasse ich!«

Das Gesicht der Camorra und der absoluten Macht ihres Systems trägt immer häufiger weibliche Züge, doch auch die Menschen, die im Räderwerk dieses Systems zugrunde gehen, sind vor allem Frauen. Die vierzehnjährige Annalisa Durante starb am 27. März 2004, weil sie in einen Schußwechsel geraten war. Vierzehn Jahre. Vierzehn Jahre. Dabei läuft es einem eiskalt den Rücken herunter. Ich ging zur Beerdigung von Annalisa Durante und kam schon früh zur Kirche von Forcella. Die Blumen waren noch nicht gebracht worden, überall hingen Todesanzeigen, Beileids- und Trauerbekundungen, ergreifende Erinnerungen ihrer Klassenkameradinnen. Annalisa ist ermordet worden. Den warmen Abend, den vielleicht ersten wirklich warmen Abend dieses schrecklich verregneten Frühjahrs wollte sie vor dem Haus einer Freundin verbringen. Sie trug ein hübsches Kleid, das ihr gut stand und eng an ihrem straffen, schon gebräunten Körper anlag. Diese Abende sind wie gemacht dafür, Jungs zu treffen, und vierzehn Jahre ist für die Mädchen von Forcella das richtige Alter, um sich einen Freund zu suchen und ihn dann in Richtung Ehe zu bugsieren. Die Mädchen aus der Unterschicht hier in der Altstadt wirken mit Vierzehn schon wie erfahrene Frauen. Sie schminken sich stark, pressen den Busen durch Push-ups zu prallen Rundungen heraus und tragen spitze Stiefel mit gefährlich hohen Absätzen. Sie müssen die Fähigkeiten von Seiltänzern entwickeln, um damit auf den Basaltquadern der Straßen Neapels herumzustolzieren, die schon immer jeden Damenschuh ruiniert haben. Annalisa war hübsch, sehr hübsch. Mit ihrer Freundin und ihrer Cousine hörte sie Musik und wechselte Blicke mit den Jungen, die auf ihren Mopeds Hochstarts vorführten und mit quietschenden Reifen zwischen Autos und Menschen gefährliche Slaloms hinlegten. Das alte, immer gleiche Balzspiel. Die Mädchen in Forcella hören am liebsten die neuen Schlager von Sängern eines Labels, das vor allem hier in Neapel, aber auch in Palermo und Bari großen Erfolg hat. Gigi D'Alessio ist ihr absoluter Star. Ihm ist es gelungen, über Neapel hinaus in ganz Italien bekannt zu werden, die anderen dagegen, Hunderte andere, sind Idole einzelner Viertel geblieben, einzelner Häuserblocks, eines Hauses oder einer Gasse. Jeder hat seinen Lieblingssänger. Plötzlich aber, während aus dem Ghettoblaster krächzend ein schmelzender Akkord aufsteigt, verfolgen zwei Mopeds mit aufheulenden Motoren jemanden. Der flieht, so schnell er kann, zu Fuß. Annalisa, ihre Cousine und ihre Freundin wissen nicht, worum es geht, halten das Ganze für einen Scherz, eine Wette. Dann fallen Schüsse. Querschläger von allen Seiten. Annalisa liegt am Boden, sie ist von zwei Kugeln getroffen. Alle fliehen, die ersten Zeugen treten auf die Balkone, deren Türen immer offenstehen, damit man die Geräusche aus den Gassen verfolgen kann. Schreie, die Ambulanz, die Fahrt ins Krankenhaus, alle Leute im Viertel stürzen aus Neugier und Angst auf die Straße.

Salvatore Giuliano ist ein bedeutender Name. So zu heißen scheint auszureichen, damit man das Sagen hat. Aber hier in Forcella verleiht nicht die Erinnerung an den berühmten sizilianischen Banditen dem Träger dieses Namens Ansehen, sondern allein der Nachname. Giuliano. Die Lage ist schwieriger geworden, seit Lovigino Giuliano sich entschlossen hat, auszusagen. Er hat abgeschworen und seinen Clan verraten, um der Zuchthausstrafe zu entgehen. Doch wie in vielen Diktaturen auch dann, wenn der Führer ausgeschaltet ist, nur ein Mann aus den eigenen Reihen an seine Stelle treten kann, so auch hier. Auch wenn sie nun als Verräter gebrandmarkt sind, sind die Giuliano als einzige in der Lage, die Beziehungen zu den internationalen Drogenkurieren aufrechtzuerhalten und das Gesetz der Schutzgeldzahlungen zur Geltung zu bringen. Mit der Zeit aber hat Forcella es satt und will nicht mehr von einer Familie, in der es einen Verräter gibt, beherrscht werden, will keine Verhaftungen und keine Polizei mehr sehen. Wer an die Stelle der Giuliano treten will, muß den Erben aus dem Weg schaffen, sich für alle sichtbar zum neuen Souverän machen und die Giuliano in ihrem Thronfolger vernichten: Salvatore Giuliano, der Neffe von Lovigino. Der Abend ist bereits festgelegt, an dem die neue Herrschaft verkündet, der Kronprinz, der seine Ansprüche anmeldet, getötet und Forcella vom Beginn einer neuen Ära erfahren soll. Sie suchen ihn, machen ihn ausfindig. Salvatore geht ruhig die Straße entlang, merkt aber plötzlich, daß man ihm auflauert. Er flieht, die Killer verfolgen ihn, er rennt und will in irgendeine Gasse abbiegen. Es fallen die ersten Schüsse. Giuliano kommt wahrscheinlich an den drei Mädchen vorbei, benützt sie als Schutzschild, zieht die Pistole und schießt. Einige Sekunden, dann rennt er weg, die Killer erwischen ihn nicht. Nur zwei der Mädchen können in den Toreingang flüchten. Sie drehen sich um, Annalisa fehlt. Sie gehen wieder hinaus. Dort liegt sie am Boden, überall Blut, ein Geschoß hat sie am Kopf getroffen.

In der Kirche gelingt es mir, mich bis an die Altartreppe vorzudrängen. Dort steht Annalisas Sarg. An allen vier Ecken wachen Polizisten in Paradeuniform, mit denen die Region Kampanien der Familie des Mädchens Ehre erweist. Der Sarg ist von weißen Blumen bedeckt. Ihr Handy wird am Fuß der Bahre niedergelegt. Annalisas Vater wehklagt, er ist erregt, stammelt etwas, tritt von einem Fuß auf den anderen und ballt die Fäuste in den Taschen. Er kommt auf mich zu, meint aber nicht mich, als er fragt: »Und jetzt? Und jetzt?« Sobald er in Tränen ausbricht, beginnen die Frauen der Familie zu schreien, sich auf die Brust zu schlagen, hin und her schwankend spitze Schreie auszustoßen. Sobald das Familienoberhaupt zu weinen aufhört, verfallen die Frauen wieder in Schweigen. Weiter hinten entdecke ich die Bank mit den Mädchen, den Freundinnen, Cousinen und Nachbarinnen von Annalisa. Sie ahmen ihre Mütter nach, machen die gleichen Bewegungen, schütteln genauso den Kopf, wiederholen im Chor: »Das darf nicht sein, das ist unmöglich!« Sie fühlen sich in der wichtigen Rolle der Trösterinnen. Und darin kommt auch Stolz zum Vorschein. Die Beerdigung eines Opfers der Camorra ist für sie eine Initiation wie die erste Blutung oder der erste Geschlechtsverkehr. Wie ihre Mütter nehmen sie bei diesem Ereignis aktiv am Leben des Viertels teil. Fernsehkameras und Objektive sind auf sie gerichtet, alle scheinen nur für sie dazusein. Viele dieser Mädchen werden bald einen hoch- oder einen niedrigrangigen Camorristen heiraten. Dealer oder Unternehmer. Killer oder Buchhalter. Viele von ihnen werden ihre getöteten Söhne beweinen oder im Gefängnis von Poggioreale in der Warteschlange stehen, um ihren Ehemännern Nachrichten und Geld zu überbringen. Jetzt allerdings sind sie nichts anderes als schwarzgekleidete Mädchen, die nicht vergessen haben, möglichst tiefsitzende Hosen zu tragen und ihren Tanga herausschauen zu lassen. Sie sind bei einer Beerdigung, aber sorgfältig gekleidet. Perfekt. Sie weinen um eine Freundin, im Wissen, daß dieser Tod sie zu Frauen macht. Und trotz des Schmerzes können sie es kaum erwarten. Ich denke an die ewig wiederkehrenden Gesetzmäßigkeiten dieses Landes, denke daran, daß die Giuliano den Höhepunkt ihrer Macht erreicht hatten, als Annalisa noch nicht einmal geboren und ihre Mutter ein Mädchen war, das ihre Freundinnen besuchte, die dann die Männer der Giuliano und Mitglieder ihres Clans heirateten, als Erwachsene die Musik von D'Alessio hörten und Maradona anhimmelten, der mit den Giuliano Kokain und Partys teilte wie auf dem berühmten Foto, das den Fußballstar in der muschelförmigen Badewanne von Lovigino zeigt. Zwanzig Jahre später stirbt Annalisa, während ein Giuliano verfolgt und beschossen wird, und dieser beantwortet die Schüsse, benutzt Annalisa als Schutzschild oder kommt vielleicht nur an ihr vorbei. Der gleiche typische Ablauf, immer gleich. Unvergänglich, tragisch, ewig.

Die Kirche ist längst überfüllt. Polizei und Carabinieri sind jedoch weiterhin nervös. Ich verstehe es nicht. Sie laufen hin und her, verlieren wegen jeder Kleinigkeit die Geduld, bewegen sich hektisch. Erst außerhalb der Kirche begreife ich. Einige Schritte von der Kirche entfernt trennt ein Auto der Carabinieri die Beerdigungsteilnehmer von einer Gruppe von aufgeputzten Personen, die mit teuren Motorrädern, Cabrios und PS-starken Rollern gekommen sind. Es sind die Mitglieder des Giuliano-Clans, die letzten Getreuen von Salvatore. Die Carabinieri fürchten, daß die Menge diese Camorristen beschimpft und daß daraus ein Handgemenge entstehen könnte. Zum Glück bleibt alles ruhig, aber ihre Anwesenheit ist zutiefst symbolisch. Ihr Auftritt beweist, daß in der Altstadt von Neapel niemand gegen ihren Willen oder zumindest ihre Vermittlung herrschen kann. Sie zeigen allen, daß sie noch da sind und nach wie vor das Sagen haben, trotz allem.

Der weiße Sarg wird aus der Kirche getragen, die Menge drängt sich heran, um ihn zu berühren, viele werden ohnmächtig, wilde Schreie gellen in den Ohren. Als die Bahre am Haus von Annalisa vorbeikommt, versucht ihre Mutter, die es nicht über sich gebracht hat, an der Messe teilzunehmen, sich vom Balkon zu stürzen. Sie schreit, windet sich, ihr Gesicht ist geschwollen und rot. Eine Gruppe von Frauen hält sie zurück. Die übliche tragische Szene. Die rituelle Beweinung und die Schmerzensszenen sind sicherlich nicht fingiert. Ganz im Gegenteil. Sie beweisen jedoch, daß viele Frauen in Neapel nach wie vor in einer kulturellen Umgebung leben, die ihnen nur diese symbolischen Rituale bietet, um ihren Schmerz der ganzen Gemeinschaft mitzuteilen. Obwohl er wirklich ist, nimmt dieser frenetische Schmerz nach außen die Züge einer Inszenierung an.

Die Presse hält sich auf Distanz. Der Gouverneur der Region Kampanien, Antonio Bassolino, und die Bürgermeisterin von Neapel, Rosa Russo Iervolino, fürchten, das Viertel könnte gegen sie rebellieren. Nichts geschieht, die Leute in Forcella haben gelernt, die Politik für sich zu nutzen und sich niemanden zum Feind zu machen. Einige applaudieren den Sicherheitskräften. Ein paar Journalisten finden das aufregend. Carabinieri, die im Herrschaftsgebiet der Camorra bejubelt werden. Wie naiv. Dieser Beifall sollte eine Provokation sein. Besser die Carabinieri als die Giuliano. Das ist gemeint. Einige Fernsehleute versuchen, Augenzeugenberichte aufzunehmen, und gehen auf eine alte, gebrechlich wirkende Frau zu. Sie reißt sofort das Mikrophon an sich und brüllt hinein: »Wegen denen da … muß mein Sohn fünfzig Jahre ins Gefängnis! Mörder!« Aus ihr spricht der Haß gegen die Kronzeugen. Die Menge drängt, es herrscht Hochspannung. Bei dem Gedanken, daß ein Mädchen sterben mußte, weil sie an einem Frühlingsabend Musik hören wollte vor ihrem Haus, bekomme ich Bauchschmerzen. Mir ist schlecht. Ich muß ruhig bleiben. Muß mir klarmachen, wie so etwas möglich ist. Annalisa ist in dieser Welt geboren und aufgewachsen. Die Freundinnen erzählten ihr davon, wie die jungen Männer des Clans sie auf dem Motorrad entführten, vielleicht hätte auch sie selbst sich in einen hübschen reichen Jungen verliebt, der im System Karriere gemacht hätte, oder aber in einen braven Burschen, der für ein paar Euro den ganzen Tag schuftete. Ihr war vorbestimmt, in einer Fabrik in Schwarzarbeit Taschen zu fertigen, zehn Stunden täglich für fünfhundert Euro im Monat. Annalisa haßte den Stempel, den das Leder den Arbeiterinnen auf der Haut hinterließ, ihrem Tagebuch hatte sie anvertraut: »Die Mädchen, die mit den Taschen arbeiten, haben immer schwarze Hände, sie sind den ganzen Tag in der Fabrik eingeschlossen. Auch meine Schwester Manu, aber der Arbeitgeber zwingt sie wenigstens nicht, zu arbeiten, wenn sie krank ist.« Annalisa wurde zum tragischen Symbol, denn die Tragödie hat ihre schrecklichste Form angenommen: die Ermordung. Für die Menschen hier ist jedoch jeder Moment ihres Lebens wie eine

Strafe, die sie als rohe, immer gleiche, kurze und gewaltsame Existenz verbüßen. Annalisas Schuld bestand darin, in Neapel geboren zu sein. Nichts mehr und nichts weniger. Während Annalisas Leiche im weißen Sarg auf den Schultern weggetragen wird, läßt ihre Schulkameradin das Handy klingeln. Auf dem Sarg ertönt das neue Requiem. Ein anhaltendes Klingeln, die Andeutung einer süßen Melodie. Niemand antwortet.

Zweiter Teil

Kalaschnikow

Ich ließ die Finger darübergleiten, mit geschlossenen Augen. Die Kuppe meines Zeigefingers strich über die gesamte Fläche, von oben nach unten. An den Einschußstellen blieb der Fingernagel hängen. So tastete ich Scheibe für Scheibe ab. Manchmal paßte die ganze, manchmal die halbe Fingerkuppe in das Loch. Wo die Oberfläche glatt war, kam ich recht schnell voran. Wie ein sich schlängelnder Wurm glitt mein Finger über die Unebenheiten. Bis ich mich schnitt. Ein wäßriger, purpurroter Film blieb auf dem Glas zurück. Ich öffnete die Augen. Ein plötzlicher stechender Schmerz. Die Vertiefung im Glas füllte sich mit Blut. Ich hörte mit diesem idiotischen Spiel auf und sog an der Wunde.

Die Einschußlöcher einer Kalaschnikow sind kreisrund, wie gestanzt. Die Projektile fressen sich mit ganzer Wucht in die Panzerscheiben, höhlen sie aus wie nagende Holzwürmer, die anschließend wieder verschwinden. Von weitem sehen die Einschüsse eines Schnellfeuergewehrs eigenartig aus, wie lauter kleine Bläschen zwischen den gepanzerten Glasschichten. So gut wie kein Ladenbesitzer erneuert die Schaufensterscheibe, wenn sie mit einer Kalaschnikow beschossen wurde. Einige verschmieren die Löcher mit Silikon, andere behelfen sich mit schwarzem Klebeband, aber die meisten lassen alles so, wie es ist. Eine gepanzerte Scheibe kostet bis zu fünftausend Euro, da nutzt man dieses Dekor der Gewalteinwirkung lieber als Schaufensterschmuck. Womöglich lockt der Anblick Kunden an, die neugierig stehenbleiben, um zu erfahren, was passiert ist. Nach einem Schwätzchen mit dem Ladenbesitzer wird dann nicht selten mehr gekauft, als ursprünglich beabsichtigt. Statt die Scheibe zu ersetzen, wartet man mitunter auch darauf, daß sie im nächsten Kugelhagel zerspringt. Dann zahlt die Versicherung, denn wer rasch genug die Spuren verwischt, kann das Schnellfeuer als Raubüberfall deklarieren.

Hinter einem Schaufensterbeschuß steckt nicht unbedingt ein Einschüchterungsversuch, eine Botschaft in der Sprache von Gewehrkugeln. Bisweilen handelt es sich schlicht und einfach um eine waffentechnische Notwendigkeit. Neu gelieferte Kalaschnikows müssen eben getestet werden. Es gilt auszuprobieren, ob sie funktionieren, ob der Lauf richtig sitzt. Man muß sich mit der Waffe vertraut machen und überprüfen, ob das Magazin nicht klemmt. Sicher, man könnte sie auch irgendwo auf freiem Feld ausprobieren, an den Panzerscheiben alter Autos, oder man könnte entsprechende Scheiben kaufen und ungestört beschießen. Aber nein. Sie feuern auf Schaufenster, auf gepanzerte Türen und auf Rolläden, um keinen Zweifel daran zu lassen, daß alles ihnen gehört, alles letztlich nur vorläufig bewilligt ist, daß sie einen nur vorübergehend ermächtigen, irgendein Geschäft zu betreiben. Ein Zugeständnis, bloß ein Zugeständnis, das jederzeit widerrufen werden kann. Das Ganze hat auch einen indirekten Vorteil, denn sämtliche Glasereien im Umkreis, die das preiswerteste Panzerglas anbieten, gehören den Clans, und mit der Zahl der zerstörten Scheiben wächst deren Profit.

In der Nacht zuvor waren dreißig Kalaschnikows aus dem Osten eingetroffen. Aus Mazedonien. Die Strecke Skopje – Gricignano d'Aversa garantiert einen zügigen und sicheren Warenverkehr, der die Lager der Camorra mit Maschinenpistolen und Pumpguns füllt. Sofort nach dem Fall des Eisernen Vorhangs trafen sich die Bosse mit der Führung der in Auflösung begriffenen kommunistischen Parteien. Die Camorra vertrat den mächtigen, effizienten und diskreten Westen am Verhandlungstisch. Ohne große Formalitäten kauften die Clans in Rumänien, Polen und dem ehemaligen Jugoslawien ganze Waffenlager auf und bezahlten jahrelang die Löhne für das Schutz- und Wachpersonal sowie den Sold für die Offiziere, die für den Erhalt der militärischen Bestände verantwortlich waren. Mit anderen Worten, die Verteidigung dieser Länder lag fortan zumindest teilweise in den Händen der Clans. Schließlich ist die Kaserne ein ideales Waffenversteck. Ungeachtet aller Führungswechsel, internen Fehden und Krisen war für die Camorra-Bosse nicht länger der Schwarzmarkt für Waffen maßgeblich, sondern sie verfügten jetzt über die Waffenarsenale der osteuropäischen Streitkräfte. Diesmal waren die Gewehre in Militärlastern mit NATO-Kennzeichnung geliefert worden, gestohlene Lastwagen aus amerikanischen Beständen, die dank dieser Kennzeichnung ungehindert quer durch Italien fahren konnten. Der NATO-Stützpunkt in Gricignano d'Aversa ist ein flächenmäßig kleiner, unzugänglicher Koloß, ein Bollwerk aus Zement, mitten in eine Ebene gestellt. Der Komplex war von den Firmen der Coppola gebaut worden, wie alles in dieser Gegend. Doch den Amerikanern begegnet man hier so gut wie nie, Kontrollen sind selten. NATO-Lkws werden nicht behelligt, und als die Waffen im Ort eintrafen, machten die Fahrer erst einmal auf der Piazza halt, frühstückten in der Bar und tauchten ihr Hörnchen in den Cappuccino, während sie nach »ein paar Schwarzen« fragten, »um Sachen auszuladen, und zwar ein bißchen dalli«. Und was »ein bißchen dalli« bedeutet, das wissen alle. Kisten mit Waffen sind kaum schwerer als Kisten mit Tomaten, und die jungen Afrikaner, die bereit sind, nach der Feldarbeit noch ein paar Überstunden zu machen, bekommen zwei Euro pro Kiste, das Vierfache dessen, was sie für das Entladen einer Tomaten- oder Apfelkiste erhalten.

In einer NATO-Zeitschrift für die Angehörigen der im Ausland stationierten Soldaten las ich einmal einen kurzen Artikel, der für all jene geschrieben war, die nach Gricignano d'Aversa geschickt werden sollten. Ich übersetzte den Text und schrieb ihn mir auf, um ihn mir leichter zu merken. Er lautete: »Um sich von Ihrem künftigen Wohnort eine Vorstellung zu machen, müssen Sie sich nur die Filme von Sergio Leone vor Augen halten. Es ist wie im Wilden Westen, einer hat die Befehlsgewalt, es gibt Schießereien, ungeschriebene und unantastbare Gesetze. Aber keine Sorge, den amerikanischen Zivilisten und Soldaten bringt man größten Respekt entgegen, man behandelt sie ausgesprochen gastfreundlich. Dennoch: verlassen Sie das militärische Gelände nur, wenn es unbedingt notwendig ist.« Dieser Yankee hat mir mit seinem Artikel klargemacht, wo ich eigentlich zu Hause war.

An jenem Morgen traf ich Mariano in der Bar in einer merkwürdig euphorischen Stimmung an. Total aufgedreht stand er am Tresen und kippte schon zu dieser frühen Stunde einen Martini nach dem anderen hinunter.

»Was ist denn mit dir los?«

Alle wollten das wissen. Selbst der Barmann weigerte sich, ihm das Glas zum viertenmal vollzuschenken. Aber Mariano gab keine Antwort, als könnte jeder selbst dahinterkommen.

»Ich möchte ihn gern kennenlernen, ich habe gehört, daß er noch lebt. Aber ob das stimmt?«

»Ob was stimmt?«

»Wie hat er das bloß gemacht? Ich nehme Urlaub und fahre zu ihm …«

»Zu wem? Wovon redest du?«

»Verstehst du, es ist leicht und absolut präzise, du gibst zwanzig, dreißig Schüsse ab, in nicht mal fünf Sekunden … eine geniale Erfindung!« Er war völlig aus dem Häuschen. Der Barmann schaute ihn an wie einen Jungen, der zum erstenmal mit einer Frau geschlafen hat und dem diese Erfahrung deutlich ins Gesicht geschrieben steht. Da begriff ich, woher Marianos Euphorie kam. Er hatte zum erstenmal eine Kalaschnikow ausprobiert und war von dem Ding dermaßen beeindruckt, daß er dessen Erfinder Michail Kalaschnikow persönlich kennenlernen wollte. Mariano hatte nie auf jemanden geschossen; dem Clan hatte er sich angeschlossen, um den Vertrieb einiger Kaffeemarken in diversen Bars des Territoriums zu organisieren. Er war sehr jung, hatte ein Studium der Betriebswirtschaft hinter sich und trug jetzt die Verantwortung für zig Millionen Euro, weil Dutzende Bars und Kaffeeröstereien dem Handelsnetz des Clans beitreten wollten. Doch dem

Capozona war daran gelegen, daß seine Leute, ob mit oder ohne Universitätsdiplom, ob Soldaten oder Finanzfachleute, mit der Waffe umgehen konnten, deshalb hatte er ihm die Kalaschnikow in die Hand gedrückt. In der Nacht hatte Mariano völlig wahllos die Schaufenster mehrerer Bars beschossen. Es war nicht als Warnung gedacht; aber auch wenn er selbst keinen triftigen Grund dafür angeben konnte, warum er ausgerechnet auf diese Läden gefeuert hatte, die Besitzer kannten bestimmt einen. Es gibt immer einen Grund, sich gemeint zu fühlen. Mariano nannte das Gewehr einfach nur »AK-47«, die Worte geknurrt wie ein Profi. So lautet der offizielle Name des berühmtesten Sturmgewehrs der Welt. Ein eher schlichter Name. AK steht für »avtomat kalaschnikowa« oder »Kalaschnikows automatisches Gewehr«, 47 bezeichnet das Jahr, in dem die Waffe in der Sowjetarmee in Dienst gestellt wurde. Waffen tragen oft verschlüsselte Namen aus Buchstaben und Zahlen, die ihre töd-liche Wirkung verschleiern. Chiffren der Grausamkeit. In Wirklichkeit sind es ganz banale Bezeichnungen, verpaßt von irgendeinem Unteroffizier, der neue Waffen wie neue Schrauben in den Bestand aufnimmt. Eine Kalaschnikow ist leicht und einfach zu bedienen, die Wartung unkompliziert. Ihre Stärke liegt im Kaliber. Die Projektile sind mittelgroß: nicht zu klein wie beim Revolver, um eine gewisse Durchschlagskraft zu garantieren, aber auch nicht zu groß, um eine leichte Handhabung und hohe Treffsicherheit zu gewährleisten und den Rückstoß möglichst gering zu halten. Wartung und Zusammenbau sind so simpel, daß es unter Anleitung eines Soldaten in der ehemaligen Sowjetunion schon die Kinder in der Schule lernten, in durchschnittlich zwei Minuten.

Das Rattern von Maschinenpistolen habe ich zuletzt vor einigen Jahren gehört. In der Nähe der Universität von Santa Maria Capua Vetere, wo genau, weiß ich nicht mehr, jedenfalls auf einer Kreuzung, da bin ich mir sicher. Auf dieser Kreuzung blockierten vier Autos den Wagen des Camorristen Sebastiano Caterino, der im Feuer von Kalaschnikows starb. Caterino hatte Antonio Bardellino nahegestanden, der in den achtziger und neunziger Jahren der Capo dei capi der casertanischen Camorra gewesen war. Als nach Bardellinos Tod ein neuer Mann an die Spitze trat, gelang es Caterino zu fliehen, um seine Haut zu retten. Dreizehn Jahre lang ging er nicht aus dem Haus, er lebte versteckt, trat nur nachts vor die Tür, verkleidet und in gepanzerten Autos. Ein Leben außerhalb seines Heimatorts. Nach all diesen Jahren der Stille glaubte er, neues Ansehen gewonnen zu haben, fest überzeugt, daß der rivalisierende Clan die Vergangenheit ruhen und einen alten Boss wie ihn in Frieden lassen würde. In Santa Maria Capua Vetere baute er einen neuen Clan auf, die alte römische Stadt wurde sein Hoheitsgebiet. Als der Maresciallo von San Cipriano d'Aversa, Caterinos Heimatstadt, am Tatort eintraf, sagte er nur: »Den haben sie böse zugerichtet!« Die Behandlung, die einem zuteil wird, bemißt man hier nach der Zahl der abgefeuerten Schüsse. Ein Mord mit Feingefühl, vollstreckt durch einen Kopf- oder Bauchschuß, wird interpretiert als notwendiger chirurgischer Eingriff und signalisiert keine erbitterte Feindseligkeit. Mehr als zweihundert Schüsse auf den Wagen und mehr als vierzig Schüsse in den Körper dagegen kommen der völligen Auslöschung gleich. Die Camorra besitzt ein überaus langes Gedächtnis und unendlich viel Geduld. Dreizehn Jahre, hundertsechsundfünfzig Monate, vier Kalaschnikows, zweihundert Schüsse, eine Patrone für jeden Monat des Wartens. In manchen Gegenden ist den Waffen geradezu eine Erinnerung eingeprägt. In stillem Zorn warten sie mit der Vollstreckung des Strafurteils, bis der geeignete Moment gekommen ist.

An jenem Morgen glitten meine Finger über das Dekor der Einschußlöcher. Ich hatte meinen Rucksack geschultert, denn ich wollte verreisen, zu meinem Cousin nach Mailand. Schon merkwürdig: ganz gleich, mit wem man spricht, ganz gleich auch, worüber, kaum sagt man, daß man weggeht, wird man mit Glückwünschen, Komplimenten und begeisterten Kommentaren überhäuft: »Recht hast du. Du tust genau das Richtige, ich würde es genauso machen.« Man braucht gar nicht genauer darzulegen, was man vorhat. Fürs Weggehen gibt es in jedem Fall bessere Gründe als fürs Dableiben. Fragt mich jemand, woher ich komme, bleibe ich die Antwort schuldig. Ich möchte sagen, ich stamme aus dem Süden, aber das klingt mir zu phrasenhaft. Fragt man mich im Zug nach meiner Herkunft, starre ich zu Boden und überhöre die Frage. Mir fällt dann nämlich Vittorinis *Gespräch in Sizilien* ein; würde ich auch nur den Mund aufmachen, liefe ich Gefahr, Silvestro Ferrautos Ansichten nachzubeten. Und darum geht es gar nicht. Zwar ändern sich die Zeiten, aber es ist das alte Lied. Im Eurostar lernte ich dann eine wohlbeleibte Dame kennen, die kaum auf ihren Sitzplatz paßte. Sie war in Bologna zugestiegen und redete und redete, um die Zeit zu überbrücken und als hoffte sie, dadurch schlanker zu werden. Partout wollte sie wissen, woher ich käme, was ich machte, wohin ich unterwegs sei. Ich hatte gute Lust, ihr als Antwort den Zeigefinger hinzustrecken und meine kleine Verletzung vorzuzeigen, mehr nicht. Aber ich ließ es bleiben. Ich sagte: »Ich komme aus Neapel.« Eine Stadt, so beredt, daß man nur ihren Namen auszusprechen braucht, und schon ist man jeglicher Antwortpflicht entbunden. Ein Ort, einzigartig im Guten wie im Schlechten. Ich schlief ein.

Am nächsten Tag rief mich in aller Frühe Mariano an, ganz aufgeregt. Es würden Leute gebraucht, die die Planung und Durchführung einer überaus heiklen Operation von ein paar Geschäftsleuten aus unserer Gegend übernahmen. Der Gesundheitszustand Papst Johannes Pauls II. habe sich dramatisch verschlechtert, vielleicht sei er bereits verstorben, auch wenn es dafür noch keine offizielle Bestätigung gebe. Mariano bat mich, ihn nach Rom zu begleiten. Ich stieg an der nächsten Station aus und fuhr zurück. Läden, Hotels, Restaurants und Supermärkte würden schon in wenigen Tagen umfangreiche und außergewöhnliche Lieferungen aller möglichen Waren benötigen. Man konnte einen Haufen Geld verdienen. Millionen von Menschen würden binnen kürzester Zeit die Hauptstadt überfluten, die Straßen und Gehsteige in Besitz nehmen, und sie alle mußten essen und trinken, mit einem Wort: konsumieren. Man konnte die Preise verdreifachen, zu jeder Tages- und Nachtzeit verkaufen und jede Minute Gewinn machen. Man hatte Mariano mit der Organisation beauftragt, der mir vorschlug mitzumachen, und für diese Gefälligkeit würde er mir etwas Geld rüberschieben. Schließlich hat alles seinen Preis. Mariano versprach man einen Monat Urlaub, damit er seinen Traum wahr machen und nach Rußland reisen konnte, um Michail Kalaschnikow aufzusuchen. Er hatte sogar schon die Zusicherung des Mitglieds einer russischen Familie, das beteuerte, Kalaschnikow persönlich zu kennen. Mariano würde also die Gelegenheit haben, den Mann zu treffen, der das leistungsstarke Schnellfeuergewehr erfunden hatte. Er würde ihm in die Augen sehen und ihm die Hand schütteln.

Am Tag der Beisetzung des Papstes wimmelte es in Rom nur so von Menschen. Die Straßen, die Gehsteige, nichts war mehr wiederzuerkennen. Menschen über Menschen, ein einziges Gewoge, bis in die Hauseingänge, selbst oben an den Fenstern. Ein Strom, der immer höher stieg, bis er sein Bett verließ. Überall Menschen, wirklich überall. Ein verschreckter Hund flüchtete sich zitternd unter einen Bus, denn jedes Fleckchen seines Lebensraums war von Schuhen und Beinen eingenommen. Mariano und mich hatte es auf die Schwelle eines Hauseingangs verschlagen. Sie bot den einzigen Schutz vor einer Gruppe, die offenbar das Gelübde erfüllen mußte, sechs Stunden ununterbrochen ein vom heiligen Franziskus inspiriertes Liedlein herzusingen. Wir setzten uns und aßen ein belegtes Brötchen. Ich war erschöpft. Nicht dagegen Mariano, dessen Anstrengungen reich belohnt würden, weshalb er vor Tatkraft nur so strotzte.

Plötzlich hörte ich meinen Namen. Ohne mich umzudrehen, wußte ich schon, wer gerufen hatte. Es war mein Vater. Ich hatte ihn seit zwei Jahren nicht gesehen, obwohl wir in derselben Stadt lebten. Und ausgerechnet in diesem Gewühl in Rom kam es zur Begegnung, unglaublich. Mein Vater war furchtbar verlegen. Er wußte nicht, wie er mich begrüßen sollte, und vielleicht auch nicht, ob er mir so begegnen konnte, wie er wollte. Aber er war jedenfalls euphorisch, so euphorisch, wie man während mancher Ausflüge ist, die wunderbare Erlebnisse versprechen, wunderbarer als alles, was man in den nächsten drei Monaten erleben würde, weshalb man jede Minute auskosten und in vollen Zügen genießen will. Und dazu beeilt man sich auch noch, aus Angst, in der kurzen Zeit, die man zur Verfügung hat, andere Glückseligkeiten zu verpassen. Eine rumänische Fluggesellschaft hatte anläßlich des Papstbegräbnisses die Preise für Flüge nach Italien gesenkt, und diese Gelegenheit hatte mein Vater genutzt und der gesamten Familie seiner Lebensgefährtin Flugtickets spendiert. Sämtliche Frauen der Gruppe trugen einen Schleier und hatten sich einen Rosenkranz ums Handgelenk geschlungen. Unmöglich zu sagen, in welcher Straße wir waren, ich erinnere mich nur noch an ein riesiges Bettlaken, aufgespannt zwischen zwei Häusern. Es trug die Aufschrift: »Elftes Gebot: du sollst nicht drängeln, dann wirst auch du nicht bedrängt werden.« In zwölf Sprachen. Die neuen Verwandten meines Vaters waren glücklich. Überglücklich, an einem so bedeutenden Ereignis wie den Trauerfeierlichkeiten zum Tod eines Papstes teilnehmen zu dürfen. Alle träumten sie von einem legalen Status als Einwanderer. Im Rahmen einer so gewaltigen und universellen Kundgebung ihre Trauer zum Ausdruck zu bringen war für diese Rumänen die beste Art und Weise, ein emotionales und faktisches Bleiberecht in Italien zu reklamieren, noch vor dem Erwerb der offiziellen Staatsbürgerschaft. Mein Vater verehrte Johannes Paul II. Dieser Mann, der sich von allen die Hand küssen ließ, begeisterte ihn. Es faszinierte ihn, wie es diesem Mann gelungen war, offenkundig ohne Erpressung und taktische Manöver eine derart uneingeschränkte Anerkennung zu genießen. Die Mächtigen dieser Welt knieten vor ihm nieder. Für meinen Vater war dies Grund genug, jemanden zu bewundern. Ich beobachtete, wie er zusammen mit der Mutter seiner Lebensgefährtin niederkniete, um spontan einen Rosenkranz zu beten. Inmitten der rumänischen Verwandten entdeckte ich plötzlich ein Kind. Ich wußte sofort, daß es der Sohn meines Vaters und Micaelas war. In Italien zur Welt gebracht, um die italienische Staatsbürgerschaft zu erlangen, wuchs er aufgrund der Lebensumstände seiner Mutter in Rumänien auf. Der Kleine ließ ihren Rockzipfel keinen Augenblick los. Ich hatte ihn noch nie gesehen, kannte aber seinen Namen. Stefano Nicolae. Stefano nach dem Vater meines Vaters, Nicolae nach Micaelas Vater. Mein Vater nannte ihn Stefano, seine Mutter und seine rumänischen Verwandten Nico. Bald würde er nur noch Nico genannt werden. Bis jetzt hatte sich bloß noch keine Gelegenheit ergeben, meinem Vater dieses Zugeständnis abzuringen. Das erste Geschenk, das Nico von meinem Vater bekommen hatte, sobald er aus dem Flugzeug gestiegen war, war offensichtlich ein Ball gewesen. Dies war die zweite Begegnung zwischen Vater und Sohn, aber mein Vater behandelte ihn, als hätte er ihn immer bei sich gehabt. Er nahm ihn auf den Arm und kam auf mich zu.

»Nico wird jetzt hierbleiben. In diesem Land. Im Land seines Vaters.«

Ich weiß nicht, warum, aber das Kind verzog traurig das Gesicht und ließ den Ball fallen, den ich mit dem Fuß stoppte, damit er nicht für immer in der Menge verschwand.

Plötzlich entsann ich mich an einen Geruch nach Salz und Staub, Zement und Müll. Ein feuchter Geruch. Ich erinnerte mich an einen Besuch am Strand von Pinetamare, als ich zwölf Jahre alt war. Mein Vater kam in mein Zimmer, ich war gerade erst aufgewacht. Ein Sonntag vielleicht. »Weißt du eigentlich, daß dein Cousin schon schießen kann? Und was ist mit dir? Bist du weniger wert als er?«

Er brachte mich ins Villaggio Coppola am Litorale Domizio. Der Strand war eine Fundgrube voller zurückgelassener Gegenstände, alle von Salz zerfressen und mit Kalk verkrustet. Ich hätte tagelang graben können und Maurerkellen, Handschuhe, durchgelaufene Stiefel, kaputte Hacken und ramponierte Pickel gefunden, aber mein Vater hatte mich nicht hierhergebracht, damit ich im Müll spielte. Er streifte herum auf der Suche nach etwas, auf das ich schießen konnte. Am liebsten waren ihm Flaschen. Bierflaschen von Peroni. Er stellte sie auf das Dach eines ausgebrannten 127er Fiat, eines von zahlreichen Autowracks. An die Strände von Pinetamare brachte man sämtliche ausgebrannten Autos, die man bei Raubüberfällen oder Anschlägen verwendet hatte. Die Beretta 92 FS meines Vaters sehe ich noch genau vor mir. Sie war völlig zerkratzt, irgendwie fleckig, eine schöne alte Pistole. Allgemein heißt sie nur M9, keine Ahnung, warum. Ich habe immer nur diese Bezeichnung gehört: »Ich schieße dir mit einer M9 zwischen die Augen. Muß ich meine M9 ziehen? Verdammt, ich muß mir eine M9 besorgen.« Mein Vater drückte mir die Beretta in die Hand. Ich fand sie sehr schwer. Der Griff dieser Pistole fühlt sich rauh an wie Schmirgelpapier. Er klebt einem in der Hand fest, und wenn einem die Waffe doch entgleitet, hat man das Gefühl, sie schürft einem mit ihren winzigen Zähnen die Haut auf. Mein Vater zeigte mir, wie man sie entsichert, lädt, den Arm ausstreckt, das rechte Auge schließt, wenn sich das Ziel links befindet, und zielt.

»Robbe', den Arm locker lassen, aber gerade halten. Ganz ruhig, aber nicht zu locker ... benutze beide Hände.«

Bevor ich mit der ganzen Kraft meiner beiden übereinandergelegten Zeigefinger den Abzug drückte, kniff ich die Augen zusammen und zog die Schultern hoch, als wollte ich mir mit den Schulterblättern die Ohren zuhalten. Das Geräusch von Schüssen ist mir heute noch unerträglich. Ich muß irgend etwas am Trommelfell haben. Nach einem solchen Knall bin ich eine halbe Stunde wie benommen.

In Pinetamare baute die mächtige Unternehmerfamilie Coppola die größte illegale Feriensiedlung Europas. Achthundertdreiundsechzigtausend Quadratmeter Zement, ein ganzes Dorf: Villaggio Coppola. Eine Baugenehmigung wurde nie beantragt, es war auch völlig unnötig. Ausschreibungen und Genehmigungen treiben hierzulande nur die Kosten in die Höhe, weil zu viele bürokratische Hürden genommen und zu viele

Beamte geschmiert werden müssen. Die Coppola wandten sich direkt an die Zementfabriken. Zig Doppelzentner Zement für den Strand, an dem einst einer der schönsten Pinienwälder des Mittelmeers wuchs. Es wurden Hochhaustürme gebaut, aus deren Türsprechanlagen man das Meer rauschen hörte.

Als ich nun zum erstenmal in meinem Leben ein Ziel anvisierte, empfand ich eine Mischung aus Stolz und Schuld. Ich konnte schießen, endlich hatte ich schießen gelernt. Jetzt konnte mir niemand mehr etwas anhaben. Gleichzeitig aber hatte ich gelernt, eine schreckliche Waffe zu handhaben. Eine Waffe, die man immer wieder benutzt, wenn man erst einmal gelernt hat, mit ihr umzugehen. Wie Fahrradfahren. Die Flasche ging nicht ganz in Scherben, sie blieb sogar stehen. Nur zur Hälfte zerschossen, auf der rechten Seite. Mein Vater lief zum Auto. Ich blieb mit der Pistole in der Hand zurück, aber merkwürdigerweise fühlte ich mich zwischen den Müllhaufen und den Autowracks nicht allein. Ich streckte den Arm in Richtung Meer und gab zwei weitere Schüsse ins Wasser ab. Ich sah kein Aufspritzen, vielleicht traf ich gar nicht das Wasser. Aber auf das Meer zu schießen kam mir mutig vor. Mein Vater kehrte mit einem Lederball zurück, auf dem Maradona abgebildet war. Die Belohnung dafür, daß ich getroffen hatte. Dann näherte er sich meinem Gesicht, wie er es so oft tat. Er roch nach Kaffee. Er war zufrieden, denn jetzt war sein Sohn zumindest nicht weniger wert als der Sohn seines Bruders. Es folgte die gewohnte Litanei, sein Katechismus:

»Robbe', was ist ein Mann ohne Universitätsdiplom und mit Pistole?«

»Ein Arschloch mit Pistole.«

»Bravo. Was ist ein Mann mit Universitätsdiplom und ohne Pistole?«

»Ein Arschloch mit Universitätsdiplom.«

»Bravo. Und was ist ein Mann mit Universitätsdiplom und mit Pistole?«

»Ein Mann, Papa!«

»Bravo, Robertino!«

Nico ging noch auf wackeligen Beinen. Mein Vater ließ einen Wortschwall auf ihn los. Der Kleine verstand gar nichts. Zum erstenmal hörte er die italienische Sprache, auch wenn seine Mutter schlau genug gewesen war, ihn hier zur Welt zu bringen.

»Hat er Ähnlichkeit mit dir, Roberto?«

Ich musterte den Kleinen eindringlich. Und ich freute mich, für ihn. Er ähnelte mir kein bißchen.

»Zum Glück sieht er mir nicht ähnlich!«

Mein Vater machte sein übliches enttäuschtes Gesicht, als wollte er sagen, nicht einmal im Scherz bekäme er von mir das zu hören, was er gern hören würde. Ich hatte stets den Eindruck, mein Vater befände sich im Krieg und müsse eine Schlacht schlagen, in der es nur Freund oder Feind gab – und große Autos. Die Übernachtung in einem Zwei-Sterne-Hotel kam für ihn einem Prestigeverlust gleich. Als wäre er jemandem Rechenschaft schuldig, der hart mit ihm ins Gericht ginge, wenn er nicht reich, respektgebietend und witzig wäre.

»Wer jemand sein will, Robbe', darf sich von niemandem abhängig machen. Er muß sich seiner Sache sicher sein, aber er muß anderen auch Angst einjagen. Wenn niemand vor dir zittert, wenn niemand den Blick vor dir niederschlägt, hast du es letztlich nicht geschafft.«

Wenn wir essen gingen, ärgerte er sich darüber, daß die Kellner manche Leute bevorzugt bedienten, auch wenn sie erst eine Stunde nach uns gekommen waren. Die Bosse nahmen Platz, und schon stand ihr Essen auf dem Tisch. Mein Vater grüßte sie. Aber er konnte nur schlecht seine Sehnsucht verbergen, mit demselben Respekt behandelt zu werden. Einem Respekt, der für ihn hieß, genauso um seine Macht beneidet zu werden, genausoviel Angst einzuflößen und genausoviel Geld zu besitzen.

»Siehst du die da drüben. Die sind es, die wirklich das Sagen haben. Sie treffen die Entscheidungen! Die einen beherrschen die Wörter, die anderen die Dinge. Du mußt wissen, wer die

Dinge beherrscht, und nur so tun, als würdest du denen glauben, die die Wörter beherrschen. Aber in dir drin mußt du immer wissen, was die Wahrheit ist. Nur der herrscht wirklich, der die Dinge beherrscht.« Die Beherrscher der Dinge, wie mein Vater sagte, saßen am Tisch. Sie hatten seit jeher die Geschicke dieses Landstrichs bestimmt. Sie speisten zusammen, sie lächelten. Dann schlachteten sie sich im Lauf der Jahre gegenseitig ab und hinterließen eine Spur der Verwüstung mit Tausenden von Toten, blutige Chiffren ihrer finanziellen Investitionen. Die Bosse wußten, was zu tun war, um die Unhöflichkeit vergessen zu machen, daß sie als erste bedient wurden. Sie spendierten sämtlichen Gästen des Lokals das Essen. Aber erst, als sie gingen: sie wollten nicht mit Dankesbezeigungen und Schmeicheleien behelligt werden. Alle bekamen ihr Essen bezahlt, bis auf zwei, den Lehrer Iannotto und seine Frau, die einen Gruß schuldig geblieben waren. Deshalb wagte man auch nicht, ihnen das Essen zu spendieren; allerdings hatte man ihnen durch den Kellner eine Flasche Limoncello an den Tisch geschickt. Ein Camorrist weiß, daß er auch seine erklärten Feinde hegen und pflegen muß, die wertvoller sind als die heimlichen Feinde. Dieser Lehrer mußte für meinen Vater als negatives Beispiel herhalten. Sie waren zusammen in der Schule gewesen. Iannotto wohnte zur Miete; er war aus seiner Partei ausgeschlossen worden, er war kinderlos, stets gereizt und schlecht gekleidet. Er unterrichtete in der neunten und zehnten Klasse eines Gymnasiums. Ich weiß noch, daß er sich ständig mit Eltern herumstritt, die ihn fragten, zu welchem seiner Bekannten sie ihre Kinder zur Nachhilfe schicken sollten, damit sie das Schuljahr schafften. In den Augen meines Vaters war Iannotto ein Verdammter. Ein lebender Toter.

»Sagen wir, einer beschließt, Philosoph, und ein anderer, Arzt zu werden. Welcher von beiden entscheidet deiner Meinung nach über ein Menschenleben?«

»Der Arzt!«

»Richtig. Der Arzt. Er kann über ein Menschenleben entscheiden. Er kann entscheiden. Ob er es rettet oder nicht. Man tut nur dann Gutes, wenn man auch das Schlechte tun kann. Eine gescheiterte Existenz dagegen, eine Witzfigur, ein Nichtstuer, der kann nur Gutes tun, aber das ist geschenkt, es ist nichts wert. Gut ist etwas, wenn man sich bewußt dafür entscheidet, weil man auch das Schlechte tun könnte.«

Ich sagte nichts. Ich habe nie verstanden, worauf er eigentlich hinauswollte. Ich verstehe es bis heute nicht. Vielleicht habe ich nicht zuletzt deshalb Philosophie studiert, um über niemanden entscheiden zu müssen. In den achtziger Jahren, zu Beginn seiner Berufslaufbahn, arbeitete mein Vater als Notarzt. Vierhundert Tote im Jahr. In einer Gegend, in der tagtäglich bis zu fünf Menschen ermordet wurden. Er kam mit dem Krankenwagen, aber wenn der Verletzte am Boden lag und die Polizei noch nicht zur Stelle war, konnte man ihn nicht einfach abtransportieren. Sonst kamen die Killer zurück, verfolgten den Krankenwagen, blockierten die Straße, drangen in den Wagen ein und vollendeten ihr Werk. Das war schon dutzendemal geschehen, und Ärzte wie Rettungssanitäter wußten, daß sie vor einem Verletzten ausharren und warten mußten, bis die Killer zurückgekehrt waren und ihren Auftrag zu Ende geführt hatten. Doch einmal kam mein Vater nach Giugliano, einer größeren Ortschaft zwischen Neapel und Caserta im Hoheitsgebiet der Mallardo. Der Junge war erst achtzehn Jahre alt, vielleicht sogar jünger. Man hatte ihn in den Brustkorb geschossen, aber eine Rippe hatte das Projektil abgelenkt. Der Krankenwagen war sofort zur Stelle, er befand sich ganz in der Nähe. Der Junge röchelte, er schrie und verlor Blut. Mein Vater lud ihn in den Krankenwagen. Die Sanitäter waren entsetzt und versuchten, ihn davon abzubringen, denn es war klar, daß die Killer keine Zeit gehabt hatten, genau zu zielen, weil sie von einer Polizeistreife in die Flucht geschlagen worden waren. Aber sie würden mit Sicherheit wiederkommen. Die Sanitäter versuchten meinen Vater hinzuhalten: »Warten wir. Sie kommen, erledigen ihren Job, und dann nehmen wir ihn mit.«

Mein Vater brachte das nicht fertig. Schließlich hat auch der Tod seine Zeit. Und achtzehn Jahre, das erschien ihm einfach zu jung, um zu sterben, selbst für einen Soldaten der Camorra. Er lud ihn also in den Wagen, brachte ihn ins Krankenhaus, und der Junge wurde gerettet. Die Killer, die ihr Ziel nicht genau getroffen hatten, kamen in der Nacht zu ihm nach Hause. Zu meinem Vater. Ich war nicht da, ich lebte bei meiner Mutter. Aber ich habe diese Geschichte so oft und immer bis zum selben Ende gehört, daß ich das Gefühl habe, ich sei zu Hause gewesen und hätte alles miterlebt. Mein Vater wurde offensichtlich blutig geschlagen. Zwei Monate lang ging er nicht aus dem Haus. Weitere vier Monate lang konnte er niemandem sein Gesicht zeigen. Die Entscheidung, einen Todgeweihten zu retten, bedeutet, daß man sein Schicksal teilen möchte, denn mit eisernem Willen allein ändert man gar nichts. So löst man keine Probleme. Eine solche Entscheidung, bewußt getroffen und genau bedacht, ist nicht dazu angetan, einem das Gefühl zu geben, man hätte bestmöglich gehandelt. Was man auch tut, aus irgendeinem Grund ist es immer das Falsche. Das ist die wahre Einsamkeit.

Der kleine Nico lachte wieder. Micaela ist etwa so alt wie ich. Als sie ankündigte, ihr Land zu verlassen und nach Italien zu gehen, wird man auch sie beglückwünscht haben, ohne weiter nachzufragen. Man wußte nicht, ob sie als Hure oder Ehefrau, als Haushaltshilfe oder Angestellte ging, man wußte nur, daß sie wegging. Grund genug, sie zu den Glücklichen zu zählen. Nico dagegen zerbrach sich nicht den Kopf. Er preßte die Lippen fest zusammen, als seine Mutter ihm schon wieder einen Schluck Milch einflößen wollte. Um ihn dazu zu bewegen, den Mund aufzumachen, legte mein Vater ihm den Ball vor die Füße. Nico kickte mit aller Kraft. Der Ball prallte gegen Knie, Schienbeine und Schuhspitzen der Leute. Und mein Vater lief hinterher. Er wußte, daß Nico ihm zuschaute, daher spielte er den Tolpatschigen und machte Anstalten, um eine Nonne herumzudribbeln, aber der Ball sprang ihm abermals vom Fuß. Der Kleine lachte, die zahllosen Beine vor seinen Augen vermittelten ihm wohl das Gefühl, er befände sich in einem Gestrüpp aus Füßen und Sandalen. Es machte ihm Spaß, seinem Vater, unserem Vater zuzuschauen, der seinen Bauch vor sich hertrug und sich redlich bemühte, diesen Ball zu erwischen. Ich versuchte, ihm zum Abschied wenigstens zuzuwinken, aber da war er schon hinter einer Menschenmauer verschwunden. Erst nach einer guten halben Stunde würde er wiederauftauchen. Es hatte keinen Zweck zu warten. Es war auch schon spät. Man sah nichts mehr von ihm, er war einfach in der Menge untergegangen.

Mariano hatte es tatsächlich geschafft, Michail Kalaschnikow kennenzulernen. Einen ganzen Monat lang war er in Osteuropa umhergereist. Rußland, Rumänien, Moldawien: der Urlaub war eine Prämie der Clans. In einer Bar in Casal di Principe, derselben wie immer, traf ich ihn wieder. Er hatte einen dicken Packen Fotos bei sich, mit einem Gummi umwickelt wie Panini-Sammelbilder. Es waren Porträtaufnahmen Michail Kalaschnikows samt Autogramm und Widmung. Vor der Abreise hatte sich Mariano jede Menge Abzüge eines Fotos von Kalaschnikow machen lassen. Es zeigte ihn in der Uniform eines Generals der Roten Armee, auf der Brust eine Kaskade von Medaillen: den Leninorden, die Ehrenmedaille des Großen Vaterländischen Kriegs, den Orden des Roten Sterns, den Orden des Roten Arbeitsbanners. Mariano hatte ihn mit Hilfe einiger Russen ausfindig gemacht, die mit den Gruppen in der Provinz Caserta Geschäfte machten. Sie hatten den Kontakt zu dem General hergestellt.

Michail Timofejewitsch Kalaschnikow lebte in einem Mietshaus in der Ortschaft Ischewsk-Ustinow am Fuße des Ural, die bis 1991 nicht einmal auf der Landkarte verzeichnet war. Es war eines der zahllosen Territorien, die von der UdSSR geheimgehalten wurden. Kalaschnikow war die Attraktion. Seinetwegen hatte man eine direkte Verkehrsverbindung nach Moskau gebaut, denn inzwischen pilgerten handverlesene Touristen zu ihm. Das Hotel neben seinem Haus, in dem auch Mariano übernachtet hatte, machte ein Bombengeschäft mit

all den Bewunderern des Generals, die hier auf seine Rückkehr von irgendeiner Rußlandtournee oder einfach nur darauf
warteten, von ihm empfangen zu werden. Mariano betrat das
Haus des Generals Kalaschnikow und seiner Frau mit der
Videokamera am Handgelenk. Der General gestattete ihm
zwar, Aufnahmen zu machen, bat ihn allerdings, sie nicht zu
veröffentlichen. Und Mariano nickte – wohl im Bewußtsein,
daß derjenige, der ihm dieses Treffen vermittelt hatte, seine
Adresse, seine Telefonnummer und sein Gesicht kannte. Mariano überreichte dem General ein mit Klebeband umwickeltes
Styroporkistchen, auf dem lauter Büffelköpfe abgebildet waren. Er hatte dieses Kistchen mit Büffelmozzarella aus Aversa,
eingelegt in Molke, im Kofferraum seines Autos bis hierher
gebracht.

Mariano zeigte mir den Film von seinem Besuch im Hause
Kalaschnikow auf dem kleinen Monitor seiner Videokamera.
Die Bilder waren verwackelt, die Nahaufnahmen verzerrt, die
Gesichter tanzten, das Objektiv schlug offenbar ständig gegen
Daumen und Handgelenk. Das Video kam mir vor, als hätten
es Schüler bei einem Schulausflug gedreht, während sie wild
durch die Gegend rannten. Kalaschnikows Haus ähnelte der
Datscha von Gennaro McKay Marino, vielleicht war es aber
auch einfach nur eine typische Datscha. Ich jedoch kannte
nur die des abtrünnigen Bosses in Arzano, die Kalaschnikows
Haus, wie ich fand, aufs Haar glich. Die Wände im Haus der Familie Kalaschnikow waren mit Reproduktionen von Gemälden
Vermeers förmlich tapeziert, die Möbel überladen mit allem
möglichen Nippes aus Kristall und Holz. Der Fußboden war
komplett mit Teppichen ausgelegt. An einer Stelle des Videos
legt der General die Hand vor das Objektiv. Mariano erzählte
mir, er habe mit der Kamera herumgefuchtelt und dreist die
Tür zu einem Zimmer geöffnet, von dem Kalaschnikow auf
keinen Fall eine Videoaufnahme zulassen wollte. In einem Me-
tallschränkchen an der Wand wurde hier, gut sichtbar hinter
Panzerglas, das erste Modell der Kalaschnikow aufbewahrt –
der Prototyp, gebaut nach den Zeichnungen, die der Legende

nach der alte General (damals noch ein unbekannter junger Unteroffizier) während eines Lazarettaufenthalts auf Zettel gekritzelt hatte. Von einer Kugel verwundet, brannte er darauf, eine Waffe zu entwickeln, mit der die frierenden und hungernden Soldaten der Roten Armee unbesiegbar wären. Die erste AK-47 der Geschichte, so eifersüchtig gehütet, wie Dagobert Duck seinen ersten selbstverdienten Cent bewachte. Die berühmte Nummer eins in einem gepanzerten Schaukasten, geradezu obsessiv geschützt vor dem Zugriff der Panzerknakker. Dieses Modell ist unbezahlbar. Für den Besitz der militärischen Reliquie hätten viele wirklich alles gegeben. Nach Kalaschnikows Tod wird sie wohl bei Christie's unter den Hammer kommen, wie die Gemälde Tizians und die Zeichnungen Michelangelos.

Mariano verbrachte den ganzen Vormittag bei den alten Kalaschnikows. Sein russischer Mittelsmann muß wirklich einflußreich sein, wenn ihm der General derart vertraute. Marianos Kamera hielt fest, wie sie am Tisch saßen und eine zierliche Alte den Styropordeckel des Mozzarella-Kistchens öffnete. Sie ließen es sich schmecken. Wodka und Mozzarella. Auch diese Szene hatte Mariano unbedingt aufnehmen wollen, und so hatte er die Kamera an einem Ende des Tisches aufgestellt und laufen lassen. Er wollte dokumentieren, wie General Kalaschnikow Mozzarella aus der Käserei des Bosses verzehrte, für den Mariano arbeitete. Die Aufnahme zeigte im Hintergrund ein Möbelstück mit gerahmten Fotos von Kindern. Zwar konnte ich es kaum erwarten, daß das Video zu Ende war, weil mir schon ganz schlecht war von den verwackelten Bildern, trotzdem konnte ich meine Neugier nicht bezähmen:

»Mariano, sind das alles die Kinder und Enkel von Kalaschnikow?«

»Ach woher! Das sind Fotos der Sprößlinge von Leuten, die ihren Kindern seinen Namen gegeben haben. Leute, denen eine Kalaschnikow das Leben gerettet hat oder die ihn schlicht und einfach bewundern ...«

Ähnlich wie ein Chirurg die Fotos der Kinder, denen er das Leben gerettet, die er operiert und geheilt hat, rahmt und in seinem Sprechzimmer aufstellt, um an seine beruflichen Erfolge zu erinnern, bewahrt auch General Kalaschnikow im Wohnzimmer seines Hauses die Fotos der Kinder auf, die den Namen seiner Erfindung tragen. Ein bekannter Guerillakämpfer der angolanischen Befreiungsbewegung erklärte übrigens im Interview mit einem italienischen Reporter: »Ich habe meinem Sohn den Namen Kalsh gegeben, was soviel bedeutet wie Freiheit.«

Kalaschnikow ist vierundachtzig, ein rüstiger alter Mann, der sich gut gehalten hat. Ständig bekommt er Einladungen. Er ist eine Art Ikone, die überall herumgereicht wird, stellvertretend für das berühmteste Sturmgewehr der Welt. Ehe er als Armeegeneral in Pension ging, bezog er ein Monatsgehalt von fünfhundert Rubel, nach damaligem Wert etwa fünfhundert Dollar. Hätte Kalaschnikow die Möglichkeit gehabt, sein Gewehr im Westen patentieren zu lassen, er wäre heute wohl einer der reichsten Männer der Welt. Schätzungen zufolge (Näherungswerte gerundet) wurden bisher mehr als hundertfünfzig Millionen Sturmgewehre der Baureihe Kalaschnikow hergestellt, die allesamt auf dem Prototyp des Generals basieren. Wenn er für jede dieser Waffen auch nur einen Dollar erhalten hätte, würde er heute in Geld schwimmen. Daß der Geldsegen ausgeblieben war, diese Tragik berührte ihn überhaupt nicht. Er war es, der die Waffe erfunden und seinem Geschöpf seinen Atem eingehaucht hatte, das war für ihn Befriedigung genug. Finanzielle Vorteile hat sie ihm gleichwohl gebracht. Mariano erzählte mir, Kalaschnikow erhalte von seinen Bewunderern Geldzuwendungen. Tausende Dollars gingen auf sein Konto ein, wertvolle Geschenke erreichten ihn aus Afrika. Mobuto, so erzählt man sich, habe ihm eine goldene Stammesmaske und Bokassa einen Baldachin mit Elfenbeinintarsien geschenkt; aus China soll er sogar einen ganzen Zug bekommen haben, Waggons mitsamt einer Lokomotive. Deng Xiaoping wußte, daß der General nicht gern in ein Flugzeug steigt. Aber das waren nur Legenden, Gerüchte, in Umlauf gesetzt von Journalisten, die die Arbeiter in der Rüstungsfabrik von Ischewsk interviewten, weil sie an den General selbst nicht herankamen. Denn Kalaschnikow empfängt nur Besucher, die ihm von maßgeblichen Leuten empfohlen werden.

Michail Kalaschnikow gab auf alle Fragen stereotype, stets gleichlautende Antworten. Er sprach ein flüssiges, einfaches Englisch, das er als Erwachsener gelernt hatte und wie einen Schraubenzieher benutzte. Vor lauter Aufregung stellte ihm Mariano völlig überflüssige, viel zu allgemeine Fragen. »Ich habe diese Waffe nicht erfunden, damit man sie verkauft und Geld damit verdient, sondern einzig und allein zur Verteidigung des Vaterlands in einer Epoche, da dies bitter nötig war. Wenn ich die Zeit zurückdrehen könnte, würde ich genau dasselbe tun und genauso leben. Ich habe mein Leben lang gearbeitet, meine Arbeit ist mein Leben.« So lautete Kalaschnikows Standardantwort auf die Frage nach seiner Waffe.

Nichts auf dieser Welt, sei es organisch oder anorganisch, kein anderes Objekt aus Metall und kein anderes chemisches Element hatte zerstörerischere Folgen als die AK-47. Die Kalaschnikow brachte mehr Menschen den Tod als die Atombomben von Hiroshima und Nagasaki, verursachte mehr Todesfälle als das HIV-Virus oder die Beulenpest, forderte mehr Todesopfer als sämtliche Anschläge islamischer Fundamentalisten, als alle Beben, die jemals die Erde verwüsteten. Eine unvorstellbar große, eine astronomische Zahl von Menschenleben. Nur einem Marketing-Fachmann gelang es, diese Zahl auf einem Kongreß überzeugend zu veranschaulichen: um sich vorzustellen, wie viele Menschen durch diese Waffe starben, müsse man eine Flasche mit Zucker füllen. Jedes einzelne Körnchen, das durch den Flaschenhals riesle, sei ein Mensch, der durch eine Kalaschnikow sein Leben verlor.

Die AK-47 funktioniert immer, selbst unter den widrigsten Umständen. Sie hat niemals Ladehemmung, trifft zielsicher sogar, wenn sie völlig verdreckt und triefend naß ist, liegt bequem in der Hand, und den Abzug kann selbst ein Kind betätigen. Ein glücklicher Zufall, ein Fehler oder eine Ungenauigkeit – sämtliche Faktoren, die einem im Gefecht das Leben retten können, scheinen durch die Präzision der AK-47 ausgeschaltet. Das Schicksal hat ausgespielt. Leicht zu handhaben und leicht zu transportieren, feuert sie mit jener Effizienz, die das Töten erlaubt, ohne daß man dafür eine Ausbildung bräuchte. »Mit dieser Waffe in der Hand wird sogar ein Affe zum Kämpfer«, erklärte der gefürchtete kongolesische Führer Kabila. In den kriegerischen Auseinandersetzungen der letzten dreißig Jahre setzten die Streitkräfte von über fünfzig Ländern Kalaschnikows als Angriffswaffe ein. Nach UN-Angaben waren bei Massakern in Algerien, Angola, Bosnien, Burundi, Kambodscha, Tschetschenien, Kolumbien, im Kongo, auf Haiti, in Kaschmir, Mosambik, Ruanda, Sierra Leone, Somalia und Sri Lanka, im Sudan und in Uganda Kalaschnikows im Einsatz. Mehr als fünfzig reguläre Armeen besitzen Kalaschnikows. Wie viele irreguläre, paramilitärische Einheiten und Guerillagruppen über diese Waffe verfügen, läßt sich statistisch nicht ermitteln.

Im Kalaschnikow-Feuer starben 1981 Sadat, 1982 General Dalla Chiesa und 1989 Ceausescu. Salvador Allende wurde im Regierungspalast Moneda von Kalaschnikow-Patronen durchsiebt aufgefunden. Diese spektakulären Morde sind so etwas wie eine gelungene Werbekampagne für das Sturmgewehr, historisch verbürgte Erfolgsgeschichten. Die AK-47 taucht in der Nationalflagge Mosambiks ebenso auf wie in den Symbolen Hunderter politischer Gruppierungen, von der palästinensischen al-Fatah bis zum peruanischen MRTA. Osama bin Laden benutzt sie in den Bergen bei seinen Videoauftritten als alleiniges Symbol der Bedrohung. Sie ist der ständige Begleiter von politischen Akteuren jeglicher Couleur: von Befreiern und Unterdrückern, Guerillakämpfern regulärer Armeen, Terroristen, Kidnappern und Antiterror-Spezialisten. Kalaschnikow hat eine hocheffiziente Waffe entwickelt, Prototyp für achtzehn verbesserte Varianten und zweiundzwanzig neue Modelle. Sie ist die wahre Verkörperung des freien Warenverkehrs, seine perfekte Ikone, sein Emblem: wer du auch bist, was du auch denkst, woher du auch kommst oder welcher Religion du angehörst, wogegen oder wofür auch immer du bist – es genügt, daß du das, was du tust, mit unserem Produkt tust. Mit fünfzig Millionen Dollar kann man rund zweihunderttausend Sturmgewehre kaufen. Mit fünfzig Millionen Dollar läßt sich eine kleine Armee aufstellen. Alles, was jedwede politische und soziale Bindung außer Kraft setzt, alles, was massenhaft konsumierbar ist und exponentiellen Machtzuwachs verspricht, ist auf dem Markt erfolgreich. Mit seiner Erfindung hat Michail Kalaschnikow sämtlichen Gruppen, die im Großen oder Kleinen am Machtspiel teilhaben, das militärische Instrument schlechthin an die Hand gegeben. Nach Erfindung der Kalaschnikow kann niemand mehr sagen, er sei nur deshalb besiegt worden, weil er keinen Zugang zu Waffen hatte. Kalaschnikow hat eine neue Gleichheit geschaffen: Waffen für alle, Massaker für jeden. Krieg ist heute nicht mehr das Vorrecht regulärer Armeen. Auf globaler Ebene hat die Kalaschnikow das geleistet, was die Clans von Secondigliano auf lokaler Ebene erreicht haben, indem sie das Kokain vollkommen liberalisiert und den Markt hierarchiefrei, flexibel und durchlässig gemacht haben. Jedermann konnte jetzt Schmuggler, Konsument oder Dealer werden. In gleicher Weise gibt die Kalaschnikow jedem die Möglichkeit, Soldat zu werden, sogar schmächtigen Jungen und zierlichen Mädchen. Aus Männern, die nicht einmal mit einer zehnköpfigen Schafherde fertig würden, hat sie Generäle bewaffneter Kampfverbände gemacht. Sturmgewehre kaufen, schießen, Menschen und Dinge verschleißen und neue Waffen kaufen. Der Rest sind Details. Michail Kalaschnikow wirkt auf allen Fotos heiter. Mit kantiger slawischer Stirn und mongolischen Augen, die sich im Alter zu Schlitzen verengen. Er schläft den Schlaf der Gerechten. Er geht vielleicht nicht als glücklicher, aber doch als zufriedener Mensch zu Bett, die Pantoffeln ordentlich unters Bett geschoben; selbst wenn er ernst ist, beschreibt sein Mund einen Bogen nach oben. Ähnlich wie bei diesem Fettsack in *Full Metal Jacket*. Der Mund lächelt, das Gesicht nicht.

Wenn ich mir die Aufnahmen von Michail Kalaschnikow ansehe, muß ich an Alfred Nobel denken, der für den nach ihm benannten Preis berühmt ist. In Wirklichkeit hat er das Dynamit erfunden. Fotografien von Nobel aus den späteren Jahren, als das Dynamit produziert wurde und er begriffen hatte, zu welchem Zweck man seine Mischung aus Nitroglyzerin und Kieselgur einsetzen konnte, zeigen einen von Kummer und Sorge zerstörten Menschen, der sich den Bart rauft. Es mag Einbildung sein, aber für mich sagen diese Aufnahmen, diese Porträts von Nobel mit zusammengezogenen Augenbrauen und verlorenem Blick nur eins: »Das habe ich nicht gewollt. Ich wollte die Berge öffnen, Felsen zertrümmern und Tunnel bauen. Was geschehen ist, lag nicht in meiner Absicht.« Kalaschnikow dagegen wirkt stets heiter, er trägt die Miene eines alten, erinnerungsgesättigten russischen Pensionärs zur Schau. Gut vorstellbar, wie er mit nach Wodka riechendem Atem von einem Freund erzählt, mit dem er die Kriegszeit erlebt hat, oder einem bei Tisch zuflüstert, daß er als junger Mann im Bett keine Ermüdungserscheinungen kannte. Wenn ich mein kindliches Spiel der Phantasie weitertreibe, scheint Michail Kalaschnikows Gesicht zu sagen: »Alles bestens, das sind nicht meine Probleme, ich habe nur eine Waffe erfunden. Was andere damit machen, geht mich nichts an.« Eine Verantwortung, die sich auf den engsten Lebens- und Handlungskreis beschränkt. Man ist nur für das Rechenschaft schuldig, was man eigenhändig getan hat. Das ist, glaube ich, auch einer der Faktoren, die den alten General zur unfreiwilligen Ikone der Clans überall auf der Welt machen. Michail Kalaschnikow ist kein Waffenhändler, er hat mit dem Geschäft nichts zu tun. Er besitzt keinen politischen Einfluß und ist keine charismatische Persönlichkeit. Aber ihm ist das Gebot der Stunde ins Gesicht geschrieben, der Imperativ im Zeitalter des Marktes: tu, was du tun mußt, um erfolgreich zu sein, der Rest geht dich nichts an.

Mariano trug einen Rucksack über einer Fleecejacke mit Kapuze, alles versehen mit dem Label Kalaschnikow. Der General hatte seine Investitionen diversifiziert und entpuppte sich nun als tüchtiger Unternehmer. Niemand war bekannter als er. Aus diesem Grund hatte ein deutscher Unternehmer eine Fabrik mit Kleidungsstücken der Marke Kalaschnikow gegründet. Der General fand Gefallen daran, seinen Namen zu vermarkten, darüber hinaus hatte er in eine Fabrik für Feuerlöscher investiert. Mitten in der Erzählung brach Mariano plötzlich ab und stürzte aus der Bar. Aus seinem Wagen holte er ein grünes Militärköfferchen, das er auf den Tresen stellte. Im ersten Moment glaubte ich, er hätte vollkommen den Verstand verloren mit seiner Glorifizierung des Sturmgewehrs und wäre mit einer Kalaschnikow im Gepäck quer durch Europa gereist, um sie mir hier und jetzt, vor aller Augen, zu zeigen. Und der Militärkoffer enthielt tatsächlich eine Kalaschnikow – eine kleine aus Glas, mit Wodka gefüllt. Eine furchtbar kitschige Flasche, bei der der Verschluß das Rohrende imitierte. Nach seiner Rußlandreise bot Mariano allen Bars im Hinterland von Aversa, die er belieferte, Wodka Kalaschnikow an. Schon stellte ich mir vor, wie diese gläserne Nachbildung in den Regalen sämtlicher Bars zwischen Teverola und Mondragone prangte. Marianos Videofilm näherte sich dem Ende. Meine Augen schmerzten, denn ich bin kurzsichtig und hatte sie die ganze Zeit zusammenkneifen müssen. Doch das letzte Bild war wirklich sehenswert: das alte Ehepaar auf der Türschwelle, Pantoffeln an den Füßen, winkte dem jungen Besucher zum Abschied, im Mund noch den letzten Bissen Mozzarella. Um Mariano und mich hatte sich längst eine Gruppe Jugendlicher geschart, für die der Heimkehrer selbst eine Art Held war, ein Auserwählter. Er hatte Michail Kalaschnikow persönlich kennengelernt. Mariano sah mich mit einer Verschwörermiene an, die ich gar nicht an ihm kannte. Dann löste er das Gummiband von dem Packen Fotos und begann sie durchzusehen. Eines zog er heraus und meinte: »Das ist für dich. Und sag bloß nicht, daß ich nicht an dich denke.«

Auf dem Foto des alten Generals stand mit schwarzem Filzstift: »To Roberto Saviano with Best Regards M. Kalashnikov.«

Die internationalen Wirtschaftsforschungsinstitute benötigen ständig neues Datenmaterial, das sie als tägliches Brot für Zeitungen, Zeitschriften und politische Parteien aufbereiten. Der berühmte »Big-Mac-Index« zum Beispiel, dem zufolge Wohlstand und Kaufkraft eines Landes um so größer sind, je mehr bei McDonald's ein Hamburger kostet. Bei der Bewertung der Menschenrechte in einem bestimmten Land ziehen die Analysten dagegen den Kaufpreis einer Kalaschnikow als Vergleichsgröße heran. Je billiger das Schnellfeuergewehr, desto schwerer sind die Menschenrechtsverstöße in diesem Land, desto geringer ist die Rechtssicherheit und desto morscher und zerrütteter das soziale Gefüge. In Westafrika kostet eine Kalaschnikow bis zu fünfzig Dollar. Im Jemen bekommt man AK-47-Gewehre aus zweiter oder dritter Hand sogar schon für *sechs* Dollar. Die Ausweitung ihrer Herrschaft in den Osten und der Griff nach den Waffenarsenalen der zerfallenden sozialistischen Länder machten die Clans von Caserta und Neapel – neben den kalabresischen Mafiagruppen, mit denen sie in ständigem Kontakt stehen – zu einer der Topadressen für den internationalen Waffenschmuggel.

Die Camorra, die einen großen Teil des weltweiten Waffenhandels kontrolliert, bestimmt den Preis für Kalaschnikows und entscheidet damit indirekt über die Qualität der Menschenrechte im Westen. Eine Art Trockenlegung von Recht und Gesetz, ganz langsam, gewissermaßen Tropfen für Tropfen, die versickern. Während kriminelle Gruppen in Frankreich und Amerika noch Eugene Stoners M16 verwendeten – das unhandliche, sperrige und schwere Sturmgewehr der Marines, das geölt und gereinigt werden muß, will man keine Ladehemmung riskieren –, gingen in Sizilien und Kampanien, von Cinisi bis Casal di Principe, schon in den achtziger Jahren Kalaschnikows von Hand zu Hand. Als Raffaele Spinello aus dem

Genovese-Clan, der Herr über Avellino und Umgebung, im Jahr 2003 als Kronzeuge der Justiz auspackte, wurden die Verbindungen zwischen der baskischen ETA und der Camorra bekannt. Der Genovese-Clan ist mit den Cava aus Quindici und den Familien der Provinz Caserta verbündet. Es ist kein sonderlich bedeutender Clan, dennoch war er der Waffenlieferant für eine der wichtigsten bewaffneten Organisationen in Europa, die im Laufe ihres dreißigjährigen Kampfes alle möglichen Versorgungskanäle genutzt hatte. Und doch waren die kampanischen Clans ihre bevorzugten Geschäftspartner geworden. Nach Erkenntnissen der Staatsanwaltschaft Neapel aus dem Jahr 2003 verhandelten zwei *etarras*, die baskischen Militanten José Miguel Arreta und Gracia Morillo Torres, in einer Hotelsuite in Mailand zehn Tage lang über Preise, Transportrouten und Modalitäten der Übergabe. Man wurde handelseinig. Die ETA lieferte Kokain und erhielt dafür Waffen. Sie drückte den Preis für Kokain, das sie sich über ihre Kontakte mit kolumbianischen Guerillagruppen beschaffte, und übernahm die Kosten und die Verantwortung für den Transport der Ware nach Italien – nur damit die Beziehungen zu den kampanischen Kartells aufrechterhalten wurden, womöglich den einzigen, die ganze Waffenarsenale beschaffen konnten. Aber die ETA wollte nicht nur Kalaschnikows. Sie wollte schwere Waffen, starken Sprengstoff und vor allem Raketenwerfer.

Die Beziehungen zwischen der Camorra und den Guerillakämpfern waren schon immer profitabel. Sogar in Peru, seit jeher Wahlheimat neapolitanischer Drogenschmuggler. Im Jahr 1994 wandte sich die neapolitanische Justiz mit einem Amtshilfeersuchen an die peruanischen Behörden, nachdem in Lima ein Dutzend Italiener umgebracht worden waren. Die Fahnder wollten die Beziehungen zwischen den neapolitanischen Clans und – vermittelt durch die Brüder Rodriguez – dem MRTA offenlegen, den Guerillakämpfern, die sich ein dreieckiges rot-weißes Tuch übers Gesicht zogen. Auch sie – *sogar* sie – hatten mit den Clans verhandelt. Kokain im

Tausch gegen Waffen. 2002 wurde der Anwalt Francesco Magliulo verhaftet. Laut Anklage stand er mit dem Mazzarella-Clan in Verbindung, der mächtigen Familie aus San Giovanni a Teduccio mit einer kriminellen Dépendance in den Vierteln Santa Lucia und Forcella in Neapels Innenstadt. Zwei Jahre lang wurde er von der Polizei beschattet, während er in Ägypten, Griechenland und England Geschäfte tätigte. Ein abgehörtes Telefonat führte er aus Mogadischu, aus der Villa General Aidids, dem somalischen Kriegsherrn, der gegen die Gruppen um Ali Mahdi kämpfte und aus Somalia einen ausgeweideten, verrotteten Kadaver machte, den man nur noch zusammen mit dem Giftmüll halb Europas vergraben konnte. Die Ermittlungen zu den Beziehungen zwischen dem Mazzarella-Clan und Somalia wurden in alle Richtungen geführt, und der Waffenschmuggel war sicherlich eine wichtige Spur. Angesichts der Notwendigkeit, sich bei den kampanischen Clans mit Waffen versorgen zu müssen, werden auch die brutalsten Kriegsherren handzahm.

In Sant'Anastasia, einer Ortschaft an den Hängen des Vesuv, fand man im März 2005 ein spektakuläres Waffenlager. Die Entdeckung verdankte sich teils dem Zufall, teils der Undiszipliniertheit der Waffenschmuggler, die sich auf offener Straße Schlägereien lieferten, weil sich Auftraggeber und Transporteure nicht über den Preis einigen konnten. Die Carabinieri montierten die Verkleidung im Innern des Kleintransporters ab, der unmittelbar am Schauplatz der Schlägerei abgestellt worden war, und stießen auf eines der größten mobilen Waffendepots, die sie je gesehen hatten. Uzi-Maschinenpistolen mit jeweils vier Patronenlagern, sieben Magazinen und hundertzwölf Projektilen Kaliber 380, Maschinenpistolen russischer und tschechischer Herkunft mit einer Kadenz von neunhundertfünfzig Schuß pro Minute. So gut wie neu, perfekt geölt und mit intakter Registriernummer, waren die Gewehre frisch aus Krakau eingetroffen. Neunhundertfünfzig Schuß pro Minute, das entsprach der Feuerkraft der amerikanischen Helikopter in Vietnam. Waffen, mit denen ganze Divisionen von Männern samt Kettenfahrzeugen niedergemäht worden waren, befanden sich plötzlich in den gewaltbereiten Händen einiger Camorra-Familien aus der Gegend um den Vesuv. Derart waffenstarrend, kann man selbst nach der realen leviathanischen Macht des Staates greifen, dessen Herrschaft sich lediglich auf die potentielle Gewalt beruft. In den Waffendepots der Camorra lagern Bazookas, Handgranaten, Panzerabwehrminen und Schnellfeuergewehre, tatsächlich zum Einsatz kommen jedoch ausschließlich Kalaschnikows, Uzi-Maschinenpistolen sowie automatische und halbautomatische Pistolen. Der Rest ist Teil einer Ausrüstung, die dazu dient, die militärische Macht auszubauen und vor Ort vorzeigen zu können. Mit ihren schlagkräftigen Waffenarsenalen stellen sich die Clans nicht der legitimen Gewalt des Staates entgegen, sondern streben danach, für sich ein Gewaltmonopol zu erobern. Kampanien ist nicht gerade besessen von dem Gedanken, die Waffen ruhen zu lassen, wie es die alten Clans der Cosa Nostra vorgezogen haben. Waffengewalt ist hier nichts anderes als die direkte Konsequenz der Kapital- und Territorialherrschaft, der Machtansprüche neuer, aufstrebender Gruppen und rivalisierender Familien. Als verfügten ausschließlich sie über die Idee der Gewalt, den Körper der Gewalt, über die entsprechenden Gewaltmittel. Die Gewalt wird ihr ureigenes Terrain. Ihre Ausübung bedeutet Ausübung ihrer Macht, der Macht des Systems. Die Clans bauten sogar neue Waffen, die von ihren eigenen Mitgliedern entwickelt wurden. Im Jahr 2004 fand die Polizei in Sant'Antimo nördlich von Neapel in einem mit Unkrautbüscheln bedeckten Erdloch ein sonderbares Gewehr, eingewickelt in ein mit Öl getränktes Baumwolltuch. Eine selbstgebastelte zerstörerische Waffe, die auf dem Markt für zweihundertfünfzig Euro zu haben ist: nichts, verglichen mit einer halbautomatischen Waffe, die durchschnittlich zweitausendfünfhundert Euro kostet. Dieses Gewehr der Clans hat eine Gabelung mit zwei Rohren, die sich unabhängig voneinander verwenden lassen. Montiert man beide, wird daraus ein tödliches Gewehr; als Munition dienen Patronen oder Schrotkugeln. Entwickelt nach dem Modell eines Spielzeuggewehrs aus den achtziger Jahren, das Tischtennisbälle ausspuckte, wenn man gegen den Kolben drückte, so daß im Innern eine Feder ausgelöst wurde. Ein Spielzeuggewehr, mit dem unzählige italienische Kinder im Wohnzimmer Krieg spielten. Ausgerechnet dies war das Modell für ein Gewehr, das nur »'o tubo«, das Rohr, genannt wird. Es besteht jedoch aus zwei Rohren, eines davon ist vierzig Zentimeter lang, von größerem Durchmesser und mit einem senkrechten Schaft. Im Innern befindet sich eine große Metallschraube, deren Spitze als Verschluß dient. Das zweite Rohr hat einen kleineren Durchmesser und ist gedacht für eine Patrone Kaliber 20; der Schaft ist seitlich angebracht. Unglaublich simpel und von erschreckender Durchschlagskraft. Das Gewehr hat den Vorteil, daß man nach Gebrauch keine Komplikationen befürchten muß. Man braucht nach dem Anschlag nicht zu fliehen und die Waffe zu zerstören. Man braucht sie nur zu zerlegen, und schon ist sie nur noch ein harmloses, zweiteiliges Rohr und bei einer eventuellen Durchsuchung völlig unverdächtig.

Vor der Beschlagnahme dieser Waffe hatte ich einen armen Hirten von diesem Gewehr erzählen hören, einen jener ausgemergelten italienischen Landbewohner, die bis heute mit ihren Herden über ein von Autobahnbrücken und den Mietskasernen der Vorstädte parzelliertes Land ziehen. Der Hirte fand immer wieder Schafe aus seiner Herde in zwei Hälften geteilt, eher zerhackt als zerschnitten. Diese mageren neapolitanischen Schafe, durch deren Fell man die Rippen sieht und die dioxinverseuchtes Gras fressen, das ihre Zähne verfaulen und ihre Wolle grau werden läßt. Der Hirte glaubte, es stecke eine Kampfansage dahinter, die Provokation vielleicht durch einen Nachbarn, einen Hungerleider wie er, der seinerseits kranke Tiere hatte. Es ergab aber keinen Sinn. In Wirklichkeit testeten die Hersteller des »tubo« die Schlagkraft ihrer Waffe an diesen mageren Tieren. Die Schafe eigneten sich optimal zum Erproben der Zerstörungskraft der Projektile und der Tauglichkeit dieser Waffe. Durch die Wucht der Geschosse wurden die Tiere in die Luft geschleudert und zerrissen wie die Zielobjekte eines Videospiels.

Das Waffenproblem wird in den Eingeweiden der Wirtschaft versteckt gehalten, umhüllt von einem Pankreas des Schweigens. Italien gibt siebenundzwanzig Milliarden Dollar für Waffen aus, mehr als Rußland und doppelt soviel wie Israel. Diese Rangliste erstellte das internationale Friedensforschungsinstitut SIPRI in Stockholm. Berücksichtigt man neben diesen Daten aus der legalen Wirtschaft die drei Milliarden dreihundert Millionen Dollar, die nach Angaben von EURISPES Camorra, 'Ndrangheta, Cosa Nostra und Sacra Corona Unita mit Waffenverkäufen umsetzen, so ergibt sich, daß Staat und Clans zusammengenommen drei Viertel der in der halben Welt zirkulierenden Waffen kontrollieren. Das Kartell der Casalesen ist unbestritten derjenige kriminelle Zusammenschluß, welcher auf internationaler Ebene nicht nur Banden und Milizen, sondern ganze Armeen mit Waffen versorgt. Während des Falklandkriegs 1982 zwischen Großbritannien und Argentinien erlebte Argentinien seine finsterste Zeit der wirtschaftlichen Isolation. In dieser Situation kam die Camorra mit Argentinien ins Geschäft und bot sich als heimliche Vermittlerin im Handel mit Waffen an, die offiziell nicht zu haben waren. Die Clans verfügten über Reserven für einen langen Krieg, doch der Konflikt begann im März und war schon in Juni beendet. Wenige Schüsse, wenige Tote, wenig Bedarf. Ein Krieg, der eher den Politikern als den Geschäftsleuten nützte, eher der Diplomatie als der Ökonomie. Die Clans von Caserta dachten jedoch nicht daran, die Waffen zu verscherbeln, um schnelles Geld zu machen. An dem Tag, als das Ende des Kriegs verkündet wurde, hörte der britische Geheimdienst ein Telefongespräch zwischen Argentinien und San Cipriano d'Aversa ab. Nur zwei Sätze, aber das genügte, um zu verstehen, was für eine Macht und was für diplomatisches Geschick die casertanischen Familien besaßen:

»Hallo?«

»Ja.«

»Hier ist der Krieg zu Ende, was sollen wir tun?«

»Macht euch keine Sorgen, woanders gibt's bald wieder einen ...«

Die Macht in ihrer Weisheit besitzt eine Geduld, die oft den tüchtigsten Unternehmern fehlt. 1977 mischten die Casalesen im Panzergeschäft mit. Nach Informationen des italienischen Geheimdiensts stand im Bahnhof von Villa Literno ein Leopard-Panzer, zerlegt und bereit zum Abtransport. Lange beherrschte die Camorra das Geschäft mit Leopard-Panzern. Im Februar 1986 wurde ein Telefongespräch abgehört, in dem Vertreter des Nuvoletta-Clans mit der damaligen DDR über ein Panzergeschäft verhandelten. Auch nach internen Führungswechseln blieben die Casalesen auf internationaler Ebene die Ansprechpartner nicht nur für kleinere politische Gruppierungen, sondern für die Streitkräfte ganzer Staaten. Nach Dokumenten des militärischen Geheimdienstes SISMI und der Spionageabwehr in Verona aus dem Jahr 1994 stand Zeljko Raznatovic, besser bekannt als »Tiger Arkan«, in Kontakt mit Sandokan Schiavone, dem Oberhaupt der Casalesen. Arkan wurde im Jahr 2000 in einem Belgrader Hotel erschossen. Er war einer der grausamsten serbischen Kriegsverbrecher und machte die muslimischen Dörfer Bosniens dem Erdboden gleich; und er war der Gründer der nationalistischen Gruppe »Serbische Freiwilligen-Garde«. Die beiden Tiger taten sich zusammen. Arkan brauchte Waffen für seine Miliz und suchte insbesondere nach einer Möglichkeit, das gegen Serbien verhängte Embargo zu umgehen, indem er unter dem Deckmantel der Lieferung humanitärer Hilfsgüter (Feldlazarette, Arzneimittel und medizinische Ausrüstung) Kapital und Waffen ins Land schaffte. Nach Dokumenten des SISMI wurden diese Lieferungen im Umfang von mehreren zehn Millionen Dollar in Wirklichkeit von Serbien bezahlt, und zwar aus Guthaben bei einer österreichischen Bank; das Gesamtvolumen dieser Bankeinlagen betrug fünfundachtzig Millionen Dollar. Die Gelder wurden an eine Organisation weitergeleitet, die mit den serbischen und kampanischen Clans in Verbindung stand. Diese Organisation sollte die als humanitäre Hilfsleistungen reklamierten Güter bestellen, die dann mit illegal erwirtschafteten Geldern bezahlt wurden. Auf die Weise konnte man schmutziges Geld waschen. Hier nun traten die casalesischen Clans auf den Plan. Sie organisierten die Firmen, den Transport und die Güter, mit deren Hilfe diese Geldwäsche durchgeführt wurde. Nach Dokumenten des SISMI wandte sich Arkan über seine Mittelsmänner um Hilfe an die Casalesen. Sie sollten die albanische Mafia zum Schweigen bringen, die seinen Finanzfeldzug vereiteln konnte, indem sie von Süden her dazwischenfunkte oder den Waffenschmuggel blockierte. Die Casalesen beschwichtigten ihre albanischen Verbündeten, versorgten Arkan mit Waffen und ermöglichten ihm einen ungestörten Guerillakrieg. Im Gegenzug kauften die Manager des Clans Fabriken, Läden, Bauernhöfe und Zuchtbetriebe zu günstigen Preisen, und italienische Unternehmen wurden in ganz Serbien heimisch. Bevor Arkan mit seinem Krieg begann, wandte er sich an die Camorra. Von Südamerika bis zum Balkan wird mit den Waffen der kampanischen Familien Krieg geführt.

Zement

Ich war lange nicht mehr in Casal di Principe gewesen. Wenn Japan die Heimat des Kampfsports, Australien ein Paradies für Surfer und die Republik Sierra Leone für ihre Diamanten berühmt ist, so ist Casal di Principe die Hauptstadt der unternehmerischen Macht der Camorra. In den Provinzen Neapel und Caserta bedeutete schon allein die Herkunft aus Casal di Principe eine Immunitätsgarantie. Man war mehr als nur man selbst, man entstammte gewissermaßen der grausamen Mitte der kriminellen casertanischen Gruppen. Man wurde automatisch mit Respekt behandelt; eine gleichsam natürliche Angst schlug einem entgegen. Selbst Benito Mussolini hatte dieses Stigma der Herkunft, diesen Ruch des Kriminellen beseitigen wollen und die beiden Gemeinden San Cipriano d'Aversa und Casal di Principe in Albanova umgetauft. Damit eine neue Morgenröte (»alba«) von Recht und Gerechtigkeit anbrechen konnte, schickte er zudem ein paar Dutzend Carabinieri, die dem Problem »mit Feuer und Schwert« zu Leibe rücken sollten. Heute trägt nur noch der vor sich hin rostende Bahnhof von Casale den Namen Albanova.

Du kannst stundenlang einen Sandsack traktieren, nachmittagelang unter der Scheibenhantel deine Brustmuskeln trainieren und Unmengen von Anabolika zum Muskelaufbau schlucken; aber wenn du den richtigen Akzent drauf hast und gewisse Gesten machst, fangen selbst Tote an zu zittern. Hier kennt man alte Redensarten, die den unheilvollen Bedeutungsgehalt eines bestimmten Mythos der Gewalt treffend zum Ausdruck bringen: »Zum Camorristen wird man gemacht, als Casalese wird man geboren.« Bevor man im Streit oder nach einem herausfordernden Blickwechsel mit der Faust zuschlägt oder das Messer zieht, verkündet man sein Lebensmotto: »Leben und Tod sind für mich einerlei!« Bisweilen genügt schon der Hinweis auf den Herkunftsort, um Eindruck zu machen. Die Bilder brutaler Gewalt, mit denen man sofort gleichgesetzt wird, haben eine durchaus einschüchternde Wirkung. Man bekommt dann beispielsweise eine verbilligte Kinokarte, oder eine ängstliche Verkäuferin räumt einem Kredit ein. Manchmal sind die Vorurteile, die einem entgegenschlagen, aber auch allzu belastend, und man hat keine Lust zu beteuern, daß nicht alle dazugehören, daß nicht alle kriminell und die Camorristen eine Minderheit sind. Dann sagt man der Einfachheit halber, man stamme aus einem benachbarten Ort, der weniger bekannt ist und einen nicht sofort in die Nähe krimineller Machenschaften rückt. Besser also, man ist aus Neapel ganz allgemein statt aus Secondigliano, besser, man stammt aus Aversa oder Caserta statt aus Casal di Principe. Man schämt sich oder zeigt Stolz, je nachdem, wie es das Spiel, der Augenblick oder die Situation erfordert. Wie ein Kleidungsstück, das aber selbst bestimmt, wann man es anzieht.

Verglichen mit Casal di Principe ist Corleone Disney-Land. Casal di Principe, San Cipriano d'Aversa, Casapesenna. Ein Territorium mit nicht einmal hunderttausend Einwohnern, aber tausendzweihundert Verurteilten gemäß Artikel 416b des Strafgesetzbuchs, dem Straftatbestand der Bildung einer mafiaartigen Vereinigung; hinzu kommt eine Unmenge von Beschuldigten und Verurteilten wegen externer Beteiligung an einer mafiaartigen Vereinigung. Seit undenklichen Zeiten hat dieser Landstrich unter den Camorra-Familien zu leiden, einer gewalttätigen und grausamen Bourgeoisie, deren blutigste und mächtigste Speerspitze der Clan ist. Im Clan der Casalesen, benannt nach Casal di Principe, sind sämtliche Camorra-Familien der Provinz Caserta in einem Bündnis zusammengeschlossen und genießen gleichzeitig weitgehende Autonomie: die Familien aus Castelvolturno, Villa Literno, Gricignano, San Tammaro und Cesa, Villa di Briano, Mondragone, Carinola, Marcianise, San Nicola La Strada, Calvi

Risorta, Lusciano sowie Dutzenden weiterer Ortschaften. Jede mit einem eigenen Capozona, allesamt Teil des casalesischen Netzwerks. Antonio Bardellino, der Stammvater der casalesischen Familien, hatte in Italien als erster erkannt, daß Heroin langfristig durch Kokain abgelöst werden würde. Trotzdem blieb für die Cosa Nostra und viele Camorra-Familien Heroin die wichtigste Handelsware. Die Junkies galten als eine wahre Goldgrube, während Kokain in den achtziger Jahren noch im Ruf einer High-Society-Droge stand. Antonio Bardellino jedoch hatte begriffen, daß das große Geschäft mit einer Droge zu machen war, die nicht über kurz oder lang tötete; mit einer Droge, die gewissermaßen ein Aperitif gutbürgerlicher Kreise und nicht das Gift sozialer Außenseiter war. Er gründete daher eine Import-Export-Firma für Fischmehl, das er aus Südamerika exportierte und nach Aversa importierte. Fischmehl, in dem tonnenweise Kokain versteckt war. Das Heroin, mit dem er handelte, schmuggelte Bardellino auch nach Amerika. In Filtern für Espressomaschinen versteckt, schickte er es an John Gotti, einen der berühmtesten Cosa-Nostra-Bosse von New York. Einmal beschlagnahmten die amerikanischen Drogenfahnder siebenundsechzig Kilo Heroin, doch für den Boss von San Cipriano d'Aversa war das nicht weiter tragisch. Ein paar Tage später ließ er Gotti telefonisch ausrichten: »Jetzt schicken wir dir doppelt soviel, und zwar auf einem anderen Weg.« In Aversa und Umgebung entstand damit ein Kartell, das sich Cutolo entgegenstellen konnte, und die Brutalität, mit der dieser Krieg geführt wurde, ist dem genetischen Code der casertanischen Clans bis heute einbeschrieben. In den achtziger Jahren wurden die mit Cutolo verbündeten Familien im Zuge weniger, jedoch äußerst heftiger militärischer Operationen eliminiert. Die Di Matteo, vier Männer und vier Frauen, wurden innerhalb von wenigen Tagen niedergemetzelt; nur ein achtjähriges Kind ließen die Casalesen am Leben. Die sieben Mitglieder der Familie Simeone wiederum wurden fast gleichzeitig getötet. Am Morgen noch quicklebendig und im Vollbesitz ihrer Macht, waren sie abends ausgelöscht. Abgeschlachtet. Im März 1982 postierten die Casalesen in Ponte Annicchino ein Maschinengewehr, wie es im Schützengraben verwendet wird, auf eine Anhöhe und schossen vier Gefolgsleute Cutolos nieder.

Antonio Bardellino war Mitglied der Cosa Nostra, eng mit Tano Badalamenti verbunden und ein Freund und Gefährte des sizilianischen Bosses Tommaso Buscettas, mit dem er sich in Südamerika eine Villa geteilt hatte. Als die Corleonesen Badalamenti und Buscetta entmachteten, versuchten sie auch, Bardellino zu beseitigen, ohne Erfolg. In der ersten Phase des Aufstiegs der Nuova Camorra Organizzata versuchten die Sizilianer, auch Raffaele Cutolo auszuschalten. Sie schickten den Killer Mimmo Bruno mit einer Fähre aus Palermo, doch kaum hatte er den Hafen verlassen, wurde er umgebracht. Die Cosa Nostra wahrte gegenüber den Casalesen stets so etwas wie Respekt und Zurückhaltung, aber als diese im Jahr 2002 Raffaele Lubrano erledigten, den Boss von Pignataro Maggiore bei Capua, dessen Mitgliedschaft in der Cosa Nostra von Totò Riina selbst eingefädelt worden war, befürchteten viele den Ausbruch einer Fehde. Ich weiß noch, wie am Tag nach dem tödlichen Anschlag ein Zeitungshändler einem Kunden die Befürchtungen zumurmelte, die ihn plagten:

»Wenn sie anfangen, auch noch die Sizilianer zu bekämpfen, haben wir drei Jahre lang keine Ruhe.«

»Welche Sizilianer? Die Mafiosi?«

»Ja, die Mafiosi.«

»Die sollten vor den Casalesen in die Knie gehen und ihnen einen ablutschen. Nichts weiter, ihnen einen ablutschen und fertig.«

Eine Beschreibung der sizilianischen Mafiosi, die mich sehr erschütterte, gab Carmine Schiavone, Mitglied des Clans der Casalesen und Kronzeuge der Justiz, im Jahr 2005 in einem Interview. Er sprach von der Cosa Nostra als einer Sklavenorganisation der Politiker, die unfähig sei, unternehmerisch zu denken wie die Camorristen aus Caserta. Schiavone zufolge habe sich die Mafia als Gegenstaat etablieren wollen, was einem Geschäftsmann nie in den Sinn käme. Es gebe kein Paradigma Staat/Gegenstaat. Es gebe nur ein Territorium, auf dem Geschäfte getätigt würden: mit, durch oder ohne den Staat:

> Wir lebten mit dem Staat. Für uns war der Staat unverzichtbar, und zwar genau der Staat, wie er war; allerdings hatten wir eine vollkommen andere Philosophie als die Sizilianer. Riina kam aus der völligen Isolation, er stammte aus den Bergen, ein Schafhirte eben. Wir hingegen hatten uns von diesen Beschränkungen befreit, wir wollten mit dem Staat leben. Wenn jemand im Staat uns Steine in den Weg legte, suchten wir uns einen anderen, der bereit war, uns Gefälligkeiten zu erweisen. Einem Politiker verweigerten wir unsere Stimme, bei einem Beamten fand sich immer eine Möglichkeit, ihn zu umgehen.

Carmine Schiavone, ein Cousin des Bosses Sandokan, war der erste, der die wirtschaftlichen Machenschaften des casalesischen Clans offenlegte. Als er sich für eine Zusammenarbeit mit der Justiz entschied, fällte seine Tochter Giuseppina ein vernichtendes Urteil über ihn, das womöglich schlimmer war als ein Todesurteil. An einige Zeitungen schrieb sie wutentbrannte Briefe: »Er ist absolut unaufrichtig, ein Lügner, ein Bösewicht und ein Heuchler, er hat sein Scheitern verkauft. Eine Bestie. Er ist nie mein Vater gewesen. Ich weiß nicht einmal, was die Camorra ist.«

Unternehmer. So nennen sich die Camorristen der Provinz Caserta. Unternehmer, weiter nichts. Ein Clan brutaler Betriebswirte, blutrünstiger Manager, Bauunternehmer und Grundbesitzer. Jeder mit einer eigenen bewaffneten Bande, untereinander verbunden durch Geschäftsinteressen in sämtlichen Wirtschaftsbranchen. Die Stärke des casalesischen Kartells lag schon immer in seiner Fähigkeit, riesige Mengen

Drogen umzuschlagen, ohne einen Binnenmarkt beliefern zu müssen. Ihr Drogenumschlagplatz ist Rom, weitaus bedeutsamer aber ist inzwischen ihre Mittlerfunktion im Drogengroßhandel. In den Akten der Antimafia-Kommission 2006 heißt es, die Casalesen hätten die palermitanischen Familien mit Drogen beliefert. Durch den Zusammenschluß mit nigerianischen und albanischen Clans gelang es ihnen, sich aus dem Detailabsatz der Drogen zurückzuziehen. Die Absprachen mit den nigerianischen Clans von Lagos und Benin City, die Bündnisse mit den Mafiafamilien von Priština und Tirana, die Übereinkünfte mit den ukrainischen Mafiosi von Lemberg und Kiew entbanden die casalesischen Clans von der Notwendigkeit krimineller Aktivitäten auf der untersten Ebene. Gleichzeitig bekamen sie die Möglichkeit, in osteuropäischen Ländern günstig zu investieren, und konnten bei den internationalen Schmugglern mit Stützpunkten in Nigeria Kokain zu einem guten Preis einkaufen. Der Wechsel an der Spitze, die neuen Kriege, all das geschah nach dem Ende des Bardellino-Clans, der wirtschaftlichen Keimzelle der Camorra in dieser Gegend. Nachdem Antonio Bardellino in sämtlichen legalen und illegalen Sparten vom Drogenhandel bis zur Baubranche die unbestrittene Führungsrolle erlangt hatte, setzte er sich mit einer neuen Familie nach Santo Domingo ab. Seinen südamerikanischen Kindern gab er dieselben Namen wie denen von San Cipriano – eine einfache und bequeme Art, den Überblick zu behalten. Seine engsten Vertrauten übernahmen im Territorium des Clans die Regie. Den Krieg gegen Cutolo hatten sie unbeschadet überstanden, sie hatten Firmen gegründet, an Ansehen und Einfluß gewonnen und hatten geschäftlich nach Norditalien und ins Ausland expandiert. Mario Iovine, Vincenzo De Falco, Francesco Schiavone »Sandokan«, Francesco Bidognetti »Cicciotto di Mezzanotte« und Vincenzo Zagaria waren die Bosse des casalesischen Verbands. Anfang der achtziger Jahre führten Cicciotto di Mezzanotte und Sandokan das militärische Kommando; gleichzeitig waren sie Unternehmer, die in allen möglichen Branchen Geschäfte tätigten. Und sie spielten bereits mit dem Gedanken, sich an die Spitze der vielköpfigen Organisation zu stellen. Doch in Mario Iovine, einem Boss, der Bardellino sehr nahestand, stießen sie auf einen Gegner dieser Autonomiebestrebungen. Also bedienten sie sich der schroffen camorristischen Diplomatie in der einzigen Art und Weise, die sie ihren Zielen näher bringen konnte: indem sie einen mörderischen Krieg innerhalb der eigenen Reihen entfachten.

Nach Angaben des Kronzeugen Carmine Schiavone wurde Antonio Bardellino von den beiden Bossen gedrängt, nach Italien zurückzukehren und Marios Bruder Mimì Iovine auszuschalten, den Besitzer einer Möbelfabrik. Der hatte mit den internen Machtkämpfen der Camorra zwar offiziell nichts zu tun, aber nach Ansicht der beiden Bosse hatte er zu oft geplaudert, zu oft Informationen an die Carabinieri weitergegeben. Um den Boss für ihren Plan zu gewinnen, sagten sie ihm, sogar Mario sei bereit, seinen Bruder zu opfern, damit die Macht des Clans gewahrt bleibe. Bardellino ließ sich überreden und erteilte den Befehl, Mimì auf dem Weg zur Arbeit zu ermorden. Unmittelbar danach übten Cicciotto di Mezzanotte und Sandokan Druck auf Mario Iovine aus, Bardellino auszuschalten. Bardellino, so behaupteten sie, habe es gewagt, Marios Bruder unter einem Vorwand, aufgrund eines bloßen Gerüchts umzubringen. Ein doppeltes Spiel, das darauf abzielte, die beiden aufeinanderzuhetzen. Sie begannen, sich zu organisieren. Bardellinos mutmaßliche Nachfolger waren alle einverstanden, den Boss der Bosse auszuschalten, jenen Mann, der vor allen anderen in Kampanien ein System krimineller Wirtschaftsmacht aufgebaut hatte. Man überredete den Boss, Santo Domingo zu verlassen und in die Villa in Brasilien überzusiedeln. Man sagte ihm, Interpol sei ihm auf den Fersen. 1988 besuchte ihn dort Mario Iovine, vorgeblich, um über die Import-Export-Geschäfte mit Fischmehl und Kokain zu sprechen. Eines Nachmittags schlug Iovine – weil er die Pistole nicht mehr fand, die er in seiner Hosentasche gehabt hatte – Bardellino mit einem Holzhammer den Schädel ein. Die Leiche versenkte er in einer am brasilianischen Strand ausgehobenen Grube. Sie wurde jedoch nie gefunden, und so entstand die Legende, Antonio Bardellino sei in Wirklichkeit noch am Leben und genieße seinen Reichtum auf irgendeiner südamerikanischen Insel. Sofort nachdem Bardellino erledigt war, rief Iovine Vincenzo De Falco an, um ihn zu informieren. Damit begann die blutige Auslöschung der Bardellinianer. Paride Salzillo, der Neffe und eigentliche Kronprinz Bardellinos, wurde zu einem Gipfeltreffen des casalesischen Kartells eingeladen. Nach Aussage des Kronzeugen Carmine Schiavone ließ man ihn als den Stellvertreter seines Onkels am Kopfende des Tisches Platz nehmen. Plötzlich stürzte sich Sandokan auf ihn, um ihn zu erdrosseln, sein Cousin und Namensvetter mit dem Spitznamen »*Cicciariello*« (Dickerchen) sowie zwei weitere seiner Gefolgsleute, Raffaele Diana und Giuseppe Caterino, hielten das Opfer an Armen und Beinen fest. Sie hätten Salzillo nach guter Tradition der alten Bosse auch mit der Pistole oder mit Messerstichen in den Bauch töten können. Aber sie wollten ihn eigenhändig erdrosseln, auf dieselbe Weise, wie neue Thronprätendenten einst die alten Herrscher ausschalteten. Seit im Jahr 1345 Andreas von Ungarn in Aversa stranguliert worden war – an der von seiner Gemahlin Johanna I. angezettelten Verschwörung beteiligten sich auch neapolitanische Adlige unter Führung Karls von Durazzo, der nach dem Thron von Neapel strebte –, galt in Aversa und seinem Umland Erdrosseln als klares Symbol für einen blutig erzwungenen Machtwechsel. Sandokan mußte allen Bossen zeigen, daß er der Thronerbe war und durch seine Brutalität das Recht auf die Führungsposition erworben hatte.

Antonio Bardellino hatte ein fein verästeltes Herrschaftssystem geschaffen, doch die einzelnen unternehmerischen Zellen innerhalb dieses Systems konnten und wollten jetzt nicht länger unselbständig operieren. Sie waren zur Reife gelangt und drängten nach Entfaltung ihrer Macht, befreit von den Fesseln der Hierarchie. Und so wurde Sandokan Schiavone der neue Führer. In seinem äußerst effizienten System waren sämtliche Schlüsselpositionen mit Mitgliedern seiner Familie besetzt. Sein Bruder Walter war für die militärische Seite, sein Cousin Carmine für Wirtschaft und Finanzen zuständig, sein Cousin Francesco ließ sich zum Bürgermeister von Casal di Principe wählen, und ein weiterer Cousin, Nicola, wurde Finanzreferent. Entscheidende Maßnahmen, um sich vor Ort durchzusetzen, und in jener Phase des Aufstiegs von eminenter Bedeutung. Sandokan festigte seine Macht in den ersten Jahren auch durch eng geknüpfte politische Bindungen. Nach einem Konflikt mit der alten Democrazia Cristiana unterstützten die Clans von Casal di Principe 1992 die liberale Partei, die daraufhin den größten Stimmenzuwachs ihrer Geschichte verzeichnen konnte: mit einem Anstieg von knapp ein auf dreißig Prozent. Alle anderen Spitzenleute des Clans standen jedoch Sandokans absolutem Herrschaftsanspruch feindselig gegenüber. Insbesondere die De Falco, die Carabinieri und Polizisten auf ihrer Seite hatten und über unternehmerische und politische Allianzen verfügten. 1990 fanden mehrere Treffen der casalesischen Clanchefs statt, und zu einem war auch Vincenzo De Falco, Spitzname »'o fuggiasco« (der Flüchtling), geladen. Die Bosse wollten ihn aus dem Weg räumen. Er erschien nicht. An seiner Stelle kamen die Carabinieri und verhafteten die ganze Versammlung. 1991 starb Vincenzo De Falco, von Kugeln durchsiebt, in seinem Auto. Die Polizei fand ihn zusammengesackt mit laut aufgedrehter Stereoanlage, die Kassette von Domenico Modugno lief noch. Nach diesem Mord spalteten sich die Familien des casalesischen Verbandes. Auf der einen Seite fanden sich jene Familien zusammen, die Sandokan und Iovine nahestanden: Zagaria, Reccia, Bidognetti und Caterino; auf der anderen Seite das De-Falco-Lager: Quadrano, La Torre, Luise, Salzillo. Den Tod von »'o fuggiasco« rächten die De Falco 1991 mit der Ermordung Mario Iovines im portugiesischen Cascais; er wurde in einer Telefonzelle von Schüssen niedergestreckt. Mit Iovines Tod hatte Sandokan Schiavone freie Bahn. Der Krieg tobte vier Jahre. Vier Jahre lang lieferten sich die mit Schiavone bzw. De Falco verbündeten Familien blutige Schlachten. Es gab unterschiedliche Allianzen, Clans wechselten die Seiten, doch statt das Problem wirklich zu lösen, wurden lediglich Territorien und Macht verteilt. Sandokan stieg zur Symbolfigur des Siegs seines Kartells über die anderen Familien auf. Später dann wurden alle seine Feinde zu Verbündeten. Zement, Drogenhandel und Schutzgelderpressung, Transportwesen, Müllentsorgung, Handels- und Preismonopole für alle möglichen Waren, das war das unternehmerische Betätigungsfeld der Casalesen Sandokans. Die Zementkonsortien wurden dabei zur entscheidenden Waffe.

Jedes Bauunternehmen benötigt Zement von den Konsortien, und dieser Umstand wurde ausschlaggebend dafür, daß die Clans mit sämtlichen Bauunternehmen ihres Territoriums und mit allen möglichen anderen Unternehmen ins Geschäft kamen. Der Preis, zu dem die Konsortien der Clans Zement anboten, erwies sich als Trumpfkarte, wie Carmine Schiavone in den Verhören immer wieder betonte. Denn die Konsortien lieferten nicht nur Zement. Mit ihren Schiffen lieferten sie Waffen an die Länder des Nahen Ostens, gegen die ein Embargo verhängt war. Die auf dieser illegalen Ebene erzielten Gewinne ermöglichten es, den Preis für Waren aus der legalen Wirtschaft zu drücken. Die casalesischen Clans profitierten in allen Bereichen der Baubranche: wenn sie Zement lieferten, Aufträge an Dritte weitergaben und bei großen Geschäften Schmiergelder kassierten. Schmiergelder waren der Ausgangspunkt, denn ohne Schmiergeld hätte keine ihrer kostengünstigen und effizienten Firmen und auch kein anderer Betrieb preiswert und ohne Reibungsverluste wirtschaften können. Der Umsatz der Unternehmen, in denen die Familie Schiavone tätig ist, beläuft sich auf fünf Milliarden Euro. Die Kapitalkraft des Kartells der casalesischen Familien – Immobilien, Landgüter, Aktien, liquide Mittel, Baufirmen, Zucker- und Zementfabriken, Geldverleih zu Wucherzinsen, Drogen- und Waffenhandel – beläuft sich auf insgesamt rund dreißig Milliarden Euro. Die casalesische Camorra hat sich längst zu einem Unternehmen mit diversifizierten Geschäftszweigen entwickelt;

es ist das zuverlässigste in ganz Kampanien und kann überall mitmischen. Das Volumen der illegal angehäuften Vermögenswerte garantiert zinsgünstige Kredite, so daß die Konkurrenz durch Dumpingpreise und auch durch Einschüchterungen aus dem Rennen geschlagen werden kann. Die neue camorristische Bourgeoisie der Casalesen machte aus der Praxis der Erpressung eine zusätzliche Dienstleistung und aus der Schutzgeldzahlung eine Art stille Teilhaberschaft am Unternehmen Camorra. Mit einer monatlichen Zahlung stellt man dem Clan Geld für geschäftliche Aktivitäten zur Verfügung, gleichzeitig genießt man aber auch finanzielle Rückendeckung gegenüber den Banken und kann sicher sein, daß Lkw-Lieferungen pünktlich eintreffen und Handelsvertreter respektvoll behandelt werden. Die Schutzgeldzahlung als Anspruch auf ganz bestimmte Dienstleistungen. Dieses neue Konzept der Schutzgelderpressung legten Ermittlungen der Polizei von Caserta aus dem Jahr 2004 offen, die schließlich zur Verhaftung von achtzehn Personen führten. Francesco Schiavone Sandokan, Michele Zagaria und der Moccia-Clan waren die wichtigsten Partner von Cirio und Parmalat in Kampanien. In der gesamten Provinz Caserta, in weiten Teilen der Provinz Neapel, im südlichen Latium, in Teilen der Marken, der Abruzzen und Lukaniens eroberte die von Cirio und später von Parmalat vertriebene Milch einen Marktanteil von neunzig Prozent – dank der engen Verbindungen zur casalesischen Camorra und dank der Schmiergelder, die die Konzerne den Clans zahlten, um ihre führende Position auf dem Markt nicht zu verlieren. Die hier vertriebenen Marken gehörten ursprünglich zu Eurolat, das 1999 von Cragnottis Cirio-Konzern an Tanzis Parmalat überging.

Die Staatsanwaltschaft ordnete die Beschlagnahme von drei Vertragsfirmen und mehreren Milchvertriebs- und Verkaufsfirmen an, die laut Anklage allesamt von der casalesischen Camorra kontrolliert wurden. Die Milchbetriebe waren Scheinfirmen, die im Auftrag der Casalesen agierten. Um in den Genuß einer Vorzugsbehandlung zu kommen, hatte Cirio und später dann Parmalat direkt mit Michele Zagarias Schwager verhandelt; Zagaria, seit zehn Jahren untergetaucht, führt den Clan der Casalesen. Ihre Sonderstellung sicherten sich Cirio und Parmalat insbesondere durch eine bestimmte Geschäftspolitik. Sie gewährten den Vertriebsfirmen ihrer Produkte statt der üblichen drei Prozent einen Sonderrabatt zwischen vier und sechseinhalb Prozent, darüber hinaus diverse Leistungsprämien. Auf die Weise konnten auch Supermärkte sowie der Einzelhandel gute Rabatte bekommen, und so erzielten die Casalesen für ihr Marktmonopol einen breiten Konsens. Wo keine gütliche Einigung erreicht und keine gemeinsame Basis gefunden wurde, griff man zum Mittel der Gewalt: Drohungen, Erpressung, Zerstörung der Lkws, die die Waren transportierten. Die Fahrer wurden zusammengeschlagen, die Lastzüge der Konkurrenzbetriebe überfallen, die Warenlager in Brand gesteckt. In diesem Klima der Angst war es bald unmöglich, andere als die von den Casalesen diktierten Milchmarken zu vertreiben. Es fand sich auch niemand mehr, der bereit war, die Konkurrenzprodukte zu verkaufen. Die Rechnung zahlten die Verbraucher, denn da es aufgrund der Monopolstellung und des blockierten Marktes keinen echten Wettbewerb gab, gerieten die Endpreise außer Kontrolle.

Diese Absprachen zwischen den überregionalen Milchbetrieben und der Camorra kamen im Herbst 2000 ans Licht, als Cuono Lettiero, ein Mitglied der Casalesen, sich entschloß, mit der Justiz zusammenzuarbeiten und über das Handelsnetzwerk der Clans zu berichten. Eine stabile Absatzrate war der einfachste und direkteste Weg, Bankgarantien zu bekommen; davon träumt jedes große Unternehmen. Cirio und Parmalat wurden im juristischen Sinne zu »geschädigten Parteien«, also zu Opfern erpresserischer Machenschaften. Die Ermittler jedoch gelangten zu der Überzeugung, daß ein relativ entspanntes Geschäftsklima herrschte und beide Seiten – die überregionalen Konzerne und die örtlichen Camorristen – zu wechselseitiger Zufriedenheit agierten.

Cirio und Parmalat erstatteten niemals Anzeige gegen die

kampanischen Clans, auch dann nicht, als im Jahr 1998 ein Mitarbeiter von Cirio in seinem Haus in der Provinz Caserta Opfer eines Gewaltanschlags wurde. Man schlug ihn vor den Augen seiner Frau und seiner neunjährigen Tochter mit einem Knüppel brutal zusammen, weil er den Anweisungen der Clans nicht gefolgt war. Kein Protest, keine Anzeige. Die Sicherheit des Monopols war besser als die Unsicherheit des Marktes. Die Schmiergelder, die gezahlt wurden, um die Monopolstellung auf dem kampanischen Markt zu behalten, mußten selbstverständlich in den Unternehmensbilanzen ausgewiesen werden: kein Problem im Land der kreativen Finanzfachleute, wo Bilanzfälschung nicht als Strafdelikt gilt. Gefälschte Rechnungen, gefälschtes Sponsoring, gefälschte Jahresabschlußprämien bezüglich der verkauften Milchmengen – auf die Weise konnte man alle Probleme lösen. Laut diesen Bilanzen wurden seit 1997 Veranstaltungen gesponsert, die in Wirklichkeit niemals stattfanden: das Mozzarella-Volksfest, Straßenmusik, ja sogar das Fest des heiligen Tammaro, Schutzpatron von Villa Literno. Cirio wiederum unterstützte in Anerkennung der geleisteten Dienste den Sportverein Polisportiva Afragolese, der faktisch vom Moccia-Clan geführt wurde, außerdem ein ganzes Netzwerk von Sport-, Musik- und Freizeitvereinen: die »Zivilgesellschaft« der Casalesen.

Die Expansion der Clans bis nach Osteuropa – nach Polen, Rumänien und Ungarn – brachte in den vergangenen Jahren einen enormen Machtzuwachs. Im März 2004 wurde in Polen Sandokans Cousin Francesco Schiavone (Cicciariello) verhaftet. Der korpulente Boss mit Schnurrbärtchen, eine der Schlüsselfiguren des camorristischen Verbands, wurde wegen zehnfachen Mordes, dreifachen Menschenraubs, neunfachen versuchten Mordes, zahlloser Verstöße gegen das Waffengesetz sowie Erpressung gesucht. Beim Einkaufen mit seiner fünfundzwanzigjährigen rumänischen Freundin Luiza Boetz schnappte die Falle zu. Der einundfünfzigjährige Cicciariello trat unter dem Namen Antonio als einfacher italienischer Geschäftsmann auf. Doch daß mit seinem Leben etwas nicht stimmte, muß auch Luiza geahnt haben. Um sich in Krosno bei Krakau mit ihm zu treffen, fuhr sie kreuz und quer mit dem Zug – ein Trick, um die Polizei in die Irre zu führen. Ihre Beschatter verfolgten sie auf diesen verschlungenen Reisewegen über drei Landesgrenzen hinweg und dann mit dem Auto bis an die Peripherie der polnischen Stadt. Cicciariello wurde an der Kasse eines Supermarkts verhaftet; er hatte sich den Schnurrbart gestutzt, die Locken glätten lassen, und er hatte abgenommen. Zwar war er nach Ungarn übergesiedelt, traf sich aber weiterhin mit seiner Freundin in Polen. Er besaß nicht nur Zuchtbetriebe und ausgedehnte Baulandflächen, er war auch Mittelsmann für Unternehmer vor Ort. Der italienische Vertreter des Osteuropäischen Zentrums zur Bekämpfung grenzüberschreitender Kriminalität (SECI, Southeast European Cooperative Initiative) hatte darauf hingewiesen, daß Schiavone und seine Leute oft nach Rumänien reisten und in Barlad (im Osten des Landes), in Sinaia (in der Mitte), in Cluj (im Westen) sowie an der Schwarzmeerküste wichtige Geschäftsbeziehungen geknüpft hätten. Neben Luiza Boetz hatte Cicciariello Schiavone eine weitere Geliebte, Cristina Coremanciau, ebenfalls Rumänin. Die Nachricht von seiner Verhaftung »wegen einer Frau« wurde in Casale als eine Verhöhnung des Bosses aufgenommen. Eine Lokalzeitung titelte fast spöttisch: »Cicciariello mit der Geliebten verhaftet.« In Wirklichkeit waren die beiden Geliebten knallharte Managerinnen, die sich um Cicciariellos Investitionen in Polen und Rumänien kümmerten und bei seinen Geschäften eine Schlüsselrolle spielten. Cicciariello wurde als einer der letzten Bosse der Familie Schiavone verhaftet. Viele aus der Führungsriege und zahlreiche Mitglieder des casalesischen Clans waren im Laufe von zwanzig Jahren Macht und Machtkämpfen im Gefängnis gelandet. Der Mammutprozeß »Spartacus« – benannt nach dem rebellischen Gladiator, der ausgerechnet von hier aus den größten Aufstand anführte, den Rom je gesehen hatte – bildete den Schlußstrich unter die Ermittlungen gegen das verästelte Kartell der Casalesen.

Am Tag der Urteilsverkündung ging ich zum Gericht von Santa Maria Capua Vetere. Ich stellte meine Vespa zwischen zwei Autos ab, und es gelang mir sogar, in das Gebäude hineinzukommen. Ich hatte mit einem gigantischen Medienauflauf gerechnet, aber es waren nur ein paar Kameraleute und Fotografen lokaler Medien da. Dagegen wimmelte es nur so von Carabinieri und Polizei. Insgesamt etwa zweihundert. Zwei Hubschrauber donnerten in so geringer Höhe über das Gebäude hinweg, daß einem der Lärm der Rotoren in den Ohren dröhnte. Bombenspürhunde, mobile Einsatzkommandos. Die Atmosphäre war zum Zerreißen gespannt. Trotzdem fehlten die überregionale Presse und das überregionale Fernsehen. Der größte Prozeß gegen ein kriminelles Kartell, sowohl was die Zahl der Angeklagten als auch das geforderte Strafmaß anging, wurde von den Medien vollkommen ignoriert. Juristen ist der »Spartacus«-Prozeß unter der Registernummer 3615 geläufig. Er stützte sich vor allem auf die Aussagen des Kronzeugen Carmine Schiavone. Seit 1993 hatte die Antimafia-Staatsanwaltschaft gegen rund tausenddreihundert Personen ermittelt.

Der Prozeß zog sich über sieben Jahre und einundzwanzig Tage hin. Mit insgesamt sechshundertsechsundzwanzig Anhörungen war es der umfangreichste Prozeß, der in den letzten fünfzehn Jahren gegen die Mafia in Italien geführt wurde. Fünfhundert Zeugen wurden vernommen; mehr als vierundzwanzig Personen, davon sechs Angeklagte, waren zur Zusammenarbeit mit der Justiz bereit. Das Material füllte neunzig Aktenordner; Beweismittel aus anderen Prozessen, Dokumente und Telefonmitschnitte wurden herangezogen. Ein knappes Jahr nach der Polizeirazzia von 1995 begannen die Anschlußermittlungen zu den Prozessen »Spartacus 2« und »Regi Lagni«. Im Falle der »Regi Lagni« ging es um die Sanierung der bourbonischen Kanäle aus dem 18. Jahrhundert, die seither nicht mehr adäquat instand gesetzt worden waren. Die Sanierung der Regi Lagni wurde über Jahre hinweg von den Clans manipuliert, die laut Anklage milliardenschwere Aufträge an

Land gezogen hatten. Doch die für die Sanierung vorgesehenen Gelder flossen in ihre eigenen Bauunternehmen und verschafften ihnen in den folgenden Jahren entscheidende Wettbewerbsvorteile in ganz Italien. Es folgte der »Aima«-Prozeß, in dem es um betrügerische Machenschaften der casalesischen Clans bei der Vernichtung überschüssiger Ernteerträge in den berühmten Sammelstellen ging. Hier sollten die von der EU aus dem Handel gezogenen landwirtschaftlichen Produkte entsorgt werden; die Bauern erhielten dafür Entschädigungszahlungen. In die riesigen Gruben, die eigentlich für Obst und Gemüse vorgesehen waren, kippten die Clans Müll, Eisen und Bauschutt. Zuvor jedoch ließen sie den ganzen Dreck wiegen, als handelte es sich tatsächlich um Obst und Gemüse. Sie kassierten die Entschädigungszahlungen, während ihr Obst und Gemüse weiterhin überallhin verkauft wurde. Hunderteinunddreißig Beschlagnahmen von Unternehmen, Grundstücken und landwirtschaftlichen Betrieben im Gesamtwert von mehreren hundert Millionen Euro wurden verfügt. Von diesen Maßnahmen betroffen waren auch zwei Fußballvereine: Albanova, das in der C2-Liga spielte, und Casal di Principe.

Die Fahnder untersuchten auch die Praxis der Clans, öffentliche Bauaufträge an sich zu ziehen und Subkonzessionen an Unternehmen zu vergeben, die der Organisation nahestanden, sowie damit verbunden die beherrschende Stellung bei der Lieferung von Beton und der Durchführung von Erdarbeiten. Ein weiteres wichtiges Kapitel der Ermittlungen war Betrug zum Schaden der Europäischen Wirtschaftsgemeinschaft, insbesondere erschwindelte Zahlungen im Agrar- und Ernährungssektor. Und dann Hunderte von Morden und unternehmerische Allianzen. Während ich wie alle anderen im Gerichtssaal auf die Urteilsverkündigung wartete, wurde mir klar, daß dies hier kein Prozeß war wie jeder andere, kein einfacher und gewöhnlicher Prozeß gegen Camorra-Familien im ländlichen Süden. Dieser Prozeß würde in die Geschichte eingehen, eine Art Nürnberger Prozeß gegen eine ganze Generation von Camorristen. Im Unterschied aber zu den Größen des Dritten Reichs hatten viele Camorristen, die jetzt auf der Anklagebank saßen, nach wie vor die Zügel in der Hand, beherrschten weiterhin ihre Imperien. Ein Nürnberg ohne Sieger. Die Angeklagten in ihren Käfigen hüllten sich in Schweigen. Sandokan saß im Gefängnis von Viterbo ein, er war per Videoübertragung mit dem Gerichtssaal verbunden. Reglos verfolgte er den Prozeß. Es wäre viel zu riskant gewesen, ihn zu verlegen. Im Gerichtssaal war nur das Geschrei der Anwälte zu hören. Mehr als zwanzig Anwaltskanzleien waren eingeschaltet worden, über fünfzig Anwälte und Assistenten hatten die Fälle studiert, den Prozeß verfolgt, die Verteidigung organisiert. Die Verwandten der Angeklagten saßen dicht gedrängt in einem Raum neben dem bunkerartig gesicherten Gerichtssaal und verfolgten das Geschehen am Bildschirm. Als der Vorsitzende Richter Catello Marano den dreißig Seiten dicken Urteilsspruch zur Hand nahm, wurde es totenstill. Schwere Atemzüge, Schluckbewegungen Hunderter von Kehlen, das Ticken Hunderter Armbanduhren, das lautlose Vibrieren zahlloser stumm geschalteter Handys. Eine nervöse Stille, begleitet von einem Orchester beklommener Geräusche. Der Vorsitzende Richter verlas zunächst die Liste der Verurteilten, danach die Liste derer, die freigesprochen wurden. Einundzwanzigmal lebenslänglich, mehr als siebenhundertfünfzig Jahre Freiheitsstrafe. Einundzwanzigmal verlas der Vorsitzende Richter das gleiche Urteil, wieder und wieder fielen die Namen der Verurteilten. Siebzigmal verlas er die Freiheitsstrafe, die die einfachen Soldaten und die Manager absitzen mußten, um für ihren Pakt mit der grausamen Macht der Casalesen zu büßen. Um halb zwei war alles vorbei. Sandokan bat ums Wort. Er war unruhig, wollte auf das Urteil reagieren und noch einmal seine These bekräftigen, die These seines Verteidigerstabs: daß er ein erfolgreicher Unternehmer sei, daß mißgünstige marxistische Staatsanwälte sich gegen ihn verschworen hätten, die die wirtschaftliche Macht der aversanischen Bourgeoisie nicht als das Ergebnis unternehmerischer Tüchtigkeit, sondern als die Folge krimineller Machenschaften betrachteten. Er wollte sich darüber auslassen, wie ungerecht das Urteil sei. Sämtliche Morde in der Provinz Caserta seien, so seine Argumentation, die Folge von Blutrache, wie sie die lokale bäuerliche Kultur kenne, und nicht die Folge blutiger Auseinandersetzungen innerhalb der Camorra. Aber diesmal gestattete man Sandokan nicht zu reden. Man brachte ihn zum Schweigen wie einen ungezogenen Schüler. Als er anfing zu schimpfen, ließen die Richter einfach den Ton abschalten. Jetzt sah man nur noch einen sich ereifernden, großen bärtigen Mann, bis auch der Bildschirm dunkel wurde. Der Gerichtssaal leerte sich zügig, Polizei und Carabinieri zogen sich langsam zurück, während ein Hubschrauber weiter über dem Gerichtsgebäude, dem Bunker, kreiste. Seltsam, aber ich hatte nicht das Gefühl, der Clan der Casalesen sei besiegt. Viele seiner Mitglieder verschwanden für ein paar Jahre hinter Gittern, die Bosse würden das Gefängnis bis an ihr Lebensende nicht mehr verlassen. Der eine oder andere von ihnen entschloß sich womöglich nach einiger Zeit, mit den Justizbehörden zusammenzuarbeiten, um doch noch einen Teil seines Lebens außerhalb der Gefängnismauern verbringen zu können. Sandokan muß die erstickende Wut eines Machtmenschen empfunden haben, der jeden Winkel seines Reiches genau kennt, ohne es jemals wieder betreten zu können.

Bosse, die es ablehnen, mit der Justiz zusammenzuarbeiten, zehren von einer nur mehr metaphysischen, gewissermaßen imaginären Macht und können nur eines tun: sie müssen diejenigen Unternehmer vergessen, die sie selbst einst unterstützt und gefördert haben, die aber ungeschoren davongekommen sind, weil sie keine Clanmitglieder waren. Wenn die Bosse nur wollten, sie könnten auch sie hinter Gitter bringen, aber dann müßten sie mit den Behörden kooperieren, und das hätte den sofortigen Verlust ihrer obersten Befehlsgewalt zur Folge und würde ihre Angehörigen gefährden. In diesem Fall könnten sie vielfach auch ihre Finanzströme und legalen Investitionen nicht mehr steuern, und das wäre für einen Boss ungleich schlimmer. Selbst wenn die Bosse bereit wären, als

Kronzeugen der Justiz auszusagen und die Fundamente ihrer Macht offenzulegen, sie wüßten doch nie bis ins letzte, was mit ihrem Geld passiert ist. Die Bosse zahlen immer, daran führt kein Weg vorbei. Sie morden, sie haben das militärische Kommando, und sie stehen ganz oben, wenn es darum geht, illegales Kapital zu generieren. Und damit sind ihnen ihre Verbrechen immer nachweisbar, die Spuren lassen sich kaum verwischen, jedenfalls nicht so gut wie die Geschäftspraktiken der Weiße-Kragen-Mafia in der zweiten Reihe. Zudem ist man nicht für immer und ewig Boss. Cutolo mußte Bardellino weichen, Bardellino Sandokan, Sandokan Zagaria, La Monica Di Lauro, Di Lauro den Spaniern und so weiter. Die wirtschaftliche Stärke des Systems Camorra liegt ja nicht zuletzt in der permanenten Erneuerung ihres Führungspersonals und in der Restrukturierung ihrer kriminellen Betätigungsfelder. Die Diktatur eines Clanchefs ist stets zeitlich befristet. Ein Boss, der zu lange an der Macht ist, würde die Preise in die Höhe treiben, die Märkte monopolisieren und damit lähmen; er würde immer nur in bewährte Segmente investieren und keine neuen Märkte mehr erschließen. Er wäre kein Nutzbringer für die kriminelle Wirtschaft, er würde sie behindern. Kaum ist also ein Boss an der Macht, stehen schon andere bereit, ihm seine Position streitig zu machen, entschlossen, auf Expansion zu setzen und auf die Schultern der Riesen zu steigen, die groß zu machen sie selber mitgeholfen haben. Der Journalist Riccardo Orioles, einer der aufmerksamsten Beobachter der Dynamiken der Macht, betonte immer wieder: »Kriminalität ist nicht *die* Macht, sie ist nur eine von vielen.« Kein Boss wird jemals einen Posten in der Regierung anstreben. Gäbe es keine andere Macht außer der Camorra, könnte sie nicht das tun, was sie tut. Gerade an der Schnittstelle zwischen der legalen und illegalen Wirtschaft nämlich liegt ihr eigentliches Operationsgebiet. In diesem Sinn dient jede Verhaftung und jeder Mammutprozeß eher dazu, einen neuen Boss zu inthronisieren bzw. eine Ära der Macht zu beenden, als das System als Ganzes zu zerstören.

Die Fotos mit den Gesichtern der Bosse, der Helfershelfer und kleinen Handlanger, der jugendlichen Mitglieder und der alten Galgenstricke, die tags darauf in den Zeitungen zu sehen waren, zeigten keinen Höllenkreis von Kriminellen. Alle diese Leute waren Mosaiksteinchen in einem Machtgefüge, das zwanzig Jahre lang niemand hatte ignorieren und dem niemand hatte die Stirn bieten können. Nach dem Urteil im »Spartacus«-Prozeß ließen die Bosse, jetzt von der Gefängniszelle aus, diejenigen Richter und Staatsanwälte, Journalisten und all die übrigen direkt oder indirekt bedrohen, die ihrer Meinung nach dazu beigetragen hatten, die Manager des Zements und der Mozzarella vor den Augen des Gesetzes als Killer darzustellen.

Vor allem der Senator Lorenzo Diana blieb die bevorzugte Zielscheibe ihres Hasses, dem sie mit Briefen an Lokalzeitungen und expliziten Drohungen während der Prozesse Luft machten. Unmittelbar nach dem Urteil im »Spartacus«-Prozeß drangen Unbekannte in die Forellenzucht von Dianas Bruder ein und holten die Fische aus den Becken, die qualvoll am Boden zappelnd verendeten. Einige Kronzeugen gaben an, die »Falken« der Organisation planten sogar einen Anschlag auf den Senator. Ein Vorhaben, das durch die Vermittlung eher diplomatisch gesinnter Kreise innerhalb des Clans nicht weiterverfolgt wurde. Als entmutigend erwies sich wohl nicht zuletzt die Eskorte. Die bewaffnete Eskorte selbst ist für die Clans nie ein Hindernis. Sie schrecken nicht zurück vor gepanzerten Autos und bewaffneten Polizisten; aber eine Eskorte ist immer auch ein Signal. Das Signal dafür, daß derjenige, den man ausschalten will, nicht allein ist, daß man sich seiner nicht so leicht entledigen kann. Um den Senator würde nicht nur sein engster Familienkreis trauern. Lorenzo Diana gehört zu jenen Politikern, die fest entschlossen sind, das komplexe Machtgefüge der Casalesen aufzudecken, nicht nur einzelne Kriminelle unter Anklage zu stellen. Geboren in San Cipriano d'Aversa, hatte er den Machtaufstieg Bardellinos und Sandokans aus nächster Nähe mitverfolgt. Die Fehden, die Massaker, die Geschäfte. Mehr als jeder andere kann er von dieser Macht erzählen, und die Clans fürchten sein Wissen und sein Gedächtnis. Sie fürchten, von einem Augenblick auf den anderen könnte das Interesse der überregionalen Medien für die Macht der Casalesen geweckt werden. Sie fürchten, der Senator könnte in der Antimafia-Kommission die Verbrechen anprangern, die inzwischen von der Presse ignoriert oder als Vorkommnisse in irgendeiner abgelegenen Provinz abgetan werden. Lorenzo Diana zählt zu jenen seltenen Menschen, die wissen, daß man eine Engelsgeduld braucht, will man die Camorra besiegen; daß man immer wieder neu anfangen muß, ganz von vorn; daß man aus dem Wirrwarr des wirtschaftlichen Geflechts die Fäden einzeln herauslösen muß, um an den kriminellen Kern heranzukommen. Langsam, aber stetig, mit beharrlicher Wut, auch wenn die öffentliche Aufmerksamkeit nachläßt. Auch wenn alles sinnlos erscheint und die Hydra ihre vielen Köpfe zeigt und jeder Zugriff und Sieg unmöglich scheint.

Nach Prozeßende, als die Urteile verkündet waren, konnte es zum offenen Schlagabtausch zwischen den Bidognetti und den Schiavone kommen. Jahrelang hatte die Konfrontation im Verborgenen geschwelt, indirekt ausgetragen mittels verbündeter Clans, aber letztlich hatten die gemeinsamen Geschäftsinteressen die Differenzen in den Hintergrund treten lassen. Die Bidognetti verfügen über bestens gefüllte Waffenlager. Ihr Territorium, der Norden der Provinz Caserta, reicht bis an die Costa Domizia. In einem Akt ungeheurer Brutalität hatten sie in Castelvolturno den Barbesitzer Francesco Salvo bei lebendigem Leib verbrannt. Salvo war Besitzer des Tropicana, wo er auch arbeitete; er hatte es gewagt, die Videopoker-Geräte der Bidognetti gegen die eines rivalisierenden Clans auszutauschen. Die Mezzanotte hatten eine Phosphorbombe auf Gabriele Spenuso abgefeuert, während er in seinem Wagen von Nola nach Villa Literno fuhr. Im Jahr 2001 hatte Domenico Bidognetti die Ermordung Antonio Magliulos in Auftrag gegeben, der es als verheirateter Mann gewagt hatte, sich an die

Cousine eines der Bosse heranzumachen. Sie banden ihn am Strand auf einem Stuhl fest und füllten ihm Mund und Nasenlöcher mit Sand. Nach Luft schnappend, schluckte Magliulo Sand und würgte beim Versuch, den Sand aus Mund und Nase herauszubekommen. Er erbrach sich, schluckte noch mehr Sand und warf den Kopf hin und her. Der Sand vermischte sich mit Spucke, so daß eine Art primitiver Zement entstand, eine zähflüssige Masse, an der er qualvoll erstickte. Die Grausamkeit der Mezzanotte war direkt proportional zu ihrer unternehmerischen Macht. Die Bidognetti, die im Kreislauf der Abfallentsorgung mitmischten, standen nach den Ermittlungen der Antimafia-Staatsanwaltschaft Neapel aus den Jahren 1993 und 2006 in einem Bündnis mit der verschwörerischen Freimaurerloge P2. Sie entsorgten illegal und zu einem ausgesprochen günstigen Preis den Giftmüll von Unternehmen, die mit der Loge verbunden waren. Gaetano Cerci, Neffe von Cicciotto di Mezzanotte, der im Zuge der gegen die Umweltmafia gerichteten Operation »Adelphi« verhaftet wurde, fungierte als Kontaktmann zwischen der casalesischen Camorra und einigen Logenmitgliedern und traf sich zu geschäftlichen Besprechungen sehr oft direkt mit Licio Gelli, dem geheimen Chef der Loge. Dieses illegale Müllgeschäft mit einem geschätzten Finanzvolumen von über fünfunddreißig Millionen Euro wurde den Fahndern zufolge von einer einzigen Firma abgewickelt. Die Bosse Bidognetti und Schiavone, beide hinter Gittern, beide zu lebenslanger Freiheitsstrafe verurteilt, hätten die Verurteilung des jeweils anderen dazu nutzen können, ihre Leute aufeinanderzuhetzen, um den rivalisierenden Clan zu eliminieren. Und kurzzeitig sah es tatsächlich so aus, als würde in einem blutigen Gemetzel mit Unmengen von Toten das ganze System in sich zusammenstürzen.

Im Frühjahr 2005 nahm Sandokans jüngster Sohn in Parete, auf dem Territorium der Bidognetti, an einem Fest teil, wo er, so die Ermittler, einem Mädchen den Hof machte, das bereits liiert war. Schiavones Sprößling war ohne Geleitschutz gekommen und hielt sich aufgrund der Tatsache, daß er Sandokans Sohn war, für unangreifbar. Doch es kam anders. Man zerrte ihn aus dem Haus und traktierte ihn mit Ohrfeigen, Fausthieben und Fußtritten in den Hintern; anschließend mußte er ins Krankenhaus, um am Kopf genäht zu werden. Am nächsten Tag erschienen fünfzehn Leute mit Motorrädern und Autos vor der Bar Penelope, dem Stammlokal der Leute, die Sandokans Sohn zusammengeschlagen hatten. Mit Baseballschlägern zertrümmerten sie die Einrichtung und schlugen wahllos die Gäste blutig, ohne diejenigen ausfindig zu machen, die für die Beleidigung Schiavones verantwortlich waren; sie hatten sich vermutlich durch einen Hinterausgang abgesetzt. Das Kommando verfolgte sie und feuerte auf offener Straße ein Dutzend Schüsse ab, dabei wurde ein Passant in den Unterleib getroffen. Am Tag darauf fuhren drei Motorräder vor dem Café Matteotti in Casal di Principe vor, wo sich die jüngeren Mitglieder des Schiavone-Clans trafen. Die Motorradfahrer ließen sich Zeit beim Absteigen, um den Passanten die Möglichkeit zu geben, sich in Sicherheit zu bringen, und schlugen dann ihrerseits alles kurz und klein. Es kam zu schweren Auseinandersetzungen, mehr als sechzehn Personen wurden mit Messerstichen verletzt. Die Atmosphäre war geladen, ein neuer Krieg lag in der Luft.

Geschürt wurde der Konflikt durch eine unerwartete Erklärung des Kronzeugen Luigi Diana, der einer Lokalzeitung zufolge ausgesagt hatte, Bidognetti sei für die erste Verhaftung Schiavones verantwortlich gewesen und habe den Carabinieri das Versteck des Bosses in Frankreich verraten. Die Geschütze wurden in Stellung gebracht, und die Carabinieri warteten nur darauf, die Leichen einzusammeln. Doch dann schaltete sich Sandokan selbst ein und meldete sich öffentlich zu Wort. Trotz strengster Haftbedingungen war es ihm gelungen, einer Lokalzeitung einen offenen Brief zukommen zu lassen, der am 21. September 2005 auf der ersten Seite abgedruckt wurde. Der Boss, ganz routinierter Manager, entschärfte den Konflikt, indem er die Behauptung des Kronzeugen dementierte. Nur wenige Stunden nachdem sich Diana zur Zusammenarbeit mit der Justiz bereit erklärt hatte, war übrigens einer seiner Angehörigen getötet worden.

»Die Information oder, besser gesagt, derjenige, der mich verraten und damit meine Verhaftung in Frankreich bewirkt hat, war Carmine Schiavone und nicht Cicciotto Bidognetti, wie zweifelsfrei feststeht. Die Wahrheit ist, daß jenes Individuum, das auf den Namen des Kronzeugen Luigi Diana hört, die Unwahrheit sagt und Zwietracht säen will, um persönliche Rechnungen zu begleichen.«

Darüber hinaus »empfiehlt« er dem Chefredakteur der Zeitung eine korrekte Berichterstattung:

»Ich möchte Sie bitten, sich von diesem Denunzianten nicht instrumentalisieren zu lassen, der gekauft ist, und nicht den Fehler zu begehen, aus Ihrer Nachrichtenzeitung ein Skandalblatt zu machen. Es würde unweigerlich an Glaubwürdigkeit verlieren wie eines Ihrer Konkurrenzblätter, dessen Abonnement ich nicht verlängert habe. Das werden auch viele andere tun; auch sie werden nicht länger eine Zeitung kaufen, die sich derart instrumentalisieren läßt.«

Mit seinem Brief diskreditierte Sandokan das Konkurrenzblatt und machte die von ihm favorisierte Zeitung offiziell zu seinem neuen Gesprächspartner.

»Ich möchte nicht die Tatsache kommentieren, daß Ihre Konkurrenz für gewöhnlich Lügen verbreitet. Meine Wenigkeit ist wie Quellwasser: klar bis auf den Grund!«

Mit anderen Worten: Sandokan forderte seine Leute auf, statt der alten die neue Zeitung zu kaufen. Daraufhin kamen aus Gefängnissen in ganz Italien Abonnementwünsche für die vom Boss auserkorene und Kündigungen für die von ihm kritisierte Zeitung. Der Brief, ein Friedensangebot für Bidognetti, schloß mit den Worten:

»Das Leben verlangt von jedem nur das, wozu er auch imstande ist. Von diesen sogenannten Kronzeugen hat das Leben verlangt, sich im Dreck zu suhlen. Wie die Schweine!«

Das Kartell der Casalesen war nicht besiegt, im Gegenteil. Es erstarkte nur noch mehr. Nach Ermittlungen der Antimafia-

Staatsanwaltschaft Neapel wird das Kartell gegenwärtig von einer Doppelspitze geführt, bestehend aus Antonio Iovine, genannt »'o ninno« (der Knirps) oder »il poppante« (der Grünschnabel), weil er schon als Junge in die Führung des Clans aufgestiegen war, und Michele Zagaria, dem Managerboss von Casapesenna mit Spitznamen »capastorta« aufgrund seiner unregelmäßigen Gesichtszüge; heute nennt er sich offenbar »Manera«. Beide Bosse sind seit Jahren untergetaucht und stehen ganz oben auf der Fahndungsliste des Innenministeriums mit den gefährlichsten Verbrechern Italiens. Unauffindbar, obwohl sie mit Sicherheit in ihrem Heimatort leben. Kein Boss kann sich allzu lange von seiner Heimaterde entfernen, denn von hier bezieht er seine ganze Macht und hier beginnt sie auch zu bröckeln.

Nur wenige Quadratkilometer, kleine Ortschaften, schmale Gassen und einsame Gehöfte, und trotzdem ist es unmöglich, sie aufzuspüren. Aber sie sind da. Sie reisen in der Welt herum und kehren an ihren Herkunftsort zurück, wo sie sich die meiste Zeit des Jahres aufhalten. Jeder weiß das. Trotzdem werden sie nicht erwischt. Ihre Tarnung ist so perfekt, daß eine Verhaftung unmöglich scheint. Ihre Villen werden weiterhin von Verwandten und Familienangehörigen bewohnt. Antonio Iovines Villa in San Cipriano ähnelt einem kleinen Jugendstilpalast, die von Michele Zagaria, zwischen San Cipriano und Casapesenna gelegen, ist ein pompöser Komplex mit einer Glaskuppel als Dach, damit der riesige Baum, der mitten im Wohnzimmer wächst, genügend Licht bekommt. Die Familie Zagaria besitzt Dutzende von Tochterfirmen in ganz Italien und ist nach Erkenntnissen der Antimafia-Staatsanwaltschaft Neapel italienweit das größte Unternehmen für Erdaushub. Das mit Abstand mächtigste. Eine wirtschaftliche Vormachtstellung, die nicht aus unmittelbar kriminellen Aktivitäten erwachsen ist, sondern aus der Fähigkeit resultiert, legale und illegale Kapitalströme zu vereinen.

Diese Firmen treten als knallharte Wettbewerber auf. Sie verfügen über kriminelle Kolonien in der Emilia und der Toskana, in Umbrien und in Venetien, wo amtliche Genehmigungen leichter zu bekommen sind und die Antimafia-Kontrollen weniger streng gehandhabt werden, so daß praktisch ganze Betriebsbereiche dorthin ausgelagert werden können. Anfangs verlangten die Casalesen nur Schutzgelder von den kampanischen Unternehmen im Norden, heute beherrschen sie den Markt direkt. In den Provinzen Modena und Arezzo wird ein Großteil des Bausektors von den Casalesen kontrolliert, die ihre Arbeitskräfte vorwiegend aus der Provinz Caserta beziehen.

Die laufenden Untersuchungen zeigen, daß die mit dem casalesischen Clan verbundenen Unternehmen wie zuvor schon im Süden jetzt zunehmend auch in Norditalien beim Bau von Hochgeschwindigkeitstrassen der Bahn mitmischen. Nach Ermittlungen unter Leitung des Richters Franco Imposimato vom Juli 1995 gaben die großen Unternehmen, die den Auftrag zum Bau der Hochgeschwindigkeitsstrecke Neapel – Rom erhalten hatten, die Ausführung der Arbeiten an Edilsud weiter, eine Firma, hinter der Michele Zagaria steckt, sowie an Dutzende weitere Firmen, die mit dem casalesischen Kartell verbunden sind. Der Bau der Hochgeschwindigkeitsstrecke Neapel – Rom erbrachte rund zehntausend Milliarden Lire Gewinn.

Nach Erkenntnissen der Fahnder war der Zagaria-Clan bereits mit den kalabresischen 'ndrine übereingekommen, die eigenen Firmen an den Aufträgen zu beteiligen, sollte die Trasse bis Reggio Calabria weitergeführt werden. Die Casalesen stehen bereit, damals wie heute. Laut Ermittlungen der Antimafia-Staatsanwaltschaft Neapel aus den letzten Jahren hatte die Gruppe von Casapesenna, auch sie Teil des casalesischen Kartells, etliche öffentliche Bauaufträge in Mittel- und Norditalien an sich gezogen, so zum Beispiel beim Wiederaufbau Umbriens nach dem Erdbeben 1997. Die Camorra-Firmen aus Aversa und Umgebung können bei jedem großen Bauauftrag mithalten und jede Großbaustelle in allen Phasen organisatorisch beherrschen: Verleih von Maschinen und Baugerät,

Erdarbeiten wie Aushub und Aufschüttungen, Transport, Betonzuschlag (Sand und Kies), Bereitstellung von Arbeitskräften.

Diese Firmen sind einsatzbereit: gut organisiert, kostengünstig, schnell und effizient. In Casal di Principe gibt es offiziell fünfhundertsiebzehn Baufirmen, viele davon unmittelbar im Besitz des Clans. Hunderte weitere Baufirmen befinden sich im Umland – ein ganzes Heer, bereit, alles mit Zement zuzupflastern. Man kann nicht sagen, die Clans hätten die Entwicklung des Territoriums behindert, vielmehr haben sie die Gewinne in die eigenen Kassen gelenkt. Auf einer Fläche von wenigen Quadratkilometern wurden in den letzten fünf Jahren gewaltige Konsumtempel aus Zement gebaut: eines der größten Multiplex-Kinos Italiens in Marcianise, das größte Einkaufszentrum Süditaliens in Teverola, das größte Einkaufszentrum Europas gleichfalls in Marcianise – alles in einer Region mit extrem hoher Arbeitslosigkeit und ständiger Abwanderung. Riesige Agglomerate, keine Nicht-Orte (non-lieux), wie der Anthropologe Marc Augé sagen würde, sondern Ursprungsorte – Supermärkte, in denen alles, was gekauft und konsumiert werden kann, dazu dient, illegal erworbenes Kapital umzuetikettieren. Ursprungsorte respektabel verdienten Geldes, gleichsam Stätten eines offiziellen Taufakts. Je mehr Einkaufszentren gebaut, Baustellen errichtet, Waren angeliefert, Zulieferer tätig werden und je mehr Transporte eintreffen, desto schneller tritt der Geldstrom aus dem illegal ausgehobenen Bett und fließt fortan frei und ungehindert durch legales Territorium.

Die Clans sind die Nutznießer der strukturellen Entwicklung der Provinz und stehen bereit, sich ihren Anteil an der Beute zu holen. Ungeduldig warten sie auf die großen Bauaufträge in ihrem Territorium: den Bau der U-Bahn von Aversa und des Flughafens von Grazzanise, der als einer der größten Europas unweit der Landgüter entstehen soll, die im Besitz von Cicciariello und Sandokan waren.

Die Vermögenswerte der Casalesen liegen in der ganzen

Provinz verstreut. Allein das in den letzten Jahren von den Antimafia-Behörden Neapels beschlagnahmte Immobilienvermögen hat einen Wert von siebenhundertfünfzig Millionen Euro. Die Liste ist erschreckend lang. Im Zuge des »Spartacus«-Prozesses wurden hundertneunundneunzig Gebäude, zweiundfünfzig Grundstücke, vierzehn Gesellschaften, zwölf Pkws und drei Schiffe beschlagnahmt. Im Zuge eines Verfahrens im Jahr 1996 konfiszierte man Vermögensgegenstände Schiavones und seiner Treuhänder im Wert von insgesamt vierhundertfünfzig Milliarden Lire: Betriebe, Wohnhäuser, Grundstücke, Gebäude und Wagen der gehobenen Klasse (unter anderem der Jaguar, in dem Sandokan bei seiner ersten Verhaftung saß). Beschlagnahmen, die jeden anderen Betrieb ruiniert, jeden anderen Unternehmer an den Bettelstab gebracht hätten – massive Keulenschläge, der Ruin jedes gewöhnlichen Konzerns. Nicht so beim Kartell der Casalesen. Wenn ich las, daß Immobilien beschlagnahmt wurden, wenn ich die Liste mit den Vermögenswerten durchging, die die Antimafia-Behörden konfisziert hatten, erfaßte mich eine tiefe Mutlosigkeit, denn wohin ich auch blickte, alles schien ihnen zu gehören. Buchstäblich alles. Ländereien und Büffel, Gutshöfe und Steinbrüche, Kiesgruben, Autostellplätze und Käsereien, Hotels und Restaurants. Die Camorra war allmächtig. Es gab einfach nichts, was nicht ihr gehörte.

Besonders ein Unternehmer stand für diese Allmacht, für die Herrschaft über alles und jeden: Dante Passarelli aus Casal di Principe. Bereits vor Jahren wurde er wegen Zugehörigkeit zu einer camorristischen Vereinigung verhaftet, als Kassenführer des casalesischen Clans vor Gericht gestellt und gemäß Artikel 416 b des Strafgesetzbuchs zu acht Jahren Gefängnis verurteilt. Er war nicht einfach nur einer von zahllosen Unternehmern, die mit den Clans und durch sie Geschäfte machten. Passarelli war der Unternehmer par excellence, die Nummer eins, das erste und zuverlässigste Glied der Kette. Der ehemalige Wursthändler galt als ausgesprochenes Finanzgenie, weshalb er, so die Anklage, dazu auserkoren wurde, sich um die Investition eines Teils des Clankapitals zu kümmern. Er stieg zum Grossisten und dann zum Industriellen auf. Der Nudelfabrikant wurde zusätzlich Bauunternehmer, später kamen Zuckerfabriken und Cateringfirmen und schließlich der Fußball hinzu. Nach einer Schätzung der Antimafia-Behörde DIA betrugen seine Vermögenswerte zwischen dreihundert und vierhundert Millionen Euro. Ein Großteil davon stammte aus Aktienbeteiligungen und beträchtlichen Marktanteilen im Agrar- und Lebensmittelsektor. Ihm gehörte Ipam, eine der größten Zuckerfabriken Italiens. Seine Cateringfirma Passarelli Dante & Figli belieferte die Krankenhäuser von Santa Maria Capua Vetere, Capua und Sessa Aurunca; er besaß Hunderte von Wohnungen, Geschäfts- und Handelsniederlassungen. Nach seiner Verhaftung am 5. Dezember 1995 wurden folgende Vermögensgegenstände eingezogen: neun Gebäude in Villa Literno, eine Wohnung in Santa Maria Capua Vetere, eine weitere in Pinetamare; ein Gebäude in Casal di Principe. Außerdem: Grundstücke in Castelvolturno, Casal di Principe, Villa Literno und Cancello Arnone; der Agrarkomplex La Balzana in Santa Maria La Fossa mit zweihundertneun Hektar Land und vierzig landwirtschaftlichen Gebäuden. Und dann sein größter Stolz, die Luxusjacht *Anfra III* mit Dutzenden von Zimmern, Parkettböden und Whirlpool, die in Gallipoli vor Anker lag. Auf diesem Schiff hatte Sandokan mit seiner Ehefrau eine Kreuzfahrt zu den griechischen Inseln unternommen. Im Zuge der Ermittlungen sollten weitere Vermögensgegenstände beschlagnahmt werden, doch dann, im November 2004, nach Verbüßung seiner Haftstrafe, wurde er tot aufgefunden; er war vom Balkon eines seiner Häuser gestürzt. Seine Frau hatte die Leiche gefunden, mit zertrümmertem Schädel und gebrochenem Rückgrat. Die Ermittlungen dauern an. Bis heute ist unklar, ob es ein Unfall war oder ob ein bestens bekannter Unbekannter den Unternehmer vom Balkon des noch im Bau befindlichen Hauses gestoßen hatte. Nach seinem Tod gingen sämtliche Vermögenswerte, die der Staat konfisziert hatte, an seine Familie zurück. Passarellis Schicksal war das eines Kaufmanns, der eine besondere Hand für die Vermehrung des ihm anvertrauten Kapitals besaß. Und wie er dieses Kapital vermehrt hatte! Dann begannen die Schwierigkeiten, die gerichtlichen Untersuchungen, und es gelang ihm nicht, sein Vermögen vor der Beschlagnahme zu schützen. Sein unternehmerisches Genie hatte ihm ein triumphales Imperium eingebracht, die Beschlagnahme seiner Besitztümer, für ihn die größte Niederlage, den Tod. Die Clans erlauben keine Fehler. Als man Sandokan während einer Verhandlung mitteilte, Dante Passarelli sei tot, meinte der Boss nur gelassen: »Er möge ruhen in Frieden.«

Die Macht der Clans blieb auch weiterhin die Macht des Zements. Die zahllosen Baustellen, das spürte ich instinktiv, begründeten ihre Stärke. Ein paar Jahre lang hatte ich selber im Sommer auf dem Bau gearbeitet. Um Zement mischen zu dürfen, brauchte ich dem Polier nur zu sagen, woher ich stammte, und niemand verweigerte mir den Job. Aus Kampanien kamen die besten, die tüchtigsten, schnellsten und billigsten Bauarbeiter Italiens, die zudem am wenigsten Schwierigkeiten machten. Eine mörderische Arbeit, die ich nie richtig erlernte. Ein Beruf, der nur dann gutes Geld bringt, wenn man alles in die Waagschale wirft, seine Muskelkraft, seine ganze Energie. Arbeiten bei wirklich jedem Wetter, mit der Strickmütze oder in Unterhosen. Erst als ich mich mit Händen und Nase auf den Zement einließ, begann ich zu verstehen, worauf sich die Macht, die wirkliche Macht, gründet.

Aber erst als Francesco Iacomino starb, begriff ich, wie die Baubranche tatsächlich funktioniert. Er war dreiunddreißig Jahre alt, als man ihn in seiner Arbeitskluft auf dem Straßenpflaster fand, an der Kreuzung Via Quattro Orologi und Via Gabriele D'Annunzio in Ercolano. Er war vom Gerüst gestürzt. Nach dem Unfall machten sich alle aus dem Staub, sogar der Vermessungstechniker. Niemand rief einen Krankenwagen, aus Angst, er könnte dasein, bevor man selbst verschwand. Sie rannten fort, den Schwerverletzten, der Blut aus der Lunge spuckte, ließen sie mitten auf der Straße zurück. Er starb wie zahllose andere, wie jene dreihundert Bauarbeiter, die Jahr für Jahr auf italienischen Baustellen ihr Leben lassen. Die Nachricht von seinem Tod hat sich mir unauslöschlich eingebrannt. Sie entfachte in mir eine Wut, die mich förmlich zu ersticken drohte und mehr war als nur eine kurz aufflammende Empörung. Ich hätte es am liebsten gemacht wie der Protagonist des Romans *La vita agra (Das saure Leben)* von Luciano Bianciardi, der nach Mailand fährt, fest entschlossen, das Pirelli-Hochhaus in die Luft zu sprengen, um die achtundvierzig Arbeiter zu rächen, die im Mai 1954 in Ribolla bei einer Bergwerksexplosion ums Leben gekommen waren, im Camorra-Schacht, so genannt wegen der dort herrschenden unmenschlichen Arbeitsbedingungen. Vielleicht, so überlegte ich, sollte auch ich mir ein Gebäude, die Zentrale der Macht, aussuchen und in die Luft sprengen. Aber bevor mich die Schizophrenie des Attentäters ereilen konnte, fiel mir, kaum hatte mein erstickender Wutanfall begonnen, Pasolinis *Ich weiß* ein und ging mir nicht mehr aus dem Kopf. Und statt mir ein Gebäude zu suchen, um es in die Luft zu jagen, fuhr ich nach Casarsa an das Grab Pasolinis. Ich fuhr allein, obwohl man besser jemanden mitnimmt, um nicht allzu pathetisch zu werden. Ein paar Freunde, treue Leser, eine Freundin. Aber dickköpfig, wie ich war, fuhr ich allein.

Casarsa ist ein schönes Plätzchen. Hier kann man sich gut vorstellen, daß jemand sich mit Schreiben durchs Leben schlagen will. Schwer jedoch läßt sich nachvollziehen, daß jemand seinem Dorf im Norden den Rücken kehrt, um immer weiter in den Süden zu gehen, in den tiefsten Kreis der Hölle. Ich suchte Pasolinis Grab nicht auf, um ihm in einem feierlichen Akt die Ehre zu erweisen. Pier Paolo Pasolini. Der dreifaltige Name, wie Caproni sagte. Für mich ist er kein weltlicher Heiliger, kein Christus der Literatur. Mir ging es vielmehr um den Ort. Einen Ort, an dem man noch über die Kraft des Wortes nachdenken konnte, ohne sich schämen zu müssen. Darüber, wie es möglich sein kann, über die Mechanismen der Macht zu schreiben, ohne sich im Allgemeinen, ohne sich in Einzelheiten zu verlieren. Über die Möglichkeit, Namen zu nennen, einen nach dem anderen, ihnen Gesichter zuzuordnen und damit die Verbrechen und die Täter ihrer Anonymität zu entreißen, die Architektur der Gewalt offenzulegen. Über die Möglichkeit, die Triebkräfte des Realen, die Selbstbehauptungskräfte der Macht ans Licht zu holen – ohne Metaphern, ohne Umschreibungen, allein mit dem scharfen Instrument der Schrift.

Ich nahm den Zug von Neapel nach Pordenone, ein quälend langsamer Zug mit einem Namen, der alles sagt über die Entfernung, die er zurücklegen mußte: Marco Polo. Friaul scheint unendlich weit entfernt von Kampanien. Abends um zehn vor acht fuhr ich los und kam am darauffolgenden Morgen um zwanzig nach sieben in Friaul an, nach einer eiskalten Nacht, die mich keinen Augenblick Schlaf finden ließ. Von Pordenone fuhr ich mit dem Bus nach Casarsa, ich stieg aus und ging mit gesenktem Kopf wie jemand, der den Weg kennt und selbst dann ans Ziel findet, wenn er immerzu auf seine Schuhspitzen schaut. Natürlich verlief ich mich. Auf sinnlosen Umwegen gelangte ich dann doch in die Via Valvasone zum Friedhof, wo Pasolini und seine Familie begraben liegen. Linkerhand, gleich hinter dem Eingang, ein Beet mit nackter Erde, in der Mitte zwei kleine weiße Marmorplatten. Ich steuerte darauf zu, es war das Grab: »Pier Paolo Pasolini (1922-1975)«. Daneben das der Mutter. Ich hatte das Gefühl, weniger allein zu sein, und hier fing ich an, meiner Wut Ausdruck zu verleihen, mit geballten Fäusten, die Nägel ins Fleisch gebohrt. Ich fing an, mein eigenes *Ich weiß* zu formulieren, das *Ich weiß* meiner Zeit.

Ich weiß, und ich habe Beweise. Ich kenne das Fundament, auf dem die Wirtschaft ruht, und ich kenne ihren Geruch. Den Geruch von Sieg und Erfolg. Ich weiß, woher das Geld kommt. Ich weiß. Und die Wahrheit, wird sie ausgesprochen, macht keine Gefangenen, denn sie reißt alles mit sich fort und macht aus allem einen Beweis. Gegenbeweise und Beweisaufnahmeverfahren sind überflüssig. Die Wahrheit registriert, vergleicht, sieht hin, hört hin. Sie fällt keinen Urteilsspruch, gegen keinen Angeklagten in einem Käfig, und kein Zeuge widerruft seine Aussage. Niemand wird Kronzeuge. Ich weiß, und ich habe Beweise. Ich weiß, daß sich die komplexen Theorien der Wirtschaftslehrbücher letztendlich in ganz materielle Dinge verwandeln, ihre Fraktale mutieren zu Stahl, Zeit und Kontrakten. Ich weiß. Die Beweise sind auf keiner Festplatte gespeichert, die irgendwo vergraben ist. Ich habe keine kompromittierenden Videos, die in unzugänglichen Bergdörfern versteckt sind. Ich besitze keine hektographierten Geheimdienstdokumente. Die Beweise sind unwiderlegbar, denn sie sind parteiisch, gesehen mit eigenen Augen, erzählt mit Worten und gehärtet in Gefühlen, gegen die Kugeln und Knüppel nichts ausrichten können. Ich sehe und höre, ich beobachte und rede, und so lege ich Zeugnis ab – ein unschönes Wort, das um so mehr Gültigkeit besitzt, wenn es demjenigen, der dem Sirenengesang der Macht lauscht, ins Ohr flüstert: »Glaub nicht, was man dir sagt.« Die Wahrheit ist parteiisch. Könnte man sie auf eine objektive Formel reduzieren, dann wäre sie synthetisch. Ich weiß, und ich habe Beweise. Also erzähle ich. Erzähle von dieser Wahrheit.

Wenn ich zu Fuß unterwegs bin, Treppen steige oder im Aufzug fahre, wenn ich mir auf der Fußmatte die Schuhe abstreife und über eine Schwelle trete, spüre ich immer wieder eine Art Beklemmung. Ich muß unwillkürlich daran denken, wie diese Häuser gebaut wurden. Und wenn ich jemanden habe, der mir zuhört, kann ich mich kaum davon abhalten, zu erzählen, wie man Stockwerke und Balkone bis zum Dach hochzieht. Es kommt nicht aus dem Gefühl einer grundsätzlichen Schuld oder einer moralischen Verpflichtung gegenüber denen, die aus dem historischen Gedächtnis getilgt sind. Vielmehr versuche ich, diesen Brechtschen Reflex loszuwerden, der mir geradezu in Fleisch und Blut übergegangen ist: an die Handarbeiter und Fußsoldaten der Geschichte zu denken. An die leeren Essensnäpfe, die zum Sturm auf die Bastille und zu den Verlautbarungen der Girondisten und der Jakobiner geführt haben. Daran muß ich denken. Eine Untugend, die ich mir einfach nicht abgewöhnen kann. Wie wenn man vor einem Vermeer-Gemälde stehend an denjenigen denkt, der die Farben gemischt, die Leinwand gespannt und die Perlenohrringe zusammengefügt hat, statt das Bild zu betrachten. Es ist geradezu krankhaft. Beim Anblick eines Treppenaufgangs denke ich an den Kreislauf des Zements, beim Anblick einer Fensterfront an den Aufbau des Gerüsts. Ich kann nicht so tun, als wäre nichts. Ich sehe nicht bloß die getünchte Wand, ich denke an den Mörtel und die Maurerkelle. Vielleicht hat man, wenn man auf bestimmten Breitengraden geboren ist, zu bestimmten Materialien eine besondere Beziehung. Nicht überall auf der Welt werden die Dinge auf dieselbe Weise wahrgenommen. Ich glaube, daß der Geruch von Erdöl und Benzin in Qatar Bilder von weitläufigen Residenzen, Sonnenbrillen und Limousinen beschwört. Der beißende Geruch von Steinkohle evoziert in Minsk vermutlich Bilder von schwarzen Gesichtern, ausströmendem Gas und verrußten Städten, in Belgien dagegen denkt man an den Knoblauchgeruch der Italiener und den Zwiebelgeruch der Maghrebiner. Ähnliches gilt für den Zement in Italien, in Süditalien. Zement. Erdöl des Südens. Ursprung aller Dinge. In Süditalien existiert kein Wirtschaftsimperium, das nicht aus der Baubranche hervorgegangen ist. Ausschreibungen, Bauaufträge, Kies- und Sandgruben, Zement, Betonzuschlag, Mörtel, Backsteine, Baugerüste, Arbeiter. Das ist das Rüstzeug des italienischen Unternehmers. Ein italienischer Unternehmer, dessen Imperium nicht auf das Geschäft mit Zement gegründet ist, kommt nicht weit. Mit Zement läßt sich am leichtesten und schnellsten Geld verdienen. Glaubwürdigkeit gewinnen, in Wahlkampfzeiten Arbeitskräfte einstellen, Gehälter zahlen, sich Finanzierungen sichern, an den Fassaden der Wohnblocks, die man baut, seine Eigenwerbung betreiben. Der Bauunternehmer ist Mittelsmann und Raubvogel in einem. Er verfügt über die Engelsgeduld dessen, der bürokratische Unterlagen verfaßt und endlos auf Genehmigungen warten muß, die so langsam erteilt werden, wie ein Tropfstein wächst. Und wie ein Raubvogel streift er über unauffälliges Gelände, um sich urplötzlich darauf zu stürzen und es für einen Spottpreis an sich zu reißen – nur um anschließend zu warten, bis er jeden Zentimeter Boden und jedes einzelne Erdloch zu einem exorbitanten Preis weiterverkaufen kann. Der räuberische Unternehmer weiß, wie er Schnabel und Krallen einsetzen muß. Die Bauunternehmer erhalten von den italienischen Banken die großzügigsten Kredite, man könnte sagen, italienische Banken sind für die Bauunternehmer geradezu gegründet worden. Und wenn einer wirklich einmal nichts in die Waagschale zu werfen hat, wenn selbst die Häuser, die er bauen will, als Sicherheit nicht ausreichen, gibt es immer einen guten Freund, der bereit ist, für ihn zu bürgen. Zement und Backstein sind die einzigen Realien, die für italienische Banken zählen. Wissenschaftliche Forschung, Laboratorien, Landwirtschaft und Handwerk – für Bankdirektoren ein unsicheres Terrain, nebulös und ohne Bodenhaftung. Zimmer, Stockwerke, Fliesen, Telefon- und Steckdosen dagegen gelten ihnen als handfeste Dinge. Ich weiß, und ich habe Beweise. Ich weiß, wie halb Italien gebaut wurde. Mehr als halb Italien. Ich kenne die Hände, die Finger, die Projekte. Und den Sand. Den Sand, mit dem Wohnblocks und Wolkenkratzer hochgezogen wurden. Ganze Stadtviertel, Parks, Villen. Kein Mensch in Castelvolturno wird je die endlosen Lkw-Schlangen vergessen, die den Sand aus dem Fluß Volturno abtransportierten. Lkw-Kolonnen durchquerten das Land der Bauern, die solche Mammuts aus Stahl und Gummi nie zuvor gesehen hatten. Sie hatten hier ausgeharrt, sie waren geblieben und nicht abgewandert, und jetzt nahm man ihnen alles weg. Mit diesem Sand wurden Mietskasernen in den Abruzzen errichtet, Wohnblocks in Varese, Asiago und Genua. Inzwischen fließt nicht mehr der Fluß ins Meer, sondern das Meer in den Fluß. Im Volturno kann man heute Seebarsche angeln, dafür gibt es keine Bauern mehr. Ohne eigenen Grund und Boden fingen sie an, Büffel zu züchten, später gründeten sie kleine Bauunternehmen, in denen sie junge Nigerianer und Südafrikaner beschäftigten, die ehemaligen Saisonarbeiter; und wenn sie sich nicht mit den Unternehmen der Clans zusammenschlossen, war ihnen ein früher Tod gewiß. Ich weiß, und ich habe Beweise. Die Kieswerke erhalten Genehmigungen nur zum Abbau kleiner Mengen, tatsächlich tragen sie ganze Berge ab. Berge und Hügel, zerbröckelt und in den Zement gemischt, mit dem von Teneriffa bis Sassuolo Häuser gebaut werden. Erst der Raubbau an den Menschen, dann an den Dingen. In San Felice a Cancello lernte ich in einer Trattoria den Maurermeister Don Salvatore kennen. Ein lebender Leichnam. Er war fünfzig, sah aber aus wie achtzig. Zehn Jahre lang, so erzählte er mir, sei es seine Aufgabe gewesen, den bei der Abgasentsorgung entstandenen Staub in die Betonmischmaschinen einzuleiten. Diese klammheimliche Entsorgung in den Zement ist der entscheidende Faktor, der es den Bauunternehmern ermöglicht, sich mit absoluten Dumpingpreis-Angeboten an Ausschreibungsverfahren zu beteiligen. Die Giftstoffe befinden sich noch heute in Garagen, Wänden und Treppenaufgängen. Und es wird nichts passieren, bis irgendein Arbeiter, womöglich aus dem Maghreb, der jahrelang den Staub eingeatmet hat, an Krebs erkrankt und stirbt und glaubt, es sei einfach nur Pech.

Ich weiß, und ich habe Beweise. Die erfolgreichen italienischen Unternehmer entstammen der Bauindustrie. Sie sind Teil dieses Kreislaufs des Zements. Ich weiß, daß sie mit Zement zu tun hatten, bevor sie Manager wurden, sich mit Fotomodels umgaben und sich Jachten zulegten; bevor sie über Konzerne herfielen und Tageszeitungen kauften. Ihr Aufstieg wäre niemals möglich gewesen ohne den Zement, ohne die Subfirmen, den Sand und Splitt, die Pritschenwagen, vollbesetzt mit Arbeitern, die in der Nacht auf Baustellen schuften und morgens wieder verschwinden, ohne die morschen Gerüste, die gefälschten Sozialversicherungen. Die Dicke der Wände – das ist es, was diesen Zugmaschinen der italienischen Wirtschaft ihre Kraft verleiht. Die Verfassung sollte geändert werden. Es müßte heißen, die Republik gründet auf Zement und auf den Bauunternehmern. Sie sind deren Väter. Nicht Ferruccio Parri, Luigi Einaudi, Pietro Nenni oder Oberst Valerio, der Mann, der Mussolini erschoß. Es waren die Baulöwen, die nach Sindonas Bankrott und der Verurteilung durch den Weltwährungsfonds das Land am Schopf aus dem Sumpf gezogen haben. Zementwerke, Bauaufträge, Wohnblocks und Tageszeitungen.

Nach einer Karriere als Killer, Erpresser oder Schmieresteher landen die einfachen Clanmitglieder letztendlich auf dem Bau oder bei der Müllabfuhr. Interessanter als alle Filme, aufschlußreicher als alle Vorträge wäre es doch, wenn man die frisch Rekrutierten über die Baustellen führen und ihnen zeigen würde, welches Schicksal sie erwartet. Wenn ihnen Gefängnis oder der Tod erspart bleiben, werden sie auf einer Baustelle landen, wo sie nicht alt werden und Blut und Kalk husten. Die Unternehmer und Geschäftsleute dagegen, die die Bosse im Griff zu haben glaubten, werden millionenschwere Aufträge an Land ziehen. Bauarbeit ist tödlich. Und zwar am laufenden Band. Da ist zum einen das Tempo, in dem ein Gebäude hochgezogen wird, die Notwendigkeit, an sämtlichen Sicherheitsmaßnahmen zu sparen und rund um die Uhr arbeiten zu lassen. Unmenschliche Schichten mit neun bis zwölf Arbeitsstunden täglich, einschließlich Samstag und Sonntag. Hundert Euro Wochenlohn, dazu Nacht- und Sonntagszuschläge von fünfzig Euro je zehn Stunden. Die Jüngeren schaffen sogar fünfzehn Stunden. Vielleicht schnupfen sie Kokain. Der Tod auf der Baustelle folgt einem erprobten Muster. Der leblose Körper wird weggeschafft und ein Verkehrsunfall simuliert: man setzt ihn in ein Auto und läßt es eine Böschung oder einen steilen Abhang hinunterrollen, nicht ohne es vorher noch in Brand zu stecken. Was die Versicherung zahlt, bekommt die Familie als Abfindung. Nicht selten ziehen sich auch diejenigen, die einen solchen Unfall inszenieren, schwere Verletzungen zu, zum Beispiel, wenn ein Auto gegen eine Mauer gefahren werden muß, bevor man es samt dem Toten in Brand steckt. Ist der Polier dabei, geht die Geschichte meistens glatt. Wenn nicht, geraten die Arbeiter schnell in Panik. Dann nehmen sie den Schwerverwundeten, den Halbtoten, und schaffen ihn zu einer Straße in Krankenhausnähe. Sie kommen mit dem Wagen, legen den Körper ab und verschwinden. Haben sie übertriebene Skrupel, benachrichtigen sie die Ambulanz. Jeder, der an einer solchen Aktion teilnimmt, weiß, daß seine Kollegen mit ihm genau dasselbe machen werden, wenn er vom Gerüst stürzt oder sich sonstwie schwer verletzt. Du weißt, daß man dir in diesem Fall nur zu Hilfe eilt, um sich deiner zu entledigen und dir den Gnadenstoß zu versetzen. Aus diesem Grund herrscht auf den Baustellen tiefes Mißtrauen. Dein Nebenmann kann dein Henker sein oder du der seine. Er wird dich zwar nicht leiden lassen, aber er wird dich entweder mutterseelenallein am Straßenrand krepieren lassen oder dich in ein Auto setzen und es anzünden. Alle Bauarbeiter wissen, daß es so läuft. Und die Firmen im Süden geben dafür die beste Garantie. Man arbeitet und verschwindet, und wenn es Probleme gibt, werden sie ohne viel Aufhebens gelöst. Ich weiß, und ich habe Beweise. Und die Beweise haben Namen. Innerhalb von sieben Monaten kamen auf Baustellen nördlich von Neapel fünfzehn Arbeiter ums Leben. Vom Gerüst gefallen, unter einen Schaufellader geraten, von einem Kran zerquetscht, der von einem übermüdeten Arbeiter bedient wurde. Die Zeit drängt schließlich. Auch wenn die Großbaustellen noch über Jahre bestehen bleiben, die Subfirmen müssen schnellstmöglich anderen Firmen Platz machen. Abkassieren und weiterziehen. Über vierzig Prozent der in Italien tätigen Baufirmen stammen aus dem Süden. Aus Aversa, Neapel, Salerno. Im Süden können noch Imperien entstehen, kann die Wirtschaft gewaltsam in Schwung gebracht, Kapital kräftig akkumuliert werden. Überall im Süden, von Apulien bis Kalabrien, sollte man Schilder mit der Aufschrift »Herzlich willkommen« aufstellen. Für die Unternehmer, die sich in die Arena des Zements stürzen, um wenige Jahre später in den Salons von Rom und Mailand ein- und auszugehen. Ein »Herzlich willkommen« und viel Glück, denn der Andrang ist groß, und nur wenige schaffen es, nicht im Treibsand zu versinken. Ich weiß. Und ich habe Beweise. Und die neuen Bauunternehmer, die Besitzer von Banken und Jachten, die die Klatschspalten füllen, diese Zuhälter neuen Typs stellen ihren Reichtum nicht offen zur Schau. Vielleicht haben sie ja noch eine Seele. Sie schämen sich zu sagen, woher ihr Reichtum stammt. Wenn in den USA, dem Land, das sie sich zum Vorbild nehmen, ein Unternehmer berühmt und erfolgreich wird, kommt es vor, daß er Analysten und junge Betriebswirte zusammentrommelt, um ihnen über seine Qualitäten als Finanzjongleur Vorträge zu halten und den eigenen Weg zum wirtschaftlichen Erfolg darzulegen. Hier dagegen eisiges Schweigen. Geld ist einfach nur Geld. Fragt man die erfolgreichen Unternehmer aus Aversa, einem Landstrich, der unter der Camorra ungeheuer zu leiden hat, nach ihrem Erfolgsrezept, antworten sie unumwunden: »Ich habe für zehn gekauft und für dreihundert verkauft.« Irgend jemand hat einmal gesagt, im Süden könne man leben wie im Paradies. Man müsse nur den Blick zum Himmel richten und dürfe nie nach unten schauen. Aber das ist unmöglich. Ohne Perspektive gibt es keine ungetrübte Aussicht. Und hier ist jede Perspektive verbaut – überall Balkone, Zimmerdecken, Mansarden, Mietskasernen, Gebäudekomplexe, Wohnviertel. Hier denkst du nicht, daß etwas vom Himmel fallen könnte. Hier geht es gleich runter in die Tiefe. Immer weiter. Denn nach einem Abgrund kommt immer noch ein Abgrund. Wenn ich also eine Treppe hochgehe, durch ein Zimmer laufe und einen Aufzug betrete, nehme ich sie immer wahr, diese Abgründe. Denn ich weiß. Und es ist geradezu krankhaft. Im Kreis der besten und erfolgreichsten Unternehmer wird mir übel. Selbst wenn diese Herren elegant gekleidet sind, mit ruhiger Stimme reden und politisch links wählen. Ihren Socken, ihren Manschettenknöpfen von Bulgari, ihren Bibliotheken haftet der Geruch von Kalk und Zement an und steigt mir in die Nase. Ich weiß. Ich weiß, wer meine Heimatstadt gebaut hat und auch jetzt noch weiter baut. Ich weiß, daß heute nacht ein Zug aus Reggio Calabria abfährt, der um o.15 Uhr in Neapel hält und dann nach Mailand weiterfährt. Er wird voll sein. Am Bahnhof stehen Kleinbusse und staubige Fiat Puntos bereit, um die jungen Männer zu den neuen Baustellen zu bringen. Eine Auswanderung ohne feste Adresse, unerforschbar, unbezifferbar, weil einzig und allein der Kalkstaub ihre Spuren trägt. Ich kenne die wahre politische Verfassung meiner Zeit: sie ist der unternehmerische Reichtum. Jeder Pfeiler eines jeden Hauses wurde mit dem Blut von Menschen gebaut. Ich weiß, und ich habe Beweise. Ich mache keine Gefangenen.

Don Peppino Diana

Denke ich an den Kampf gegen die Clans von Casal di Principe, San Cipriano, Casapesenna und all der anderen von ihnen beherrschten Territorien zwischen Parete und Formia, sehe ich die weißen Bettlaken, die an jedem Balkon und Geländer hingen und an jedes Fenster geknotet waren. Ein weißes, ein blütenweißes Meer aus Stoff, Ausdruck wütender Trauer anläßlich des Begräbnisses von Don Peppino Diana. Damals, im März 1994, war ich sechzehn Jahre alt. Wie jeden Tag wurde ich von meiner Tante geweckt, diesmal jedoch ungewohnt grob. Sie zog mir das Laken weg, in das ich mich gewickelt hatte, wie wenn man einer Salami die Haut abzieht. Fast wäre ich aus dem Bett gefallen. Nichts, kein Wort sagte sie, dafür klackten ihre Schuhabsätze ganz fürchterlich, als wollte sie auf diese Weise ihrer Empörung Luft machen. Sie band die Laken so fest an die Balkongitter, daß nicht einmal ein Tornado sie hätte lösen können. Und sie riß die Fenster auf, so daß die Stimmen von draußen hereindrangen; sogar die Schrankschubfächer standen offen. Ich erinnere mich noch an die Pfadfinder, die unten auf der Straße vorbeizogen. Nichts war mehr zu spüren von ihrer wohlanständigen jugendlichen Unbeschwertheit. Es schien, als hätten sie in ihre bizarren gelb-grün gemusterten Halstücher eine erbitterte Wut geknotet, denn Don Peppino war einer von ihnen gewesen. Nie wieder habe ich Pfadfinder gesehen, die dermaßen außer sich waren, so wenig auf Ordnung und Anstand bedacht wie sonst bei ihren langen Märschen. Ich habe nur punktuelle Erinnerungen an diesen Tag. Erinnerungen, gefleckt wie das Fell eines Dalmatiners. Don Peppino Dianas Geschichte ist seltsam, und sie läßt einen nicht mehr los. Sie setzt sich irgendwo im Körper fest, tief in der Kehle, in der geballten Faust, dem Brustmuskel, den Herzkranzgefäßen. Eine außergewöhnliche, wenig bekannte Geschichte.

Don Peppino hatte in Rom studiert, und hier hätte er bleiben müssen, wenn er fernab seiner Heimat, fernab der Provinz und der schmutzigen Geschäfte hätte Karriere machen wollen. Die klerikale Karriere eines Sohnes aus bürgerlichem Haus. Aber er faßte ganz unvermittelt den Entschluß, nach Casal di Principe zurückzukehren wie jemand, den eine Erinnerung, eine Gewohnheit, ein bestimmter Geruch nicht mehr losläßt. Wie jemand, der von dem Gefühl besessen ist, etwas tun zu müssen, und erst dann Frieden findet, wenn er es getan oder zumindest versucht hat. Don Peppino kam als blutjunger Priester in die Pfarrei San Nicola di Bari, deren moderne Strukturen seinen Vorstellungen in jeder Hinsicht entsprachen, auch ästhetisch. Er lief in Jeans herum, anders als die Geistlichen damals, denen ihre Amtstracht, die Soutane, eine düstere Autorität verlieh. Don Peppino hörte sich nicht die üblichen Familienstreitigkeiten an, weder maßregelte er die Männer wegen ihrer Seitensprünge, noch tröstete er die betrogenen Ehefrauen. Mit einer natürlichen Leichtigkeit gab er der Rolle des Landgeistlichen einen neuen Akzent. Er hatte beschlossen, sich für die Triebkräfte der Macht zu interessieren, nicht nur für die Korollarien des Elends. Er wollte nicht nur die Wunde reinigen, sondern wissen, wie sich die Metastasen ausbreiten, er wollte das Krebsgeschwür stoppen und dem Treiben ein Ende setzen, das seine Heimat zu einer Goldgrube des Kapitals machte, zu einem Ort, dessen Straßen mit Leichen gepflastert waren. Gelegentlich rauchte er sogar in aller Öffentlichkeit eine Zigarre. Woanders wäre das eine völlig harmlose Sache gewesen, hier jedoch kannte man nur den Priester, der sich nach außen hin asketisch gab, auch wenn er in den eigenen vier Wänden seiner Trägheit und Schwäche frönte. Don Peppino hatte beschlossen, daß sein Gesicht ihm selbst gleichen sollte, als Garantie für Transparenz an einem Ort, wo sich die Gesichter zu Fratzen verzerren, um das darzustellen, was man zu sein vorgibt, und wo die Beinamen helfen, sich die Maske der Macht überzustreifen wie eine zweite Haut. Voller Tatendrang hatte Don Peppino begonnen, ein Zentrum zu errichten, in dem die ersten afrikanischen Einwanderer Aufnahme fanden, Essen bekamen und ein Dach über dem Kopf. Eine wichtige Maßnahme, um zu verhindern, daß die Clans perfekte Soldaten aus ihnen machten – wie es später dann geschah. Um sein Vorhaben zu verwirklichen, hatte er einen Teil seiner persönlichen Ersparnisse aufgewendet, die aus seiner Tätigkeit als Lehrer stammten. Das ewige Warten auf staatliche Hilfe führt ja allzuoft zu Lähmung und Erstarrung. Als Priester sah Don Peppino Bosse kommen und gehen, er erlebte die Ausschaltung Bardellinos und den Aufstieg Sandokans und Cicciotto di Mezzanottes mit, die blutigen Auseinandersetzungen zwischen den Bardellinianern und den Casalesen und später dann zwischen den siegreichen Spitzenleuten.

Ein denkwürdiges Ereignis aus jener Zeit war ein Autokorso durch die Straßen des Ortes. Eines Abends gegen achtzehn Uhr fuhr ein Dutzend Autos an den Häusern der gegnerischen Clans vorbei. Die siegreichen Gruppen Schiavones wollten ihre Widersacher herausfordern. Ich war damals noch ein Kind, aber meine Cousins schwören, sie hätten es mit eigenen Augen gesehen. Die Kolonne bewegte sich ganz langsam durch die Straßen von San Cipriano, Casapesenna und Casal di Principe, die Männer saßen auf den heruntergelassenen Autofenstern, ein Bein im Wageninnern, das andere in der Luft. Alle mit Maschinenpistolen in der Faust, das Gesicht unverhüllt. Im weiteren Verlauf schlossen sich dem Zug weitere Mitglieder an, die mit Gewehren und halbautomatischen Waffen aus ihren Häusern strömten. Eine bewaffnete Demonstration in aller Öffentlichkeit. Vor den Häusern ihrer Gegner, die es gewagt hatten, sich ihrer Vorherrschaft entgegenzustellen, hielten sie an.

»Kommt raus, ihr Arschlöcher! Zeigt euch … wenn ihr Mumm habt!«

Der Umzug dauerte fast eine Stunde, und er verlief völlig

störungsfrei. Die Rolläden der Geschäfte und Bars waren längst heruntergelassen. Zwei Tage lang herrschte totale Ausgangssperre. Niemand ging aus dem Haus, nicht einmal, um Brot zu kaufen. Don Peppino begriff, daß er einen Schlachtplan brauchte, eine Strategie, die er öffentlich bekanntmachen mußte. Statt Einzelaktionen, statt persönlicher Zeugenschaft zählte von nun an das organisierte Miteinander. Das betraf auch das Engagement der umliegenden Pfarreien. Don Peppino verfaßte ein fulminantes Schreiben, das von allen Priestern des Sprengels Casal di Principe unterzeichnet wurde. Einen religiösen, einen christlichen Text, aus dem eine verzweifelte Menschenwürde sprach. Worte von universeller Gültigkeit, die alle konfessionellen Grenzen sprengten und die Bosse bis ins Mark erschütterten. Sie begannen diese Worte mehr zu fürchten als die Razzien der Antimafia-Einheiten, mehr als die Beschlagnahme von Gruben, Steinbrüchen und Betonmischmaschinen, mehr als den Telefonmitschnitt von Mordbefehlen. Don Peppinos Schreiben trug den leidenschaftlichen Titel: »Aus Liebe zu meinem Volk werde ich nicht schweigen«, und er verteilte es am ersten Weihnachtsfeiertag. Er schlug es nicht an seine Kirchentür, er wollte nicht wie Luther die römische Kirche reformieren, er hatte andere Sorgen. Er suchte nach einem neuen Weg, den herrschenden Mächten entgegenzutreten, dem einzigen Weg, um die wirtschaftliche und kriminelle Hoheit der Camorra-Familien ins Wanken zu bringen.

Don Peppino schlug eine Bresche in das Gestrüpp der Worte, um jene Sätze zu finden, die, klar und deutlich ausgesprochen, auch jetzt noch ihre Kraft entfalten konnten. Ihm fehlte die geistige Trägheit derer, die glauben, das Wort habe seine Kraft längst verloren und sei nur noch in der Lage, den Raum zwischen zwei Trommelfellen auszufüllen. Das Wort, das sich begreifen ließ wie kompakte Materie, deren Energie den Lauf der Dinge verändern kann. Das Wort als Baumörtel, als Spitzhacke. Don Peppino suchte nach einer Sprache, die den Schmutz beseitigte wie ein Eimer Wasser den Dreck auf Fensterscheiben. Das Schweigen im Land der Camorra ist nicht die gewöhnliche Omertà, die Mauer des Schweigens, versinnbildlicht durch gesenkte Blicke im Schatten mafioser Schirmmützen. Hinter diesem Schweigen steckt vielmehr die Haltung: »Das geht mich nichts an.« Hier – aber nicht nur hier – verschließt man sich. Das ist das maßgebliche Votum zum Stand der Dinge. Das Wort mußte zum Schrei werden. Gezielt und treffsicher gegen eine Panzerscheibe geschleudert, um sie zu zertrümmern.

Ohnmächtig erleben wir den Schmerz vieler Familien, deren Kinder auf leidvolle Weise zu Opfern oder Auftraggebern der Camorra-Organisationen werden. […] Die heutige Camorra ist eine Form des Terrorismus, sie verbreitet Angst, diktiert ihre eigenen Gesetze und versucht, sich in der Gesellschaft Kampaniens dauerhaft zu verankern. Mit der Waffe in der Hand erzwingen die Camorristen inakzeptable Regeln: Erpressung, die unser Land zum Empfänger von Hilfsgeldern gemacht hat, unfähig zu jeder eigenständigen Entwicklung; Schmiergeldzahlungen von zwanzig Prozent und mehr bei der Vergabe von Bauaufträgen, die selbst den mutigsten Unternehmer zurückschrecken lassen; illegaler Handel und Dealen mit Rauschgift, dessen Konsum junge Leute scharenweise ins soziale Abseits drängt und zu Handlangern der kriminellen Organisationen macht; Auseinandersetzungen zwischen verfeindeten Gruppen, eine verheerende Geißel, von der die Familien hierzulande heimgesucht werden; negative Vorbilder für die Jugend, wahre Brutstätten der Gewalt und des organisierten Verbrechens […]

Don Peppino wollte zuallererst daran erinnern, daß es angesichts der Übermacht der Clans nicht ausreiche, das priesterliche Wirken auf den Beichtstuhl zu beschränken. Er berief sich auf die Bücher der Propheten, um zu betonen, wie notwendig es ist, auf die Straße zu gehen, anzuklagen und zu handeln – unabdingbare Voraussetzung für ein sinnhaftes Leben in Würde.

Unsere prophetische Verpflichtung zur Anklage darf und kann nicht nachlassen, Gott ruft uns auf, Propheten zu sein. Der Prophet ist Wächter: er sieht die Ungerechtigkeit, prangert sie an und verweist auf den ursprünglichen Plan Gottes (*Hesekiel* 3,16-18).
Der Prophet erinnert an die Vergangenheit und beruft sich auf sie, um im Gegenwärtigen das Neue zu erkennen (*Jesaja* 43).
Der Prophet fordert auf, Solidarität im Leiden zu üben, wie er selbst es tut (*Jeremia* 8,18-23).
Der Prophet verweist auf den Weg der Gerechtigkeit als vorrangige Aufgabe (*Jeremia* 22,3 und *Jesaja* 58).
Die Priester, unsere Hirten und Mitbrüder, rufen wir auf, in ihren Predigten und überall, wo ein mutiges Zeugnis gefordert ist, klare Worte zu finden. Die Kirche rufen wir auf, ihre »prophetische« Aufgabe wahrzunehmen, um mit den Mitteln der Anklage und Warnung im Zeichen der Gerechtigkeit ein neues Bewußtsein für die Solidarität der ethischen und sozialen Werte zu schaffen.

Don Peppino ging es nicht um eine korrekte Haltung gegenüber der politischen Macht. Seiner Ansicht nach wurde die politische Macht nicht nur von den Clans gestützt, sie war auch durch gemeinsame Interessen mit ihnen verbunden. Zugleich warf er einen kritischen Blick auf die sozialen Verhältnisse. Er wollte nicht glauben, daß die Hinwendung zum Clan eine bewußte Entscheidung für das Böse darstellte. Sie war für ihn vielmehr die Folge präzise beschreibbarer Umstände, genau faßbarer Mechanismen und unheilvoller Ursachen. Noch nie hatte die Kirche oder sonst jemand hier in dieser Gegend derart klare Worte gefunden:

Mißtrauen und Argwohn der Menschen im Süden gegenüber den staatlichen Institutionen aufgrund der jahrhundertelangen Unfähigkeit der Politik, die gravierenden Probleme des Mezzogiorno zu lösen, insbesondere in den Bereichen Arbeit, Wohnung, Gesundheit und Bildung;

der nicht immer unbegründete Verdacht einer Komplizenschaft zwischen der Camorra und den Politikern, die kriminelle Machenschaften decken und Gefälligkeiten erweisen, um bei den Wahlen unterstützt zu werden oder sogar, um gemeinsame Ziele zu erreichen;

das weitverbreitete Gefühl persönlicher Verunsicherung und ständiger Gefährdung aufgrund des unzureichenden rechtlichen Schutzes von Personen und Gütern, aufgrund schleppender juristischer Verfahren und der Unschärfe der gesetzgeberischen Instrumente [...] oft mit der Folge, daß die Menschen auf die vom Clan organisierte Verteidigung zurückgreifen oder sich unter den Schutz der Camorra stellen;

die diffuse Arbeitsmarktsituation, insofern nicht das Arbeitsamt, sondern die Camorra mit ihrer Klientelwirtschaft in der Lage ist, eine Stelle zu beschaffen;

die mangelnde bzw. unzureichende soziale Erziehung, auch im pastoralen Bereich, als könne man mündige Christen heranbilden, die nicht zugleich mündige Menschen und Staatsbürger sind.

Nach einem Angriff auf die Carabinieri-Kaserne in San Cipriano d'Aversa Ende der achtziger Jahre organisierte Don Peppino einen Protestmarsch gegen die Camorra. Ein Überfallkommando hatte die Amtsräume verwüstet und die Carabinieri zusammengeschlagen, weil einige es gewagt hatten einzuschreiten, als zwei Jugendliche beim Kirchweihfest während einer Filmvorführung in Streit gerieten. Die Kaserne von San Cipriano liegt am Ende einer schmalen Straße, die Carabinieri saßen also in der Falle. Die Capizona des Clans mußten die Lage entschärfen; sie waren von den Bossen geschickt worden, um die Carabinieri zu retten. Damals stand noch Antonio Bardellino an der Spitze, und sein Bruder Ernesto war Bürgermeister von Cipriano d'Aversa.

Wir, die Hirten der Kirchen Kampaniens, haben keineswegs nur die Absicht, diese Verhältnisse anzuprangern; im Rahmen unserer Kompetenzen und Möglichkeiten möchten wir vielmehr helfen, diesen Zustand zu überwinden, nicht zuletzt mittels einer Überprüfung der pastoralen Inhalte und modifizierter Handlungsstrategien.

Don Peppino begann, die Frömmigkeit der Bosse in Zweifel zu ziehen und nachdrücklich zu bestreiten, daß christlicher Glaube mit der ökonomischen, militärischen und politischen Macht der Clans vereinbar sei. Im Land der Camorra sieht man in den camorristischen Machenschaften keinen Widerspruch zur christlichen Botschaft. Nach camorristischem Selbstverständnis kommen alle Aktivitäten letztlich allen Mitgliedern zugute. Aus Sicht der Clans respektiert und befolgt die Organisation das Gebot der christlichen Nächstenliebe. Feinde und Verräter zu töten gilt als ein notwendiger und legitimer Regelverstoß. Das Gebot »Du sollst nicht töten« kann dann außer Kraft gesetzt werden, wenn dem Mord ein höheres Ziel zugrunde liegt, sei es die Rettung des Clans, die Wahrung der Interessen seiner Führung oder das Wohl der Gruppe und somit aller. Töten als eine Sünde, die von Christus als notwendiges Übel verziehen wird.

In San Cipriano d'Aversa praktizierte Antonio Bardellino noch das Zeremoniell der *pungitura* (»Stich«), wie es auch die Cosa Nostra kennt, eines jener Rituale, die immer mehr in Vergessenheit geraten. Dabei stach man den Aufnahmewilligen mit einer Nadel in den Zeigefinger der rechten Hand und ließ das Blut auf ein Bild der Madonna von Pompeji tropfen, das anschließend über einer Kerze verbrannt und von einem Clanführer zum anderen weitergereicht wurde. Die Clanführer standen um einen Tisch herum, und nachdem alle das Madonnenbild geküßt hatten, war der Neuling offiziell in den Clan aufgenommen. Die Religion stellt für die Camorra einen wichtigen Bezugspunkt dar; nicht nur als abergläubische Beschwörung oder kulturelles Relikt, sondern als eine spirituelle Kraft, welche die persönlichsten Lebensentscheidungen durchdringt. Die Camorra-Familien und besonders die zumeist charismatischen Bosse sehen ihr Handeln oft als einen Leidensweg: sie nehmen den Schmerz und die Last der Sünde auf sich zum Wohl der Gruppe und derjenigen, über die sie herrschen.

In Pignataro Maggiore ließ der Lubrano-Clan ein Madonnenfresko restaurieren, die »Camorra-Madonna«, so genannt, weil die wichtigsten aus Sizilien nach Pignataro Maggiore geflüchteten Cosa-Nostra-Bosse Beistand von ihr erbaten. Man kann sich unschwer vorstellen, wie Totò Riina, Michele Greco, Luciano Liggio oder Bernardo Provenzano auf dem Bänkchen vor dem Fresko der Madonna knieten und um Erleuchtung und Schutz flehten.

Nach seinem Freispruch organisierte Vincenzo Lubrano eine Wallfahrt nach San Giovanni Rotondo mit mehreren Bussen, um Padre Pio zu danken, der ihn, wie er glaubte, gerettet hatte. Lebensgroße Statuen von Padre Pio, Terrakotta- und Bronzekopien der Christusfigur, die mit ausgebreiteten Armen auf dem Zuckerhut über Rio de Janeiro thront, stehen in vielen Villen von Camorra-Bossen. In den Drogenlabors und -depots von Scampia werden in einem Arbeitsgang oft genau dreiunddreißig Plastikbeutel Haschisch für den Verkauf bereitet, eine Zahl, die dem Alter Christi entspricht. Nach einer dreiunddreißigminütigen Pause bekreuzigt man sich und fährt dann mit der Arbeit fort. Eine Art fromme Huldigung, verbunden mit der Bitte um profitable und ruhige Geschäfte. Dasselbe Ritual gilt für das Kokain. Der Capozona besprengt die Plastiktütchen häufig mit Lourdes-Wasser, bevor sie an die Pusher gehen, und verbindet damit die Hoffnung, daß durch den Konsum der Droge niemand zu Tode kommt. Schließlich wird er persönlich zur Verantwortung gezogen, wenn der Stoff von schlechter Qualität ist.

Das System Camorra beansprucht nicht nur die Verfügungsgewalt über Leib und Leben, sondern auch über die Seele. Don Peppino fand klärende Worte auch zum Inhalt und Geltungsbereich bestimmter grundlegender Werte:

»Familie« nennt die Camorra einen mit verbrecherischen Absichten gegründeten Clan, in dem die absolute Treue Gesetz und eigenständige Entscheidungen ausgeschlossen sind und nicht nur Verrat, sondern auch die Rückkehr zu ehrenhaftem Verhalten als todeswürdiges Vergehen angesehen wird. Die Camorra versucht mit allen Mitteln, dieses Modell einer »Familie« zu verbreiten und zu etablieren und bedient sich dazu sogar der kirchlichen Sakramente. Für einen Christen, der dem Wort Gottes folgt, ist jedoch die »Familie« nichts anderes als eine in Liebe geeinte Gemeinschaft von Menschen, die in selbstlosem und fürsorglichem Dienst füreinander eintreten, einem Dienst, der den Gebenden und den Empfangenden adelt. Die Camorra beansprucht eine eigene Religiosität, und bisweilen gelingt es ihr sogar, nicht nur die Gläubigen, sondern auch ahnungslose oder arglose Seelenhirten zu täuschen.

Eingehend behandelt Don Peppino in seinem Schreiben auch die Sakramente. Er verwahrt sich entschieden dagegen, die Kommunion, die Rolle des Paten und die kirchliche Eheschließung für camorristische Praktiken zu instrumentalisieren. Jeglicher Indienstnahme der religiösen Symbolik für die Zwecke der Clans müsse kategorisch entgegengetreten werden, so seine Forderung. Schon die Vorstellung, einen solchen Gedanken laut auszusprechen, versetzte die Priester des Sprengels in Angst und Schrecken. Wer konnte es wagen, einen Boss aus der Kirche zu weisen, der den Neugeborenen eines Mitglieds seines Clans zur Taufe trägt? Wer konnte es wagen, einer Ehe nur deshalb den kirchlichen Segen zu verweigern, weil durch sie ein Bündnis zwischen zwei Familien besiegelt wird? Don Peppino ließ auch hier keinen Zweifel:

Wir dürfen nicht zulassen, daß die Funktion des »Paten« bei bestimmten Sakramenten von Personen ausgeübt wird, deren Unbescholtenheit im öffentlichen und privaten Leben und deren Status als mündige Christen in Frage steht. Wir dürfen niemandem die Sakramente erteilen, der versucht, ungebührlichen Druck auszuüben, obwohl er den Empfang dieser Sakramente nicht verdient hat.

Don Peppino forderte die Camorra zu einem Zeitpunkt heraus, als Francesco Schiavone, Sandokan, polizeilich gesucht wurde und sich im Bunker unter seiner Villa versteckt hielt; als sich die casalesischen Familien untereinander bekämpften und das lukrative Geschäft mit Zement und Müll die neuen Grenzen ihrer Imperien definierte. Don Peppino wollte kein Seelentröster sein, der dem Sarg der hingemetzelten jungen Leute folgt, Soldaten im Dienst der Clans, und den schwarzgekleideten Müttern zuflüstert: »Habt nur Mut.« In einem Interview erklärte er: »Wir müssen einen Keil zwischen sie treiben, um sie in Schwierigkeiten zu bringen.« Er bezog auch politisch Stellung und betonte, es gehe vorrangig um den Kampf gegen die politische Macht als Ausdruck krimineller unternehmerischer Macht, um die Unterstützung konkreter Projekte und um Aufbruch und Erneuerung. Er selbst könne dabei nicht unparteiisch bleiben. »Die Partei wird mit dem gleichgesetzt, der sie vertritt. Oft jedoch vertreten die von der Camorra unterstützten Kandidaten weder eine Politik noch eine Partei; ihre Aufgabe ist es, eine Funktion auszufüllen, eine Leerstelle zu besetzen.« Das Ziel sei nicht, die Camorra zu besiegen. »Sieger und Besiegte«, sagte Don Peppino, »sitzen im selben Boot.« Vielmehr gelte es zu verstehen und zu verändern, Zeugnis abzulegen und anzuklagen, den Pulsschlag der ökonomischen Macht zu erspüren, um die Herzkammer der Clanhegemonie zu finden und anzugreifen.

Ich war nie fromm, keinen Augenblick meines Lebens, aber die Worte Don Peppinos fanden auch bei mir Anklang, denn sie sprengten die engen konfessionellen Grenzen. Er hatte einen Weg gefunden, die religiöse und die politische Sprache auf eine neue Grundlage zu stellen. Und er war zuversichtlich, daß es möglich war, an die Wirklichkeit heranzukommen, sie zu packen und nicht wieder loszulassen. Seine Worte waren geeignet, die Spur des Geldes aufzunehmen, seinem Modergeruch zu folgen.

Pecunia non olet, heißt es. Aber Geld stinkt nur in der Hand des Kaisers nicht. Bevor es in seine Hände gelangt, stinkt es sehr wohl. Es stinkt nach Latrine. Don Peppino lebte und wirkte in einem Landstrich, wo das Geld stinkt, wenn auch nur in dem kurzen Augenblick, da es aus dem Morast geschöpft wird und die Grenze zur Legalität noch nicht überschritten hat. Gerüche, die nur wahrnehmen kann, wer an der Quelle schnuppert. Don Peppino Diana hatte erkannt, daß er diesem Land nicht den Rücken kehren durfte, daß er wachsam bleiben mußte, um zu sehen, zu geißeln und zu verstehen, wo und wie unternehmerischer Reichtum angesammelt wird und wie es zu den blutigen Gemetzeln und den Strafaktionen, zu den Fehden und dem beharrlichen Schweigen kommt. Auf der Zunge das einzige Mittel, das die Kraft zur Veränderung besaß: das Wort. Und dieses Wort, das nichts verschweigen konnte, war Don Peppinos Todesurteil. Seine Mörder vollstreckten es nicht an einem zufällig gewählten Tag. Es war Don Peppinos Namenstag, der 19. März 1994. Frühmorgens. Don Peppino hatte noch nicht einmal das Meßgewand angelegt. Er befand sich im Gemeindesaal gleich neben seinem Arbeitszimmer. Er war nicht auf Anhieb als Priester zu erkennen.

»Wer ist Don Peppino?«

»Das bin ich …«

Seine letzten Worte. Fünf Schüsse hallten durch das Kirchenschiff, zwei Geschosse trafen ihn im Gesicht, die anderen an Kopf, Hals und einer Hand. Die Killer hatten auf das Gesicht gezielt und aus nächster Nähe geschossen. Ein Projektil blieb zwischen Jacke und Pullover stecken. Ein anderes zerschmetterte ihm den Schlüsselbund an seiner Hose. Don Peppino bereitete sich gerade auf die Morgenmesse vor. Er war sechsunddreißig Jahre alt.

Einer der ersten, der in die Kirche gerannt kam und ihn am Boden liegen fand, war Renato Natale, der kommunistische Bürgermeister von Casal di Principe und gerade vier Monate im Amt. Kein Zweifel, mit diesem Mord wollte man auch ihn treffen. Natale war der erste Bürgermeister von Casal di Principe, der sich den Kampf gegen die Clans auf die Fahnen geschrieben hatte. Aus Protest hatte er sogar den Kommunalrat verlassen, der seiner Ansicht nach nur noch Entscheidungen absegnete, die von anderen getroffen worden waren. Einmal waren die Carabinieri in das Wohnhaus des Kommunalreferenten Gaetano Corvino in Casale eingedrungen, wo sich die Führungsspitze des casalesischen Clans versammelt hatte. Der Kommunalreferent selbst nahm zur selben Zeit an einer Kommunalratsitzung teil. Auf der einen Seite die Geschäfte der Gemeinde, auf der anderen Seite die Geschäfte, die über die Gemeinde abgewickelt wurden. Geschäfte zu tätigen ist der einzige Grund, weshalb man morgens aufsteht, die Motivation, die einen aus dem Bett holt und auf die Beine stellt.

Renato Natale war jemand, zu dem ich aufschaute wie zu einer Symbolfigur, die Engagement, Widerstand und Mut verkörpert. Für mich eine fast metaphysisch überhöhte, archetypische Gestalt. Mit jugendlicher Scheu verfolgte ich seinen Einsatz für eine ambulante ärztliche Versorgung der Einwanderer, seine Anprangerung der Macht der casalesischen Camorra und ihrer Geschäfte mit Zement und Müll in jenen düsteren Jahren der internen Kriege. Er erhielt Morddrohungen, Warnungen, daß man seiner Familie etwas antun werde, sollte er auf seinem Weg fortfahren. Aber er klagte weiter an, mit allen Mitteln, sogar mit Plakaten, die er überall im Ort anschlagen ließ, so daß jeder von den Machenschaften der Clans erfuhr. Je beharrlicher und mutiger er auftrat, desto unangreifbarer wurde er. Man muß die politische Geschichte dieses Landstrichs kennen, um zu verstehen, was für ein besonderes Gewicht die Begriffe Engagement und Beharrlichkeit besitzen.

Seitdem das Gesetz zur Auflösung von Gemeindeverwaltungen aufgrund mafioser Unterwanderung in Kraft ist, wurden in der Provinz Caserta sechzehn Gemeinderäte aufgelöst, fünf von ihnen wurden zweimal unter kommissarische Verwaltung gestellt. Carinola, Casal di Principe, Casapesenna, Castelvolturno, Cesa, Frignano, Grazzanise, Lusciano, Mondragone, Pignataro Maggiore, Recale, San Cipriano, Santa Maria La Fossa, Teverola, Villa di Briano, San Tammaro. Gelingt es einem Kandidaten, der entschlossen ist, den Clans die Stirn zu bieten, gegen alle Widerstände (Stimmenkauf und Bestechung quer durch alle politischen Lager) zum Bürgermeister gewählt zu werden, muß er sich mit der Verwaltungsbürokratie und den immer knappen Finanzmitteln herumschlagen und hat gegen die totale Bedeutungslosigkeit seines Postens zu kämpfen. Er muß alles einreißen, Stein für Stein abtragen. Ausgestattet mit dem Budget einer kleinen Ortschaft, muß er sich Großkonzernen entgegenstellen und, gestützt auf nur unzureichend gerüstete Polizeikräfte, eine waffenstrotzende Organisation in Schach zu halten suchen. Darum bemühte sich im Jahr 1988 Antonio Cangiano, Kommunalreferent von Casapesenna, der nicht zulassen wollte, daß die Clans öffentliche Bauaufträge unter ihre Kontrolle brachten. Er wurde bedroht, beschattet und vor allen Augen auf offener Straße in den Rücken geschossen. Er hatte die Aktivitäten des casalesischen Clans behindern wollen, sie sorgten dafür, daß er nicht mehr gehen konnte. Cangiano ist an den Rollstuhl gefesselt. Die mutmaßlichen Verantwortlichen des Attentats wurden 2006 freigesprochen.

Casal di Principe ist kein sizilianisches Dorf im Griff der Mafia. Zwar ist es auch in Sizilien nicht leicht, sich dem kriminellen Unternehmertum entgegenzustellen, aber dort gibt es überall Fernsehkameras, mehr oder weniger profilierte Journalisten und Scharen von Antimafia-Fahndern, die das eigene Engagement auf die eine oder andere Weise unterstützen. In Casal di Principe dagegen steht man auf verlorenem Posten, nur wenige ziehen am selben Strang. Und dennoch glaube ich, daß gerade aus dieser Einsamkeit so etwas wie Mut erwächst, der einen schützt wie eine Rüstung, auch wenn man sich dessen vielleicht gar nicht bewußt ist. Mach weiter. Tu, was du tun mußt, alles andere zählt nicht. Denn die Bedrohung ist nicht immer eine Kugel zwischen die Augen oder zentnerweise Büffelmist, den sie dir vor die Haustür kippen.

Sie zermürben dich langsam, aber stetig. Jeden Tag ziehen sie dich ein bißchen mehr aus, bis du splitternackt dastehst, mutterseelenallein, und glaubst, du kämpfst gegen eine Chimäre, ein Hirngespinst, das nur in deinem Kopf existiert. Du fängst an, den Verleumdungen zu glauben, die dich als einen Versager hinstellen – als einen, der sich mit denen anlegt, die es zu etwas gebracht haben, und sie aus Frustration Camorristen nennt. Sie spielen mit dir, wie man Mikado spielt. Sie nehmen alle Holzstäbchen weg, ohne dich auch nur zu berühren, so daß du am Ende ganz allein bist und vor Einsamkeit schier verrückt wirst. Eine Gemütslage, die du dir hier nicht leisten kannst. Den Blick niederzuschlagen ist gefährlich. Du kapierst nicht mehr, wie es läuft und was die Zeichen bedeuten. Du kriegst nichts mehr mit. Deshalb mußt du deine ganze Kraft mobilisieren. Du mußt einen Kraftquell finden, der dich innerlich stärkt, um weitermachen zu können. Christus, Buddha, soziales Engagement, ein sittlich-moralisches Programm, Marxismus, Stolz, Anarchie, Kampf gegen das Verbrechen, Ordnung und Sauberkeit, eine unbändige, nie versiegende Wut, das Süditalienproblem. Irgend etwas. Nicht bloß einen Notanker, sondern eine Wurzel, tief in der Erde verwachsen und unangreifbar. In diesem aussichtslosen Kampf, den du ohnehin nicht gewinnen kannst, gibt es etwas, das du unbedingt bewahren und festhalten mußt. Du mußt dir sicher sein, daß es durch dein an Wahnsinn und Besessenheit grenzendes Engagement noch stärker wird. Diese tief eingewurzelte Kraft erkenne ich inzwischen im Blick derjenigen, die entschlossen sind, bestimmten Mächten ins Auge zu blicken.

Nach dem Mord an Don Peppino fiel der Verdacht sofort auf die Gruppe um Giuseppe Quadrano, ein Clanmitglied, das sich auf die Seite der Gegner Sandokans geschlagen hatte. Es gab sogar zwei Zeugen: einen Fotografen, der gekommen war, um Don Peppino zu gratulieren, und den Kirchendiener von San Nicola. Als bekannt wurde, daß sich die Ermittlungen auf Quadrano konzentrierten, rief der Boss Nunzio De Falco, genannt »'o lupo« (der Wolf), im Polizeipräsidium Caserta an und bat um ein Treffen, um Fragen bezüglich eines Mitglieds seiner Gruppe zu klären. De Falco lebte in Granada, das bei der territorialen Aufteilung der Macht unter den Casalesen ihm zugefallen war. Zwei Polizeibeamte besuchten ihn auf seinem Territorium. Sie wurden von der Ehefrau des Bosses am Flughafen abgeholt und durch das wunderschöne ländliche Andalusien chauffiert. Nunzio De Falco empfing die Beamten jedoch nicht in seiner Villa in Santa Fe, sondern in einem Restaurant, dessen Gästeschaft mit hoher Wahrscheinlichkeit überwiegend aus De Falcos Leuten bestand. Sie würden sofort eingreifen, sollten die Polizisten eine Unvorsichtigkeit begehen. Der Boss machte von Anfang an deutlich, daß er den Beamten seine Sicht der Dinge darzulegen gedachte: etwas war geschehen, und das verlangte nach einer Interpretation. Er erstattete keine Anzeige, er denunzierte niemanden – diese Klarstellung war notwendig, um nicht den Namen der Familie zu beschmutzen und ihre Glaubwürdigkeit zu gefährden. Er konnte es sich nicht erlauben, mit der Polizei zusammenzuarbeiten. Der Boss erklärte unumwunden, Don Peppino Diana sei von der rivalisierenden Familie der Schiavone ermordet worden. Sie hätten den Priester getötet, um den Mord den De Falco anzuhängen. »'O lupo« beteuerte, er habe unmöglich den Mordbefehl erteilen können, weil sein eigener Bruder Mario dem Priester eng verbunden war. Tatsächlich hatte Don Peppino Mario überzeugen können, auf eine Führungsposition im Clan zu verzichten. Der Priester stand mit ihm in Kontakt und wollte ihn sogar dazu bringen, sich ganz aus dem System zurückzuziehen. Das war einer der größten Erfolge

Don Peppinos, und jetzt benutzte De Falco ausgerechnet das als Alibi. De Falcos Behauptung wurde von zwei Clanmitgliedern gestützt: Mario Santoro und Francesco Piacenti.

Auch Giuseppe Quadrano war in Spanien, zunächst als Gast in De Falcos Villa, später an einem Ort unweit von Valencia. Er hatte versucht, ins Drogengeschäft einzusteigen, um mit dem damit verdienten schnellen Geld im Süden Spaniens einen weiteren italienischen Clan aufzubauen, der kriminelle Geschäfte tätigte. Das gelang ihm nicht. Im Grunde genommen hatte Quadrano immer nur in der zweiten Liga gespielt. Jetzt stellte er sich der spanischen Polizei und erklärte sich zur Zusammenarbeit mit den Justizbehörden bereit. Er widersprach Nunzio De Falcos Darstellung. Quadrano brachte den Mord in Zusammenhang mit der Fehde zwischen seiner Gruppe und den Schiavone. Quadrano war Capozona von Carinaro, und Sandokans Leute hatten kurz nacheinander vier Mitglieder seines Clans, zwei Onkel und den Ehemann seiner Schwester getötet. Er sagte aus, er und Mario Santoro hätten beschlossen, Aldo Schiavone, einen Cousin Sandokans, aus dem Weg zu räumen, um die Morde zu rächen. Sie riefen De Falco in Spanien an, da keine militärische Operation ohne das Einverständnis der Führung durchgeführt werden konnte. Aber der Boss stoppte von Granada aus die ganze Aktion, weil Schiavone sonst nach der Ermordung seines Cousins sämtliche Verwandten De Falcos, die noch in Kampanien lebten, hätte umbringen lassen. Der Boss kündigte jedoch an, er werde Francesco Piacenti als Übermittler eines Befehls und als Koordinator losschicken. Piacenti fuhr mit seinem Wagen von Granada nach Casal di Principe – einem Mercedes, in den achtziger und neunziger Jahren das Symbol dieses Territoriums schlechthin. Der Journalist Enzo Biagi war überrascht, als er Ende der neunziger Jahre für einen Artikel die Verkaufszahlen von Autos der Marke Mercedes in Italien recherchierte: Casal di Principe belegte in der europäischen Rangliste einen der obersten Plätze. Aber Casal di Principe gebührte noch ein weiterer Spitzenplatz: es war der Ort mit der höchsten Mordrate ganz Europas. Dieser Zusammenhang zwischen den Merce-des-Absatzzahlen und der Zahl von Ermordeten könnte auch in Zukunft ein Charakteristikum der von der Camorra be-herrschten Territorien bleiben. Wie Quadrano zunächst aus-sagte, übermittelte Piacenti den Befehl, Don Peppino Diana umzubringen. Niemand kannte den Grund für diese Anwei-sung, aber alle waren überzeugt, »il Lupo weiß, was er tut«. Quadrano zufolge erklärte Piacenti, er selbst werde den Auf-trag ausführen unter der Bedingung, daß Santoro und ein wei-teres Mitglied des Clans ihn begleiteten. Aber Mario Santoro zögerte. Er rief De Falco an und sagte ihm, er sei gegen diesen Mord, aber am Ende machte er doch mit. Um nicht die Mitt-lerfunktion im Drogenhandel mit Spanien zu verlieren, die ihm »'o lupo« zugesichert hatte, konnte er sich einem so wich-tigen Befehl nicht widersetzen. Aber die Ermordung eines Priesters, noch dazu ohne ein klares Motiv, war kein Auftrag wie jeder andere. Im System der Camorra ist Mord eine schlichte Notwendigkeit, vergleichbar einer Bankeinzahlung, dem Erwerb einer Konzession, dem Bruch einer Freundschaft. Mord gehört zum normalen Tagesgeschäft einer jeden Familie, eines jeden Bosses, eines jeden Mitglieds. Aber einen Priester zu töten, der am Spiel um Macht und Geld nicht beteiligt ist, bedeutete einen echten Gewissenskonflikt. Nach Aussage Quadranos machte Francesco Piacenti mit der Begründung einen Rückzieher, in Casale würden ihn zu viele kennen, er könne daher bei dem Anschlag nicht mitmachen. Mario San-toro dagegen habe sich zwar bereit erklärt mitzumachen, aber Giuseppe Della Medaglia dabeihaben wollen, ein Mitglied des Ranucci-Clans aus Sant'Antimo, der schon bei anderen Ope-rationen mitgewirkt hatte. Dem Kronzeugen Quadrano zu-folge verabredeten sie sich für den folgenden Tag um sechs Uhr morgens. Aber das Kommando verbrachte eine qualvolle Nacht. Sie fanden keinen Schlaf, hatten Streit mit ihren Ehe-frauen, waren unruhig und nervös. Dieser Priester machte ihnen mehr angst als die Gewehrmündungen gegnerischer Clans.

Della Medaglia erschien nicht am verabredeten Ort. Quadranos Aussagen zufolge schickte er Vincenzo Verde, den er in letzter Minute hatte überreden können. Die anderen Beteiligten waren nicht sehr glücklich über diese Wahl: Verde war Epileptiker. Es konnte passieren, daß er sich, nachdem er geschossen hatte, in Krämpfen am Boden wand, die Zunge zwischen den Zähnen, Schaum vorm Mund. Deshalb bemühten sie sich, statt seiner Nicola Gaglione zu gewinnen, der sich jedoch kategorisch weigerte. Santoro wiederum litt an einer Innenohrentzündung. Er konnte sich die Route nicht merken, weshalb Quadrano nach seinem Bruder Armando schickte, der Santoro zur Seite stehen sollte. Eine einfache Operation: vor der Kirche wartet ein Auto auf die Killer, die nach getaner Arbeit ganz gemächlich zum Wagen schlendern. Wie nach einer Morgenandacht. Nach der Exekution hatte das Kommando keine Eile zu fliehen. Quadrano wurde noch am selben Abend aufgefordert, nach Spanien zu kommen, aber er lehnte ab. Er fühlte sich geschützt durch die Tatsache, daß die Ermordung Don Peppinos der bisherigen militärischen Praxis völlig zuwiderlief. Und da ihnen selbst das Motiv für diesen Mord nicht bekannt war, würden auch die Carabinieri nicht dahinterkommen. Aber als dann die Polizei anfing, in alle Richtungen zu ermitteln, setzte sich Quadrano nach Spanien ab. Später sagte er aus, Francesco Piacenti habe ihm erzählt, Nunzio De Falco, Sebastiano Caterino und Mario Santoro hätten ihn, Quadrano, aus dem Weg räumen wollen, vielleicht weil sie den Verdacht hegten, er wolle sie verpfeifen; aber nachdem sie ihn am Tag des Attentats mit seinem kleinen Sohn im Auto gesehen hätten, hätten sie ihn verschont.

In Casal di Principe hörte Sandokan immer öfter seinen Namen im Zusammenhang mit der Ermordung des Priesters. Er ließ daher Don Peppinos Angehörige wissen, seine Leute würden Quadrano früher aufspüren als die Polizei, ihn in drei Teile zerstückeln und diese auf den Kirchplatz werfen. Das war weniger die Androhung von Rache als vielmehr eine klare Botschaft: Schiavone wies die Verantwortung für den Mord an

Don Peppino weit von sich. Um sich nach Francesco Schiavones distanzierender Erklärung zu beratschlagen, trafen sich
in Spanien die Leute des De-Falco-Clans. Dabei schlug Giuseppe Quadrano vor, einen Verwandten Schiavones zu töten,
zu zerstückeln und in einem Sack vor Don Peppinos Kirche zu
legen. Auf diese Weise würde die Verantwortung für den Mord
an dem Priester auf Sandokan fallen. Beide Gruppen gelangten
unabhängig voneinander zur selben Lösung. Leichen zu zerstückeln und die Einzelteile zu verstreuen ist der beste Weg,
eine Botschaft so zu übermitteln, daß man sie nicht mehr ver-
gißt. Don Peppinos Mörder redeten davon, einen menschlichen Körper zu zerteilen, um ihre Position zu besiegeln. Ich
dachte noch einmal an den Kampf dieses Priesters, an seinen
Primat des Wortes. Dachte daran, wie revolutionär neu und
zwingend der Wille ist, im Kampf gegen das Getriebe der
Macht allein auf die Kraft des Wortes zu vertrauen. Worte
gegen Betonmischmaschinen und Gewehre. Kein symboli-
scher, sondern ein realer Akt. Um anzuprangern, zu bezeugen,
Präsenz zu zeigen. Das Wort, das allein dadurch seine Kraft gewinnt, daß es ausgesprochen wird. Das Wort als Wächter und
Zeuge: wahr, solange es artikuliert wird. Ein solches Wort kann
man nicht vernichten, es sei denn, man tötet.

Vincenzo Verde, Francesco Piacenti und Giuseppe Della Medaglia wurden 2001 vom Gericht in Santa Maria Capua Vetere
in erster Instanz zu lebenslangen Freiheitsstrafen verurteilt.
Giuseppe Quadrano hatte schon lange vorher damit begonnen,
Don Peppino zu diffamieren. Während seiner Verhöre stellte
er Mutmaßungen über mögliche Mordmotive an, um Don
Peppinos Engagement durch den Vorwurf zu diskreditieren, er
sei selbst in kriminelle Machenschaften verstrickt gewesen.
Nunzio De Falco, so erzählte er, habe Don Peppino Waffen
ausgehändigt, die dieser ohne Erlaubnis an Walter Schiavone
weitergegeben habe; für dieses schwere Vergehen sei er bestraft worden. Auch über ein Verbrechen aus Leidenschaft
wurde gemunkelt. Don Peppino Diana sei getötet worden, weil

er der Cousine eines Bosses nachgestellt habe. Um eine Frau ein für allemal zu diskriminieren, braucht man sie nur eine »Hure« zu nennen; und einem Priester vorzuwerfen, er sei ein »Hurenbock«, ist der einfachste Weg, ihn zu verurteilen. Am Ende kam noch die Geschichte, Don Peppino sei getötet worden, weil er seine Pflicht als Priester nicht erfüllt und sich geweigert habe, das Requiem für einen Verwandten Quadranos zu lesen. Absurde, lächerliche Vorwürfe, die verhindern sollten, daß Don Peppino zum Märtyrer wurde und seine Worte Verbreitung fanden. Er sollte nicht als Opfer der Camorra, sondern als Soldat der Clans betrachtet werden. Wer die Machtspiele der Camorra nicht kennt, könnte meinen, einen Unschuldigen zu töten zeuge von einer erschreckenden Naivität, da damit nur die Rechtmäßigkeit seines Tuns und seiner Worte bestätigt und die Wahrheit dessen beglaubigt wird, wofür er eingetreten ist. Irrtum. So ist es nie. Wenn im Land der Camorra jemand stirbt, wird er mit so vielen Verdächtigungen überhäuft, bis seine Unschuld nur noch eine vage Vermutung ist, die unwahrscheinlichste. Du bist so lange schuldig, bis du das Gegenteil beweisen kannst. Die Clans haben die modernen Rechtgrundsätze pervertiert.

Das öffentliche Interesse ist für gewöhnlich so gering, daß schon ein einziges Verdachtsmoment genügt, damit die Presseagenturen nicht mehr vom Tod eines Unschuldigen schreiben. Und falls es nicht noch weitere Tote gibt, ist der Fall bald endgültig erledigt. Das Image Don Peppino Dianas zu zerstören war eine entscheidende Strategie, um den Druck auf die Clans zu mindern und das allzu störende Interesse der Öffentlichkeit zu dämpfen.

Ein Lokalblatt machte sich zum Sprachrohr der Verleumdungskampagne gegen Don Peppino. Mit Schlagzeilen, so fett, daß einem die Buchstaben an den Fingern kleben blieben, wenn man die Zeitung aufschlug. »Don Diana war ein Camorrist« hieß es da, und ein paar Tage später: »Don Diana im Bett mit zwei Frauen.« Die Botschaft war klar: niemand kann sich gegen die Camorra stellen. Wer das wagt, hat immer ein persönliches Motiv, er hat eine Rechnung offen, ein privates Problem, das im selben schmutzigen Milieu angesiedelt ist.

Don Peppino wurde von seinen alten Freunden, seinen Angehörigen und von den Menschen verteidigt, die ihn auf seinem Weg begleitet hatten. Zu ihnen zählen der Journalist Raffaele Sardo, der in Artikeln und Büchern sein Andenken bewahrt hat, sowie die Journalistin Rosaria Capacchione, die die Strategien der Clans, die List und Schläue der Kronzeugen, ihre komplexe und mörderische Macht eingehend studiert hat.

Mit dem zweitinstanzlichen Urteil im Jahr 2003 wurden große Teile der Aussagen Giuseppe Quadranos in Zweifel gezogen und Vincenzo Verde und Giuseppe Della Medaglia entlastet. Quadrano hatte nur die halbe Wahrheit gesagt und von Anfang an die Strategie verfolgt, jede Verantwortung von sich zu weisen. Aber der Killer war *er* gewesen, Zeugen und ballistische Gutachten hatten das bestätigt. Giuseppe Quadrano ist der Mörder von Don Peppino Diana. Im zweitinstanzlichen Urteil wurden Verde und Della Medaglia freigesprochen. Der Killertrupp bestand aus Quadrano und Santoro, der den Wagen fuhr. Francesco Piacenti hatte Informationen über Don Diana geliefert und das Kommando geführt; er war von De Falco aus Spanien geschickt worden, um die Operation zu leiten. Die lebenslange Freiheitsstrafe für Piacenti und Santoro wurde auch in zweiter Instanz bestätigt. Quadrano hatte sogar Telefonate mit Mitgliedern seines Clans aufgezeichnet, in denen er beteuerte, mit dem Mord nichts zu tun zu haben. Diese Mitschnitte hatte er der Polizei übergeben. De Falco war der Auftraggeber für den Mord gewesen, und Quadrano wollte nicht als dessen Handlanger dastehen. Höchstwahrscheinlich hatten alle von Quadrano zunächst ins Spiel gebrachten Personen eine Teilnahme am Mordplan abgelehnt. Sie wollten nichts damit zu tun haben. Gewehre und Pistolen können manchmal nichts ausrichten gegen jemanden, der unbewaffnet, aber mit klaren Worten spricht.

Nunzio De Falco wurde auf der Fahrt im Intercity von

Valencia nach Madrid in Albacete verhaftet. Zusammen mit Leuten der 'Ndrangheta und einigen Versprengten der Cosa Nostra hatte er ein mächtiges kriminelles Kartell aufgebaut. Nach Erkenntnissen der spanischen Polizei hatte er auch versucht, die Zigeuner im Süden Spaniens in kriminellen Gruppen zu organisieren. Sein Imperium umfaßte Feriendörfer, Spielkasinos, Läden, Hotels. Nachdem die casalesischen und neapolitanischen Clans beschlossen hatten, die Costa del Sol zu einer Perle des Massentourismus zu machen, hatte sich die touristische Infrastruktur dieses Küstenstreifens bestens entwickelt.

Im Januar 2003 wurde De Falco als Auftraggeber des Mordes an Don Peppino Diana zu lebenslanger Freiheitsstrafe verurteilt. Als im Gerichtssaal das Urteil verkündet wurde, wäre ich am liebsten in Gelächter ausgebrochen. Ich konnte es nur dadurch unterdrücken, daß ich die Backen aufblies. Die Absurdität der Situation war einfach überwältigend: Nunzio De Falco, einer der Oberbosse der Casalesen, wurde von Gaetano Pecorella verteidigt, der zugleich Vorsitzender des Rechtsausschusses in der Abgeordnetenkammer war. Ich mußte lachen, weil die Clans so mächtig waren, daß sie sogar die Gesetze der Natur und der Fabel außer Kraft gesetzt hatten. Ein Wolf (»*lupo*«) ließ sich von einem Schaf (»*pecorella*«) verteidigen. Aber vielleicht delirierte ich schon aufgrund von Müdigkeit und zerrütteten Nerven.

Nunzio De Falco steht sein Spitzname ins Gesicht geschrieben. Es besitzt tatsächlich Ähnlichkeit mit einem Wolf. Das Fahndungsfoto zeigt ein langes Gesicht mit spärlichem Bart, stoppelig wie ein Nagelbrett, und spitze Ohren. Krauses Haar, dunkle Haut und einen dreieckigen Mund. Er ähnelt einem Werwolf aus dem Bilderbuch des Horrors. Und trotzdem berichtete ein Lokalblatt – dasselbe, das ausführlich über angebliche Verbindungen Don Peppinos zu dem Clan geschrieben hatte – auf der ersten Seite über ihn als einen vom weiblichen Geschlecht umschwärmten Liebhaber. Aufschlußreich die

Schlagzeile vom 17. Januar 2005: »Nunzio De Falco, König der Schürzenjäger.«

Casal di Principe (Ce)
Sie sind zwar nicht schön, aber sie kommen an, denn sie sind die Bosse; so ist das nun einmal. Ganz oben auf der Rangliste der größten Playboys unter den hiesigen Bossen stehen zwei mehrfach Verurteilte aus Casal di Principe, obwohl sie sich mit der Ausstrahlung eines Don Antonio Bardellino natürlich nicht messen können. Die Rede ist von Francesco Piacenti alias »Nasone« (große Nase) und Nunzio De Falco alias »*'o Lupo*«. Nach allem, was so erzählt wird, hatte ersterer fünf, letzterer sieben Frauen. Nicht eheliche Beziehungen im strengen Sinn, sondern langjährige Beziehungen, aus denen auch Kinder hervorgingen. Nunzio De Falco hat, so scheint es, mindestens zwölf Kinder von verschiedenen Frauen. Interessanterweise sind nicht alle diese Frauen Italienerinnen. Eine ist Spanierin, eine andere Engländerin, eine andere Portugiesin. Überall, wo die Bosse untergetaucht sind, haben sie eine Familie gegründet. Wie Seeleute? So ähnlich [...] Nicht von ungefähr wurden auch einige dieser Frauen, allesamt schön und ausgesprochen elegant, vor Gericht geladen. Und nicht selten stürzte das schöne Geschlecht die Bosse sogar ins Verderben. Häufig trugen die Frauen indirekt zur Verhaftung der gefährlichsten Bosse bei. Ihre Beschattung durch die Polizei ermöglichte beispielsweise die Festnahme eines so schweren Kalibers wie Francesco Schiavone Cicciariello [...] Selbst für die Bosse gilt also: Frauen bringen Freud, aber auch Leid.

Don Peppinos Tod war der Preis, der für den Frieden zwischen den Clans bezahlt wurde. Auch das Urteil legt diese Vermutung nahe. Die beiden einander befehdenden Gruppen mußten zu einer Aussöhnung gelangen, und sie wurde durch Don Peppinos Ermordung besiegelt. Er wurde als Sündenbock geopfert. Sein Tod löste ein Problem, das allen Familien auf den Nägeln brannte, und lenkte gleichzeitig die Aufmerksamkeit der Ermittler von den kriminellen Geschäften der Clans ab.

Ich hatte gehört, daß Cipriano, ein Jugendfreund Don Peppinos, eine Rede verfaßt hatte, die er bei der Beerdigung hatte verlesen wollen, eine Schmährede, die auf einer Rede Don Peppinos basierte. Doch am Tag der Beerdigung fehlte ihm die Kraft, auf die Beine zu kommen. Er hatte Casal di Principe schon vor Jahren verlassen, er lebte in der Nähe von Rom und hatte sich geschworen, nie wieder nach Kampanien zurückzukehren. Ich hatte gehört, daß sein Schmerz über den Tod Don Peppinos so groß war, daß er monatelang ans Bett gefesselt war. Wenn ich mich bei seiner Tante nach ihm erkundigte, gab sie mir in düsterem Ton stets dieselbe Antwort: »Er hat dichtgemacht. Cipriano hat dichtgemacht!«

Es passiert immer wieder, daß jemand »dichtmacht«. Das hört man nicht selten hier in dieser Gegend. Immer wenn ich diesen Ausdruck höre, muß ich an Giustino Fortunato denken, der Anfang des 20. Jahrhunderts monatelang zu Fuß in den Dörfern des südlichen Apennin unterwegs war, um die dortigen Verhältnisse kennenzulernen. Er übernachtete in den Häusern der Tagelöhner, lauschte den wütenden Schilderungen der Bauern und lernte die süditalienische Frage aus eigener Anschauung kennen. Später dann, als Senator, kehrte er in diese Dörfer zurück und fragte nach den Leuten, mit denen er Jahre zuvor gesprochen hatte, den kämpferischsten, um sie an seinem politischen Reformprogramm zu beteiligen. Nicht selten jedoch erhielt er von den Angehörigen die Antwort: »Er hat dichtgemacht!« Dichtmachen, schweigen bis zum völligen Verstummen, sich in sich selbst verkriechen, um nicht mehr wissen, verstehen, handeln zu müssen. Sie hören auf, Widerstand zu leisten, sie entscheiden sich für ein Einsiedlerleben, um keine Kompromisse schließen und sich mit den Verhältnissen nicht abfinden zu müssen. Auch Cipriano hat dichtgemacht. Man erzählte mir, es habe angefangen, als er zu einem Vorstellungsgespräch bei einer Speditionsfirma in Frosinone gewesen war, wo er sich für eine Stelle in der Personalabteilung beworben hatte. Beim Verlesen des Lebenslaufs hielt sein Gegenüber plötzlich inne.

»Ah ja, ich weiß, woher Sie kommen! Das ist doch die Stadt, aus der dieser berühmte Boss stammt ... Sandokan, nicht wahr?«

»Nein, es ist die Stadt, aus der Peppino Diana stammt!«

»Wer?«

Cipriano stand auf und ging. Seinen Lebensunterhalt verdiente er sich fortan mit einem Zeitungskiosk in Rom. Ich erfuhr seine Adresse von seiner Mutter, der ich zufällig in einem Supermarkt begegnete. Sie hatte ihm wohl mein Kommen angekündigt, denn Cipriano meldete sich nicht an der Sprechanlage. Vielleicht wußte er, worüber ich mit ihm reden wollte. Aber ich war fest entschlossen, vor seinem Haus zu warten, stundenlang, ich hätte sogar im Treppenhaus geschlafen. Er beschloß dann doch herunterzukommen. Er begrüßte mich knapp. Wir gingen in einen kleinen Park in der Nähe und setzten uns auf eine Bank, und dann schlug er ein liniertes Notizheft auf, ein dünnes Schulheft, das seinen handschriftlichen Redeentwurf enthielt. Wer weiß, vielleicht gab es in dem Heft auch eine Seite mit Don Peppinos Handschrift. Ich wagte nicht zu fragen. Den Text wollten sie gemeinsam unterzeichnen. Doch dann waren die Killer gekommen, der Tod, die Verleumdungen, die abgrundtiefe Einsamkeit. Cipriano fing an zu lesen, im Ton und mit den Gesten eines ketzerischen Mönchs, der durch die Straßen zieht und den Untergang prophezeit:

Wir lassen nicht zu, Leute, daß die Camorra von unserem Land Besitz ergreift und es zu einem einzigen großen Gomorrha macht, das unweigerlich vernichtet werden wird! Wir lassen nicht zu, Männer der Camorra, daß ihr euch wie Tiere aufführt und nicht wie Menschen; daß hier Gesetze gelten, die anderswo niemals Gültigkeit besäßen, wir lassen nicht zu, daß hier zerstört wird, was anderswo gedeiht. Ihr schafft eine Ödnis rings um eure Villen, in der einzig eure Willkür herrscht. Vergeßt nicht: damals ließ der Herr Schwefel und Feuer auf Sodom und Gomorrha herabregnen; er zerstörte diese Städte samt dem Umland, die Bewohner und alles, was auf den Feldern wuchs. Aber Lots Frau blickte zurück und wurde zu einer Salzsäule (*Genesis* 19, 12-29). Auch wir müssen gewärtig sein, zur Salzsäule zu werden, denn wir müssen uns umdrehen und sehen, was sich über Gomorrha zusammenbraut, nämlich die vollkommene Vernichtung, wenn sich alles Leben hier weiterhin dem Joch eurer Geschäfte beugt. Seht ihr denn nicht, daß dieses Land Gomorrha ist, seht ihr es denn nicht? Vergeßt nicht: Schwefel und Salz werden seinen Boden bedecken, seine Fläche wird eine einzige Brandstätte sein; keiner wird es je wieder besäen können, und nichts wird aufkeimen; kein Hälmchen wird wachsen; alles wird sein wie nach der Zerstörung von Sodom und Gomorrha, Adma und Zeboijm, die der Herr in seinem glühenden Zorn zerstört hat (*Deuteronomium* 29, 22). Wir sterben auf ein Ja oder Nein, wir dürfen leben auf fremden Befehl. Ihr riskiert jahrzehntelange Gefängnisstrafen, um Macht über Leben und Tod zu gewinnen; ihr scheffelt Unmengen Geld und steckt es in Häuser, die ihr nie bewohnen, in Banken, die ihr nie betreten, in Restaurants, die ihr nicht leiten, in Betriebe, die ihr nicht führen werdet; ihr gebietet über eine tödliche Macht und verbringt euer Leben versteckt unter der Erde, umgeben von Leibwächtern. Ihr tötet und ihr werdet getötet in einem Schachspiel, dessen Könige andere sind, diejenigen, die durch euch reich werden, während ihr euch gegenseitig aufreibt, bis die Felder geräumt sind und nur noch eine einzige Figur auf dem Schachbrett steht. Und diese Figur wird keiner von euch sein. Was ihr hier gierig verschlingt, das spuckt ihr anderswo aus, weit entfernt, wie die Vögel, die ihren Jungen das Futter in den Schnabel stopfen. Aber hier sind keine Vogeljungen, sondern einzig Geier, und ihr seid keine Vögel, sondern Büffel, bereit, einander zu vernichten – hier, wo der Sieg mit Blut und Gewalt erkauft ist. *Es ist an der Zeit, daß wir aufhören, ein Gomorrha zu sein …*

Cipriano war am Ende angelangt. Er hatte, so schien es mir, all jene vor Augen, denen er diese Worte gern ins Gesicht geschleudert hätte. Er atmete schwer, wie ein Asthmatiker. Er machte sein Heft zu und entfernte sich grußlos.

Hollywood

In Casal di Principe hat man ein Hilfszentrum für minder-
jährige Pflegekinder nach Don Peppino Diana benannt. Die
Casa Don Diana befindet sich in der beschlagnahmten Villa
von Egidio Coppola, einem Mitglied des casalesischen Clans.
Eine prachtvolle Villa, die sehr viel Platz bietet. Die Agen-
tur zur Erneuerung, Entwicklung und Sicherheit (AGRO-
RINASCE) der Region, ein Zusammenschluß der Gemeinden Casapesenna, Casal di Principe, San Cipriano d'Aversa und
Villa Literno, hat erreicht, daß einige Häuser aus Camorra-
Besitz in gemeinnützige Einrichtungen umgewandelt wurden.
Solange sie nicht umgebaut sind, tragen die beschlagnahmten Villen jedoch noch die Spuren ihrer Erbauer und Bewohner. Selbst wenn längst niemand mehr darin wohnt, bleiben
sie Herrschaftssymbole. Im Hinterland von Aversa findet man
überall solche Villen, sie scheinen einem Musterkatalog ent-
nommen, in dem sämtliche Baustile der vergangenen dreißig
Jahre vertreten sind. Die eindrucksvollsten Villen der Bauunternehmer und Grundbesitzer werden ihrerseits zum Vorbild
für die kleineren Villen der Angestellten und Händler. Verfügen erstere über vier dorische Säulenreihen aus Zement,
haben letztere nur zwei, und die Säulen sind nur halb so hoch.
Dieses Spiel der Nachahmung hat dazu geführt, daß heute das
gesamte Territorium mit Villen übersät ist, die um Glanz und
Größe wetteifern. Sie sind mit modernsten Überwachungs-
anlagen ausgestattet und weisen bizarre Eigentümlichkeiten
auf – wenn zum Beispiel auf dem Eingangstor eines Anwesens
ein Mondrian-Gemälde mit seiner strengen Linienführung
reproduziert ist.

Die Villen der Camorristen, Perlen aus Zement, liegen überall in der Provinz Caserta hinter hohen, von Videokameras überwachten Mauern versteckt. Es gibt Dutzende davon, sie sind ausgestattet mit Marmor und Parkett, Säulengängen, Treppen und Kaminen, in deren Granit die Initialen der Bosse eingemeißelt sind. Eine dieser Villen ist ganz besonders berühmt und ganz besonders prächtig ausgestattet. Zumindest ranken sich die meisten Legenden um sie. In Casal di Principe kennt man sie nur unter dem Namen »Hollywood«. Ein Name, ein Begriff. Hollywood, das ist die Villa von Walter Schiavone, Sandokans Bruder, der jahrelang für die Zementgeschäfte des Clans verantwortlich war. Was dieser Name bedeutet, liegt auf der Hand. Man kann sich gut vorstellen, wie weitläufig und luxuriös sie ist. Aber das ist nicht alles. Walter Schiavones Villa hat tatsächlich etwas mit Hollywood zu tun. In Casal di Principe erzählt man sich, der Boss habe seinen Architekten beauftragt, ihm eine Villa zu bauen wie die des kubanischen Gangsters Tony Montana in Miami. Er hatte *Scarface* immer wieder gesehen und war von dem Film dermaßen beeindruckt, daß er sich mit der Hauptfigur identifizierte. Und mit etwas Phantasie besitzt sein hageres Gesicht tatsächlich eine gewisse Ähnlichkeit mit dem des Schauspielers Al Pacino. Alles wurde hier zur Legende. Seinem Architekten soll der Boss eine Videokassette mit dem Film in die Hand gedrückt haben. Er wollte haargenau die gleiche Villa wie in *Scarface*, diese und keine andere. Eine Geschichte, ganz nach dem Geschmack der Bosse, deren Aufstieg zur Macht oft von Legenden umrankt und mit Großstadtmythen geschmückt ist. Sobald der Name Hollywood fiel, fing immer irgend jemand zu erzählen an, wie er als Kind den Fortgang der Bauarbeiten mit eigenen Augen verfolgt habe, im Vorbeifahren auf dem Rad, bis ganz allmählich die Leinwandvilla Tony Montanas in der Wirklichkeit Gestalt gewann. Eine solche Gelegenheit ergibt sich übrigens selten, denn in Casale beginnen die Bauarbeiten einer Villa gewöhnlich erst, wenn ringsum hohe Mauern errichtet sind. An die Geschichte mit Hollywood habe ich nie geglaubt. Von außen wirkt Schiavones Villa wie ein Bunker, mit dicken, von bedrohlichen Gittern überragten Mauern. Der Zugang ist durch schußsichere Tore verwehrt. Man kann nicht erahnen, was sich hinter diesen Mauern verbirgt, aber das Bollwerk der Verteidigung läßt an etwas Kostbares denken.

Einen Hinweis allerdings gibt es, eine stumme Botschaft, direkt am Hauptportal, das wie der Eingang zu einem Bauernhaus wirkt: die beiden dorischen, von einem Tympanon überwölbten Säulen – ein krasser Gegensatz zur nüchternen Strenge der umliegenden Gebäudeteile, den dicken Mauern, dem roten Gitter. Das neuheidnische Tympanon ist das Wahrzeichen der Familie, ein Hinweis auf das, was den Besucher im Innern der Villa erwartet. Dieses Tympanon allein wäre für mich der Beweis gewesen, daß diese Villa tatsächlich existierte. Schon oft hatte ich mit dem Gedanken gespielt, da hineinzugehen, um Hollywood mit eigenen Augen zu sehen. Es schien ein Ding der Unmöglichkeit. Selbst nach der Beschlagnahme standen Aufpasser aus dem Clan Wache. Eines Morgens, noch bevor man für die Villa einen neuen Verwendungszweck gefunden hatte, nahm ich meinen Mut zusammen, und es gelang mir tatsächlich hineinzukommen, durch einen Nebeneingang, geschützt vor den Blicken der Aufpasser. Eine wirklich eindrucksvolle Villa, großartig, die Fassade monumental, geradezu ehrfurchteinflößend. Die mit Giebelfeldern unterschiedlicher Größe geschmückten Säulen trugen zwei Stockwerke. Das Innere war als Halbrund gestaltet, das Atrium ein architektonisches Delirium. Wie marmorne Flügel schwangen sich die Flanken einer ausladenden Treppe hinauf in den ersten Stock, wo eine Galerie den Blick auf den darunterliegenden Empfangssalon freigab. Exakt wie bei Tony Montana. Es existierte sogar diese Galerie, von der aus man ins Arbeitszimmer gelangt; hier spielt der Showdown von *Scarface*. Die Villa ist eine Orgie dorischer Säulen, die äußeren rosa, die inneren aquamarinblau verputzt. Doppelte Säulenreihen gliedern die Flanken der Villa, dazwischen wertvolle schmiedeeiserne Verzierungen. Das gesamte Anwesen hat eine Fläche von dreitausendvierhundert Quadratmetern, die Villa selbst breitet sich auf drei Ebenen auf einer Fläche von achthundertfünfzig Quadratmetern aus. Die Immobilie, Ende der neunziger Jahre rund fünf Milliarden Lire wert, hat heute einen Marktpreis von vier Millionen Euro. Im ersten Stock gibt es riesige Zimmer, jedes überflüssigerweise mit jeweils mindestens einer Toilette ausgestattet. Einige Räume sind luxuriös, andere kleiner und schlichter. Im Kinderzimmer hängen noch die Poster von Sängern und Fußballspielern an den Wänden und ein kleines, rußgeschwärztes Bild mit zwei Engelchen, das vielleicht über einem Bett hing. Ein Zeitungsausschnitt: »Albanova wetzt die Messer.« Albanova, so hieß die Fußballmannschaft von Casal di Principe und San Cipriano d'Aversa, die 1997 von der Antimafia-Behörde aufgelöst wurde. Finanziert vom Clan, war sie ein Spielzeug der Bosse. Die versengten Zeitungsausschnitte auf dem bröckelnden Verputz sind das einzige, was noch an Walter Schiavones Sohn erinnert. Er kam als Jugendlicher bei einem Verkehrsunfall ums Leben. Vom Balkon geht der Blick über den palmenbestandenen Garten; über einen künstlichen Teich führt eine Holzbrücke zu einer kleinen Insel mit Büschen und Bäumen, umgrenzt von einer Trockenmauer. Als die Familie Schiavone noch hier wohnte, tollten hier Hunde herum, Mastiffs, auch sie Teil der Inszenierung der Macht. Hinter der Villa eine Wiese mit elegantem Swimmingpool in Ellipsenform, die dem Schattenstand der Palmen an heißen Sommertagen entspricht. Der Pool war nach dem Vorbild eines kleinen Sees im Schloßpark von Caserta gestaltet. Die Venus entsteigt hier mit derselben Anmut ihrem Bad wie die im Englischen Garten von Caserta, der im 18. Jahrhundert angelegt wurde. Nachdem der Boss 1996 in den Räumen dieser Villa verhaftet worden war, hatte sie verlassen gelegen. Walter war nicht dem Beispiel seines Bruders Sandokan gefolgt, der in einem herrschaftlichen Bunker unterhalb seiner weitläufigen Villa mitten in Casal di Principe untergetaucht war. Von der Polizei gesucht, lebte Sandokan dort versteckt, in einer Miniaturfestung ohne Türen und Fenster, mit unterirdischen Gängen und natürlichen Grotten als Fluchtwegen, aber auch einer hundert Quadratmeter großen, perfekt ausgestatteten Wohnung.

Eine surreale Wohnung mit Neonlicht und weiß gefliestem Fußboden. Der Bunker verfügte über eine Videotürsprechanlage und zwei Eingänge, die als solche von außen nicht zu erkennen waren. Die Türen öffneten sich erst, wenn man Stahlbetonwände aufschob, die auf Schienen ruhten. Drohte eine Haussuchung, verschwand der Boss durch eine Falltür im Speisezimmer in einem Labyrinth aus insgesamt elf Gängen, die miteinander verbunden waren und eine Art letzte Zuflucht bildeten. Hier hatte Sandokan Militärzelte aufstellen lassen. Ein Bunker im Bunker. Bevor 1998 die Falle zuschnappte, hatte die Antimafia-Sondereinheit ein Jahr und sieben Monate lang auf der Lauer gelegen und war schließlich mit einer elektrischen Säge in das Versteck vorgedrungen. Erst später, nachdem sich Francesco Schiavone ergeben hatte, fand man in der Abstellkammer eines Hauses in der Via Salerno den Hauptzugang, zwischen leeren Plastikkisten und Gartenwerkzeug. In dem Bunker fehlte es an nichts. Die Lebensmittel in den beiden Kühlschränken hätten ausgereicht, um sechs Personen zwei Wochen lang zu verpflegen. Es gab eine Stereoanlage mit allen Schikanen, dazu Videorekorder und -beamer. Die Spurensicherung der Polizei Neapel benötigte zehn Stunden, um die Alarmanlage und die Schließmechanismen der beiden Zugangstüren zu ergründen. Das Bad verfügte sogar über einen Whirlpool. Alles unterirdisch, eine Art Höhle, zwischen Falltüren und Tunnelgängen.

Walter versteckte sich in keinem Bunker. Selbst als er untergetaucht war, erschien er zu den wichtigsten Versammlungen. Von Bodyguards begleitet, kehrte er am hellichten Tag in seine uneinnehmbare Villa zurück. Die Polizei verhaftete ihn fast zufällig bei einer Routinekontrolle. Acht-, zehn-, zwölfmal am Tag suchen Polizei und Carabinieri die Familien der flüchtigen Camorra-Mitglieder auf, um das Haus zu kontrollieren, vor allem aber, um die Angehörigen zu zermürben und ihre Solidarität mit dem flüchtigen Verwandten zu erschüttern. Die Signora Schiavone empfing die Polizisten stets freundlich und unbefangen und offerierte Tee und Kekse, was aber stets abgelehnt wurde. Eines Nachmittags aber klang die Stimme von Walters Ehefrau schon durch die Gegensprechanlage nervös, und an der Langsamkeit, mit der sie öffnete, merkten die Polizisten sofort, daß etwas nicht stimmte. Während des Rundgangs durch die Villa folgte die Signora den Beamten auf Schritt und Tritt und sprach mit ihnen nicht wie sonst vom unteren Treppenabsatz aus, so daß ihre Stimme durchs ganze Haus hallte. Die Polizei fand Männerhemden, frisch gebügelt auf dem Bett gestapelt und viel zu groß für den Sohn. Walter war also hier. Er war nach Hause zurückgekehrt. Die Polizisten schwärmten sofort aus, um ihn zu suchen. Sie erwischten ihn beim Versuch, über die Mauer zu klettern. Jene Mauer, die er hatte bauen lassen, damit niemand in seine Villa eindringen konnte, verhinderte jetzt seine Flucht. Er wurde gestellt wie ein mieser kleiner Einbrecher, der sich an einer glatten Mauer hochhieven will. Die Villa wurde umgehend beschlagnahmt und stand anschließend sechs Jahre leer. Walter befahl, so viel wie möglich von der Einrichtung zu demontieren. Wenn er selbst die Villa nicht mehr bewohnen konnte, sollte sie möglichst niemand bewohnen können. Sie sollte keiner fremden Nutzung dienen. Er ließ Türen und Fenster aushängen, das Parkett und den Marmor der Treppen abtragen und die wertvollen Kamine entkleiden; sogar die Fliesen im Bad und die Handläufe aus Massivholz ließ er abbauen, ebenso die Lampen, die Kücheneinrichtung, die Möbel aus dem 19. Jahrhundert, die Vitrinen und die Bilder. Er befahl, in allen Zimmern Autoreifen zu verteilen und anzuzünden, damit Wände, Verputz und Säulen ruiniert würden. Doch etwas entging diesem Zerstörungswerk, und auch darin kann man eine Botschaft lesen: das Wasserbecken im oberen Salon, der ganze Stolz des Bosses, blieb unversehrt. Aus einem vergoldeten Löwenkopf rauschte das Wasser und ergoß sich über drei Stufen kaskadenförmig abwärts. Das Becken befand sich unmittelbar vor

einem Fenster, das den Blick auf den Garten der Villa freigab. Es war ein bleibendes Zeugnis von Walter Schiavones
Macht als Bauunternehmer und Camorrist. Wie ein Maler, der
sein Bild zerstört, aber seine Signatur auf der Leinwand stehen läßt. Während ich gemächlich durch Hollywood schlenderte, kam es mir plötzlich vor, als würden die legendenhaften,
mir übertrieben scheinenden Geschichten doch irgendwie der
Wahrheit entsprechen. Die dorischen Kapitelle, die wuchtige
Architektur, das doppelte Giebelfeld, das Wasserbecken im
Salon und vor allem die Treppe sind Reminiszenzen an Tony
Montanas Villa in *Scarface*.

Während ich diese rußgeschwärzten Räume durchstreifte,
hatte ich das Gefühl, als blähte sich mir die Brust, als wären
alle meine inneren Organe nur noch ein einziges großes Herz.
Den Pulsschlag spürte ich im ganzen Körper, immer stärker.
Mein Mund wurde trocken, weil ich immer wieder tief Luft
holen mußte, um meiner Beklemmung Herr zu werden. Wenn
irgendein Schmieresteher des Clans das Innere der Villa bewachte und mich hier entdeckte, er würde mich kurz und
klein schlagen. Ich könnte brüllen wie am Spieß, kein Mensch
würde mich hören. Aber entweder hatte mich niemand eintreten sehen, oder die Villa war tatsächlich unbewacht. Eine
schäumende Wut stieg in mir hoch, und auf einmal schossen
mir die Bilder der Freunde durch den Kopf, die von hier weg-
gegangen waren, im Dienst des Clans standen oder beim Militär gelandet waren. Ich sah vor mir die trägen Nachmittage
in diesem wüsten Land, das nur Geschäftemacherei und kor-
rupte Politiker kennt. Hier hatten die Imperien ihren Ursprung, bevor sie nach Norditalien und halb Europa expan-
dierten, während hier nur Giftmüll und dioxinverseuchter
Boden zurückblieben. Auf einmal hatte ich Lust, mich mit
irgend jemandem anzulegen. Ich mußte mir einfach Luft
machen. Ich konnte nicht widerstehen, kletterte auf den Rand
des Beckens und pinkelte hinein. Reichlich idiotisch, aber während sich meine Blase entleerte, fühlte ich mich allmählich
besser. Diese Villa schien mir die Bestätigung, der handfeste

Beweis für all die kursierenden Gerüchte. Auf einmal hatte ich das verrückte Gefühl, Tony Montana persönlich käme aus einem der Zimmer auf mich zu, begrüßte mich mit großer Geste und hochmütigem Stolz und sagte: »Alles, was ich habe in dieser Welt, ist mein Mut und mein Wort. Und das breche ich nicht. Für niemanden. Ist das klar?« Vielleicht träumte Walter davon, so zu sterben wie Montana, der von Kugeln durchsiebt durch das Gitter der Galerie in den Empfangssalon hinunterstürzt, anstatt sein Leben in der Gefängniszelle zu beenden, gezeichnet von der Basedow-Krankheit, die seine Augen aus den Höhlen treten ließ und ihm den Blutdruck in die Höhe trieb.

Die Vorlagen für seine Filmepen findet das Kino nicht im authentischen Milieu der Verbrecherwelt, ganz im Gegenteil. Die neue Generation der Bosse hat nicht die klassische kriminelle Karriere hinter sich. Die neuen Bosse verbringen ihr Leben nicht auf der Straße, in ständigem Kontakt mit dem Capozona; sie haben nicht das Messer in der Tasche und auch keine Narben im Gesicht. Sie schauen fern, studieren, machen ein Universitätsdiplom, gehen ins Ausland und beschäftigen sich vor allem mit Investitionsstrategien. Der Film *Der Pate* ist ein gutes Beispiel. Kein Mitglied der kriminellen Organisationen, ob in Sizilien oder in Kampanien, hatte jemals den Begriff »Pate« *(padrino)* benutzt, der nur eine philologisch ungenaue Übersetzung des englischen *godfather* ist. Der Begriff zur Bezeichnung eines Familienoberhaupts oder eines Mitglieds war immer nur *compare* (Gevatter) gewesen. Nach dem Film jedoch begannen die italienischstämmigen Mafiafamilien in den Vereinigten Staaten, anstelle des inzwischen altmodischen *compare* oder *compariello* das Wort *padrino* zu verwenden. Viele junge Italoamerikaner, die mit mafiosen Organisationen verbunden waren, eiferten dem Film nach, trugen plötzlich Sonnenbrille und Nadelstreifenanzug und redeten feierlich geschwollen daher. Selbst der New Yorker Boss John Gotti wollte so sein wie Don Vito Corleone. Und Luciano Liggio, Boss der Cosa Nostra, ließ sich mit vorgeschobenem Unterkiefer fotografieren, so daß er Marlon Brando ähnelte, dem Familienoberhaupt im Film *Der Pate*.

Mario Puzos Inspirationsquelle war jedoch kein sizilianischer Boss, sondern Alfonso Tieri, ehemals Boss der Piazza Pignasecca, dem Markt in Neapels Altstadt. Nach dem Tod von Charles Gambino trat Tieri an die Spitze der italienischen Mafiafamilien in den Vereinigten Staaten. Antonio Spavone »'o malommo« (der Bösewicht), der eng mit Tieri verbundene neapolitanische Boss, erklärte einmal in einem Interview mit einer amerikanischen Zeitung: »Wenn die Sizilianer der Welt gezeigt haben, wie man mucksmäuschenstill ist, so haben die Neapolitaner gezeigt, wie man auftritt, wenn man das Kommando führt. Wie man mit einer Geste zu verstehen gibt, daß befehlen besser ist als ficken.« Die kriminellen Archetypen und das Urbild des charismatischen Mafioso entstammen größtenteils einem nur wenige Quadratkilometer großen Landstrich in Kampanien. Auch Al Capone kam ursprünglich von hier, seine Familie stammte aus Castellammare di Stabia. Er war der erste Boss, der sich mit einer Kinofigur vergleichen konnte. Sein Spitzname Scarface, Narbengesicht, verdankt sich einer Narbe auf der Wange. 1993 gab Brian De Palma seinem Film über einen kubanischen Gangsterboss den Titel *Scarface*, doch schon Howard Hawks hatte 1932 einen Film dieses Titels gedreht. Damals erschien Al Capone höchstpersönlich mit seiner Entourage am Set, wenn eine wichtige Szene gedreht wurde. Der Boss wollte sichergehen, daß »Scarface« Tony Camonte, der nach seinem Vorbild gestaltet war, keine triviale Figur wurde. Gleichzeitig war er darauf bedacht, dem Tony Camonte des Films nachzueifern, denn er wußte, wenn der Film erst einmal anlief, würde fortan Camonte Capone sein, nicht er selbst.

Das Kino wird zum Vorbild, zur Chiffre für einen bestimmten Stil. Cosimo Di Lauro in Neapel ist dafür ein gutes Beispiel. Wenn man sein Outfit sah, sollte man sofort an *The Crow – Die Krähe* von Brandon Lee denken. Fehlt den Camorristen das geeignete kriminelle Image, bedienen sie sich einer möglichst wiedererkennbaren Hollywoodmaske und verschaffen sich so auf bequeme Art und Weise Respekt. Vom Kino inspiriert sind oft auch technische Details wie der Griff der Pistole und die Art und Weise zu schießen. Ein langjähriger Mitarbeiter der Spurensicherung von Neapel erklärte mir einmal, wie die Killer der Camorra den Killern im Film nacheifern.

Nach Tarantino haben sie aufgehört, ordentlich zu schießen! Sie halten den Lauf nicht mehr gerade, sondern schräg und flach. Sie halten die Pistole genauso wie in diesen Filmen, und das hat verheerende Folgen. Sie schießen ihre Opfer in den Unterleib, die Leiste, die Beine und fügen ihnen schwere Verletzungen zu. Also sind sie gezwungen, das Opfer mit einem Genickschuß zu erledigen. Dabei wird sinnlos viel Blut vergossen, eine Barbarei, die dem Zweck der Exekution überhaupt nichts bringt.

Die Leibwächterinnen der weiblichen Bosse sehen alle aus wie Uma Thurman in *Kill Bill:* blonder Pagenkopf und knallgelber Overall. Vincenza Di Domenico aus den Quartieri Spagnoli in Neapel, die eine Zeitlang mit den Justizbehörden zusammenarbeitete, trug den Spitznamen Nikita wie die Killerheldin des Films von Luc Besson. Das Kino, insbesondere das amerikanische, liegt heute nicht mehr in einem fernen Land der Phantasie, wo Abartiges geschieht und Unmögliches Wirklichkeit wird, sondern gleich nebenan.

Ich verließ die Villa und nahm mir dabei Zeit. Ich mußte die Füße hochheben, um nicht im Gestrüpp aus Brombeerbüschen und Unkraut hängenzubleiben, das den Englischen Garten, wie ihn sich sein Besitzer erträumt hatte, inzwischen überwucherte. Das Tor ließ ich offen. Noch vor wenigen Jahren hätten mich etliche Wachposten ins Visier genommen, hätte ich auch nur versucht, mich zu nähern. Jetzt schlenderte ich davon, die Hände in den Hosentaschen und mit gesenktem Kopf, wie nach einem Kinobesuch, wenn man noch ganz mitgenommen ist von dem, was man gesehen hat.

In Neapel merkt man schnell, wie prägend insbesondere der Film *Il camorrista* (deutsch unter dem Titel *Der Professor*) von Giuseppe Tornatore war. Man braucht nur den Leuten zuzuhören, es sind seit Jahren die gleichen Sätze.

»Richtet bitte dem Professor aus, daß ich ihn nicht verraten habe.«

»Ich weiß genau, wer er ist, aber ich weiß auch, wer ich bin!«

»Dieser Malacarne ist als Camorrist eine echte Fehlbesetzung!«

»Wer schickt dich?«

»Mich schickt, der Leben geben und Leben nehmen kann.«

Der Soundtrack zum Film wird förmlich zur Erkennungsmelodie der Camorra; man pfeift sie, wenn ein Capozona vorübergeht, oder einfach nur, um einem Ladenbesitzer Angst einzujagen. Selbst in den Diskotheken tanzt man zu drei verschiedenen Versionen, allesamt mit den markantesten Sätzen des Bosses Raffaele Cutolo gemixt, im Film gesprochen von Ben Gazzarra.

Wie um ihr Gedächtnis zu trainieren, wiederholten auch zwei Jungs aus Casal di Principe, Giuseppe M. und Romeo P., die Dialoge aus *Il camorrista*. Sie spielten ganze Filmszenen nach:

»Wieviel wiegt ein *picciotto* (niedrigster Rang innerhalb der Camorra). Soviel wie eine Feder im Wind.«

Sie hatten noch nicht mal den Führerschein, als sie anfingen, ihre Altersgenossen in Casale und San Cipriano d'Aversa zu drangsalieren, waren also noch keine achtzehn Jahre alt. Zwei Halbstarke. Angeber, Witzbolde, die doppelt soviel Trinkgeld gaben, wie ihr Essen kostete. Das Hemd offen, trotz der spärlichen Haare auf der Brust, dazu der stolzierende Gang nach dem Motto: »Platz gemacht, jetzt komme ich.« Mit hochgerecktem Kinn stellten sie eine Selbstsicherheit und Macht zur

Schau, die nur in ihren Köpfen existierte. Alles machten sie gemeinsam. Giuseppe war der Boss, dem *compare* immer einen Schritt voraus, Romeo der Leibwächter, seine rechte Hand, der Getreue. Oft nannte Giuseppe ihn Donnie wie Donnie Brasco, auch wenn der nur FBI-Agent war; die Tatsache, daß Brasco im Film in die Rolle des loyalen, überzeugten Mafioso schlüpft, befreite ihn in den Augen seiner Bewunderer von diesem Makel. In Aversa waren die beiden der Schrecken aller, die gerade ihren Führerschein gemacht hatten. Ihre bevorzugten Opfer waren motorisierte Pärchen. Sie rammten das Auto mit ihren Mopeds, und wenn das Pärchen ausstieg, um sich die Personalien für die Versicherung aufzuschreiben, trat einer der beiden auf das Mädchen zu und spuckte ihr ins Gesicht; dann warteten sie darauf, daß der Freund eingriff, und schlugen ihn zusammen. Aber sie legten sich auch mit Erwachsenen an, sogar mit denen, die wirklich das Sagen hatten. Sie tummelten sich in deren Machtbereich und machten, was sie wollten. Sie stammten aus Casal di Principe, das reichte ihrer Ansicht nach aus. Sie wollten allen zeigen, daß man sie zu fürchten und zu respektieren hatte. Wer sich ihnen näherte, sollte den Blick gesenkt halten und es bloß nicht wagen, ihnen ins Gesicht zu sehen. Aber eines Tages überspannten sie den Bogen. Mit einer Maschinenpistole, die sie sich in irgendeinem obskuren Waffenlager der Clans besorgt hatten, traten sie auf offener Straße einer Gruppe von Jugendlichen entgegen. Offenbar konnten sie mit Waffen umgehen, denn als sie in die Gruppe schossen, achteten sie darauf, niemanden zu treffen. Man sollte das Schießpulver riechen, das Zischen der Projektile hören. Doch bevor sie losballerten, sagte einer der beiden einen Text auf. Niemand verstand, was er da faselte, aber ein Augenzeuge erklärte, es habe wie ein Bibeltext geklungen, und daher habe er geglaubt, die Jungs bereiteten sich auf die Firmung vor. Tatsächlich hatte der Text rein gar nichts mit der Firmung zu tun. Er entstammte zwar der Bibel, aber die beiden hatten ihn nicht im Religionsunterricht gelernt, sondern bei Quentin Tarantino. Es war der Text, den Jules Winnfield in *Pulp Fiction* spricht, bevor er den Jungen umbringt, der Marsellus Wallace' wertvolles Köfferchen irgendwo hatte stehen lassen:

Hesekiel 25, 17. Der Pfad der Gerechten ist auf beiden Seiten gesäumt mit Freveleien der Selbstsüchtigen und der Tyrannei böser Männer. Gesegnet sei der, der im Namen der Barmherzigkeit und des guten Willens die Schwachen durch das Tal der Dunkelheit führt. Denn er ist der wahre Hüter seines Bruders und der Retter der verlorenen Kinder. Ich will große Rachetaten an denen vollführen, die da versuchen, meine Brüder zu vergiften und zu vernichten, und mit Grimm werde ich sie strafen, daß sie erfahren sollen: ich sei der Herr, wenn ich meine Rache an ihnen vollstreckt habe.

Giuseppe und Romeo rezitierten den Text genau wie im Film, dann schossen sie. Giuseppes Vater war ein Camorra-Mann, der zunächst ausgestiegen und dann erneut Quadranos und De Falcos Organisation beigetreten war, die später von den Schiavone besiegt wurde. Ein Verlierer also. Aber Giuseppe glaubte, wenn er nur die richtige Rolle spielte, würde der Film seines Lebens vielleicht eine andere Wendung nehmen. Die beiden kannten die lockersten Dialogsequenzen und wichtigsten Passagen sämtlicher Gangsterfilme auswendig. Meistens schlugen sie schon zu, wenn ihnen der Blick ihres Gegenübers nicht paßte. Im Land der Camorra steckt der Blick das Territorium ab; er kann einer Invasion gleichkommen, dem gewaltsamen Eindringen in ein fremdes Haus. Ein Blick kann verletzender sein als eine verbale Beleidigung. Wenn man zögert, jemandem ins Gesicht zu blicken, kommt das bisweilen einer Provokation gleich:

»Hey, redest du mit mir? Du laberst mich an? Du laberst *mich* an?«

Und nach dem berühmten Monolog aus *Taxi Driver* ging es los mit den Ohrfeigen und den Faustschlägen aufs Brustbein, daß es regelrecht dröhnte und die Schläge noch aus einiger Entfernung zu hören waren.

Die casalesischen Bosse nahmen das Problem der beiden

Jungs durchaus ernst. Schlägereien, Beleidigungen, Drohungen, das konnte man nicht einfach durchgehen lassen. Zu viele aufgebrachte Mütter, zu viele Klagen. Sie ließen sie durch einen Capozona »verwarnen«, der sie zur Ordnung rufen sollte. Er knöpfte sie sich in einer Bar vor und sagte ihnen, die Chefs verlören allmählich die Geduld. Aber Giuseppe und Romeo spielten ihren Phantasiefilm weiter, sie prügelten nach Lust und Laune, pinkelten in Mopedtanks. Daraufhin wurden sie »einbestellt«. Die Bosse persönlich wollten mit ihnen sprechen, der Clan konnte ein derartiges Verhalten in seinem Territorium nicht länger dulden. Die paternalistische Toleranz, wie sie hierzulande üblich ist, kehrte sich um in die Pflicht zu bestrafen. Eine Tracht Prügel war fällig, eine tüchtige Abreibung in aller Öffentlichkeit, damit sie endlich spurten. Doch die beiden ignorierten die Aufforderung, lümmelten weiter in Bars herum, spielten Videopoker. Die Nachmittage verbrachten sie vor dem Fernseher, schauten sich ihre Lieblingsfilme auf DVD an und prägten sich Sätze und Gesten, Redensarten und Outfits ein. Sie glaubten, es mit allen aufnehmen zu können. Auch mit denen, die das Sagen hatten. Ja, sie bildeten sich ein, wenn sie sich mit denen anlegten, würde man wirklich vor ihnen zittern. Wie Tony und Manny in *Scarface* erlegten auch sie sich keine Grenzen auf. Sie setzten sich mit niemandem ins Benehmen, sondern fuhren fort mit ihren Schikanen und Einschüchterungen in dem Gefühl, allmählich zu Vizekönigen der Provinz Caserta aufzusteigen. Sie hatten nie Clanmitglieder werden wollen, hatten sich nie darum bemüht. Dieser Weg war ihnen zu langwierig und erforderte zu viel Disziplin; sie hätten sich hocharbeiten müssen, das wollten sie nicht. Außerdem zählte für die Clans schon seit Jahren die Tätigkeit im wirtschaftlichen Management ungleich mehr als der militärische Einsatz, und dementsprechend wurden neue Mitglieder vor allem für das Finanznetzwerk rekrutiert. Giuseppe und Romeo waren das genaue Gegenbild zu diesen neuen Soldaten der Camorra. Sie wollten davon profitieren, daß ihr Heimatort so berüchtigt war. Sie waren keine Mitglieder, wollten aber die

Privilegien eines Camorristen genießen. Und so verlangten sie, daß man sie in den Bars umsonst bediente, daß sie den Sprit für ihre Mopeds gratis bekamen und daß ihre Mütter für ihre Einkäufe nichts bezahlen mußten. Wer es wagte zu protestieren, dem wurden umgehend die Scheiben zertrümmert. Obst- und Gemüsehändler und Verkäuferinnen wurden geohrfeigt. Im Frühjahr 2004 bestellten Abgesandte des Clans die beiden zu einem Treffen an den Stadtrand von Castelvolturno, nach Parco Mare. Ein Landstrich aus Sand, Meer und Müll. Die beiden hofften wohl auf ein verlockendes Angebot, irgendeinen Deal, vielleicht wollte man sie sogar bei einem Anschlag dabeihaben. Dem ersten wirklichen Anschlag ihres Lebens. Wenn man sie schon nicht mit Drohungen einbinden konnte, dann versuchten die Bosse jetzt womöglich, sie mit einem verlockenden Angebot zu ködern. Ich sehe sie auf ihren Mopeds durch die Gegend jagen und immer wieder die entscheidenden Passagen der Filme rekapitulieren, die Momente, in denen jene, die das Sagen haben, der Unbeugsamkeit der neuen Helden nachgeben müssen. So wie die jungen Spartaner mit den Heldentaten von Achilles und Hektor vor Augen in den Krieg zogen, hat man heute *Scarface*, *Goodfellas*, *Donnie Brasco* und *Der Pate* im Kopf, ob man nun mordet oder selbst ermordet wird. Jedesmal wenn ich an Parco Mare vorbeikomme, stelle ich mir die Szene vor, wie sie in den Zeitungen berichtet und von der Polizei rekonstruiert wurde. Giuseppe und Romeo auf ihren Mopeds, reichlich verfrüht am verabredeten Ort. Sie glühen vor Eifer. Dann kommt das Auto. Ein paar Männer steigen aus. Die Jungs gehen auf sie zu, um sie zu begrüßen, aber sie stellen sich Romeo in den Weg und fangen an, Giuseppe zusammenzuschlagen. Dann setzen sie ihm den Lauf einer automatischen Waffe auf die Brust und drücken ab. Ich bin sicher, daß Romeo die Szene aus *Goodfellas* vor sich sah, in der Tommy De Vito, eingeladen, in die Führung der amerikanischen Cosa Nostra aufzusteigen, statt in einen Saal mit den versammelten Bossen in ein leeres Zimmer geführt wird, wo man ihm eine Kugel in den Kopf jagt. Es stimmt nicht, daß das Kino eine Lüge ist, es stimmt nicht, daß man nicht leben kann wie im Film, und es stimmt auch nicht, daß du, wenn du den Blick von der Leinwand wendest, den Unterschied merkst. Es gibt nur einen Unterschied. Es ist der Moment, in dem Al Pacino vor dem Wasserbecken steht, in das sein Double, von Gewehrsalven durchsiebt, gestürzt ist, und sich die blutrote Farbe vom Gesicht wischt. Der Moment, in dem Joe Pesci sich die Haare spült, bis das künstliche Blut im Ausguß abgeflossen ist. Aber das will man gar nicht wissen, und deshalb merkt man auch nicht den Unterschied. Als Romeo Giuseppe am Boden liegen sah, hat er, da bin ich mir sicher, ohne es jemals beweisen zu können, den Unterschied zwischen Kino und Realität, zwischen der szenischen Darstellung und dem echten Blutgeruch, zwischen dem eigenen Leben und einem Drehbuch genau begriffen. Als Nächstes war er dran. Sie schossen ihn in den Hals und erledigten ihn dann mit einem Kopfschuß. Zusammen wurden die beiden knapp dreißig Jahre alt. Auf diese Weise entfernte der Clan der Casalesen eine durch das Kino genährte kleinkriminelle Wucherung. Nicht einmal anonym riefen sie die Polizei oder den Krankenwagen. Sie wollten gar nicht verhindern, daß Möwen an den Händen der Leichen pickten, daß sich Hunde, die an dem mit Müll übersäten Strand herumstreunten. über Münder und Nasen hermachten. Aber davon erzählen die Filme nichts, sie enden kurz vorher.

Letztlich gibt es keinen Unterschied zwischen dem Filmpublikum im Land der Camorra und anderswo. Überall werden Filmsequenzen zu Mythen, an denen man partizipieren möchte. Ein Zuschauer, dem *Scarface* gefällt und der sich insgeheim mit der Hauptfigur identifiziert, kann hier allerdings tatsächlich Scarface werden, sofern er bereit ist, die Rolle bis zum bitteren Ende zu spielen.

Im Land der Camorra gibt es aber auch massenhaft Liebhaber von Kunst und Literatur. Sandokan besaß im Bunker unter seiner Villa eine ganze Bibliothek mit Werken ausschließlich zu zwei Themenkreisen: der Geschichte des König-reichs beider Sizilien und Napoleon Bonaparte. Er war faszi-niert von Glanz und Größe des bourbonischen Staates und rühmte sich, unter den Beamten der Terra di Lavoro Vorfahren zu haben. Und er war in Bann geschlagen vom Genie Bona-partes, der es vom Artillerieleutnant zum Eroberer halb Euro-pas gebracht hatte. Fast wie Sandokan selbst, der von einem einfachen Mitglied zum Generalissimus eines der mächtigsten Clans Europas aufgestiegen war. Sandokan, ehemals Medizin-student, vertrieb sich in seinem unterirdischen Bunker die Zeit damit, daß er Ikonen sowie Porträts von Bonaparte und Mus-solini malte. Noch heute kann man welche erstehen, in völlig unverdächtigen Läden in Caserta: außergewöhnliche Heili-genbilder, auf denen Sandokan an die Stelle von Christi Ant-litz sein eigenes gemalt hatte. Sandokan liebte die großen Epen der Literatur. Homer, die Artussage und Walter Scott waren seine Lieblingslektüre. Aus Liebe zu Scott hatte er eines seiner zahlreichen Kinder auf den stolzen und wohlklingenden Na-men Ivanhoe taufen lassen.

Eigentlich verraten die Namen der Söhne immer die Passion ihrer Väter. Der neapolitanische Boss Giuseppe Misso, Clan-chef im Viertel Sanità, hat drei Enkel: Ben Hur, Gesù (Jesus) und Emiliano Zapata. Vor Gericht gerierte er sich stets als politischer Führer und konservativer und rebellischer Denker, und kürzlich hat er sogar einen Roman geschrieben, *I leoni di marmo,* der in Neapel binnen weniger Wochen x-mal verkauft wurde. Die Grammatik läßt zu wünschen übrig, dafür wird mit furioser Leidenschaft vom Neapel der achtziger und neunziger Jahre erzählt, für den Boss die entscheidenden Jahre seines Aufstiegs. Er selbst tritt in der Rolle des einsamen Kämpfers gegen die Camorra der Schutzgelderpressungen und der Dro-gen auf, als Verteidiger eines verschwommenen ritterlichen Ehrenkodex des Raubs und des Diebstahls. Bei seinen wieder-holten Verhaftungen im Laufe seiner beachtlichen kriminellen Karriere hatte Misso stets Werke von Julius Evola und Ezra Pound bei sich gehabt.

Augusto La Torre, der Boss von Mondragone, interessiert sich für Psychologie, ist ein begeisterter Leser C. G. Jungs und Kenner der Werke Sigmund Freuds. Auf der Liste der Bücher, die sich der Boss in die Zelle bestellt hat, stehen wissenschaftliche Werke der Psychoanalyse, und während der Gerichtsverhandlung zitierte er immer wieder Lacan und stellte Überlegungen zur Gestaltpsychologie an. Kenntnisse, die der Boss, solange er noch an der Macht war, als Wirtschaftsmanager und militärischer Befehlshaber eingesetzt hatte wie eine überraschende Waffe.

Ein Schöngeist unter den Camorristen ist Tommaso Prestieri, ein enger Weggefährte Paolo Di Lauros. Er ist Produzent der meisten *neomelodici*, der neapolitanischen Schnulzensänger, und ein feinsinniger Kenner zeitgenössischer Kunst. Viele Bosse sammeln Kunst. Pasquale Galasso hatte in seiner Villa ein Privatmuseum mit rund dreihundert wertvollen Antiquitäten; das Prunkstück seiner Sammlung war der Thronstuhl Franz' I. von Bourbon. Luigi Vollaro »*'o califfo*«, der Kalif, nannte ein Gemälde des von ihm hochgeschätzten Botticelli sein eigen.

Prestieri wurde seine Liebe zur Musik zum Verhängnis. Die Polizei verhaftete ihn im Teatro Bellini in Neapel, wo er, seit längerem untergetaucht, ein Konzert besuchte. Nach seiner Verurteilung erklärte er: »Meine Freiheit ist die Kunst, es spielt keine Rolle, ob ich im Gefängnis sitze oder nicht.« Ein vom Unglück verfolgter Boss wie er, der zwei seiner Brüder in einem blutigen Bandenkrieg verloren hat, findet einen Ausgleich in Kunst und Musik, die ihm Heiterkeit und ein unverhofftes inneres Glück schenken.

Aberdeen, Mondragone

Der Boss und Psychoanalytiker Augusto La Torre war ein Liebling Antonio Bardellinos. Schon in jungen Jahren hatte er die Rolle des Vaters übernommen und war zum unumschränkten Clanchef der »Chiuovi« aufgestiegen, wie man sie in Mondragone nannte. Der Clan beherrschte den Norden der Provinz Caserta, das südliche Latium und die gesamte Costa Domizia. Er war mit den Gegnern Sandokan Schiavones verbündet, hatte aber unternehmerisches Geschick bewiesen und gezeigt, daß er in der Lage war, das Territorium zu beherrschen – die einzigen Qualitäten, die den Feindseligkeiten zwischen Camorra-Familien ein Ende setzen können. Die unternehmerische Tüchtigkeit des La-Torre-Clans führte zu einer Annäherung an die Casalesen, die ihnen die Möglichkeit gaben, mit ihnen gemeinsam, aber auch autonom zu agieren. Der Name Augusto war nicht zufällig gewählt. Die La Torre pflegten ihren Erstgeborenen seit jeher die Namen römischer Kaiser zu geben. In der römischen Geschichte folgt zwar Tiberius auf Augustus, aber die La Torre kehrten die historische Reihenfolge einfach um: Augusto La Torres Vater hieß Tiberio.

Die berühmte, unweit des Lago Patria erbaute Villa des Scipio Africanus, Hannibals Kampf um Capua, die unbesiegbare Streitmacht der Samniten – die ersten europäischen Guerillakämpfer, die die römischen Legionen schlugen und in die Berge flüchteten –, sind im Bewußtsein der Familien dieses Landstrichs präsent als Erzählungen einer fernen Vergangenheit, der man sich gleichwohl verbunden fühlt. Ähnlich weit verbreitet wie dieses größenwahnsinnige Geschichtsbewußtsein der Clans ist die Vorstellung, Mondragone sei die Hauptstadt der Büffelmozzarella. Zwar wurde auch ich von meinem

Vater nach Mondragone geschickt, um Mozzarella-Vorräte zu kaufen, aber zu sagen, wo tatsächlich die beste Mozzarella produziert wird, ist ein Ding der Unmöglichkeit. Die geschmacklichen Unterschiede sind einfach zu groß. Die Mozzarella aus Battipaglia ist süßlich und zart, die aus Aversa salzig und fest, die aus Mondragone mild und rein im Geschmack. Einen Beweis für die Güte ihrer Mozzarella jedoch besitzen die Käsemeister aus Mondragone dennoch. Ein guter Mozzarella-Käse hinterläßt einen Nachgeschmack am Gaumen, die Bauern sprechen von »'o ciato 'e bbufala«, dem Atem der Büffelkuh. Wenn im Mund nicht dieser Büffelgeschmack zurückbleibt, taugt die Mozzarella nichts. In Mondragone ging ich immer gern auf dem Landungssteg spazieren. Auf und ab. Bevor er abgerissen wurde, war er im Sommer einer meiner Lieblingsplätze. Eine Zementzunge, als Bootsanlegestelle ins Meer hineingebaut. Eine sinnlose Konstruktion, die nie genutzt wurde.

Irgendwann einmal wurde Mondragone plötzlich zum Ziel aller jungen Männer aus der Provinz Caserta und dem Agro Pontino, die nach England auswandern wollten. Auswandern als Lebenschance, endlich weggehen, aber nicht, um Kellner zu werden, Küchenjunge bei McDonald's oder Barmann, der statt eines Arbeitslohns ein paar Pint dunkles Bier bekommt. Kontaktpersonen in Mondragone würden ihnen helfen, vor Ort eine günstige Mietwohnung zu finden und von den potentiellen Arbeitgebern offen und freundlich empfangen zu werden. In Mondragone konnte man Leute treffen, die einem Jobs bei einer Versicherung oder einer Immobilienagentur vermittelten. Und selbst ein verzweifelter Hilfsarbeiter oder ein Langzeitarbeitsloser konnte hier mit den richtigen Beziehungen einen ordentlichen Vertrag und eine anständige Arbeit bekommen. Mondragone war das Tor nach Großbritannien. In Mondragone jemanden zu kennen bedeutete seit Ende der neunziger Jahre plötzlich, daß man nach seinem wahren Wert bemessen wurde, ohne Referenzen oder Empfehlungen vorlegen zu müssen. Eine Seltenheit, eine absolute Seltenheit in Italien, und im Süden geradezu ein Ding der Unmöglichkeit.

Denn um danach beurteilt zu werden, was man ist, braucht es hierzulande immer jemanden, der einen protegiert, jemanden, dessen Fürsprache wenn schon nicht Vorteile bringt, so doch zumindest dafür sorgt, daß man überhaupt in die engere Wahl kommt. Sich ohne Protektion irgendwo vorzustellen ist, als wollte man ohne Arme und Beine laufen: man hat einfach ein Defizit. In Mondragone dagegen mußtest du nur deinen Lebenslauf abgeben, dann schickte man dich irgendwohin nach England. In gewisser Weise zählte natürlich schon dein Talent, aber mehr noch kam es darauf an, wie du dich verkaufen konntest. Allerdings nur für eine Arbeit in London oder Aberdeen, nicht in Kampanien, dieser hintersten Provinz Europas.

Matteo, ein Freund von mir, faßte eines Tages den Entschluß, es zu wagen und für immer fortzugehen. Er hatte ein bißchen Geld beiseite gelegt, ein gutes Abschlußexamen geschafft und war es leid, sich mit Praktika und Jobs auf Baustellen durchs Leben zu schlagen. Er hatte den Namen eines Mannes aus Mondragone, der ihm helfen würde, den Sprung nach England zu schaffen; war er erst einmal im Land, würde er sich da und dort bewerben. Ich begleitete ihn. Stundenlang warteten wir an einer bestimmten Stelle in Strandnähe, wo wir verabredet waren. Es war Sommer. Die Strände von Mondragone sind überlaufen von Urlaubern aus ganz Kampanien, denen die amalfitanische Küste zu teuer ist und die sich die Miete für ein Sommerhaus am Meer nicht leisten können. Deshalb fahren sie zum Baden ans Meer und kehren abends ins Hinterland zurück. Bis Mitte der achtziger Jahre wurde Mozzarella-Käse in Holzkistchen und in kochend heißer Büffelmilch eingelegt verkauft. Die Strandbesucher aßen die tropfenden Mozzarella-Kugeln mit bloßen Händen, und bevor die Kinder in den weißen Käse bissen, leckten sie sich die salzigen Finger ab. Später wurde keine Mozzarella mehr verkauft, dafür Taralli-Teigkringel und Kokosnußschnitze. Unser Kontaktmann kam zwei Stunden zu spät, braungebrannt und nur mit einer knappen Badehose bekleidet. Er habe viel zu spät gefrühstückt, sei viel zu spät schwimmen gegangen und habe sich viel zu spät abgetrocknet, rechtfertigte er sich. Die Sonne war also schuld. Unser Kontaktmann brachte uns zu einem Reisebüro. Das war alles. Wir hatten gedacht, er würde uns zu einem Vermittler bringen, aber er führte uns lediglich in ein Reisebüro, das nicht einmal sonderlich elegant war. Nirgendwo Kataloge und Broschüren, es war ein richtiges Kabuff. Aber hier würde man meinem Freund weiterhelfen. Käme ein Nichteingeweihter zur Tür herein, würde der ganz normale Betrieb eines ganz normalen Reisebüros laufen. Ein blutjunges Mädchen fragte Matteo nach seinem Lebenslauf und sagte uns, wann der nächste Flug ging. Man würde ihn nach Aberdeen schicken. Er bekam einen Zettel mit einer Liste von Firmen ausgehändigt, bei denen er sich um Arbeit bewerben konnte. Ja, das Reisebüro selbst würde für ein geringes Entgelt Gesprächstermine mit der Personalabteilung dieser Firmen vereinbaren. Nie war ein derart provisorisches Reisebüro dermaßen effizient. Zwei Tage später brachen wir auf, mit einem billigen Direktflug.

In Aberdeen war es wie zu Hause. Trotzdem konnte man sich keinen Ort vorstellen, der von Mondragone weiter entfernt gewesen wäre. Die drittgrößte Stadt Schottlands war düster und grau, auch wenn es nicht ganz so oft regnete wie in London. Bevor die italienischen Clans hierherkamen, wußte die Stadt ihre Freizeit- und Tourismuskapazitäten nicht besonders gut zu nutzen, Restaurants, Hotels und das soziale Leben waren auf die triste englische Art organisiert. Alles war wie überall auf der Insel, die Lokale brechend voll und ein Gedränge an der Theke – allerdings nur an einem einzigen Tag in der Woche. Nach Ermittlungen der Antimafia-Staatsanwaltschaft Neapel war es Antonio La Torre, Bruder des Bosses Augusto, der in Schottland eine Reihe von Geschäften gründete, die binnen weniger Jahre zu Musterbetrieben der schottischen Wirtschaft wurden. Der größte Teil der unternehmerischen Aktivitäten des La-Torre-Clans in England ist absolut legal: Kauf und Verwaltung von Immobilien, Handelsbetriebe, Import italienischer Lebensmittel. Der Umsatz ist gigantisch und in Zahlen schwer zu beziffern. Von Aberdeen erwartete sich Matteo die Anerkennung, die man ihm in Italien verweigerte. Wir schlenderten zufrieden durch die Straßen, als reichte unsere Herkunft aus Kampanien zum erstenmal im Leben aus, um ein erfolgreiches Betätigungsfeld zu finden. Union Terrace Nummer 27 und 29 lautete die Adresse eines Restaurants des Clans mit Namen Pavarotti's. Es war auf Antonio La Torre eingetragen und wurde auch in Online-Reiseführern erwähnt. Das Pavarotti's galt in der Stadt als schicker In-Treffpunkt, wo man ausgezeichnet essen und in Ruhe über wichtige Geschäfte reden konnte. Auch bei der Gastronomie-Messe Italissima in der französischen Hauptstadt präsentierten sich die Firmen des Clans als Inbegriff des Made in Italy. Hier rückte Antonio La Torre persönlich seine Präsenz in der Gastronomiebranche ins Licht und warb für seine Produkte. La Torre stieg schon bald zu einem der führenden schottischen Unternehmer Europas auf.

Antonio La Torre wurde im März 2005 in Aberdeen verhaftet, in Italien drohte ihm eine Anklage wegen Mitgliedschaft in einer kriminellen Vereinigung camorristischen Typs sowie wegen Erpressung. Jahrelang hatte er sich der Verhaftung und Auslieferung entziehen können, weil er britischer Staatsbürger war und die britischen Behörden bei ihm nicht auf Zugehörigkeit zu mafiosen Kreisen erkannten. Schottland wollte einen seiner brillantesten Unternehmer nicht verlieren.

2002 ordnete das Gericht in Neapel Untersuchungshaft für dreißig Mitglieder des La-Torre-Clans an. Das kriminelle Konsortium, so der Vorwurf, habe durch Erpressung, die Kontrolle wirtschaftlicher Aktivitäten und öffentlicher Bauaufträge in seinem Einflußgebiet immense Gewinne gemacht und anschließend im Ausland, namentlich in Großbritannien, reinvestiert, wo eine regelrechte Kolonie des Clans entstand. Hier ging man anders vor, ohne sichtbare Gewalt, ohne kriminelle Lohndrückerei. Man trug zum wirtschaftlichen Aufschwung bei, indem man den Tourismus ankurbelte, in der Stadt bis dato unbekannte Import-Export-Geschäfte etablierte und den Immobiliensektor neu belebte.

Aber aus Mondragone stammte auch eine weitere Symbolfigur weltumspannender unternehmerischer Macht: »Rockefeller«. Der Name steht für Geschäftssinn und sagenhafte Liquidität. Rockefeller, das ist Raffaele Barbato, zweiundsechzig Jahre alt, geboren in Mondragone. Seinen richtigen Namen hat er wohl selbst vergessen. Verheiratet mit einer Holländerin, machte er bis Ende der achtziger Jahre Geschäfte in den Niederlanden, wo er zwei Kasinos betrieb, die von einer hochkarätigen internationalen Klientel frequentiert wurden, unter anderem dem Bruder Bob Cellinos, des Gründers der Spielkasinos von La Vegas, sowie einflußreichen slawischen Mafiosi mit Sitz in Miami. Seine Partner waren ein Sizilianer namens Liborio mit besten Kontakten zur Cosa Nostra und ein Holländer namens Emi, der sich später nach Spanien absetzte, wo er Hotels, Residences und Diskotheken eröffnete. Nach Aussage der Kronzeugen Mario Sperlongaro, Stefano Piccirillo und Girolamo Rozzera war Rockefeller zusammen mit Augusto La Torre maßgeblich an dem Plan beteiligt, in Caracas mit venezolanischen Drogenhändlern Kontakt aufzunehmen, die Kokain günstiger verkauften als die Kolumbianer, von denen die Neapolitaner und die Casalesen beliefert wurden. Sehr wahrscheinlich gelang es Augusto im Bereich des Drogenhandels, unabhängig zu agieren, was die Casalesen nur in seltenen Fällen zuließen. Rockefeller war es, der für Augusto einen Unterschlupf fand, nachdem dieser in Holland untergetaucht war. Er vermittelte ihm auch die Mitgliedschaft in einem Wurftaubenclub, wo der Boss, fernab vom heimatlichen Mondragone, Tontauben schießen konnte, um nicht aus der Übung zu kommen. Rockefeller verfügte über ein dicht geknüpftes Beziehungsnetz. Nicht nur in Europa, auch in den Vereinigten Staaten war er einer der bekanntesten Geschäftsmänner, insbesondere als Betreiber von Spielkasinos, was ihn auch mit italoamerikanischen Mafiosi in Kontakt brachte. Für sie war Europa als Markt für Investitionen interessant, weil sie von zunehmend mächtiger werdenden albanischen Clans allmählich aus New York verdrängt wurden; und sie schlossen sich immer enger mit den kampanischen Camorra-Familien zusammen. Ihre Gewinne aus dem Drogenhandel investierten sie mit Hilfe des Clans von Mondragone in Restaurants und Hotels. Rockefeller ist der Besitzer des später in La Playa umbenannten Adamo ed Eva, ein schönes Feriendorf an der mondragonesischen Küste und, so die Anklage der Staatsanwaltschaft, ein beliebtes Versteck untergetauchter Clanmitglieder. Je bequemer der Unterschlupf, desto geringer ist die Versuchung, sich der Polizei zu stellen, um mit dem ewigen Auf-der-Flucht-Sein Schluß zu machen. Und mit denen, die mit der Justiz zusammenarbeiteten, kannten die La Torre kein Pardon. Augustos Cousin Francesco Tiberio rief Domenico Pensa an, der gegen den Stolder-Clan ausgesagt hatte, und forderte ihn mit deutlichen Worten auf, aus Mondragone zu verschwinden.

»Ich habe von den Stolder erfahren, daß du gegen sie ausgesagt hast, und da wir hier im Ort niemanden haben wollen, der mit der Justiz zusammenarbeitet, solltest du besser abhauen, bevor jemand kommt und dich einen Kopf kürzer macht.«

Augustos Cousin verstand es bestens, jeden fertigzumachen, der es wagte, mit der Polizei zusammenzuarbeiten und auszupacken. Vittorio Di Tella empfahl er unmißverständlich, sich ein Totenhemd zu kaufen.

»Kauf dir was Schwarzes zum Anziehen, wenn du reden willst, du Scheißkerl, ich werde dich umbringen.«

Erst die Aussagen von Kronzeugen machten das ganze Ausmaß der Geschäftfelder deutlich, in denen die Mondragonesen mitmischten. Zu Rockefellers Freunden zählte auch ein gewisser Raffaele Acconcia, gebürtig aus Mondragone und ebenfalls wohnhaft in den Niederlanden. Der Betreiber einer Restaurantkette war nach Aussage des Kronzeugen Stefano Piccirillo eine führende Figur im internationalen Drogenhandel. In Holland, vermutlich in einer Bank, liegt nach wie vor der Geldschatz des La-Torre-Clans. Viele Millionen Euro aus Vermittlungs- und Handelsgeschäften, die die Fahnder bisher nicht gefunden haben. In Mondragone wurde dieser mutmaßlich in einer holländischen Bank befindliche Geldschatz zum Symbol für unumschränkten Reichtum. Man sagt nicht mehr: »Du hältst mich wohl für die italienische Staatsbank«, sondern: »Du hältst mich wohl für die Bank von Holland.«

Der La-Torre-Clan mit Stützpunkten in Südamerika und Dependancen in Holland wollte auf dem römischen Kokainmarkt eine führende Rolle spielen. Rom ist für alle unternehmerisch tätigen Camorra-Familien der Provinz Caserta die erste Anlaufstelle für Drogenhandel und Immobilieninvestitionen. Rom ist heute geradezu ein Ausläufer der Provinz Caserta. Und die Costa Domizia bildete für die La Torre den Hauptstützpunkt ihrer Lieferrouten. Die Villen entlang dieser Küste waren für den Handel zunächst mit geschmuggelten Zigaretten, später mit allen möglichen anderen illegalen Waren von zentraler Bedeutung. Ausgerechnet hier hatte der Schauspieler Nino Manfredi seine Villa. Abgesandte des Clans suchten ihn auf und baten ihn, ihnen seine Villa zu verkaufen. Manfredi lehnte ab und wehrte sich mit allen Mitteln, aber sein Haus stand nun mal an einem strategisch wichtigen Punkt, an dem die Motorboote anlegen konnten, und daher verstärkte der Clan seinen Druck. Man bat Manfredi jetzt nicht mehr zu verkaufen, man setzte einen Preis fest, zu dem er sein Haus abtreten sollte. Manfredi wandte sich sogar an einen Boss der Cosa Nostra, und im Januar 1994 machte er die Sache in der Nachrichtensendung GR1 im Radio publik. Aber die Mondragonesen waren mächtig, und kein Sizilianer wagte es zu vermitteln. Erst als sich Manfredi ans Fernsehen wandte und damit das Interesse der überregionalen Medien geweckt war, erfuhr eine breite Öffentlichkeit, welchem Druck er ausgesetzt war, weil er den strategischen Interessen der Camorra im Weg stand.

Der Drogenhandel war jedoch nur einer von vielen Geschäftsbereichen. Enzo Boccolato, Cousin La Torres und Besitzer eines Restaurants in Deutschland, hatte beschlossen, in den Textilexport einzusteigen. Zusammen mit Antonio La Torre und einem libanesischen Geschäftsmann kaufte er Kleidung in Apulien (die Textilproduktion Kampaniens lag bereits fest in den Händen der Clans von Secondigliano) und verkaufte sie in Venezuela über einen Mittelsmann namens Alfredo, der von den Fahndern als einer der wichtigsten Diamantenhändler in Deutschland geführt wird. Dank der kampanischen Camorra-Clans wurden Diamanten aufgrund ihrer starken Preisschwankungen und ihrer gleichzeitigen Wertbeständigkeit in kürzester Zeit zur idealen Ware, um schmutziges Geld zu waschen. Enzo Boccolato war auf den Flughäfen Venezuelas und Frankfurts bekannt, er hatte Helfer bei der Warenkontrolle, die mit höchster Wahrscheinlichkeit nicht nur für den Ein- und Ausgang der Textilien sorgten, sondern auch ein Netzwerk für den Kokainhandel knüpften. Man könnte glauben, daß die Clans, haben sie erst einmal große Kapitalmengen angehäuft, ihre kriminellen Aktivitäten unterbrechen und gewissermaßen ihren eigenen genetischen Code zerstören, um ihn auf der Ebene der legalen Wirtschaft neu zu definieren. Wie die Kennedys in Amerika, die während der Prohibition mit dem Verkauf von Alkohol gigantische Gewinne machten, später aber alle Beziehungen zur kriminellen Wirtschaft kappten. In Wirklichkeit liegt jedoch die Stärke des kriminellen Unternehmertums in Italien gerade darin, stets zweigleisig zu fahren und den kriminellen Gelderwerb niemals aufzugeben. In Aberdeen nennen sie diese Praktik »Scratchen«. Wie die Rapper oder DJs die laufende Schallplatte auf dem Plattenspieler rhythmisch hin und her bewegen, unterbrechen die camorristischen Unternehmer kurzzeitig den Kreislauf der legalen Wirtschaft. Sie unterbrechen ihn, *scratchen*, und setzen ihn dann erneut in Bewegung, noch schneller als zuvor.

Die Untersuchungsberichte der Antimafia-Staatsanwaltschaft Neapel zum Fall La Torre verdeutlichen, daß der Clan jedesmal, wenn die legalen Wirtschaftsaktivitäten in eine Krise gerieten, sofort auf die kriminelle Ebene umschwenkte: wenn man nicht flüssig war, ließ man Falschgeld drucken, wenn man kurzfristig viel Geld brauchte, verkaufte man gefälschte Staatsanleihen. Die Konkurrenz wurde durch Erpressung ausgeschaltet, die Ware importiert, ohne Einfuhrsteuern zu bezahlen. Den Kreislauf der legalen Wirtschaft zu *scratchen* garantierte den Kunden ein konstantes, nichtschizophrenes Preisniveau, ermöglichte eine fristgerechte Zahlung der Bankkredite und sorgte dafür, daß Geld und Konsumprodukte stetig zirkulierten. *Scratchen* machte die Grenze zwischen dem Gesetz und dem ökonomischen Imperativ durchlässig, zwischen dem, was das Gesetz verbot, und dem, was das Profitstreben verlangte.

Es war unvermeidlich, daß die La Torre bei ihren Geschäften im Ausland auch mit englischen Partnern zusammenarbeiteten, auf verschiedenen Ebenen. Einige wurden sogar in den Clan aufgenommen. Zu ihnen zählt Brandon Queen, mittlerweile in England inhaftiert, der aus Mondragone jeden Monat pünktlich sein Geld bezog, einschließlich eines dreizehnten Monatsgehalts. Im Haftbefehl vom Juni 2002 heißt es: »Brandon Queen wurde auf Augusto La Torres ausdrücklichen Wunsch auf die Gehaltsliste des Clans gesetzt.« Die Mitglieder erhalten üblicherweise nicht nur Personenschutz, sondern, falls notwendig, auch Geldzahlungen, Rechtsbeistand und Rückendeckung durch die Organisation. Damit der Boss ihm all diese Vergünstigungen zugestand, muß Queen im Geschäftsleben des Clans eine tragende Rolle gespielt haben. In der Verbrechensgeschichte Italiens und Großbritanniens gilt er als der erste Camorrist britischer Nationalität.

Ich hatte viel von Brandon Queen gehört, schon seit Jahren. Gesehen hatte ich ihn nie, ich kannte nicht mal ein Foto. Da ich nun einmal in Aberdeen war, mußte ich mich unbedingt nach dem Vertrauten Augusto La Torres und schottischen Camorristen erkundigen. Obwohl nichts und niemand ihn zwang und er einzig die Gesetze der Betriebswirtschaft und die Grammatik der Macht kannte, löste dieser Mann seine letzten noch vorhandenen Bindungen zu den uralten Highland-Clans und wurde ein Mitglied des Clans von Mondragone. Vor La Torres

Lokalen standen immer Gruppen von einheimischen Jugendlichen herum. Es waren keine träge gewordenen Gangster, die auf ihr Bier warteten oder auf die Gelegenheit zu einer Prügelei oder einem Handtaschenüberfall, sondern aufgeweckte Jungs, die auf verschiedenen Ebenen in die legalen wirtschaftlichen Aktivitäten des Clans eingebunden waren. Transport, Werbung, Marketing. Als ich nach Brandon fragte, wurde ich keineswegs mit feindseligen Blicken bedacht oder mit vagen Antworten abgespeist wie irgendwo im Hinterland von Neapel, wenn man sich nach einem Clanmitglied erkundigt. Alle schienen Brandon Queen zu kennen, aber ich glaube, er war inzwischen einfach nur zu einem Mythos geworden und sein Name in aller Munde. Queen hatte es geschafft. Er war kein einfacher Angestellter wie sie selbst, die sie in den Restaurants, Firmen, Läden und Immobilienagenturen des Clans arbeiteten und ein sicheres Einkommen bezogen. Brandon Queen war mehr. Er hatte den Traum vieler schottischer Jugendlicher verwirklicht: nicht einfach nur in legalen Subfirmen mitzuarbeiten, sondern Teil des Systems zu werden, ein operatives Element des Clans. Ein vollgültiges Mitglied der Camorra, trotz des Handikaps, in Schottland geboren zu sein, wo jeder glaubt, es gebe in der Wirtschaft nur einen einzigen Weg des Vorwärtskommens, einen Weg mit festen Regeln, Erfolgen und Mißerfolgen, wo die Preise allein vom Wettbewerb diktiert werden. Ich war beeindruckt, daß man mich mit meinem stark italienisch gefärbten Englisch nicht als Einwanderer abstempelte, nicht als ein klägliches Zerrbild des italoamerikanischen Boxweltmeisters Jake La Motta, nicht als einen Landsmann krimineller Eindringlinge, die dabei helfen, ihrem Land wirtschaftlichen Schaden zuzufügen. Mein Akzent war für sie gleichbedeutend mit dem absoluten Machtanspruch der Ökonomie, dem Herrschaftswillen über alles und jedes; einen Willen, der sich durch nichts aufhalten läßt, nicht einmal von der Aussicht auf lebenslange Freiheitsstrafe und den Tod. Es war unglaublich, aber während sie so redeten, merkte ich, daß sie Mondragone, Secondigliano, Marano und Casal di Principe bestens kannten. Diese Orte waren für sie Teil einer Saga, der Saga eines Landes, das von den Restaurants, welche die Unternehmerbosse hier eröffnet und wo sie selbst Arbeit gefunden hatten, weit entfernt lag. Wer im Land der Camorra geboren war, hatte in den Augen meiner schottischen Altersgenossen einen klaren Vorteil. Er trug förmlich ein mit Feuer eingebranntes Mal, das einen dazu bestimmte, das Dasein als einen Kampfplatz zu betrachten, auf dem mit Waffengewalt, nötigenfalls unter Einsatz des eigenen Lebens, um Geld und Macht geschachert wird: das einzige, wofür es sich lohnte, zu leben und zu atmen; das einzige, was einen ins Zentrum katapultierte, ins Herz der Gegenwart, ohne daß man sich um den Rest zu scheren brauchte. Das hatte Brandon Queen geschafft, und er war nicht einmal in Italien geboren, ja er war nie in Kampanien gewesen und nie an kilometerlangen Baustellen, Müllkippen und Büffelfarmen vorbeigefahren. Er hatte es geschafft, ein wirklich mächtiger Mann zu werden, ein Camorrist.

Diese große internationale Handels- und Finanzorganisation hatte in ihrem eigentlichen Territorium mit eiserner Hand geherrscht. Augusto La Torre hatte in Mondragone ein strenges Regiment geführt und gnadenlos und unerbittlich sein mächtiges Kartell aufgebaut. Die Waffen ließ er zu Hunderten und Aberhunderten aus der Schweiz kommen. Er verfolgte eine differenzierte politische Strategie: zunächst massives Engagement, um öffentliche Bauaufträge an sich zu ziehen, später nur noch strategische Bündnisse, sporadische Kontakte, bis die Geschäfte liefen und die Politik nach seiner Pfeife tanzen mußte. Der Gemeinderat von Mondragone war der erste in Italien, der in den neunziger Jahren wegen camorristischer Unterwanderung aufgelöst wurde. Die Verflechtungen von Politik und Clan wurden jedoch nie ganz gelöst. Im Jahr 2005 fand ein neapolitanischer Camorrist, auf der Flucht vor der Polizei, Unterschlupf im Haus eines Kandidaten, der auf der Bürgerliste *(lista civica)* des scheidenden Bürgermeisters stand. In der Mehrheitsfraktion des Kommunalrats saß lange Zeit die

Tochter eines Polizisten, der angeklagt war, für die La Torre Schmiergelder kassiert zu haben.

Auch mit den Politikern kannte Augusto kein Pardon. Wer sich den Geschäften der Familie in den Weg stellte, wurde erbarmungslos bestraft. Die physische Vernichtung von La Torres Feinden verlief nach einem Muster, das im Kriminellenjargon inzwischen »alla mondragonese« genannt wird. Die von Schüssen durchsiebte Leiche wird in einen Brunnen irgendwo auf dem Land geworfen, anschließend wird eine Handgranate gezündet. Auf die Weise wird die Leiche in Stücke gerissen; das, was von ihr übrig bleibt, versinkt im Wasser und wird von der nachstürzenden Erde begraben. So hatte es Augusto La Torre mit Antonio Nugnes gemacht, dem christdemokratischen zweiten Bürgermeister, der 1990 spurlos verschwand. Nugnes stand der Absicht des Clans im Weg, die direkte Kontrolle über die kommunalen Bauaufträge zu gewinnen und bei sämtlichen politischen und administrativen Angelegenheiten mitzumischen. Augusto La Torre wollte keine Verbündeten, er wollte möglichst alle Geschäfte allein machen. In dieser Phase durfte man bei militärischen Maßnahmen nicht allzu zimperlich sein. Zuerst schießen, dann nachdenken, lautete die Devise. Augusto war noch blutjung, als er zum Boss von Mondragone aufstieg. Er wollte Aktionär der noch im Bau befindlichen Privatklinik Incaldana werden, an der Nugnes ein großes Aktienpaket hielt. Sie versprach eine der angesehensten Kliniken Latiums und Kampaniens zu werden, nur einen Steinwurf von Rom entfernt. Viele Firmen aus dem südlichen Latium würden sich hier ansiedeln, und die Costa Domizia und der Agro Pontino würde endlich ein ausgezeichnetes Krankenhaus bekommen. Augusto hatte einen seiner möglichen Nachfolger in den Aufsichtsrat der Klinik geschleust, einen Unternehmer des Clans, der als Betreiber einer illegalen Müllkippe reich geworden war. Er sollte die Interessen der Familie vertreten. Nugnes sträubte sich, er hatte begriffen, daß die La Torre nicht nur in ein lukratives Geschäft einsteigen wollten, sondern daß mehr dahintersteckte. La Torre schickte einen seiner Männer zum zweiten Bürgermeister. Er sollte ihn weichklopfen, damit er La Torres Bedingungen für die wirtschaftliche Leitung der Klinik akzeptierte. Für einen christdemokratischen Politiker war es durchaus nicht anstößig, mit einem Boss in Kontakt zu treten und mit ihm als unternehmerischer und militärischer Macht zu verhandeln. Die Clans waren die bedeutendste Wirtschaftskraft des Territoriums; sich ihnen zu verweigern wäre, wie wenn der Bürgermeister von Turin ein Treffen mit dem Fiat-Vorstand ablehnen würde. Augusto La Torre hatte nicht vor, Aktien zu einem Vorzugspreis zu erwerben und sich auf diese Weise eine Beteiligung an der Klinik zu sichern, wie es ein diplomatischer Boss getan hätte; er wollte seinen Anteil gleich umsonst. Im Gegenzug sicherte er zu, daß seine Firmen, die bei Aufträgen im Dienstleistungs- und Sicherheitsbereich, für Reinigungsarbeiten, gastronomischen Service und Transport berücksichtigt wurden, professionell und preisgünstig arbeiteten. Er versprach sogar, daß seine Büffelkühe fettere Milch geben würden, wenn diese Klinik sein eigen wäre. Nugnes wollte nicht mitspielen. Unter dem Vorwand, der Boss wolle ihn sprechen, wurde er von seinem Hof geholt und zu einem Bauernhaus nach Falciano del Massico gebracht. Nach Aussage des Bosses wurde Nugnes dort von ihm persönlich sowie von Jimmy alias Girolamo Rozzera, Massimo Gitto, Angelo Gagliardi, Giuseppe Valente, Mario Sperlongano und Francesco La Torre erwartet. Tatsächlich warteten sie darauf, daß der Anschlag ausgeführt wurde. Der Bürgermeister stieg aus dem Wagen und ging auf den Boss zu. Während Augusto zur Begrüßung die Arme ausbreitete, murmelte er, wie er bei der Vernehmung erklärte, Jimmy zu: »Komm, Onkel Antonio ist da.«

Eine deutliche und finale Botschaft. Jimmy trat auf Nugnes zu und feuerte zwei Schüsse ab, die ihn in die Schläfe trafen, den Gnadenschuß gab ihm der Boss persönlich. Die Leiche warf man in einen vierzig Meter tiefen Brunnen irgendwo auf dem Land, dann zündete man zwei Handgranaten. Jahrelang wußte niemand, was aus Antonio Nugnes geworden war.

Aus ganz Italien kamen Anrufe von Leuten, die behaupteten, sie hätten ihn gesehen. In Wirklichkeit lag er in einem mit Erde zugeschütteten Brunnen. Dreizehn Jahre später verrieten Augusto und seine engsten Vertrauten den Carabinieri den Ort, an dem die sterblichen Überreste des Bürgermeisters lagen, der es gewagt hatte, sich der Expansion des Unternehmens La Torre entgegenzustellen. Als die Carabinieri die Leichenreste zusammentrugen, stellten sie fest, daß hier mehr als nur ein Mensch verscharrt worden war. Vier Schienbeine, zwei Schädel, drei Hände. Mehr als zehn Jahre lag Nugnes' Leiche neben der von Vincenzo Boccolato, einem mit Cutolo verbündeten Camorristen, der sich nach dessen Verhaftung den La Torre angenähert hatte.

Boccolato mußte sterben, weil er in einem Brief, den er aus dem Gefängnis an einen Freund schrieb, Augusto schwer beleidigt hatte. Auf diesen Brief war der Boss rein zufällig gestoßen, als er im Wohnzimmer eines Mitglieds zwischen Papieren und Schriftstücken herumgestöbert und seinen Namen entdeckt hatte. Neugierig las er den Brief, in dem Boccolato eine Flut von Beleidigungen und jede Menge Kritik über ihn ausschüttete. Noch bevor er zu Ende gelesen hatte, verurteilte er Boccolato zum Tod. Zu dessen Mörder bestimmte er Angelo Gagliardi, einen ehemaligen Anhänger Cutolos wie Boccolato selbst. Boccolato würde in seinen Wagen steigen, ohne Verdacht zu schöpfen. Die Freunde sind routinierte Killer, sie machen saubere Arbeit und müssen nicht hinter ihren schreienden und fliehenden Opfern herlaufen. Wenn das Opfer es am wenigsten erwartet, wird ihm still und leise die Pistole ins Genick gedrückt und geschossen. Nach dem Willen des Bosses sollten die Exekutionen in einer Atmosphäre freundschaftlicher Vertrautheit durchgeführt werden. Augusto La Torre konnte es nicht ertragen, ins Lächerliche gezogen zu werden, er wollte nicht, daß man, sobald sein Name fiel, in Gelächter ausbrach. Das durfte niemand wagen.

Luigi Pellegrino, von allen nur Gigiotto genannt, liebte es, über die Mächtigen seiner Stadt Klatschgeschichten in Umlauf zu bringen. Im Land der Camorra tuschelt man gern über die sexuellen Vorlieben der Bosse, über die Orgien der Capizona, die lasterhaften Töchter der Clanmanager. Aber im allgemeinen nehmen die Bosse das hin, sie haben nun wirklich andere Sorgen, und schließlich wird über die Mächtigen dieser Welt einfach gern geklatscht und getratscht, fertig. Gigiotto jedenfalls erzählte überall herum, die Frau des Bosses habe ein Verhältnis mit dessen engem Vertrauten, er habe es selbst gesehen. Sie sei sogar vom Fahrer ihres Mannes zu den Rendezvous chauffiert worden. Die Nummer eins des La-Torre-Clans, der Mann, der alles beherrschte und kontrollierte, hatte eine Frau, die ihm Hörner aufsetzte, und er merkte es nicht einmal. Gigiotto erzählte immer neue Varianten und schmückte sie mit immer neuen Details. Ob wahr oder nicht, die Geschichte von dieser Affäre machte bald in der ganzen Stadt die Runde, und man versäumte es nicht, die Quelle anzugeben: Gigiotto. Eines Tages war Gigiotto zu Fuß im Zentrum von Mondragone unterwegs, als er hinter sich ein Motorrad herankommen hörte. Als das Tempo gedrosselt wurde, rannte Gigiotto los. Zwei Schüsse wurden abgegeben, aber Gigiotto lief im Zickzack zwischen den Laternenpfählen und den Passanten, und der Killer auf dem Rücksitz des Motorrads hatte bald sein ganzes Magazin verschossen, ohne ihn zu treffen. Der Fahrer mußte absteigen und Gigiotto nachrennen, der sich in eine Bar geflüchtet hatte und versuchte, sich hinter dem Tresen zu verstecken. Der Mann zückte seine Pistole und schoß ihn in den Kopf, vor den Augen zahlreicher Gäste, die nach dem Mord schweigend aufstanden und zügig verschwanden. Den Ermittlungen zufolge war es Giuseppe Fragnoli, der Vize des Bosses, der den Befehl gegeben hatte, Gigiotto aus dem Weg zu räumen. Er fragte den Boss nicht einmal um Erlaubnis, sondern beschloß eigenmächtig, dem Mann, der das Image des Bosses derart besudelt hatte, für immer das Maul zu stopfen.

Nach Augustos Vorstellungen sollte Mondragone mit seinem Hinterland, der Küste und dem Meer eine unternehmerische Werkstatt sein, ein Laboratorium im Dienst seiner Person und der mit ihm verbündeten Unternehmer. Ein Territorium, dem man Material entnehmen konnte, das man in den Finanzkreislauf der eigenen Firmen einspeiste. In Mondragone und an der Costa Domizia war Drogenhandel strengstens verboten. Oberster Befehl, den die casertanischen Bosse an ihre Untergebenen weiterreichten und der für jedermann bindend war. Dahinter stand auch ein moralisches Motiv, der Wunsch, die Mitbürger vor Heroin und Kokain zu schützen. Vor allem aber wollte man verhindern, daß sich die Handlanger des Clans im Windschatten der Macht durch Drogengeschäfte bereicherten, finanziell stark wurden und sich den Clanchefs entgegenstellten. Die Drogen, die das Mondragone-Kartell über Holland importierte und nach Latium und Rom weiterverkaufte, waren in Mondragone also strikt verboten. Man mußte sich ins Auto setzen und nach Rom fahren, um sich Haschisch, Kokain oder Heroin zu besorgen, das die Clans aus Neapel, Casale und Mondragone in die Hauptstadt schleusten. Wie die Katze, die ihrem eigenen Schwanz hinterherläuft. Der Clan gründete den GAD oder Gruppo Antidroga, der sich als eine Art Drogenpolizei verstand. Wenn sie jemanden erwischten, der einen Joint rauchte, brachen sie ihm das Nasenbein. Wenn eine Ehefrau ein Tütchen Koks entdeckte, brauchte sie es nur jemandem vom GAD zu stecken, und schon wurde der Gatte mit Faustschlägen und Fußtritten ins Gesicht so traktiert, daß ihm die Lust verging, eine Linie reinzuziehen; er bekam nicht einmal mehr Benzin an der Tankstelle, um nach Rom zu fahren.

Der junge Ägypter Hassa Fakhry mußte seine Heroinabhängigkeit teuer bezahlen. Er hütete Schweine, die schwarzen Schweine aus Caserta, eine seltene Rasse. Sie sind dunkler als Büffel, kurzbeinig und behaart, fettschwabbelnde Ziehharmonikas, aus denen man magere Würste, würzige Salamis und schmackhafte Koteletts macht. Schweinehirt ist ein knochenharter Job. Man muß ständig ausmisten, man muß die Ferkel mit dem Kopf nach unten schlachten und das Blut in einer Schüssel auffangen. In Ägypten war Hassa Fahrer gewesen, aber er stammte aus einer Bauernfamilie und wußte, wie man mit Tieren umgeht. Aber nicht gerade mit Schweinen. Er war Muslim, daher widerten ihn Schweine doppelt an. Aber Schweine zu hüten war immer noch besser, als den lieben langen Tag Büffelställe auszumisten wie die Inder. Schweine scheißen nur ein Viertel soviel, und verglichen mit Büffelställen sind Schweineställe geradezu winzig klein. Das wissen die Araber, und deshalb finden sie sich mit den Schweinen ab, um nicht im Büffelstall vor Erschöpfung zusammenzubrechen. Hassa fing an, sich Heroin zu spritzen. Regelmäßig fuhr er mit dem Zug nach Rom, deckte sich mit Stoff ein und kehrte dann in den Schweinestall zurück. Er wurde ein richtiger Junkie, sein Geld reichte nicht, daher empfahl ihm sein Pusher, in Mondragone mit dem Straßenverkauf von Drogen anzufangen. Und so begann er, vor der Bar Domizia zu dealen. Bald hatte er eine feste Kundschaft und verdiente in zehn Stunden soviel wie in sechs Monaten als Schweinehirte. Ein Anruf des Barbesitzers genügte, um dem Treiben ein Ende zu setzen. So macht man es hier immer. Man ruft einen Freund an, und der ruft seinen Cousin an, der wiederum seinem Kumpel davon erzählt; und der übermittelt die Nachricht an die richtige Adresse. Eine Kette, von der nur der Anfangs- und der Endpunkt bekannt sind. Schon ein paar Tage später suchten La Torres Leute Hassa zu Hause auf, die selbsternannte Drogenpolizei. Damit er sich nicht zwischen Schweinen und Büffeln verdrücken konnte und man ihn nicht durch Mist und Kotfladen verfolgen mußte, gaben sie sich als Polizisten aus und lockten ihn über die Gegensprechanlage aus seiner ärmlichen Behausung. Sie luden ihn ins Auto und fuhren los, aber nicht Richtung Kommissariat. Als Hassa Fakhry klar wurde, daß man ihn umbringen wollte, reagierte er wie ein schwerer Allergiker. Als hätte er vor lauter Angst einen anaphylaktischen Schock, begann sich sein Körper aufzublähen, als würde jemand gewaltsam Luft in ihn hineinpumpen. Selbst Augusto La Torre zeigte sich ganz bestürzt, als er vor Gericht von dieser Metamorphose berichtete. Die Augen des Ägypters wurden ganz klein, als würden sie förmlich in den Schädel gesogen, Schweiß, zähflüssig wie Honig, trat ihm aus den Poren und Schleim, dick wie gestockte Milch, aus dem Mund. Sie waren zu acht gekommen, um ihn zu töten. Aber nur sieben schossen. Der Kronzeuge Mario Sperlongano erklärte vor Gericht: »Es erschien mir völlig sinnlos und dumm, auf einen leblosen Körper zu schießen.« Aber so war es immer gewesen, Augusto war wie berauscht von seinem Namen, von der Symbolkraft seines Namens. Hinter ihm, hinter allem, was er tat, mußten geschlossen seine Legionäre stehen, die Legionäre der Camorra. Morde, für die ein, höchstens zwei Killer ausgereicht hätten, wurden von allen seinen Getreuen ausgeführt. Oft wurde jeder, der dabei war, aufgefordert, mindestens einen Schuß abzugeben, selbst wenn das Opfer längst tot war. Einer für alle und alle für einen. Seine Leute mußten mitmachen, selbst dann, wenn es völlig überflüssig war. Aus Angst, jemand könnte einen Rückzieher machen, beharrte Augusto stets darauf, daß die ganze Gruppe agierte. Immer bestand die Gefahr, daß ein Mitglied durchdrehte und glaubte, es könnte in Amsterdam, Aberdeen, London und Caracas auf eigene Faust Geschäfte machen. Hier erweist sich die Grausamkeit als das eigentliche Fundament des wirtschaftlichen Unternehmertums: auf sie zu verzichten bedeutet, alles zu verlieren. Nachdem man Hassa Fakhry niedergemetzelt hatte, stach man auf seinen toten Körper mit Insulinspritzen ein, wie sie Junkies verwenden. Eine Botschaft, die von Mondragone bis Formia jeder auf Anhieb verstand. Und der Boss behandelte alle gleich, ohne Ansehen der Person. Als La Torres Vertrauter Paolo Montano, genannt Zumpariello, zuständig für militärische Aktionen, anfing, sich Drogen zu spritzen, weil er von der Kokserei nicht loskam, bestellte ihn der Boss durch einen Freund zu einem Treffen in einem Gehöft. Ernesto Cornacchia sollte ein ganzes Magazin auf ihn abfeuern, aber er tat es nicht, aus Angst, den Boss zu treffen, der zu nah bei dem Opfer stand. Als Augusto sah, daß Cornacchia zögerte, zog er seine Pistole und erschoß Montano eigenhändig. Cornacchia wurde von einem Querschläger an der Hüfte getroffen. Er ließ sich lieber eine Kugel verpassen, als das Risiko einzugehen, den Boss zu verletzen. Auch Zumpariello wurde samt gezündeter Handgranate in einen Brunnen geworfen, »*alla mondragonese*«. Die Legionäre gehorchten Augusto in blindem Gehorsam. Selbst als sich der Boss der Justiz als Kronzeuge zur Verfügung stellte, folgten sie seinem Beispiel. Nach der Verhaftung seiner Frau entschied sich Augusto La Torre im Januar 2003, diesen großen Schritt zu tun und auszupacken. Sich und seinen Getreuen legte er vierzig Morde zur Last, er nannte die Orte im Umland von Mondragone, wo die Überreste der Opfer, von Handgranaten zerfetzt, in Brunnen lagen. Sich selbst bezichtigte er zahlloser Erpressungen. Ein Bekenntnis, das mehr auf die militärischen als die wirtschaftlichen Aspekte seines Wirkens abhob. Es dauerte nicht lange, und seine Vertrauten Mario Sperlongano, Giuseppe Valente, Girolamo Rozzera, Pietro Scuttini, Salvatore Orabona, Ernesto Cornacchia und Angelo Gagliardi taten es ihm nach. Sitzen die Bosse erst einmal hinter Gittern, ist Schweigen ihre stärkste Waffe, um ihre Autorität zu wahren und wenigstens nominell die Fäden in der Hand zu behalten, auch wenn sie aufgrund der strengen Haftbedingungen keine direkte Führungsrolle mehr spielen können. Aber der Fall Augusto La Torre liegt anders. Weil auch seine engsten Vertrauten auspackten, brauchte er nicht zu fürchten, daß seine Familie umgebracht wurde. Seine Zusammenarbeit mit der Justiz erschütterte das Wirtschaftsimperium des Mondragone-Kartells offenbar kein bißchen. La Torres Enthüllungen dienten lediglich dazu, die Logik des Mordens und die brutale Geschichte der Macht an der kampanischen Küste begreifbar zu machen. Augusto La Torre erzählte von vergangenen Zeiten, wie so viele Bosse der Camorra. Ohne die Kronzeugen der Justiz könnte die Geschichte der Macht nicht geschrieben werden. Ohne diese Kronzeugen kämen die Fakten, die Details und die genauen Geschehnisse erst zehn, zwanzig Jahre später ans Licht. Als würde ein Mensch erst nach seinem Tod verstehen können, wie seine inneren Organe funktioniert haben.

Ein Geständnis wie das Augusto La Torres und seines Generalstabs kann leider das Strafmaß entscheidend verringern. Wer die Karten auf den Tisch legt, bekommt die Chance, schon nach wenigen Jahren aus der Haft entlassen zu werden. Man behält die legale wirtschaftliche Macht, nachdem man die militärische Macht an andere, insbesondere an die albanischen Familien, abgegeben hat. Es sieht so aus, als hätten die Bosse beschlossen, ihr Insiderwissen nutzbringend anzuwenden und wahrheitsgetreu und detailliert Auskunft zu geben, um lebenslange Haftstrafen und interne Nachfolgekämpfe zu vermeiden. Eine Art Mediation mit dem Ziel, wenigstens die Machtmittel zu erhalten, die ihnen aus den legalen Aktivitäten erwachsen. Die Zelle behagte Augusto ganz und gar nicht. Jahrzehntelange Haft, wie sie die alten Bosse, unter denen er großgeworden war, standhaft ertrugen, war seine Sache nicht. Er verlangte, daß die Gefängnisküche auf seine vegetarische Ernährung Rücksicht nahm. Und da er das Kino liebte, ein Videorekorder in der Zelle aber nicht erlaubt war, bat er mehrmals den Direktor eines lokalen Fernsehsenders in Umbrien, wo er einsaß, die drei Teile des *Paten* im Fernsehen zu bringen, damit er sie sich abends vor dem Schlafengehen anschauen konnte.

La Torres Geständnis hatte, so die Staatsanwaltschaft, etwas durchaus Scheinheiliges. Er konnte es einfach nicht lassen, den Boss zu spielen. Und mit seinen Enthüllungen übte er weiterhin die Macht aus, wenn auch mit anderen Mitteln. Das belegt ein Brief, den Augusto seinem Onkel zustellen ließ. Darin versicherte er ihm, er habe ihn aus den Angelegenheiten des Clans »herausgehalten«. Zugleich ersparte er seinem Onkel und zwei weiteren Verwandten nicht eine unmißverständliche Drohung, mit der er auf die Gefahr eines gegen ihn gerichteten Bündnisses in Mondragone reagieren wollte:

»Dein Schwiegersohn und dessen Vater fühlen sich von Leuten beschützt, die ihre Leiche spazierenführen.«

Der Boss war zwar geständig, aber vom Gefängnis in L'Aquila aus erbat er sogar Geld. Er umging die Kontrollen und schrieb Briefe, in denen er Anweisungen erteilte und Forderungen stellte, Kassiber, die er seinem Chauffeur Pietro Scuttini oder seiner Mutter mitgab. Diese Forderungen, so die Staatsanwaltschaft, waren reine Erpressung. Ein höflich gehaltener Brief, adressiert an den Besitzer einer der größten Käsereien der Costa Domizia, belegt, daß Augusto nach wie vor über Druckmittel verfügte.

»Lieber Peppe, ich möchte Dich um einen großen Gefallen bitten, ich bin nämlich ruiniert. Wenn Du mir helfen willst, aber ich bitte Dich im Namen unserer alten Freundschaft, aus keinem anderen Grund, und auch wenn Du ablehnst, sei gewiß, daß ich Dich immer schützen werde! Ich brauche dringend zehntausend Euro, und dann mußt Du mir sagen, ob Du mir tausend Euro im Monat geben kannst, ich brauche das Geld für meine Kinder ...«

Der Lebensstandard, den die Familie La Torre gewohnt war, überstieg bei weitem die finanziellen Mittel, mit denen der Staat diejenigen unterstützt, die bereit sind, mit den Behörden zu kooperieren. Ein genaueres Bild von den Vermögenswerten der Familie gewann ich erst, als ich mich in die Akten zu der großangelegten Beschlagnahme vertiefte, die die Staatsanwaltschaft Santa Maria Capua Vetere im Jahr 1992 angeordnet hatte. Konfisziert wurden Immobilien im heutigen Wert von rund zweihundertdreißig Millionen Euro, neunzehn Firmen im Wert von dreihundertdreiundzwanzig Millionen Euro sowie Produktionsbetriebe und Fuhrparks im Wert von hundertdreiunddreißig Millionen Euro. Zu den beschlagnahmten Besitztümern, allesamt in der Umgebung von Neapel und Gaeta sowie entlang der Costa Domizia gelegen, zählten eine Käserei, eine Zuckerfabrik, vier Supermärkte, neun Villen am Meer, Gebäude mit angrenzenden Feldern sowie Wagen der gehobenen Klasse und Motorräder. Jeder Betrieb beschäftigte rund sechzig Mitarbeiter. Das Gericht verfügte darüber hinaus die Beschlagnahme der Gesellschaft, die den Auftrag zur Müllentsorgung der Gemeinde Mondragone erhalten hatte. Eine großangelegte Operation zur Zerschlagung einer Wirtschaftsmacht, die jedoch nur einen geringen Teil des tatsächlichen Clanvermögens darstellte. Beschlagnahmt wurde auch eine überdimensionierte Villa in Ariana di Gaeta, deren Ruhm sogar bis nach Aberdeen gedrungen war. Vier Stockwerke hoch und steil über dem Meer aufragend, mit Swimmingpool und Unterwasserlabyrinth, war sie nach dem Vorbild der Tiberius-Villa in Capri gebaut worden, die dem Kaiser als Residenz gedient und wo er die letzten Jahre seiner Regierungszeit verbracht hatte. Die Villa jenes Kaisers Tiberius, dessen Namen der Stammvater des Clans von Mondragone trug. Es ist mir nie gelungen, die Villa von innen zu sehen. Um mir von diesem kaiserlichen Mausoleum, diesem Vorposten der italienischen Clanbesitzungen ein Bild zu machen, war ich auf die Gerichtsakten angewiesen und auf die Legenden, die sich um die Villa rankten. Der Küstenstreifen wäre wie geschaffen gewesen, kühne architektonische Phantasien zu verwirklichen, aber im Laufe der Zeit verkam die casertanische Küste zu einem wirren Nebeneinander von Häusern und Villen, schnell hochgezogen, um die Tourismusindustrie zwischen dem südlichen Latium und Neapel in Schwung zu bringen. Für die Costa Domizia wurde nie ein Bebauungsplan erstellt, nie eine Baugenehmigung erteilt. Heute leben in den Häusern zwischen Castelvolturno und Mondragone eng zusammengepfercht die Afrikaner, und die Küstenabschnitte, wo Parkanlagen, Ferien- und Tourismussiedlungen hätten entstehen sollen, sind zu illegalen Mülldeponien verkommen. Die Orte entlang dieser Küste verfügen über keine Kläranlagen. Ein schmutzigbraunes Meer umspült die mit Abfall übersäten Strände. Binnen weniger Jahre wurde auch die letzte schwache Anmutung von Schönheit ausgemerzt. In den Sommermonaten verwandelten sich einige Lokale an der Costa Domizia zu regelrechten Bordellen. Wenn Freunde von mir zu ihrer abendlichen Spritztour aufbrachen, zeigten sie ihre leeren Portemonnaies. Leer, nicht weil die Geldscheine fehlten, sondern weil sie auf diese kleinen, in Alufolie eingeschweißten kreisrunden Dinger, auch Präservativ genannt, verzichteten. Sie wollten klarmachen, daß man getrost ohne Präservativ zum Bumsen nach Mondragone fahren konnte: »Heute abend mach ich's ohne!«

Das Präservativ von Mondragone war Augusto La Torre. Der Boss hatte sich nämlich auch zum Wächter über die Gesundheit seiner Untertanen aufgeschwungen. Mondragone wurde zu einem quasi heiligen Bezirk, in dem man vor der am meisten gefürchteten Infektionskrankheit absolut geschützt war. Während sich die ganze Welt mit HIV infizierte, hatte man im Norden der Provinz Caserta alles im Griff. Der Clan ließ größte Vorsicht walten und überwachte die Befunde. Soweit möglich, war die Liste aller HIV-Infizierten immer auf dem neuesten Stand, denn das Territorium durfte nicht infiziert werden. Und so sprach es sich schnell herum, als Augustos enger Vertrauter Fernando Brodella sich angesteckt hatte. Es konnte gefährlich sein, weil er es auch mit den Mädchen im Ort trieb. Weder besorgte man ihm einen guten Arzt noch übernahm man die Kosten einer Behandlung, wie es der Bidognetti-Clan machte, der seine Mitglieder in die besten Kliniken Europas und zu den besten Ärzten schickte. Brodella wurde kaltblütig erschossen. Die Kranken eliminieren, um die Seuche einzudämmen, so lautete der Befehl des Clans. Eine Infektionskrankheit, deren Ausbreitung so wenig kontrollierbar war wie diese, ließ sich nur aufhalten, wenn man die bereits Infizierten aus dem Verkehr zog. Die Kranken würden nur dann niemanden mehr anstecken, wenn man ihnen die Möglichkeit nahm zu leben.

Auch bei den Kapitalinvestitionen in Kampanien ging man auf Nummer sicher. In Anacapri hatte der Clan ein Haus gekauft, in dem sich die örtliche Carabinieri-Dienststelle befand; und natürlich bezahlten die Carabinieri ihre Miete immer pünktlich. Als aber die La Torre dahinterkamen, daß die Villa mehr Gewinn einbrachte, wenn sie touristisch genutzt wurde, setzten sie die Carabinieri kurzerhand vor die Tür und bauten das Haus zu einer Ferienanlage mit sechs Wohnungen samt Autostellplätzen um, bevor die Antimafia-Staatsanwaltschaft das Anwesen beschlagnahmte. Saubere, sichere Investitionen ohne jedes spekulative Risiko.

Nachdem Augusto zum Kronzeugen der Justiz geworden war, bekam der neue Boss Luigi Fragnoli, der stets loyal zu den La Torre gestanden hatte, Probleme mit einigen Mitgliedern. Eines von ihnen war Giuseppe Mancone, genannt »Rambo«, der eine vage Ähnlichkeit mit Sylvester Stallone besaß und seine Muskeln im Fitnesstudio gestählt hatte. Er fing an, mit Drogen zu handeln, und wäre damit in kürzester Zeit zu einer wichtigen Figur aufgestiegen. Anschließend hätte er die alten Bosse, deren Ansehen nach ihrem Geständnis ohnehin ruiniert war, mit einem Fußtritt ins Abseits befördern können. Nach Ermittlungen der Antimafia-Staatsanwaltschaft baten die Clans von Mondragone die Familie Birra aus Ercolano, ihnen ein paar Killer zu schicken. Und so trafen im August 2003 zwei Männer aus Ercolano in Mondragone ein, um »Rambo« zu eliminieren. Sie kamen auf einem jener Motorradmonster, die nicht besonders gut manövrierbar sind, aber so bedrohlich wirken, daß sie als Fahrzeug für einen Mordanschlag wie geschaffen sind. Die beiden waren noch nie in Mondragone gewesen, aber sie fanden schnell heraus, daß sich ihr Opfer wie gewöhnlich in der Roxy Bar aufhielt. Sie fuhren vor. Ein junger Mann stieg ab, trat mit sicheren Schritten auf »Rambo« zu, feuerte ein ganzes Magazin auf ihn ab, drehte sich um und schwang sich wieder auf das Gefährt.

»Alles in Ordnung? Hast du's erledigt?«

»Ja, hab ich. Los, fahr schon …«

Vor der Bar stand eine Gruppe junger Frauen, die sich über ihre Sommerferien beratschlagten. Als sie den Mann im Laufschritt aus der Bar kommen sahen, wußten sie augenblicklich, was los war, sie hatten das Rattern der automatischen Waffe nicht für Knallfrösche gehalten. Sie warfen sich zu Boden, aus Angst, von dem Killer gesehen und damit zu Zeugen zu werden. Eine von ihnen aber schlug die Augen nicht nieder. Sie blickte dem Killer ins Gesicht, ohne sich auf das Straßenpflaster zu werfen oder die Hände vors Gesicht zu reißen. Eine Kindergärtnerin, fünfunddreißig Jahre alt. Sie ging zur Polizei, sagte als Zeugin aus und identifizierte den Täter. Es gibt viele Gründe, die dafür sprachen zu schweigen, so zu tun, als wäre nichts gewesen, nach Hause zurückzukehren und weiterzuleben wie bisher. Einer dieser Gründe ist die Angst. Die Furcht vor Einschüchterungen und mehr noch das Gefühl, daß es ohnehin keinen Sinn hat, wenn ein Killer verhaftet wird, einer von vielen. Und dennoch fand die Kindergärtnerin aus Mondragone trotz all der Gründe zu schweigen einen Grund, dies nicht zu tun: sie wollte die Wahrheit aussprechen. Ein ganz natürlicher Impuls, ein ganz gewöhnlicher, normaler und selbstverständlicher Akt, so notwendig wie das Atmen. Sie klagte an, ohne dafür etwas einzufordern. Sie verlangte weder eine Belohnung noch Personenschutz, sie verkaufte ihr Wort nicht. Sie schilderte, was sie gesehen hatte, beschrieb das Aussehen des Killers, seine knochigen Wangen, die buschigen Augenbrauen. Nach dem Anschlag flüchteten die Täter auf ihrem Motorrad, verfuhren sich mehrmals, bogen in Sackgassen ein und mußten wenden. Sie wirkten nicht wie Killer, eher wie zwei Touristen, die die Orientierung verloren hatten. Im Prozeß, der sich auf die Zeugenaussage der Kindergärtnerin stützte, wurde Salvatore Cefariello, vierundzwanzig Jahre alt, ein Killer, der mutmaßlich für die Clans von Ercolano arbeitete, zu lebenslanger Freiheitsstrafe verurteilt. Der Ermittlungsrichter bezeichnete die Kindergärtnerin als »eine Rose in der Wüste«, erblüht in einem Land, in dem die Wahrheit stets die der Mächtigen ist, eine Wahrheit, die nur selten angezweifelt und gewinnbringend verschachert wird wie eine Ware.

Und doch hat dieses Bekenntnis zur Wahrheit ihr das Leben schwer gemacht. Fast als wäre sie nach diesem mutigen Zeugnis irgendwie hängengeblieben und ihre ganze Existenz wäre allmählich ausgefranst. Sie hatte vor zu heiraten und wurde verlassen, sie verlor ihren Arbeitsplatz und lebt heute an einem geschützten Ort von einer geringfügigen staatlichen Zuwendung. Ein Teil ihrer Familie hat sich von ihr distanziert, ein Abgrund der Einsamkeit tat sich vor ihr auf. Eine Einsamkeit, die man ganz besonders schmerzlich im Alltag spürt, wenn man tanzen gehen möchte und niemanden findet, der einen begleitet; wenn Handys läuten, ohne daß jemand rangeht, und die Freunde sich immer seltener und schließlich überhaupt nicht mehr melden. Nicht die Zeugenaussage an sich flößt Angst ein, nicht die Tatsache, daß man einen Killer identifiziert hat, erregt Ärgernis. So banal ist die Logik der Omertà, der undurchdringlichen Mauer des Schweigens, nicht. Was das Handeln der Kindergärtnerin so anstößig machte, war, daß sie es für selbstverständlich, natürlich und notwendig erachtete, Zeugnis abzulegen. Wer eine solche Einstellung hat, glaubt noch an die Wahrheit. Aber in einem Land, wo das wahr ist, was Geld einbringt, und das eine Lüge, was einen zum Verlierer macht, bleibt eine solche Entscheidung schlechterdings nicht nachvollziehbar. Und so kommt es, daß selbst die Menschen, die einem nahestehen, plötzlich irritiert sind und sich von demjenigen entlarvt fühlen, der den Grundregeln eines Lebens zuwiderhandelt, dessen Regeln sie selbst ganz fraglos akzeptiert haben. Akzeptiert haben ohne Scham, denn letztlich muß es ja so laufen, weil es so schon immer gelaufen ist, weil man aus eigener Kraft ohnehin nichts ändern kann und es daher besser ist, seine Kräfte zu schonen, in den alten Bahnen zu verharren und so zu leben, wie es einem zugestanden wird.

In Aberdeen staunte ich nicht schlecht, wie sich der Erfolg des italienischen Unternehmertums hier materialisiert hatte. Ein seltsames Gefühl, diese Ableger zu sehen, wenn man die Wurzeln kennt. Ich weiß nicht, wie ich es beschreiben soll, aber beim Anblick all der Restaurants, Bürogebäude, Versicherungen und Wohnhäuser fühlte ich mich an den Füßen gepackt, auf den Kopf gestellt und so lange geschüttelt, bis mir das Kleingeld, die Haustürschlüssel und sämtliche anderen Sachen aus den Hosentaschen fielen – und nicht nur aus den Hosentaschen, auch aus dem Mund. Als wollte man mir sogar die Seele herausschütteln, um sie zu Geld zu machen. Die Kapitalströme flossen von überallher, wie ein Strahlenkranz, dessen Energie sich dem Nukleus im Zentrum verdankt. Etwas wissen ist nicht dasselbe wie etwas mit eigenen Augen sehen. Ich hatte Matteo zu einem Vorstellungsgespräch begleitet. Selbstverständlich wurde er eingestellt. Er wollte mich überreden, ebenfalls in Aberdeen zu bleiben.

»Hier genügt es, daß du bist, was du bist, Robbe' ...«

Daß Matteo aus Kampanien stammte, also über jene gewisse Aura verfügte, war die Voraussetzung dafür, daß man ihn nach seinem Lebenslauf, seinem Universitätsdiplom und seinem Auftreten beurteilte. Mit dieser Herkunft, die ihn in Schottland zu einem Staatsbürger mit allen damit verbundenen Rechten machte, war er in Italien Abschaum gewesen, ohne Protektion und ohne daß sich jemand für ihn interessierte. Der geborene Verlierer, dessen Leben automatisch in den falschen Bahnen verlief. Ein nie gekanntes Glücksgefühl erfüllte ihn. Je euphorischer er wurde, desto bitterer fühlte ich meine Schwermut. Ich habe es nie geschafft, mich wirklich zu distanzieren, von meinem Geburtsort loszukommen, von den Verhaltensweisen derjenigen, die ich haßte, von den brutalen Mechanismen, die das Leben und die Sehnsüchte zerstören. Bestimmte Herkunftsorte prägen einen wie einen jungen Jagdhund sein Instinkt, der ihn über die Felder jagen läßt. Man muß dem Hasen nachrennen, ganz unwillkürlich. Selbst wenn man ihn laufen läßt, mit zusammengebissenen Zähnen, nachdem man ihn erwischt hat. Und ich folgte den Pfaden, den Straßen, den Wegen mit einer Zwanghaftigkeit, die mir selbst gar nicht bewußt war – mit der verfluchten Fähigkeit, das Jagdrevier, in das ich immer tiefer vordrang, mit allen Sinnen zu verstehen.

Ich wollte Schottland so schnell wie möglich verlassen und nie wieder zurückkommen. Ich nahm das nächste Flugzeug. An Bord konnte ich nicht schlafen, die Turbulenzen und die Dunkelheit vor dem Fenster schnürten mir die Luft ab wie eine Krawatte, deren Knoten genau auf den Kehlkopf drückt. Vielleicht kam dieses klaustrophobische Gefühl gar nicht von dem schmalen Sitz, dem winzig kleinen Flugzeug und der Dunkelheit draußen, sondern von der Ahnung, zermalmt zu werden von einer Realität, die einem Hühnerstall voll ausgehungerter, dichtgedrängter Tiere ähnelte – Tiere, die fraßen, um anschließend gefressen zu werden. Als existierte nur ein einziges Territorium, eindimensional und mit Regeln, die überall verstanden werden. Es war dieses Gefühl der Ausweglosigkeit, dieses Gefühl, daß man gezwungen war, entweder an der großen Schlacht teilzunehmen oder nicht zu sein. Ich kehrte nach Italien zurück, im Kopf ganz deutlich diese zweispurige Straße, auf deren einer Bahn sich in rasendem Tempo die Kapitalströme ergossen, um in den großen europäischen Wirtschaftskreislauf einzumünden, und auf deren anderer Bahn all das in den Süden gelangte, was andernorts als ansteckendes Gift gegolten hätte. Eine einzige große Fluktuation durch die Maschen einer offenen und flexiblen Wirtschaft – ein unaufhörliches Hin und Her, ein Kreislauf, der dort Reichtümer akkumulierte und hier, wo die Metamorphose ihren Ausgang nahm, keinerlei Entwicklung anstieß.

Der Müll hat den Bauch Süditaliens aufgebläht, geweitet wie den Bauch einer Schwangeren, in dem sich nie ein Fötus entwickeln wird, sondern nur Geld, ausgestoßen als Fehlgeburt, damit der Schoß gleich wieder fruchtbar, die Leibesfrucht erneut ausgestoßen und der Schoß abermals fruchtbar wird, wieder und wieder, so lange, bis der Körper verbraucht, die Blutgefäße verkalkt, die Bronchien verstopft, die Nervenverbindungen zerstört sind. Weiter und immer weiter.

Feuerland

Es ist nicht schwer, seiner Phantasie freien Lauf zu lassen. Sich einen Menschen, ein Geschehen oder sonst irgend etwas auszudenken. Ohne große Mühe kann man sich sogar sein eigenes Sterben vorstellen. Kompliziert wird es erst, wenn man versucht, sich klarzumachen, wie die Wirtschaft funktioniert, in allen ihren Einzelheiten. Die Finanzströme und Gewinnanteile, die Handelsoperationen, Verbindlichkeiten und Investitionen. Denn es gibt keine anschauliche Oberfläche, um ein Bild zu gewinnen, keine konkreten Sachverhalte, die man sich einprägen könnte. Man kann sich zwar die Determinanten der Wirtschaft vor Augen führen, nicht aber die Geldströme, die Kontobewegungen, die konkreten Operationen. Man ist versucht, die Augen zu schließen, um sich besser konzentrieren zu können, sie zusammenzukneifen, bis hinter den Lidern diese gleißenden psychedelischen Bilder zu flimmern beginnen.

Immer wieder habe ich versucht, mir ein Bild von den Mechanismen der Wirtschaft zu machen, mir Produktion und Verkauf, Handelsrabatte und Gewinnmaximierung konkret vorzustellen. Es ergab sich einfach kein Organisationsschema, kein präzises, kompaktes Bild. Mir scheint, es besteht nur eine Möglichkeit: sich vor Augen zu führen, was die Wirtschaft auf ihrem Weg hinterläßt, ihren Spuren zu folgen, ihren Rückständen, die wie die Partikel abgestorbener Haut zu Boden fallen.

Mülldeponien können den Wirtschaftskreislauf am besten veranschaulichen. Auf ihnen sammelt sich an, was der Konsum hinterlassen hat, und das ist mehr als nur der Rest dessen, was einmal produziert wurde. Der Süden ist Endstation sämtlicher giftigen Abfälle, sämtlicher wertlosen Überbleibsel, sämtlicher

Rückstände aus der Produktion. Der gesamte illegal entsorgte Müll ergibt nach einer Schätzung der Umweltschutzorganisation Legambiente vierzehn Millionen Tonnen, das entspricht einem 14600 Meter hohen Berg auf einer drei Hektar großen Grundfläche. Der Mont Blanc ist 4810, der Mount Everest 8844 Meter hoch. Dieser Müllberg, der auf keiner Landkarte auftaucht, wäre der höchste Berg der Erde. In meiner Vorstellung gleicht diese gewaltige Erhebung den Endlossträngen einer DNA, auf der alles gespeichert ist – Handelsoperationen, die Subtraktionen und Additionen der Finanzexperten, die Profitraten. Eine gigantische Abfolge immer neuer Massive, die wie nach einer gewaltigen Explosion über weite Teile Süditaliens verstreut liegen, und zwar in den vier Regionen mit der größten Zahl an Umweltverbrechen: Kampanien, Sizilien, Kalabrien und Apulien. Zugleich die Regionen mit den größten kriminellen Organisationen, der höchsten Arbeitslosigkeit und der größten Zahl von Bewerbern für den Dienst beim Militär und bei der Polizei. Immer dieselben Regionen, ewig und unwandelbar. In der Provinz Caserta, dem Gebiet der Mazzoni zwischen dem Fluß Garigliano und dem Lago Patria, lagern seit dreißig Jahren Unmengen von giftigem und gewöhnlichem Müll.

Der Landstrich, der vom Krebsgeschwür der illegalen Giftmüllentsorgung am schlimmsten betroffen ist, umfaßt die Gemeinden Grazzanise, Cancello Arnone, Santa Maria La Fossa, Castelvolturno und Casal di Principe mit einer Fläche von fast dreihundert Quadratkilometern sowie die Gemeinden Giugliano, Qualiano, Villaricca, Nola, Acerra und Marigliano, die zur Provinz Neapel gehören. Nirgendwo sonst in der gesamten westlichen Welt lagert mehr illegaler Abfall und Giftmüll. Das Geschäft mit dem Müll spülte innerhalb von vier Jahren vierundvierzig Milliarden Euro in die Taschen der Clans und ihrer Mittelsmänner. Ein Markt mit einer Zuwachsrate von 29,8 Prozent in den letzten Jahren, vergleichbar nur mit dem Wachstum des Kokainmarkts. Seit Ende der neunziger Jahre wurden die camorristischen Clans auf dem europäischen Kontinent führend in der Müllentsorgung. Schon 2002 hieß es in einem parlamentarischen Bericht des Innenministeriums, die Abfallbeseitigung sei mehr und mehr ein Pakt zwischen den Unternehmen und einigen Verantwortlichen in den Behörden mit dem Ziel, den gesamten Kreislauf der Müllbeseitigung zu kontrollieren. Der casalesische Clan, bestehend aus zwei Hauptgruppen unter Führung von Schiavone Sandokan bzw. Francesco Bidognetti alias Cicciotto di Mezzanotte, teilt sich dieses lukrative Geschäft – einen Markt, so gigantisch, daß es trotz anhaltender Spannungen zwischen den beiden Gruppen bisher nie zu einer direkten Konfrontation gekommen ist. Aber die Casalesen sind nicht die einzigen. Das Kartell des Mallardo-Clans aus Giugliano leitet in Blitzgeschwindigkeit die Erträge aus seinen illegalen Geschäften in andere Kanäle um und ist in der Lage, gewaltige Mengen Müll auf ihr Territorium zu verbringen. In Giugliano wurde eine stillgelegte Kiesgrube entdeckt, die vollständig mit Müll aufgefüllt worden war. Das Gesamtvolumen des hier illegal entsorgten Abfalls entspricht rund achtundzwanzigtausend Lkw-Ladungen. Eine Zahl, die man sich als eine Lastwagenkolonne veranschaulichen kann, die, Stoßstange an Stoßstange, von Caserta bis Mailand reicht.

Die Bosse kennen keinerlei Skrupel, wenn es darum geht, das ganze Gift im eigenen Territorium abzuladen und den Boden im Umkreis ihrer Villen und ihres Herrschaftsgebiets zu kontaminieren. Das Leben eines Bosses ist kurz, die Macht eines Clans zwischen Bandenkriegen, Verhaftungen, Massakern und lebenslangen Freiheitsstrafen ist ebenfalls nicht von Dauer. Ein ganzes Territorium im Giftmüll ersticken zu lassen und in der Nähe von Wohngebieten Gebirgsketten aus kontaminiertem Abfall aufzutürmen wird nur für denjenigen zum Problem, dessen Macht auf Dauer angelegt ist und der soziale Verantwortung kennt. Im Hier und Jetzt des Geschäftslebens zählen einzig eine hohe Gewinnspanne und eine möglichst reibungslose Abwicklung. Der größte Teil des Giftmülls wird in einer Richtung entsorgt: von Nord nach Süd. Seit Ende der neunziger Jahre wurden achtzehntausend Tonnen Giftmüll aus Brescia in das Gebiet zwischen Neapel und Caserta verbracht, eine Million Tonnen landete innerhalb von vier Jahren in Santa Maria Capua Vetere. Der Müll aus den Aufbereitungsanlagen in Mailand, Pavia und Pisa wurde nach Kampanien verschoben. Laut Ermittlungen der Staatsanwaltschaften Neapel und Santa Maria Capua Vetere vom Januar 2003 unter Leitung von Staatsanwalt Donato Ceglie wurden in einem Zeitraum von vierzig Tagen mehr als sechstausendfünfhundert Tonnen Müll aus der Lombardei nach Trentola Ducenta unweit von Caserta transportiert.

Das Hinterland von Neapel und Caserta ist mit Müll regelrecht zugepflastert, hier findet gewissermaßen der Lackmustest der italienischen Industrieproduktion statt. Anhand der Mülldeponien und Gruben läßt sich verfolgen, welches Schicksal die italienischen Industrieerzeugnisse über die Jahrzehnte hinweg erfahren haben. Ich fuhr schon immer gern mit meiner Vespa auf den Wegen, die diese Deponien säumen. Es ist, als bewegte man sich zwischen Zivilisationsresten, den Ablagerungen der Warenströme, den Pyramiden der Produktion. Wege, auf denen die Mülltransporter zahllose Kilometer zurückgelegt haben. Feldwege, zur Erleichterung des Lkw-Verkehrs oft kurzerhand betoniert. In den hier deponierten Abfällen spiegelt sich die geographische Karte der Regionen, aus denen der Müll stammt. Alles, was aus Produktion, Handel und Gewerbe nicht mehr gebraucht wird, findet hier ein Bleiberecht. Eines Tages pflügte ein Bauer seinen Acker, der genau an der Grenze zwischen den Provinzen Neapel und Caserta lag; er hatte das Stück Land gerade erst gekauft. Der Motor seines Traktors ging immer wieder aus, als wäre das Erdreich an diesem Tag ganz besonders fest. Und auf einmal beförderten die Pflugscharen Papier zutage. Geld. Tausende und Abertausende, Hunderttausende von Geldscheinen. Der Bauer sprang von seinem Traktor und fing an, in fliegender Hast die Fetzen aufzusammeln, als wäre es die versteckte Beute aus einem großen Banküberfall. Aber es waren nur Papiergeldschnipsel, die Farbe ausgebleicht. Geschredderte Banknoten der italienischen Staatsbank. Tonnenweise zu Ballen gepreßte Lirescheine, die man aus dem Verkehr gezogen hatte. Die alte italienische Währung, die man hier verscharrt hatte, vergiftete jetzt einen Blumenkohlacker mit Blei.

In der Nähe von Villaricca entdeckten die Carabinieri ein Terrain, auf dem Papierabfall aus der Reinigung von Kuheutern gelagert war. Er stammte aus Hunderten von Zuchtbetrieben in Venetien, der Emilia Romagna und der Lombardei. Kuheuter müssen ständig behandelt werden, zwei-, drei-, viermal am Tag. Bevor die Saugnäpfe des Melkgeschirrs an den Zitzen angesetzt werden, gilt es, die Euter zu desinfizieren. Kuheuter sind anfällig für Mastitis und ähnliche Entzündungen und werden eitrig und blutig; trotzdem bekommt die Kuh keine Verschnaufpause. Im Fall einer Entzündung müssen die Euter jede halbe Stunde gereinigt werden, sonst gelangen Eiter und Blut in die Milch, die damit ungenießbar wird. Als ich über das Gelände mit dem Euterpapier ging, roch es nach verdorbener Milch. Vielleicht war es nur Einbildung, vielleicht hatte mir die gelbliche Farbe der Papierberge die Sinne vernebelt. Tatsache ist, daß dieser über Jahrzehnte hinweg angehäufte Müll neue Horizonte geschaffen, neue Gerüche heimisch gemacht und Hügel hat entstehen lassen, die es bis dahin nicht gab. Berge, durch den Abbau von Sand und Kies abgetragen, wuchsen plötzlich wieder in die Höhe. Im kampanischen Hinterland steigen einem die Gerüche sämtlicher Industriesparten in die Nase. Beim Anblick des arteriellen und venösen Bluts der Fabriken, das hier ins Erdreich einsickert, denkt man unwillkürlich an die bunt gestreiften Knetgummibälle von Kindern. Unweit Grazzanise wurde der gesamte Kehricht der Stadt Mailand abgelagert. Jahrzehntelang hat man alles, was die städtischen Straßenkehrer Mailands allmorgendlich aus den Abfallkörben sammelten, hierher verbracht. Aus der Provinz Mailand gelangen täglich achthundert Tonnen Müll nach Deutschland. Insgesamt produziert werden jedoch tausenddreihundert Tonnen. Fünfhundert Tonnen verschwinden also spurlos. Keiner weiß, wohin. Höchstwahrscheinlich werden diese geisterhaften Abfallmengen überall im Mezzogiorno verteilt. Sogar Tonerkartuschen für Drucker kontaminieren den Boden, wie die Operation »Madre Terra« (Mutter Erde) zeigte, die 2006 von der Staatsanwaltschaft Santa Maria Capua Vetere koordiniert wurde. Auf Müllkippen zwischen Villa Literno, Castelvolturno und San Tammaro trafen nachts Lkws ein, um die Tonerkartuschen der toskanischen und lombardischen Büros abzuladen. Offiziell transportierten diese Laster Kompost, der als Düngemittel verwendet werden sollte. In der Luft lag ein beißend scharfer Geruch, vor allem bei regnerischem Wetter. Der Boden war mit sechswertigem Chrom angereichert. Es gelangt über die Atemwege in den Körper, bindet sich an die roten Blutkörperchen, lagert sich im Haar ab und verursacht Magengeschwüre, Atemnot, Nierenschäden und Lungenkrebs. Jeder Quadratmeter Erde ist mit irgendeiner Art von Abfall befrachtet. Ein befreundeter Zahnarzt erzählte mir einmal, ein paar Jugendliche seien mit Totenschädeln zu ihm gekommen, mit menschlichen Schädeln, denen er die Zähne reinigen sollte. Laute kleine Hamlets mit einem Schädel in der einen und einem Bündel Geldscheinen in der anderen Hand, um für diese Zahnreinigung zu bezahlen. Der Arzt jagte sie aus seinem Sprechzimmer und rief mich voller Empörung an: »Woher zum Teufel haben sie bloß diese Schädel? Wo finden sie sie?« Er hatte apokalyptische Visionen von satanischen Beschwörungen und Initiationsriten. Ich mußte lachen. Es war unschwer zu erraten, woher diese Schädel stammten. Als ich einmal bei Santa Maria Capua Vetere mit der Vespa unterwegs war, hatte ich plötzlich einen Platten. Der Reifen war von irgend etwas spitz Zulaufendem zerschnitten worden, ich dachte zuerst an den Oberschenkelknochen eines Büffels. Aber dafür war er zu klein. Es war ein menschlicher Oberschenkelknochen. Auf Friedhöfen werden in regelmäßigen Abständen Exhumierungen durchgeführt, Exhumierungen von Toten, die seit mehr als vierzig Jahren unter der Erde liegen. Die jüngeren Totengräber sprechen von

»*arcimorti*«, Erztoten. Samt den Sargresten und anderem Material einschließlich der Grabkerzen müßten sie eigentlich durch Spezialunternehmen entsorgt werden. Die Kosten dafür sind exorbitant, daher drückt die Friedhofsverwaltung den Totengräbern ein paar Geldscheine in die Hand, damit sie die Sachen ausgraben und auf Lkws werfen. Erde, morsche Särge und Gebeine. Ururgroßeltern, Urgroßeltern und Großeltern weiß der Himmel woher wurden im casertanischen Hinterland aufeinandergeschichtet. Nach Angaben des NAS (Nucleo Antisofisticazioni, einer Sondereinheit der Carabinieri gegen Lebensmittelverfälschung) von Caserta vom Februar 2006 landen so viele Skelette auf den hiesigen Deponien, daß die Leute sich bekreuzigen, wenn sie hier vorbeikommen, als passierten sie einen Friedhof. Die Jugendlichen streifen sich die Küchenhandschuhe ihrer Mütter über und graben mit Händen und Löffeln nach Schädeln und intakten Brustkörben. Für einen Schädel mit weißen Zähnen bekommen sie von den Flohmarkthändlern bis zu hundert, für einen Thorax mit unbeschädigten Rippen bis zu dreihundert Euro. Für Schienbeine, Oberschenkel- und Armknochen gibt es keinen Markt. Für Hände schon, aber davon sind kaum welche komplett. Schädel mit schwarzen Zähnen sind fünfzig Euro wert, die Nachfrage dafür hält sich jedoch in Grenzen. Die Käufer scheint nicht der Gedanke des Todes an sich zu stören, sondern die Tatsache, daß die Zähne langsam verfaulen.

Die Clans schaffen einfach alles von Nord nach Süd. Der Bischof von Nola nannte den Süden Italiens einmal die illegale Müllkippe des reichen, industrialisierten Nordens. Die Abfälle aus der thermischen Industrie, etwa der Aluminiumproduktion, der Giftstaub aus Rauchgasniederschlägen insbesondere der Stahlindustrie, der Wärmekraftwerke und Müllverbrennungsanlagen. Die Rückstände von Lacken, schwermetallhaltige Lösungen und Asbest, verseuchte Erde aus Maßnahmen zur Bodensanierung, die nichtverseuchten Boden kontaminiert. Und die Abfallprodukte überalterter, hochgefährlicher

Anlagen der petrochemischen Industrie wie dem ehemaligen Enichem in Priolo, Schlämme aus den Gerbereien von Santa Croce sull'Arno und den Kläranlagen von Venedig und Forlì, die sich im Besitz vorwiegend staatlicher Kapitalgesellschaften befinden.

Der Kreislauf der illegalen Müllentsorgung beginnt bei der Großindustrie, aber auch bei kleineren Unternehmen, die ihre schadstoffhaltigen Abfälle möglichst billig loswerden wollen. Auf einer zweiten Ebene sind die Betreiber von Sammelstellen beteiligt, die eine ganz bestimmte Technik praktizieren: die Mülladungen werden mit wechselnden Papieren ausgestattet, bis niemand mehr nachvollziehen kann, woher das Zeug stammt. Sie sammeln den Abfall und vermischen ihn mit gewöhnlichem Müll. Dadurch sinkt die Schadstoffkonzentration, und der Müll wird entsprechend dem Europäischen Abfallkatalog in seiner Gefährlichkeit heruntergestuft.

Die Chemiker spielen bei der Deklarierung von Giftmüll als ungefährlichem Abfall eine Schlüsselrolle. Oft stellen sie Papiere mit falschen Analysedaten aus. Weitere Glieder in der Kette sind die Transportunternehmen, die die Abfälle quer durchs Land zu den ausgewählten Entsorgungsplätzen fahren, und schließlich die Entsorger. Dies können Betreiber legaler Müllhalden sein, Kompostierungsfirmen, die aus organischem Abfall Dünger herstellen, aber auch Besitzer von aufgelassenen Kies- und Sandgruben oder von ganz gewöhnlichem Ackerland. Jeder, der ein Fleckchen Erde besitzt, kann zum Müllentsorger werden. Dieser Kreislauf würde jedoch niemals funktionieren ohne die Beamten und Angestellten des öffentlichen Dienstes, die ein Auge zudrücken und auf Kontrollen verzichten bzw. die Leitung von Gruben und Mülldeponien Leuten anvertrauen, die eindeutig mit kriminellen Organisationen zusammenarbeiten. Die Clans brauchen weder mit den Politikern einen Blutpakt zu schließen noch sich mit politischen Parteien zu verbünden. Es genügt, wenn sie einen Beamten, technischen Mitarbeiter oder Angestellten finden, der sein Gehalt aufbessern möchte, dann läuft das Geschäft diskret und wie geschmiert und ist für alle Beteiligten von Vorteil. Die Hauptakteure jedoch sind die Stakeholder, die in diesem Kreislauf der Müllentsorgung die Vermittlerrolle spielen. Sie sind die wirklich genialen Köpfe im kriminellen Geschäft mit gefährlichen Abfällen. Aus dem Dreieck zwischen Neapel, Salerno und Caserta stammen die gewieftesten Stakeholder Italiens. Stakeholder sind im Wirtschaftsjargon Personen oder Gruppen, die am Wirtschaftsgeschehen eines Unternehmens beteiligt sind und durch ihre Aktivitäten auf den ökonomischen Erfolg des Unternehmens direkt oder indirekt Einfluß nehmen. Die Stakeholder des Giftmülls spielen in der Abfallentsorgung längst eine tragende Rolle. In Zeiten, in denen ich keine Arbeit hatte, hörte ich oft den Spruch: »Du hast studiert, du kannst etwas, warum versuchst du's nicht als Stakeholder?«

Für Hochschulabsolventen aus dem Süden, deren Vater weder Anwalt noch Notar war, stellte dies einen sicheren Weg zu Geld und beruflicher Erfüllung dar. Mit einem Universitätsdiplom in der Tasche und passablem Aussehen wurden sie nach ein paar Jahren Aufenthalt in den Vereinigten Staaten oder in England, wo sie sich auf Umweltpolitik spezialisierten, zu Vermittlern im Müllgeschäft. Ich kannte so einen. Einen der ersten und besten. Erst als ich ihm zuhörte und mehr von seiner Tätigkeit mitbekam, begriff ich, was es mit der Müllentsorgung auf sich hat. Er hieß Franco, ich hatte ihn im Zug kennengelernt, auf der Rückfahrt von Mailand. Er hatte an der Universität Bocconi studiert und sich anschließend in Deutschland auf Landschaftsplanung spezialisiert. Ein guter Stakeholder muß den Europäischen Abfallkatalog in- und auswendig kennen und wissen, wie man sich in ihm zurechtfindet. Erst dann öffnet sich der Weg, wie mit den giftigen Abfällen zu verfahren ist, wie sich die Vorschriften umgehen lassen und welche Tricks man anwenden muß. Mit diesen Kenntnissen gewappnet, bietet der Stakeholder den Unternehmen seine Dienste an. Franco stammte aus Villa Literno, und er wollte mich überreden, bei ihm einzusteigen. Als er mir von seiner Arbeit erzählte, fing er mit dem äußeren Erscheinungsbild des

Stakeholders an, den eisernen Grundregeln für eine erfolgreiche Berufslaufbahn. Falls seine Haare spärlicher würden und er kahle Stellen bekäme, dürfte er auf keinen Fall zu Toupet oder Perücke greifen. Um seine Glaubwürdigkeit zu behalten, verbot es sich auch, die Frisur so zu manipulieren, daß die seitlichen Haare die kahlen Stellen auf dem Kopf überdeckten. Am besten, man rasierte sich gleich den ganzen Schädel. War der Stakeholder zu einem Fest oder Empfang eingeladen, ging er am besten in Begleitung einer Frau und vermied den Eindruck, als würde er hinter jedem Rock herlaufen. Wenn er keine Freundin hatte oder keine, die bei derlei Anlässen mithalten konnte, kam der Stakeholder nicht darum herum, bei einem Begleitservice eine elegante, stilvolle Eskortdame zu buchen. Die Vermittler in Sachen Müll werden bei chemischen Betrieben, Gerbereien und Plastikfabriken vorstellig und legen ihre Preisliste vor.

Müllentsorgung kostet Geld, doch kein italienischer Unternehmer hält es für notwendig, dafür zu bezahlen. Von den Stakeholdern hört man immer wieder den Satz: »Sie kümmern sich mehr um die Scheiße, die sie kacken, als um den Abfall, dessen Entsorgung sie ein Schweinegeld kostet.« Die Vermittler dürfen allerdings keinesfalls den Eindruck erwecken, eine kriminelle Dienstleistung anzubieten. Sie stellen den Kontakt her zwischen den Industrieunternehmen und den Müllentsorgern der Clans und koordinieren den Ablauf aus der Ferne.

Es gibt zwei Arten von Müllproduzenten. Den einen geht es einzig und allein darum, ihren Abfall möglichst kostengünstig zu entsorgen, ganz gleich, wie vertrauenswürdig die Firmen sind, denen sie den Auftrag erteilen. Sie fühlen sich aus der Verantwortung entlassen, sobald die Giftfässer ihr Betriebsgelände verlassen haben. Die anderen sind in die illegalen Machenschaften unmittelbar involviert, sie entsorgen ihren Müll selbst. Doch die einen wie die anderen sind auf die Dienste von Stakeholdern angewiesen, die ihnen Transportfirmen vermitteln, den Standort einer Deponie zeigen und ihnen behilflich sind, die Gefährlichkeit einer Giftmülladung herunterzustufen. Das Büro des Stakeholders ist sein Auto. Mit Hilfe von Handy und Laptop verschiebt er Hunderttausende Tonnen Abfall. Er ist prozentual an den Verträgen beteiligt, die er mit den Unternehmen abschließt, berechnet nach Kilogramm Gewicht des zu entsorgenden Mülls. Die Preisliste der Stakeholder ist variabel. Die Entsorgung von Lösungsmitteln durch einen Clan, mit dem der Stakeholder zusammenarbeitet, kostet zwischen zehn und dreißig Cent pro Kilo, Phosphorpentasulfid einen Euro pro Kilo. Straßenkehricht kostet fünfundfünfzig Cent pro Kilo; Verpackungen, die gefährliche Rückstände enthalten, einen Euro vierzig Cent pro Kilo; kontaminierte Erde bis zu zwei Euro dreißig Cent pro Kilo; Inertstoffe (Erde und Steine) vom Friedhof fünfzehn Cent pro Kilo; nichtmetallischer Autoschrott einen Euro fünfundachtzig Cent pro Kilo, alles einschließlich Transport. Diese Preisangebote berücksichtigen naturgemäß die Wünsche der Kunden und die Besonderheiten des Transports. Die von den Stakeholdern gemanagte Abfallmenge ist gigantisch, die Gewinnspanne märchenhaft.

Wie die »Operation Houdini« von 2004 zeigte, wurden von einer einzigen Aufbereitungsanlage in Venetien rund zweihunderttausend Tonnen Abfall pro Jahr illegal verschoben. Der Marktpreis für die ordnungsgemäße Beseitigung von Giftmüll variiert zwischen einundzwanzig und zweiundsechzig Cent pro Kilo; denselben Service bieten die Clans schon für neun bis zehn Cent pro Kilo an. Im Jahr 2004 konnten die kampanischen Stakeholder die Entsorgung von achthundert Tonnen mit Kohlenwasserstoffen kontaminierter Erde für nur fünfundzwanzig Cent pro Kilo anbieten, einschließlich Transport. Für die Chemiefirma eine Ersparnis von achtzig Prozent gegenüber dem gängigen Marktpreis.

Die eigentliche Stärke der Stakeholder, die mit der Camorra zusammenarbeiten, liegt darin, daß sie ein Gesamtpaket anbieten, während die Vermittler der legalen Müllentsorgung sehr viel höhere Preise verlangen und der Transport nicht inbegriffen ist. Trotzdem werden die Stakeholder fast nie in einen Clan aufgenommen. Es bringt nichts. Die Nichtmitgliedschaft ist für beide Seiten vorteilhafter, denn auf diese Weise können die Stakeholder für verschiedene Familien tätig werden, als Liberos gewissermaßen, ohne militärische Verpflichtungen einzugehen oder bestimmten Zwängen unterworfen zu sein. Im Zuge von staatsanwaltschaftlichen Ermittlungen wird zwar immer jemand geschnappt, aber die Strafen fallen gering aus, weil eine direkte Verbindung nur schwer nachweisbar ist. Schließlich sind sie am Prozeß der kriminellen Müllentsorgung auf keiner Ebene offiziell beteiligt.

Mit der Zeit lernte ich, die Welt mit den Augen des Stakeholders zu sehen. Eine völlig andere Sicht als die des Bauunternehmers. Der Bauunternehmer will eine Lücke schließen und leeres Gelände bebauen, der Stakeholder will in diesem Gelände etwas ausleeren.

Wenn Franco unterwegs war, hatte er keinen Blick für die Landschaft, ihn interessierte nur, wie er in ihr etwas unterbringen konnte. Sie war für ihn gewissermaßen ein riesiger Teppich mit Bergen und Tälern, und er suchte einen Zipfel, den man hochheben konnte, um möglichst viel darunterzukehren. Einmal bemerkte Franco eine aufgegebene Tankstelle, und sein erster Gedanke war, daß man da, wo die unterirdischen Tanks gewesen waren, jede Menge kleine Fässer mit chemischem Abfall unterbringen konnte. Ein perfektes Grab. Und das war sein Leben: die unablässige Suche nach dem leeren Raum. Später gab Franco seinen Job als Stakeholder auf, er fuhr nicht mehr elend lange Strecken mit dem Auto, um sich, ein gefragter Mann, bei den Unternehmern im Nordosten Italiens vorzustellen. Franco stellte einen Berufsbildungskurs auf die Beine. Seine wichtigsten Schüler waren die Chinesen. Sie kamen aus Hongkong. Die Stakeholder aus Fernost hatten von ihren italienischen Kollegen gelernt, mit den Firmen überall in Europa ins Geschäft zu kommen und attraktive Preise und effiziente Lösungen anzubieten. Als in England die Kosten für die Müllentsorgung in die Höhe schossen, traten die chinesischen Stakeholder auf den Plan, die in Kampanien in die Schule gegangen waren. Im März 2005 entdeckte die holländische Hafenpolizei in Rotterdam tausend Tonnen Siedlungsabfall aus englischen Städten, der offiziell als recyclingfähiges Altpapier deklariert war und nach China verschifft werden sollte. Jahr für Jahr wird eine Million Tonnen Elektroschrott aus Europa nach China verbracht und in Guiyu nordöstlich von Hongkong abgeladen. Unter der Erde vergraben, in künstlichen Seen versenkt. Wie in der Provinz Caserta. Guiyu wurde derart schnell verseucht, daß inzwischen sogar das Grundwasser vergiftet ist und Trinkwasser in Tankwagen aus den benachbarten Provinzen herangeschafft werden muß. Der Traum der Stakeholder Hongkongs ist es, den Hafen von Neapel zur Drehscheibe für den Müll aus ganz Europa zu machen, zu einer schwimmenden Sammelstelle, wo der Müll, so wertvoll wie Gold, in Container verladen und zur Endlagerung nach China verschifft werden kann.

Die kampanischen Stakeholder waren die allerbesten, sie schlugen die kalabresische, apulische und römische Konkurrenz aus dem Rennen, weil die Clans ihnen dabei halfen, die Deponien Kampaniens zu absoluten Dumpingpreisen mit Müll zu füllen, ohne daß diese Deponien jemals voll wurden. Innerhalb der letzten dreißig Jahre wurde so gut wie alles hierhergeschafft und illegal entsorgt – mit einem einzigen Ziel: möglichst niedrige Preise und ein möglichst hohes Auftragsvolumen. Die Operation »Re Mida« (König Midas) aus dem Jahr 2003 – benannt nach dem Telefonmitschnitt eines illegalen Müllentsorgers: »In unseren Händen wird der Müll zu purem Gold« – zeigte, daß auf jeder Ebene im Kreislauf der Müllentsorgung ein profitables Geschäft gemacht wird.

Mit Franco im Auto unterwegs, lauschte ich seinen telefonischen Ratschlägen, wie und wo Giftmüll am besten entsorgt werden konnte. Er jonglierte mit Kupfer, Arsen, Quecksilber, Kadmium, Blei, Chrom, Nickel, Kobalt, Molybdän, mit den Rückständen aus Gerbereien, mit Krankenhausabfällen, Siedlungsmüll und Altreifen. Er legte dar, wie man mit diesem Müll am besten verfuhr, ganze Listen von Personen und Lagerstätten hatte er im Kopf. Ich dachte an die in den Kompost gemischten Giftstoffe, an die Behälter mit hochgiftigen Substanzen tief in den Eingeweiden der Landschaft. Ich wurde blaß. Franco bemerkte es.

»Dieser Job widert dich an, stimmt's, Robbe'? Aber weißt du eigentlich, daß es den Stakeholdern zu verdanken ist, wenn dieses Scheißland heute in Europa etwas gilt? Ja oder nein? Weißt du eigentlich, wie viele Arbeiter ihren Arsch gerettet haben, nur weil ich dafür gesorgt habe, daß ihre Betriebe sich nicht dumm und dämlich zahlen?«

Franco hatte schon als Kind seine Lektion gelernt. Er wußte, daß man im Geschäftsleben entweder gewinnt oder verliert, dazwischen gibt es nichts. Und weder wollte er selbst zu den Verlierern gehören, noch wollte er, daß seine Auftraggeber zu Verlierern wurden. Aber was er sich und mir auch sagte, alle seine Rechtfertigungen waren letztlich ein einziges wildes Zahlenspiel. Es hatte nicht das geringste mit dem zu tun, was Giftmüllentsorgung für mich bis dahin bedeutet hatte. Nimmt man die Ergebnisse sämtlicher Ermittlungen zusammen, die die Staatsanwaltschaften Neapel und Santa Maria Capua Vetere von Ende der neunziger Jahre bis heute durchführten, so ergibt sich für die Unternehmen, die ihre Müllentsorgung in die Hände der Camorra legten, eine Ersparnis von rund fünfhundert Millionen Euro. Mir war klar, daß die gerichtlichen Untersuchungen nur die Spitze des Eisbergs zutage gefördert hatten, und mir schwindelte. Viele Unternehmen im Norden hatten einen wirtschaftlichen Aufschwung erreicht, der es ihnen erlaubte, Leute einzustellen und den gesamten Industriesektor des Landes für den europäischen Wettbewerb fit zu machen. Möglich wurde dies durch eine extreme Kostenminimierung bei der Abfallbeseitigung, die ihnen wie ein Klotz am Bein hing. Und bei der Lösung dieses Problems waren ihnen die Clans von Neapel und Caserta behilflich. Mit der kriminellen Dienstleistung, die die Schiavone, Mallardo,

Moccia, Bidognetti, La Torre und all die anderen Familien anboten, trugen sie zum wirtschaftlichen Aufschwung und zur Wettbewerbsfähigkeit der Unternehmen bei. Nach Erkenntnissen, die die Fahnder 2003 im Rahmen der Operation »Cassiopea« gewannen, fuhren wöchentlich vierzig mit Müll beladene Lkws vom Norden in den Süden, wo Kadmium, Zink, Lackrückstände, Klärschlämme, Plastikmüll, Arsen, Blei und Abfälle aus Stahlwerken abgeladen, vergraben, weggekippt und verscharrt wurden. Die Nord-Süd-Trasse war die bevorzugte Route der illegalen Entsorger. Viele Firmen aus Venetien und der Lombardei hatten sich mit Hilfe der Stakeholder ein bestimmtes Territorium in den Provinzen Neapel und Caserta ausgesucht und in eine riesige Müllkippe verwandelt. In den vergangenen fünf Jahren wurden in Kampanien rund drei Millionen Tonnen Müll unterschiedlichster Herkunft illegal entsorgt, eine Million davon allein in der Provinz Caserta. Die Provinz Caserta ist im »Regulierungsplan« der Clans als Müllkippe ausgewiesen.

Der Toskana, wo Umweltschutz besonders großgeschrieben wird, fällt bei der illegalen Müllentsorgung eine Schlüsselrolle zu. Hier laufen einige der Fäden des illegalen Transports zusammen, von der Produktion bis zur Vermittlung. Das belegen drei Untersuchungen: die Operation »Re Mida«, die Operation »Mosca« und die Operation »Agricoltura biologica« aus dem Jahr 2004.

Aus der Toskana stammen nicht nur gewaltige Mengen illegal entsorgten Mülls, diese Region ist geradezu die Operationsbasis für eine ganze Reihe von Beteiligten an diesem kriminellen Kreislauf: für die Stakeholder, die die Entsorgung vermitteln, die Chemiker, die falsche Papiere ausstellen, und die Eigner der Kompostierungsfirmen, die die Beimischung giftiger Substanzen zulassen. Aber das Territorium des Giftmüllkreislaufs dehnt sich immer mehr aus. Weitere Ermittlungen haben gezeigt, daß längst auch Umbrien und das Molise betroffen sind, die bisher als »immun« galten. Im Rahmen der Operation »Mosca«, im Jahr 2004 von der Staatsanwaltschaft Larino durchgeführt, wurde bekannt, daß hier hundertzwanzig Tonnen Sondermüll aus der metallverarbeitenden und der Stahlindustrie illegal entsorgt wurden. Darüber hinaus wurden dreihundertzwanzig Tonnen alter Straßenbelag mit extrem hoher Teerdichte hierhergeschafft. Dieser Straßenaufbruch wurde zerkleinert, von einer Kompostierungsfirma mit Erde vermischt und dann in umbrischem Boden versenkt. Immer neue Metamorphosen, die ihrerseits wieder gewaltige Gewinne garantieren. Nicht genug, daß man den Giftmüll irgendwo vergrub, man konnte ihn auch in Düngemittel umwandeln und verdiente abermals beim Verkauf der giftigen Substanzen. Vier Hektar Ackerland an der Küste des Molise wurden auf diese Weise mit Substanzen gedüngt, die aus Gerbereiabfällen stammten. Die neun Tonnen Weizen, die auf diesen Feldern geerntet wurden, wiesen eine extrem hohe Chromkonzentration auf. Die illegalen Entsorger hatten sich für die Beseitigung von Sondermüll und gefährlichen Abfällen aus Betrieben Norditaliens den Küstenstreifen zwischen Termoli und Campomarino ausgesucht. Den Ermittlungen zufolge, die in den vergangenen Jahren von der Staatsanwaltschaft Santa Maria Capua Vetere durchgeführt wurden, ist jedoch Venetien das eigentliche Zentrum der Giftmüllaufbereitung. Seit Jahren nehmen die Giftmülltransporte innerhalb Italiens von hier ihren Ausgang. Die Gießereien im Norden entsorgen ihre Abfälle, ohne irgendwelche Vorsichtsmaßnahmen zu treffen. Sie vermischen sie mit Kompost, mit dem dann Hunderte von Feldern gedüngt werden.

Die kampanischen Stakeholder benutzen häufig die Routen des Drogenhandels, die ihnen die Clans zur Verfügung stellen, um neue Giftmüllagerstätten zu erschließen. Wie die Ermittlungen im Rahmen der Operation »Re Mida« zeigten, gibt es bereits Kontakte zu Albanien und Costa Rica, um auch hier illegale Müllgeschäfte zu tätigen. Mittlerweile ist alles möglich: Müllverbringung Richtung Osten nach Rumänien, wo die Casalesen Hunderte und Aberhunderte Hektar Land besitzen; in afrikanische Länder, nach Mosambik, Somalia und Nigeria, wo die Clans ebenfalls schon seit längerem über gute Kontakte und Stützpunkte verfügen. Voller Bestürzung beobachtete ich die angespannten und besorgten Mienen von Francos Kollegen, als sie die Nachricht von dem verheerenden Tsunami hörten. Beim Anblick der Fernsehbilder aus den betroffenen Regionen wurden die kampanischen Stakeholder kreidebleich. Man hätte meinen können, ihre Ehefrau, ihre Geliebte oder ihre Kinder wären in Gefahr. In Wirklichkeit war etwas sehr viel Wertvolleres in Gefahr: ihre Geschäfte. Die Flutwelle des Seebebens hatte Hunderte von Fässern, die mit gefährlichem radioaktivem Müll gefüllt und in den achtziger und neunziger Jahren in Somalia versenkt worden waren, an die somalischen Strände zwischen Obbia und Warsheik gespült. Die öffentliche Aufmerksamkeit gefährdete ihre neuen Entsorgungsrouten, sozusagen ihre Überdruckventile. Aber es gab keinen echten Grund zur Sorge. Die Hilfsaktionen für die Opfer der Flutkatastrophe lenkten die öffentliche Aufmerksamkeit von den neben den Leichen schwimmenden Giftbehältern ab. Sogar im Meer wird Müll abgeladen. Immer häufiger füllen die Entsorger den Frachtraum von Schiffen mit Giftmüllfässern, simulieren einen Unfall und versenken die Fässer dann im Meer. Dabei kassieren sie doppelt: von der Versicherung die Entschädigungssumme für den »Unfall« und von den Giftmüllproduzenten für die Entsorgung der gefährlichen Substanzen tief unten auf dem Meeresgrund.

Während die Clans mühelos Areale für die Müllentsorgung fanden, schafften es die kommunalen Verwaltungen in der Region Kampanien nach zehn Jahren unter kommissarischer Verwaltung wegen camorristischer Unterwanderung nicht, ihren Abfall zu entsorgen. In Kampanien lagerte illegal der Müll aus ganz Italien, doch der kampanische Müll wurde nach Deutschland verbracht – zu einem Preis, der fünfzigmal höher lag als der, den die Camorra von ihren Kunden verlangt; man wußte sich einfach keinen anderen Rat. Die Ermittlungen ergaben, daß allein in der Provinz Neapel fünfzehn von achtzehn Müllentsorgungsfirmen direkt mit den camorristischen Clans zusammenarbeiten.

Der Landstrich erstickt im Müll, aber eine Lösung scheint nicht in Sicht. Jahrelang wurde der Müll in sogenannten Ökoballen gelagert, komprimiert und mit weißen Plastikplanen zu riesigen Paketen verschnürt. Allein die Entsorgung der Ballen, die sich bis heute angehäuft haben, würde sechsundfünfzig Jahre dauern. Die einzige Lösung, die man bisher gefunden hat, sind Müllverbrennungsanlagen. In Acerra erhob sich dagegen so erbitterter Widerstand und Protest, daß schon der Gedanke, hier eine Müllverbrennungsanlage zu bauen, im Zensurfach verschwand. In puncto Müllverbrennungsanlagen nehmen die Clans eine ambivalente Haltung ein. Einerseits sind sie dagegen, weil sie am liebsten auch in Zukunft von Mülldeponien leben würden, die sie, falls nötig, einfach in Brand stecken. Der akute Notstand erlaubt darüber hinaus die Spekulation mit Flächen Land, auf denen die »Ökoballen« entsorgt werden sollen – Flächen, die sie selbst anmieten. Sollte aber doch eine Müllverbrennungsanlage entstehen, sind sie bereit, den Bau und später dann den Betrieb der Anlage zu übernehmen. Auch da, wo noch keine staatsanwaltschaftlichen Ermittlungen durchgeführt wurden, geht die Bevölkerung bereits auf die Barrikaden. Eingeschüchtert, nervös, verängstigt. Die Leute befürchten, daß in diesen Öfen der Müll aus halb Italien verbrannt werden soll und daß angesichts der giftigen Substanzen, die die Clans hierherschaffen würden, sämtliche Garantien auf die Umweltverträglichkeit derartiger Öfen Makulatur wären. Jedesmal, wenn eine stillgelegte Mülldeponie wiedereröffnet wird, sind Tausende von Menschen zur Stelle, um sich zu wehren. Sie befürchten, daß als gewöhnlicher Müll deklarierter Giftmüll hier abgelagert wird, und sie leisten lieber Widerstand bis zur Erschöpfung, als ihren Wohnort zu einer wildwuchernden Lagerstätte für immer neuen Dreck verkommen zu lassen. Als der Regionalkommissar von Basso dell'Olmo bei Salerno im Februar 2005 versuchte, den örtlichen Müllabladeplatz wiederzuöffnen, formierten sich spontane Wachkommandos, die den Lkws den Zugang zur Deponie verwehrten. Tag für Tag, rund um die Uhr und um jeden Preis. Der vierunddreißigjährige Carmine Iuorio stand in einer bitterkalten Nacht Wache und erfror. Als man ihn am Morgen wecken wollte, fand man ihn mit vereistem Bart und fahlblauen Lippen. Er war seit mindestens drei Stunden tot.

Mülldeponie, Erdloch, Grube – diese Begriffe werden immer mehr zu konkreten, anschaulichen Synonymen für die tödliche Gefahr, der die Menschen ausgesetzt sind, die im Umkreis dieser Stätten leben. Wenn die Halde voll ist, wird der Abfall kurzerhand angezündet. Das Dreieck Giugliano – Villaricca – Qualiano in der Provinz Neapel heißt längst nur noch Feuerland. Neununddreißig Mülldeponien, davon siebenundzwanzig mit gefährlichen Substanzen, die jährliche Zuwachsrate beträgt dreißig Prozent. Die Technik ist erprobt und wird regelmäßig praktiziert. Die jungen Roma sind beim Feuerlegen am tüchtigsten. Von den Clans bekommen sie fünfzig Euro für jeden niedergebrannten Müllhaufen. Es ist kinderleicht. Ein riesiger Müllberg wird mit dem Magnetband von Musik- und Videokassetten ringsherum markiert, dann wird der Müll mit Alkohol und Benzin übergossen und der Bandsalat als Zündschnur benutzt. Binnen weniger Sekunden steht alles in Flammen. Als wäre eine Napalmbombe explodiert. In die lodernden Flammen wirft man Abfälle aus Gießereien, Leime und Naphtha-Rückstände. Der tiefschwarze Rauch und das Feuer vergiften jeden Quadratzentimeter Boden mit Dioxin. Die hiesigen Bauern, die bisher ihr Gemüse und Obst nach Skandinavien exportiert hatten, stehen vor dem Nichts. Alles, was hier wächst, ist krank, der Boden zunehmend unfruchtbar. Doch die Wut und das Elend der Bauern erweisen sich für die Clans wieder einmal als vorteilhaft. Sie kaufen den verzweifelten Bauern ihre Felder zu einem Spottpreis ab und eröffnen neue Deponien. Gleichzeitig nehmen die tödlichen Tumorerkrankungen zu. Ein lautloses, langsames Sterben, das sich nur schwer dokumentieren läßt, weil alle, denen ihr Leben lieb ist, in die Krankenhäuser Norditaliens abwandern. Nach Angaben des staatlichen Gesundheitsinstituts ISS (Istituto Superiore di Sanità) stieg in den kampanischen Ortschaften mit großen Giftmülldeponien die Krebssterblichkeit innerhalb der letzten Jahre um einundzwanzig Prozent. Verätzungen der Bronchien und der Luftröhre. Es folgen Untersuchungen im Krankenhaus, und die Aufnahmen der Computertomographie zeigen schwarze Flecken, die auf ein Karzinom hindeuten. Fragt man die Krebskranken Kampaniens, aus welchen Ortschaften sie stammen, gewinnt man ein Bild all der Areale, wo Giftmüll lagert.

Eines Tages beschloß ich, Feuerland zu Fuß zu durchqueren. Ich band mir ein Taschentuch vor Mund und Nase wie die jungen Roma, wenn sie die Müllhaufen anzünden. Sie sehen aus wie Cowboys, die in einer Wüstenlandschaft aus verbranntem Müll umherwandern. Ich ging über dioxingetränkten Boden, der von Lkws befahren und vom Feuer wieder und wieder leergeleckt wird, damit die Gruben niemals voll werden.

Der Rauch, der mich einhüllte, war nicht dicht, eher wie eine schmierige Patina, die sich auf die Haut legt und einem das Gefühl gibt, man sei durchnäßt. Unweit der brennenden Deponie lagen mehrere Häuser, die auf einer Plattform in Form eines riesigen X aus Stahlbeton errichtet waren. Auf dem Terrain stillgelegter Mülldeponien. Illegaler Deponien, die aufgelassen worden waren, nachdem man sie schier bis zum Platzen mit Müll vollgestopft und dann in Brand gesteckt hatte. Den Clans war es gelungen, das Areal als Bauland ausweisen zu lassen. Offiziell war es ohnehin Weide- und Ackerland. Hier hatten sie hübsche Villensiedlungen hochgezogen. Aber der Untergrund war nicht sicher, es bestand die Gefahr von Erdrutschen, unvermittelt konnten sich tiefe Krater auftun. Deshalb hatte man zur Verstärkung ein künstliches Fundament aus Stahlbeton in Form eines widerstandsfähigen X gebaut. Die preisgünstigen Häuser fanden schnell Käufer, obwohl jeder wissen mußte, daß sie auf einer Mülldeponie standen. Die Aussicht auf ein eigenes Häuschen ließ Angestellte, Rentner und Arbeiter gar nicht auf den Gedanken kommen, den Boden, auf dem das Fundament errichtet wurde, genauer in Augenschein zu nehmen.

Feuerland bot ein apokalyptisches Bild, hier vollzog sich der Weltuntergang unablässig, tagtäglich, mit einer Selbstverständlichkeit, als gäbe es in all dem widerlichen Dreck aus Sickerwasser und Altreifen nichts, über das man sich noch wundern müßte. Die Ermittler fanden heraus, daß man eine ganz bestimmte Methode anwandte, um das Entladen des giftigen Mülls vor Polizei und Forstverwaltung geheimzuhalten. Eine altbewährte Methode, von Guerillas und Partisanenkämpfern weltweit angewandt. Hirten standen Schmiere. Hirten, die Schafen, Ziegen und auch ein paar Kühe weideten. Man heuerte die besten Hirten im Umkreis an, die, statt Böcke und Lämmer zu hüten, auf ungebetene Besucher achten sollten. Sobald sich ein verdächtiges Auto näherte, gaben sie Bescheid. Ein wachsamer Blick und ein Mobiltelefon waren Waffen, gegen die niemand ankam. Ich sah sie oft mit ihren mageren, folgsamen Herden umherstreifen. Einmal ging ich auf einen zu, um ihn zu fragen, wo die Jugendlichen Autofahren übten. Ich wußte, daß sich die Lkw-Fahrer weigerten, die Ladung direkt bis zur Müllkippe zu transportieren. Die Operation »Eldorado« aus dem Jahr 2003 ergab, daß für diese Arbeit zunehmend Minderjährige herangezogen wurden. Die Lkw-Fahrer hatten Angst, mit den giftigen Substanzen in Berührung zu kommen. Tatsächlich war es ein Lkw-Fahrer gewesen, der 1991 den Anstoß zu den ersten großangelegten Ermittlungen gegen die illegale Müllentsorgung gegeben hatte. Mario Tamburrino war mit entzündeten Augen und geschwollenen Lidern ins Krankenhaus eingeliefert worden. Seine Augenhöhlen sahen aus wie Eidotter, die unter den Lidern hervorquollen. Er war vollkommen erblindet. Von seinen Händen hatte sich die oberste Hautschicht abgelöst, sie brannten, als hätte man sie mit Benzin übergossen und angezündet. In der Nähe seines Gesichts hatte sich ein Giftmüllbehälter geöffnet, das hatte genügt, ihn erblinden zu lassen. Er wäre beinahe verbrannt. Bei lebendigem Leib, ohne Benzin und ohne Flammen. Nach diesem Vorfall verlangten die Lkw-Fahrer, daß die Giftmüllfässer in Anhängern transportiert wurden, um nicht mit ihnen in Berührung zu kommen. Am gefährlichsten waren die Lkws, die den kontaminierten Kompost transportierten, den mit giftigen Substanzen vermischten Dünger. Schon beim Einatmen konnten die Atmungsorgane irreparabel geschädigt werden. Der letzte Schritt, wenn die Fässer von den Lastwagen auf Pritschenwagen umgeladen und dann zur Grube gefahren werden mußten, war am gefährlichsten. Niemand fand sich bereit, diese Drecksarbeit zu erledigen. Die Fässer wurden aufeinandergestapelt, oft bekamen sie dabei Dellen, und es entwichen giftige Dämpfe. Wenn die Lastzüge eintrafen, stiegen die Fahrer nicht einmal aus. Sie ließen die Fässer von jemand anders abladen. Anschließend fuhren Jugendliche das Gift zur Deponie. Ein Schafhirte zeigte mir eine abschüssige Straße, wo die Jugendlichen mit dem Pritschenwagen übten, bevor die Ladung eintraf. Wo es bergab ging, zeigte man ihnen, wie sie bremsen mußten, doch ihre Beine reichten kaum hinunter bis zum Bremspedal. Vierzehn-, Fünfzehn-, Sechzehnjährige. Zweihundertfünfzig Euro pro Ladung. Rekrutiert wurden sie in einer Bar. Der Besitzer wußte Bescheid, aber er wagte nicht zu protestieren, obwohl er zwischen den Cappuccinos und Espressos, die er ausschenkte, mit seiner Ansicht nicht hinterm Berg hielt.

»Dieses Zeug, das sie transportieren müssen ... je mehr sie davon einatmen, desto eher sind sie geliefert. Die schicken sie in den Tod, nicht zum Fahrenlernen.«

Je öfter die kleinen Fahrer hörten, wie lebensgefährlich die Sache war, desto stolzer waren sie, an einem so großen Coup beteiligt zu sein. Sie reckten die Brust und versuchten, möglichst verächtlich hinter ihrer Sonnenbrille hervorzublicken. Sie kamen sich toll vor. Keiner von ihnen konnte sich auch nur für einen Augenblick vorstellen, daß er in zehn Jahren fällig war für eine Chemotherapie, daß er Galle spucken würde und seine inneren Organe irreparabel geschädigt wären.

Es regnete unablässig. In kürzester Zeit hatte sich der Boden vollgesogen und nahm kein Wasser mehr auf. Die Hirten setzten sich gleichmütig, wie drei ausgemergelte Eremiten, unter ein Wellblechdach. Sie ließen die Straße nicht aus den Augen, derweil sich ihre Schafe auf einem Müllberg in Sicherheit brachten. Einer der Hirten stieß mit seinem Stock gegen das Dach, damit das Wasser ablaufen konnte und ihnen nicht auf die Köpfe tropfte. Ich war klatschnaß, doch das Wasser, das auf mich herunterprasselte, vermochte nicht das heftige Brennen zu lindern, das sich vom Magen aus in meinem ganzen Körper ausbreitete, bis hinauf ins Genick. Ich fragte mich, ob ein Mensch die innere Kraft aufbringen kann, sich einer derartigen Machtmaschinerie entgegenzustemmen. Ob es möglich war, etwas zu tun, irgend etwas, um sich dem Kreislauf des Geschäftemachens zu entziehen, sich zu retten und außer Reichweite dieser Dynamiken der Macht zu leben. Ich zerbrach mir den Kopf, ob es möglich war, die Mechanismen zu verstehen, sie zu entlarven und zu durchschauen, ohne von ihnen zerrieben zu werden. Vielleicht mußte man sich entscheiden: entweder zu wissen und damit kompromittiert zu sein oder nicht zu wissen und unbeschwert zu leben. Vielleicht blieb einem gar nichts anderes übrig, als zu vergessen und die Augen zu verschließen: die amtliche Version der Sachverhalte zur Kenntnis zu nehmen, aber auch das nur zerstreut, und es bei einem Lamento zu belassen. Ich fragte mich, ob es trotz allem möglich war, ein glückliches Leben zu führen, oder ob es nicht besser wäre, sich gleich in den Kampf zu stürzen, ein Schnellfeuergewehr im Gürtel, einzusteigen ins Big Business, ins wirkliche Big Business, anstatt den anarchischen Traum von einem selbstbestimmten Leben weiterzuträumen. Ob ich nicht lieber Teil des Netzwerks meiner Zeit werden und alles auf eine Karte setzen sollte. Befehle erteilen und Befehle empfangen – ein Profitgeier, ein Raubtier des Kapitals, ein Samurai der Clans. Ob ich nicht lieber das Leben als ein Schlachtfeld begreifen sollte, auf dem man nicht überleben, sondern nur den Tod finden konnte, nachdem man Befehle gegeben und Kämpfe geführt hat.

Ich bin geboren im Land der Camorra, wo mehr Menschen ermordet werden als irgendwo sonst in Europa, wo Geschäftemacherei und brutale Gewalt unauflöslich miteinander verbunden sind und nur das einen Wert besitzt, was Macht verspricht. Wo man stets glaubt, die letzte Schlacht hätte begonnen. Hier gibt es keinen Augenblick des Friedens, keine Verschnaufpause in einem Krieg, in dem jedes Handeln das Ende bedeuten kann, jede Not zur Schwäche wird. Einem Krieg, in dem man sich alles erobern muß, so brutal, als würde Fleisch von den Knochen gerissen. Im Land der Camorra ist der Kampf gegen die Clans kein Klassenkampf, kein Akt der Rückeroberung von Recht und Gesetz und preisgegebenen Bürgerrechten. Dieser Kampf dient nicht der Wahrung von Ehre und Stolz, er bedeutet etwas sehr viel Essentielleres, zutiefst Körperliches. Die Operationen, mit denen die Clans ihre Macht behaupten, die Manipulationen, mit denen sie ihre Geschäfte in Gang halten, ihre Investitionsstrategien zu kennen, das bedeutet, in jeder Hinsicht verstanden zu haben, worum es heute geht, und nicht nur im Land der Camorra. Der Widerstand gegen die Clans wird zum Überlebenskampf, als könnte die eigene Existenz allein, das Essen, das man zu sich nimmt, der Mund, den man küßt, die Musik, die man hört, die Bücher, die man liest, dem Leben keinen Sinn mehr geben. Als läge der Sinn des Lebens einzig und allein im Überleben. Wissen, Verstehen und Ergründen ist daher nicht bloß eine moralische Pflicht, es ist eine Überlebensfrage. Ohne diese Selbstverpflichtung ist kein menschenwürdiges Dasein möglich.

Meine Füße versanken im Morast. Das Wasser reichte mir schon bis zu den Oberschenkeln. Meine Fersen sanken immer tiefer ein. Ein riesiger Kühlschrank trieb an mir vorbei. Ich warf mich auf ihn, klammerte mich mit beiden Armen an ihm fest und ließ mich treiben. Die letzte Szene aus *Papillon* ging mir durch den Kopf, jener Film nach dem Roman von Henri Charrière mit Steve McQueen in der Hauptrolle. Wie Papillon trieb auch ich auf einem Sack voller Kokosnüsse, um im Gezeitenstrom von Cayenne zu fliehen. Lächerliche Bilder, aber manchmal muß man seinen Delirien nachgeben, man hat keine Wahl, man muß sich ihnen überlassen, fertig und aus. Ich wollte schreien, mir die Lunge aus dem Leib brüllen wie Papillon, aus Leibeskräften, mit allem, was meine Kehle hergab: »Ihr verfluchten Dreckskerle, ich lebe noch!«